#수능공략
#단기간 학습

수능전략
사회탐구 영역

Chunjae
Makes
Chunjae

▼

[수능전략] 사회·문화

기획총괄 　김덕유

편집개발 　오세중, 김세훈

디자인총괄 　김희정

표지디자인 　윤순미, 심지영

내지디자인 　박희춘, 안정승

제작 　황성진, 조규영

발행일 　2022년 1월 15일 초판　2022년 1월 15일 1쇄

발행인 　(주)천재교육

주소 　서울시 금천구 가산로9길 54

신고번호 　제2001-000018호

고객센터 　1577-0902

교재 내용문의 　(02)3282-1780

수능전략

사·회·탐·구·영·역

사회·문화

BOOK 1

BOOK 1	BOOK 2	BOOK 3
1주, 2주	1주, 2주	정답과 해설

본책인 BOOK 1과 BOOK2의 구성은 다음과 같습니다.

주 도입

본격적인 학습에 앞서, 재미있는 만화를
살펴보며 이번 주에 학습할 내용을 확인해
봅니다.

1일

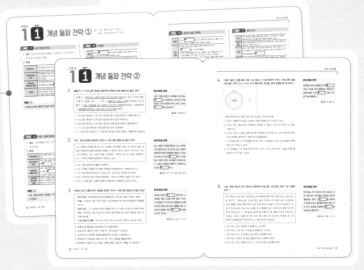

개념 돌파 전략

수능을 대비하기 위해 꼭 알아야 할 핵심
개념을 익힌 뒤, 간단한 문제를 풀며 개념을
잘 이해했는지 확인해 봅니다.

2일, 3일

필수 체크 전략

기출문제에서 선별한 대표 유형 문제와 응용 문
제를 함께 풀어 보며 문제에 접근하는 과정과 해
결 전략을 체계적으로 익혀 봅니다.

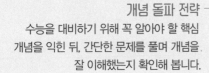

부록 수능에 꼭 나오는 필수 유형 ZIP

본 책에서 다룬 대표 유형과 그 해결 전략을 집중적으로
연습할 수 있도록 권두부록을 구성했습니다.
부록을 뜯으면 미니북으로 활용할 수 있습니다.

주 마무리 코너

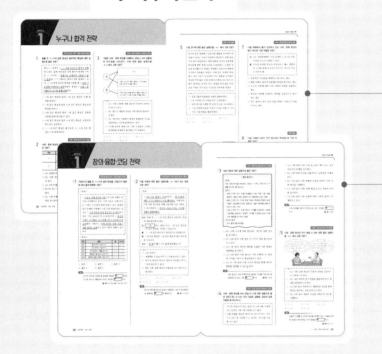

누구나 합격 전략
수능 유형에 맞춘 기초 연습 문제를 풀어
보며 학습에 대한 자신감을 높일 수 있습
니다.

창의·융합·코딩 전략
수능에서 요구하는 융·복합적 사고력과
문제 해결력을 기를 수 있습니다.

권 마무리 코너

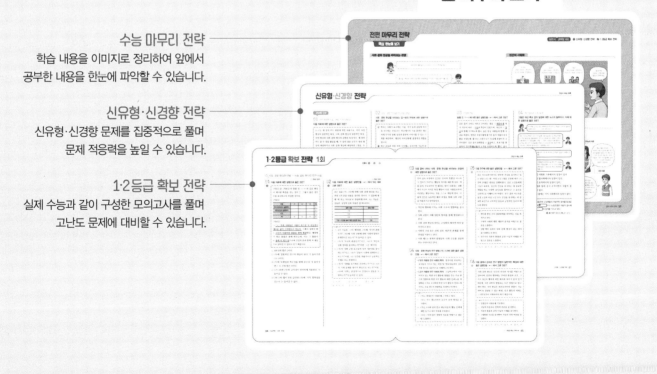

수능 마무리 전략
학습 내용을 이미지로 정리하여 앞에서
공부한 내용을 한눈에 파악할 수 있습니다.

신유형·신경향 전략
신유형·신경향 문제를 집중적으로 풀며
문제 적응력을 높일 수 있습니다.

1·2등급 확보 전략
실제 수능과 같이 구성한 모의고사를 풀며
고난도 문제에 대비할 수 있습니다.

이 책의 차례

파이팅!!

사회·문화 현상의 탐구

1강_사회 · 문화 현상의 이해 ~ 사회 · 문화 현상의 연구 방법

2강_자료 수집 방법 ~ 사회·문화 현상의 탐구 태도와 연구 윤리

개념 돌파 전략 ①

1강_사회·문화 현상의 이해 ~
사회·문화 현상의 연구 방법

개념 01 자연 현상의 특징

1 의미 인간의 의지와 관계없이 자연계 스스로의 원리에 따라 나타나는 현상

2 특징

몰가치성	자연 현상은 인간의 의지나 ❶ [____]와 무관하게 자연계에서 발생하는 현상임
존재 법칙의 지배	자연 현상은 '사실상 그러하다.'와 같이 인간의 인식 여부와 상관없이 스스로의 원리에 따라 사실 그대로 존재하는 현상임
필연성과 확실성의 원리	자연 현상은 특정 원인에 따라 반드시 그에 상응하는 결과가 예외 없이 발생함 (❷ [____]가 명확함)
보편성	자연 현상의 발생 원리는 시대와 장소에 상관없이 동일하므로 일정한 조건만 갖춰지면 시대와 장소를 초월하여 동일한 현상이 발생함

🗂 ❶ 가치 ❷ 인과 관계

확인 01

시대와 장소를 초월하여 동일한 현상이 발생한다는 특징은?

개념 02 사회·문화 현상의 특징

1 의미 사회생활을 하는 인간에 의해 인위적으로 만들어진 현상

2 특징

가치 함축성	사회·문화 현상은 사람들의 가치나 의지가 반영되어 나타남
당위 법칙의 지배	사회·문화 현상은 '마땅히 그러해야 한다.'와 같이 사회의 ❶ [____] 요구가 반영되어 나타나기도 함
개연성과 확률의 원리	사회·문화 현상은 발생 요인과 그 결과가 법칙으로 대응하기보다 ❷ [____]으로 관련을 맺고 있어 예외적인 현상이 나타날 수 있음
보편성과 특수성의 공존	시대와 사회를 초월하여 동일하게 나타나는 사회·문화 현상이 존재하면서 동시에 시대와 사회에 따라 특수하게 나타나는 사회·문화 현상이 존재함

🗂 ❶ 규범적 ❷ 확률적

확인 02

사회·문화 현상에 사람들의 가치나 의지가 반영되어 나타난다는 특징은?

개념 03 기능론

전제	사회는 ❶ [____]처럼 다양한 부분들이 상호 의존적인 관계를 이루며 하나의 체계를 형성하고 있음
주요 입장	• 사회를 이루는 구성 요소들은 사회 속의 한 부분으로서 각기 서로 다른 기능을 담당하고 그러한 기능을 수행함으로써 사회의 안정과 질서가 유지됨 • 사회는 본질적으로 조화와 ❷ [____]을 이루고 있으며, 일시적으로 불안정한 상태가 발생하더라도 스스로 조화와 균형을 회복할 수 있는 힘을 지니고 있음 • 사회 규범이나 사회 제도 등이 수행하는 역할은 사회 전체의 합의가 반영된 것으로, 전체 사회의 통합과 존속, 질서 유지에 기여함
장점	사회 안정이 유지되고 통합이 이루어지는 현상을 이해하는 데 유용함
단점	• 사회 안정과 합의를 지나치게 강조함으로써 사회 갈등 현상을 간과한다는 비판을 받음 • 사회 변화를 부정적으로 보기 때문에 기존의 질서나 권력관계의 유지에 기여하는 보수적 관점이라는 비판을 받음

🗂 ❶ 유기체 ❷ 균형

확인 03

사회 안정이 유지되고 통합이 이루어지는 현상을 이해하는 데 유용한 관점은?

갈등론은 현존 사회 질서의 전면적인 재구성을 통해 사회 갈등을 해결할 수 있다고 보아요.

개념 04 갈등론

전제	사회는 사회적 ❶ [____]를 둘러싼 사회 구성원 간의 갈등과 대립의 장(場)임
주요 입장	• 사회에는 지배 계급과 피지배 계급이 존재하고 사회 질서나 안정은 지배 계급의 강요와 억압에 의해 나타난 결과임 • 지배 계급과 피지배 계급의 이익은 양립할 수 없기 때문에 갈등은 필연적이며, 그 갈등이 사회 변동의 원동력이 됨 • 사회 규범이나 사회 제도 등은 지배 계급이 자신의 기득권을 보호하고, 계급을 ❷ [____]하기 위해 만들어 낸 수단에 불과함
장점	사회 구조 속에 존재하는 지배와 피지배의 관계 및 갈등의 측면을 이해하는 데 유용함
단점	• 사회 각 부분 간의 복잡한 관계를 지배와 피지배의 관계로 단순화한다는 비판을 받음 • 사회에서 나타나는 협동과 합의 및 조화를 설명하기 어렵고 사회 질서와 안정의 중요성을 경시한다는 비판을 받음

🗂 ❶ 희소가치 ❷ 재생산

확인 04

기능론과 갈등론의 공통점은?

개념 05 상징적 상호 작용론

전제	인간은 ❶[　　　]을 지닌 능동적인 존재이며, 사물이나 행위에 주관적인 의미를 부여하는 행위의 주체임
주요 입장	• 인간은 자신이 처한 상황에 대한 주관적인 정의, 즉 ❷[　　　]에 기초하여 행동함 • 인간은 상징을 활용하여 다른 사람들과 상호 작용을 하며, 인간의 일상생활은 상호 작용이 연속적으로 나타나는 과정임 • 사회·문화 현상의 의미는 그것이 발생하는 상황과 행위 주체에 따라 달라짐
장점	인간의 능동적인 사고와 행위의 측면을 잘 설명할 수 있음
단점	개인의 행위가 사회 구조나 제도의 영향에 의해 나타날 수 있음을 경시한다는 비판을 받음

답 ❶ 자율성 ❷ 상황 정의

확인 05

인간은 상황 정의에 기초하여 행동한다는 관점은?

개념 06 양적 연구

의미	계량화된 자료 수집과 통계 분석을 통해 결론을 도출하는 방법
연구 목적	사회·문화 현상에 내재한 규칙성을 발견함으로써 연구 결과를 일반화하거나 ❶[　　　]을 발견하고자 함
전제	자연 현상과 사회·문화 현상은 기본적으로 공통적인 속성이 있기 때문에 자연 과학의 연구 방법을 사회·문화 현상에도 동일하게 적용할 수 있음(방법론적 ❷[　　　])
기본 입장	• 자연 현상과 마찬가지로 사회·문화 현상에도 일정한 규칙성이 존재하므로 사회·문화 현상에 대한 측정과 계량화, 통계적 분석이 가능함 • 자연 현상에 대한 연구를 통해 법칙을 발견하듯이 사회·문화 현상에 대한 과학적 연구를 통해 법칙 발견이나 일반화의 정립이 가능함
장점	사회·문화 현상에 대한 측정과 계량화, 통계 분석을 통해 정밀하고 정확한 연구 결과를 얻을 수 있고, 법칙 발견이나 일반화의 정립에 유리함
단점	계량화하여 분석하기 곤란한 사회·문화 현상의 연구에는 적합하지 않으며, 행위 주체인 인간의 주관적 의도나 동기를 배제한 연구를 함으로써 사회·문화 현상에 대한 피상적인 연구에 그칠 우려가 있음

답 ❶ 법칙 ❷ 일원론

확인 06

양적 연구는 [　　　]된 자료 수집과 통계 분석을 통해 결론을 도출하는 방법이다.

개념 07 질적 연구

의미	연구 대상자의 생활 세계에 대한 관찰이나 면담 등으로 자료를 수집하여 연구자의 해석을 통해 결론을 도출하는 방법
연구 목적	현상에 대한 행위자의 주관적 의미 및 행위 동기 등에 대하여 심층적으로 이해하고자 함
전제	사회·문화 현상은 자연 현상과 본질적으로 다른 특성을 지니고 있기 때문에 자연 과학의 연구 방법과는 다른 연구 방법으로 연구해야 함(방법론적 ❶[　　　])
기본 입장	• 자연 현상과 달리 사회·문화 현상은 주관적 의도나 동기를 지닌 인간이 주체가 되어 만들어 내는 현상임 • 사회·문화 현상에 대한 측정과 계량화, 통계적 분석으로는 인간에 의해 주관적으로 의미가 부여되고 구성되는 사회·문화 현상을 이해하기 곤란함 • 자연 현상과 달리 사회·문화 현상은 ❷[　　　] 속에서 규정되는 사회·문화 현상의 의미를 이해하는 것이 중요함
장점	통계 자료와 같은 양적 분석 자료나 인과 법칙과 같은 단순화된 진술로는 파악하기 어려운 사회·문화 현상의 이면에 담긴 의미를 심층적으로 이해하는 데 유리함
단점	연구 결과의 일반화나 법칙 발견이 어려우며, 연구자의 주관이 개입될 우려가 크다는 비판을 받음

답 ❶ 이원론 ❷ 상황 맥락

확인 07

연구 대상자의 생활 세계에 대한 관찰이나 면담 등으로 자료를 수집하여 연구자의 해석을 통해 결론을 도출하는 연구 방법은?

> 질적 연구 방법의 탐구 절차상에는 '가설 설정' 단계가 없고, 연구 설계 단계 중에 '개념의 조작적 정의' 과정이 없어요.

개념 08 양적 연구와 질적 연구의 절차

양적 연구	• 절차: 문제 인식 및 연구 주제의 선정 → ❶[　　　] → 연구 설계 → 자료 수집 → 자료 분석 → 가설 검증 → 결론 도출 및 일반화 • 개념의 조작적 정의: 추상적 개념을 측정 가능하도록 구체화하는 것으로, 추상적 개념의 속성을 보여 주는 대표적인 지표를 선정함
질적 연구	• 절차: 문제 인식 및 연구 주제의 선정 → 연구 설계 → 자료 수집 및 해석 → 결론 도출 • ❷[　　　] 통찰: 통계적 분석이나 논리적 계산 등을 통한 것이 아니라, 주의 깊게 관찰하고 경험하는 과정에서 현상의 본질적 측면을 꿰뚫어 보는 것

답 ❶ 가설 설정 ❷ 직관적

확인 08

양적 연구의 경우 [　　　] 단계에서 개념의 조작적 정의가 이루어진다.

개념 돌파 전략 ①

2강_자료 수집 방법 ~
사회·문화 현상의 탐구 태도와 연구 윤리

개념 01 질문지법

특징	• 양적 자료를 수집하여 통계 분석할 목적으로 활용됨 • 조사 대상자에게 같은 형식과 내용의 질문지가 제시되는 구조화·표준화된 자료 수집 방법임 • 모집단을 대상으로 전수 조사를 수행하기도 하지만, ❶☐☐☐ 집단을 추출하여 표본 조사를 수행하는 경우가 일반적임 • 문서화된 질문지뿐만 아니라 인터넷 설문 조사나 전화 설문 조사와 같이 다른 수단을 통해서도 실시할 수 있음
장점	• 다수를 대상으로 대량의 자료를 수집하는 데 유리함 • 시간과 비용 측면에서 비교적 효율적임 • 분석 기준이 명확하고 통계 처리가 용이하여 비교 분석 연구에 적합함 • 수량화된 데이터이므로 정확성과 객관성이 높음
단점	• 문자 언어를 통해 조사할 경우 ❷☐☐☐에게 활용하기 곤란함 • 회수율, 응답률이 낮게 나타나는 경우가 많음 • 무성의한 응답, 악의적인 응답 가능성을 배제할 수 없음 • 표본의 대표성이 낮을 경우 조사 결과를 일반화하기 곤란함

🗒 ❶ 표본 ❷ 문맹자

확인 01

양적 자료를 수집하여 통계 분석할 목적으로 활용되는 자료 수집 방법은?

실험법은 실험 집단에 인위적인 조작을 가한 후 그에 따른 행동이나 태도 등의 변화를 통제 집단의 것과 비교하여 자료를 수집하는 방법이에요.

개념 02 실험법

특징	• 양적 연구에서 활용됨 • 가장 엄격한 통제가 가해지는 자료 수집 방법임
장점	• 인과 관계의 파악을 통해 ❶☐☐☐을 발견하는 데 유리함 • 정확성, 정밀성, 객관성이 높은 결론을 도출할 수 있음 • 양적 자료로서 집단 간 비교 분석이 용이함
단점	• 자연 과학에서와 달리 사회 과학에서는 엄격하게 통제된 실험이 곤란함 • 실험 대상이 인간이라는 점에서 ❷☐☐☐ 문제가 발생하기 쉬움 • 통제된 상황에서의 실험 결과를 실제 사회에 적용하는 데 한계가 있음

🗒 ❶ 법칙 ❷ 윤리적

확인 02

실험법은 독립 변인 외의 다른 변인을 통제한 후 독립 변인을 인위적으로 처치하고 그로 인해 나타나는 ☐☐☐ 변인의 변화를 파악하는 자료 수집 방법이다.

개념 03 면접법

특징	• 질적 자료를 수집할 목적으로 활용됨 • 조사 대상자, 진행 상황, 응답 내용 등에 따라 질문의 내용이나 형식 등을 유연하게 제시하는 비구조화·비표준화된 자료 수집 방법이며, 심층적인 조사를 위해 ❶☐☐☐를 대상으로 수행하는 경우가 일반적임
장점	• 조사 대상자의 행위 동기나 가치 등 주관적인 세계를 심층적으로 이해하는 데 유리함 • 신뢰 관계 형성을 통해 응답 거부나 회피, 무성의한 응답, 조사 의도를 훼손하는 악의적인 응답의 문제를 방지할 수 있음 • 대화를 통해 자료를 수집하므로 ❷☐☐☐에게도 실시할 수 있음 • 자료 수집 과정에서 조사자가 유연성이나 융통성을 발휘할 수 있음
단점	• 다수를 대상으로 면접을 할 경우 시간과 비용이 많이 듦 • 조사 주제에 부합하는 전형적인 조사 대상자를 선정하는 것이 쉽지 않음 • 조사자의 편견이나 주관적 가치가 자료 해석 과정에 개입할 우려가 큼

🗒 ❶ 소수 ❷ 문맹자

확인 03

면접법에서는 ☐☐☐를 기반으로 한 허용적인 분위기의 형성이 조사 목적 달성에 중요한 역할을 한다.

개념 04 참여 관찰법

특징	• 질적 연구에서 활용됨 • 가장 전형적인 비구조화·비표준화된 자료 수집 방법으로서 연구 대상자의 생활에 조작을 가하지 않고 있는 그대로 관찰하는 방식으로 이루어짐 • 심층적인 연구를 위해 비교적 ❶☐☐☐에 걸쳐 수행되는 경우가 많아서 시간과 비용이 비교적 많이 소요됨
장점	• 자료의 ❷☐☐☐을 확보할 수 있음 • 조사 대상자의 일상생활 세계를 심층적으로 이해하는 데 유리함 • 이민족, 문맹자 등 의사소통이 곤란한 대상에게 적용할 수 있음
단점	• 관찰하고자 하는 현상이 나타날 때까지 기다려야 하므로 시간과 비용 측면에서 비효율적임 • 예상하지 못한 상황이 발생할 경우 유연하게 대처하기 곤란함 • 관찰자의 편견이나 주관적 가치가 자료 해석 과정에 개입될 우려가 큼

🗒 ❶ 장기간 ❷ 실제성

확인 04

이민족, 문맹자 등 의사소통이 곤란한 대상에게도 적용할 수 있는 자료 수집 방법은?

개념 05 문헌 연구법

특징	• 양적 연구와 **❶**　　　　　　에서 모두 활용됨 • 신문 기사, 인터넷 문서, 논문, 도서, 그림, 동영상 등 문헌의 형태는 다양함 • 2차 자료의 수집용으로 활용되는 경우가 많음
장점	• 시간과 비용 측면에서 효율적임 • 시간과 장소의 제약으로부터 비교적 자유로움 • 기존 **❷**　　　　　이나 성과 파악을 통한 참고 자료 수집에 적합함
단점	• 문헌의 정확성과 신뢰성을 확보하기 곤란한 경우가 많음 • 문헌 해석 시 연구자의 주관적 가치가 개입될 우려가 있음

답 ❶ 질적 연구 ❷ 연구 동향

확인 05

연구자가 활용하는 자료 중 연구자가 해당 연구를 위해 자신이 직접 수집하여 최초로 분석한 자료를 1차 자료라고 하고, 다른 연구에서 이미 수집되고 분석된 자료를　　　　　　라고 한다.

개념 06 사회·문화 현상의 탐구에 필요한 태도

성찰적 태도	의미	사회·문화 현상을 보이는 그대로 받아들이기보다 현상의 이면에 담겨 있는 발생 원인이나 원리, 그것이 초래할 결과 등에 대하여 적극적·능동적으로 살펴보려는 태도
	필요성	사회·문화 현상의 발생 과정과 원인은 단순하지 않고 복잡하기 때문에 성찰적으로 접근하지 않으면 겉으로 드러나는 현상만을 보게 됨
객관적 태도	의미	탐구 과정에서 연구자가 자신의 주관적 가치나 편견, 이해관계 등을 배제하고 사회·문화 현상이 가진 **❶**　　　　로서의 특성만을 파악하는 태도
	필요성	연구 과정에서 객관적 태도가 지켜지지 않으면 연구 결과가 왜곡될 수 있음
개방적 태도	의미	사회·문화 현상의 연구 방법이나 연구 관점이 다양할 수 있으므로 자신의 주장과 다른 주장이 존재할 수 있음을 인정하고, 자신의 주장에 대한 **❷**　　　　을 허용하는 태도
	필요성	과학적 연구의 결론이라고 하더라도 반증에 의해 얼마든지 진리가 아님이 밝혀질 가능성이 있는 잠정적인 진리이므로 새로운 주장의 가능성을 허용해야 함
상대주의적 태도	의미	사회·문화 현상을 탐구할 때 연구자 자신의 문화적 맥락이나 배경을 떠나 사회·문화 현상이 발생한 맥락이나 배경을 고려하여 연구하려는 태도
	필요성	사회·문화 현상은 그것이 발생한 맥락이나 배경 속에서 의미를 갖는다는 사실을 인식해야 함

답 ❶ 사실 ❷ 비판

확인 06

다른 연구자의 주장이나 다른 연구의 결론을 무조건 수용하는 것이 아니라 경험적인 근거를 통해 검증하기 전에는 하나의 가설로 받아들이는 태도를　　　　　　라고 한다.

개념 07 가치 중립과 가치 개입

1 **가치 중립** 연구자가 특정 가치에 치우치지 않고 존재하는 사실에만 의존하여 연구하려는 자세

2 **사실과 가치 구분의 필요성** 사실과 가치는 서로 다른 특성을 가지므로 연구 시 그 두 가지를 구분하여야 함

3 연구 과정에서의 가치 중립과 가치 개입

연구 주제 선정, 가설 설정, 연구 설계	연구자의 연구 의도가 반영될 수밖에 없는 과정으로, 가치 중립적인 자료 수집 및 분석 과정 등을 통해 그 적절성이 평가되어야 함
자료 수집 및 분석, 가설 검증, 결론 도출	연구자의 가치가 개입되면 연구하고자 하는 사회·문화 현상이 지닌 의미가 왜곡될 수 있으므로 엄격한 **❶**　　　　이 요구됨
연구 결과의 활용	연구 결과의 활용은 사회 구성원 다수에게 영향을 미치는 사회·문화 현상이므로 연구 결과에 따른 대책 등을 마련할 때 사회적 가치나 인류 보편적 가치를 존중하는 **❷**　　　　이 요구됨

답 ❶ 가치 중립 ❷ 가치 판단

확인 07

연구 과정에서 엄격한 가치 중립이 필요한 단계는?

> 사회·문화 현상의 탐구는 인간의 행위를 탐구하기 때문에 자연 과학보다 윤리적 원칙에 충실해야 합니다.

개념 08 사회·문화 현상의 연구 윤리

연구 대상자	• 연구자는 연구 대상자에게 연구 목적과 과정을 알리고 동의를 얻어야 함 • 연구를 진행하면서 예상하지 못한 문제가 발생할 경우 연구 대상자의 안전과 이익을 최대한 고려해야 함 • 연구자는 연구 대상자의 **❶**　　　　을 보장해야 하며, 사생활 관련 정보 및 개인 정보를 연구 목적 이외의 용도로 활용해서는 안 됨
연구 과정	• 의도한 결론을 이끌어 내기 위해 자료 분석 과정에서 자료를 조작해서는 안 됨 • 수집한 자료 및 분석 내용과 일치하지 않는 해석, 즉 왜곡을 해서는 안 됨
연구 결과의 공표	• 연구 결과의 공표가 자신에게 미칠 악영향을 고려하거나 공표를 통해 이익을 얻을 목적으로 연구 결과를 은폐하거나 왜곡, 축소, 과장해서는 안 됨 • 다른 연구자의 연구물을 활용하는 경우 **❷**　　　　를 정확하게 밝혀야 함

답 ❶ 익명성 ❷ 출처

확인 08

연구자는 연구 대상자에게 연구 목적이나 연구 과정을 알리고　　　　　　를 얻어야 한다.

1 밑줄 친 ㉠~㉣과 같은 현상의 일반적인 특징에 대한 설명으로 옳은 것은?

> 칡에는 ㉠석류보다 수백 배 많은 에스트로겐이 함유되어 있어 여성의 갱년기에 큰 도움을 준다. □□국은 ㉡해외에서 칡을 도입했는데 얼마 지나지 않아 ㉢다른 식물들을 타고 올라가 10m이상 성장하게 되었고 사람들에게 ㉣생태계를 파괴하는 식물이라는 인식이 확산되었다.

① ㉠과 같은 현상은 ㉡과 같은 현상과 달리 당위 법칙의 지배를 받는다.
② ㉡과 같은 현상은 ㉢과 같은 현상과 달리 몰가치적이다.
③ ㉢과 같은 현상은 ㉣과 같은 현상에 비해 인과 관계가 불분명하다.
④ ㉠, ㉡과 같은 현상은 보편성과 특수성이 공존한다.
⑤ ㉠, ㉢과 같은 현상은 ㉡, ㉣과 같은 현상과 달리 규범의 지배를 받지 않는다.

문제 해결 전략

사회·문화 현상은 사회에서 요구하는 ❶ ◻◻◻ 이 반영되어 나타나며, 자연 현상은 자연 원리에 따라 사실 그대로 ❷ ◻◻ 하는 현상이다.

🔑 ❶ 규범 ❷ 존재

2 사회·문화 현상을 바라보는 관점 A~C에 대한 설명으로 옳은 것은?

> A는 사회의 다양한 현상이 사고 능력을 가진 행위 주체, 즉 인간의 상호 작용이 복잡하게 얽혀 유형화된 형태로 구성되어 있다고 본다. 이와 달리, B는 C가 전제하고 있는 균형 모형을 부정하며, 사회의 모든 요소들은 잠재적으로 그 사회의 해체와 변화에 기여한다고 본다.

① A는 사회 규범의 존재를 부정한다.
② B는 사회를 지배와 피지배의 관계로 단순화한다는 비판을 받는다.
③ C는 사회 발전에 중요한 기능을 하는 요인으로 변동을 중시한다.
④ B는 C와 달리 희소가치를 배분하는 기준이 존재하지 않는다고 본다.
⑤ C는 A, B와 달리 사회에 변화의 원동력이 내재되어 있다고 본다.

문제 해결 전략

A는 사회의 다양한 현상이 사고 능력을 가진 행위 주체, 즉 인간의 상호 작용이 복잡하게 얽혀 유형화된 형태로 구성되어 있다고 보므로 ❶ ◻◻◻ 이다. 또한, B는 사회의 모든 요소들은 잠재적으로 그 사회의 해체와 변화에 기여한다고 보므로 ❷ ◻◻◻ 이다.

🔑 ❶ 상징적 상호 작용론 ❷ 갈등론

3 자료는 갑이 수행한 연구 내용을 정리한 것이다. 이에 대한 설명으로 옳은 것은?

> • **연구 주제**: 고등학생의 또래 관계 활동에 스마트폰 사용이 미치는 영향
> • **가설**: 스마트폰 사용 시간이 많은 고등학생일수록 또래 관계 활동이 활발할 것이다.
> • **자료 수집**: ○○고등학교 학생 전체를 대상으로 설문 조사를 실시하여 하루 평균 스마트폰 사용 시간과 친구들과 함께 학습 또는 놀이 활동을 하는 시간을 파악함
> • **가설 검증 및 결론**: 자료 분석 결과 가설이 타당하지 않다는 결론을 내림

① 또래 관계 활동을 독립 변인으로 설정하였다.
② 자료 분석 결과 두 변인 간에 부(−)의 관계가 나타났다.
③ 조작적으로 정의한 개념을 활용하여 자료를 수집하였다.
④ 방법론적 이원론을 바탕으로 하는 연구 방법을 활용하였다.
⑤ 일반화의 정립이 아닌 개별 사례에 대한 심층적 이해를 추구하였다.

문제 해결 전략

제시된 연구는 ❶ ◻◻ 연구이며, 스마트폰 사용 시간을 하루 평균 시간으로 측정한 것, 또래 관계 활동을 친구들과 함께 학습 또는 놀이 활동을 하는 시간으로 측정한 것은 ❷ ◻◻◻ ◻◻ 를 바탕으로 한 것이다.

🔑 ❶ 양적 ❷ 소작적 징의

4 그림은 질문 (가)를 통해 자료 수집 방법 A~C를 분류한 것이다. 이에 대한 설명으로 옳은 것은? (단, A~C는 각각 질문지법, 면접법, 참여 관찰법 중 하나이다.)

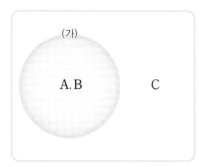

(가)

A, B   C

＊ 질문에 대하여 '예'라고 답할 수 있는 자료 수집 방법이 원 내부에 위치함

① (가)는 '경험적 자료를 수집하기 위한 방법인가?'가 될 수 있다.

② (가)가 '연구 대상자의 주관적인 의견을 조사할 수 있는가?'라면 C는 질문지법이다.

③ (가)가 '자료 수집을 위해 언어에 의존하는가?'라면 C는 주로 변인과 변인 간의 관계를 파악하기 위한 연구에 활용된다.

④ A가 질문지법, B가 면접법이라면 (가)는 '표준화된 자료 수집 방법에 해당하는가?'가 될 수 있다.

⑤ A가 면접법, C가 질문지법이라면 (가)는 '주로 질적 자료 수집을 위해 활용되는가?'가 될 수 있다.

문제 해결 전략

면접법과 참여 관찰법은 주로 ❶ ⬜ 자료 수집을 위해 활용되는 방법이다. 질문지법은 주로 ❷ ⬜ 자료 수집을 위해 활용된다.

🔑 ❶ 질적 ❷ 양적

• 자료 수집 방법의 일반적 특징

구분	경제성	조직화 정도	계량화 정도	주관 개입 가능성
실험법	낮음	아주 높음	높음	낮음
질문지법	높음	높음	높음	낮음
면접법	낮음	낮음	낮음	높음
참여 관찰법	낮음	아주 낮음	낮음	높음

5 사회·문화 현상의 연구 윤리와 관련하여 다음 글이 강조하는 바로 가장 적절한 것은?

> 갑이 학술지 A에 실은 '초등학교 교육 계획을 위한 예산 항목 진술 수준에 관한 연구'는 그에게 논문 지도를 받은 을이 작성한 석사 학위 논문 '초등학교 교육 계획의 예산 배정 항목 진술 수준 탐색'의 내용과 거의 유사하였다. 또 갑이 부교수에서 정교수로 승진할 당시 제출한 논문 '교원 보수 체계 개선 방안'은 교육 잡지 ○○에 실린 논문의 총 25페이지 중 8페이지에서 단락 또는 문장을 그대로 사용한 것이며, 특히 개선 방안으로 제시한 8개 항목 중 7개 항목이 동일했지만 어디에서도 근거를 제시하지 않았다.

① 연구자는 연구 결과를 조작해서는 안 된다.

② 연구자는 기존 연구 자료를 표절해서는 안 된다.

③ 연구자는 연구 과정에서 동료들을 존중해야 한다.

④ 연구자는 사회적 이익을 창출하도록 노력해야 한다.

⑤ 연구자는 연구 방법이나 도구, 아이디어를 공유해야 한다.

문제 해결 전략

연구자는 자기 자신의 연구 결과나 다른 연구자의 연구물을 새로운 연구에 활용하는 경우 그 ❶ ⬜ 를 정확하게 밝혀야 하며, 출처를 밝히지 않은 것은 연구 결과를 표절하는 ❷ ⬜ 에 어긋나는 행위이다.

🔑 ❶ 출처 ❷ 연구 윤리

필수 체크 전략 ①

1강_사회 · 문화 현상의 이해 ~
사회 · 문화 현상의 연구 방법

밑줄 친 ㉠~㉢과 같은 현상의 일반적인 특징에 대한 설명으로 옳은 것은?

> 칠레 연안 로빈슨 크루소 섬에 서식하고 있던 염소는 에스파냐 무역선을 괴롭히던 해적의 식량원이었다. 이에 ㉠에스파냐 해군은 한 쌍의 개를 섬에 상륙시켰다. 그 후 개체 수가 늘어난 개가 염소를 잡아먹으면서 염소의 수가 줄어들었다. 염소의 수가 줄자 개의 개체 수도 줄어들어, ㉡개와 염소 간에 수의 균형이 형성되었다. 이를 통해 19세기 서양 지식인은 ㉢정부, 법률, 도덕의 개입 없이도 사회 질서를 형성할 수 있다는 영감을 얻었다. ㉣생명체는 배고프면 먹이를 찾기 마련이며 먹이의 양에 따라 개체 수가 조절된다는 점은 새로운 사회 질서를 만들어내는 합리적 원리였다. 이로부터 인간이 지닌 정치적 면모 대신 생물학적 면모가 주목받기 시작했다.

① ㉠과 같은 현상은 ㉡과 같은 현상과 달리 확실성의 원리를 따른다.

② ㉡과 같은 현상은 ㉢과 같은 현상과 달리 가치 함축적이다.

③ ㉢과 같은 현상은 ㉣과 같은 현상과 달리 개연성의 원리를 따른다.

④ ㉣과 같은 현상은 ㉠과 같은 현상과 달리 보편성과 특수성이 공존한다.

⑤ ㉠, ㉢과 같은 현상은 ㉡, ㉣과 같은 현상에 비해 인과 관계가 분명하다.

Tip

㉠과 ㉢은 인간의 의지가 개입되어 나타났으므로 사회 · 문화 현상이며, ㉡과 ㉣은 인간의 의지와 무관하게 나타났으므로 자연 현상이다.

풀이

필연성의 원리를 따르는 자연 현상과 달리 사회 · 문화 현상은 개연성의 원리를 따른다. 　　　답 ③

밑줄 친 ㉠~㉢과 같은 현상의 일반적인 특징에 대한 설명으로 옳은 것은?

> 예로부터 ㉠옹기는 음식의 발효와 저장을 위해 사용된 생활필수품이었다. 열이 가해지면 ㉡흙 알갱이의 크기 차이로 인해 표면에 미세한 기공이 형성되어 숨쉬는 옹기가 만들어졌다. 조상들은 김장 김치를 옹기에 담아 겨울 동안 땅속에 보관하여 가장 맛있는 상태로 유지하였다. 최근 연구에서는 땅속 옹기의 음식 보관 온도인 ㉢-1℃ 상태에서 김치의 유산균 개체 수가 적정하게 유지된다는 것을 발견하였다.

① ㉠과 같은 현상은 ㉢과 같은 현상에 비해 인과 관계가 명확하다.

② ㉡과 같은 현상은 ㉠과 같은 현상에 비해 특수성이 강하게 나타난다.

③ ㉡과 같은 현상은 ㉢과 같은 현상과 달리 경험적 자료를 통해 연구할 수 있다.

④ ㉠과 같은 현상은 ㉡, ㉢과 같은 현상과 달리 가치 함축적이다.

⑤ ㉠, ㉢과 같은 현상은 ㉡과 같은 현상과 달리 개연성의 원리가 적용된다.

Tip

㉠, ㉢은 인간의 의지 및 의도가 개입되어 나타났으므로 사회 · 문화 현상이며, ㉡은 인간의 의지 및 의도와 무관하게 나타났으므로 자연 현상이다.

풀이

사회 · 문화 현상은 개연성의 원리, 자연 현상은 필연성의 원리가 적용된다. 　　　답 ⑤

필수 예제 03 모평 기출

사회·문화 현상을 바라보는 갑~병의 관점에 대한 설명으로 옳은 것은? (단, 갑~병의 관점은 각각 갈등론, 기능론, 상징적 상호 작용론 중 하나이다.)

사회자
혼밥족*이 증가하는 현상의 원인에 대해 각자 의견을 제시해 주세요.

갑
전통적으로 식사를 함께 하는 것은 공동체 구성원 간 소속감 형성을 위한 중요한 의례였는데, 이러한 식사 규범이 약화되면서 혼자 먹는 사람들이 많아졌습니다.

을
과거에는 혼자 밥을 먹는 사람을 외톨이로 여겼으나, 최근에는 혼자 밥을 먹는 행위를 가족이나 집단의 구속에서 벗어나 혼자만의 여유를 즐기는 세련된 도시인의 생활 방식으로 보는 이들이 증가하고 있기 때문입니다.

병
혼자 밥을 먹는 사람들 대부분이 경제적으로 취약한 상태에 놓여 있다는 점에서 결국 혼밥은 불평등한 분배 구조에서 소외된 사람들의 어쩔 수 없는 선택입니다.

* 혼밥족: 혼자 밥을 먹는 사람들을 지칭하는 신조어

① 갑의 관점은 개인의 행동이 상황에 대한 주관적 해석에 기초하여 이루어진다고 본다.
② 을의 관점은 기득권층의 이익을 대변하는 논리로 사용된다는 비판을 받는다.
③ 병의 관점은 집단 간 갈등이 필연적이며 사회 변동의 원동력이라고 본다.
④ 을의 관점은 갑의 관점과 달리 사회 문제를 설명하는 데 사회 구조적 요인을 중시한다.
⑤ 을, 병의 관점은 모두 사회 구성 요소의 기능과 역할이 사회적으로 합의된 것으로 본다.

Tip

혼밥족이 증가하는 현상에 대해 갑은 식사 규범이 약화된 것이 원인이라고 주장(기능론)하며, 을은 혼자 밥을 먹는 것에 대해 가족이나 집단의 구속에서 벗어나 혼자만의 여유를 즐기는 도시인의 생활 양식이라고 의미를 부여하는 사람이 증가했기 때문이라고 주장(상징적 상호 작용론)한다. 마지막으로 병은 불평등한 분배 구조가 발생 원인이라고 주장(갈등론)한다.

풀이

갈등론은 사회에 내재된 구조적 모순으로 인해 집단 간 갈등이 필연적으로 발생하며, 이러한 집단 간 갈등은 사회 변동의 원동력으로 작용한다고 본다.　　　　　　답 ③

필수 예제 04 학평 기출

사회·문화 현상을 바라보는 갑, 을의 관점에 대한 설명으로 옳은 것은?

갑
사회 규범은 지배 집단만의 합의에 의해서 형성되고, 지배 집단만의 이익을 보장할 뿐이야.

을
사회 규범은 사회 구성원 전체의 합의에 의해서 형성되고, 사회 질서와 안정에 기여해.

① 갑의 관점은 집단 간 갈등이 사회 변동의 원동력이라고 본다.
② 갑의 관점은 사회가 본질적으로 조화와 균형을 이루고 있다고 본다.
③ 을의 관점은 사회 제도가 계급 재생산을 위한 수단이라고 본다.
④ 을의 관점은 사회 통합이 이루어지는 과정을 설명할 수 없다는 비판을 받는다.
⑤ 을의 관점은 갑의 관점과 달리 거시적 관점에서 사회·문화 현상을 바라본다.

Tip

갑은 갈등론, 을은 기능론이다.

풀이

갈등론은 집단 간 갈등이 사회 변동의 원동력이 된다고 본다.
　　　　　　答 ①

응용 04-1

사회·문화 현상을 이해하는 관점 A~C에 대한 설명으로 옳은 것은?

관점	주요 입장
A	사회는 구성원들이 자율적으로 합의한 규칙에 의해 운영된다. 규칙에 따르지 않는다면 사회 질서는 무너지고 균형은 깨어지게 된다.
B	사회는 수없이 많은 개인 간 상호 작용으로 구성되는 것이다. 개인 간 상호 작용의 결과로 인해 사회가 규정되고 구축될 수 있는 것이다.
C	해당 사회의 주류를 자처하는 권력 집단은 그들의 이해관계에 따라 사회를 움직이고 대중에게 자신들의 의지를 강요한다.

① A는 이해관계가 다른 집단 간의 대립과 갈등에 주목한다.
② B는 개인이 만들어 내는 생활 세계의 이해를 중시한다.
③ C는 사회가 균형을 회복하려는 성질이 있다고 본다.
④ B는 A와 달리 거시적 관점으로 분류할 수 있다.
⑤ C는 B와 달리 사회의 강제성보다 개인의 능동성을 중시한다.

필수 예제 **05** 수능 기출

사회·문화 현상을 바라보는 갑~병의 관점에 대한 설명으로 옳은 것은? (단, 갑~병의 관점은 각각 기능론, 갈등론, 상징적 상호 작용론 중 하나이다.)

사회자: 일과 일상생활의 균형을 의미하는 '워라밸'을 추구하는 현상에 대해 각자 의견을 제시해 주세요.

갑: 예전에는 고용주를 비롯해 대다수 직원들이 워라밸을 추구하는 사람들에 대해 부정적으로 생각했지만, 최근에는 일상생활을 중시하면서도 생산성이 높은 직원들을 보면서 긍정적으로 인식하게 되었습니다.

을: 워라밸은 개인에게 일상생활을 위한 시간적 여유를 보장해 주는 것 같지만, 개인의 업무 능력을 극대화하여 생산성을 높임으로써 기득권층의 이익을 증대시키려는 의도가 반영된 현상일 뿐입니다.

병: 워라밸 문화는 개인이 일상생활을 즐기며 자신을 재충전하여 사회 조직의 목표 달성에 필요한 역할을 효과적으로 수행하도록 함으로써 사회 조직의 효율성을 높이는 데 기여합니다.

① 갑의 관점은 사회·문화 현상을 사회 구조적 측면에서 설명한다.
② 을의 관점은 지배 집단의 이익을 대변하는 논리로 활용될 수 있다는 비판을 받는다.
③ 병의 관점은 사회 각 부분이 상호 의존적 관계를 맺는다고 본다.
④ 갑의 관점은 을의 관점과 달리 대립과 갈등을 사회의 본질적 속성으로 본다.
⑤ 병의 관점은 을의 관점과 달리 행위자의 능동성을 중시한다.

> **Tip**
>
> 갑은 워라밸에 대한 의미가 행위 주체의 인식에 따라 달라질 수 있다고 주장(상징적 상호 작용론)하며, 을은 워라밸을 추구하는 현상이 지배 집단의 이익을 실현하기 위한 수단이라고 주장(갈등론)한다. 한편, 병은 워라밸 문화가 사회 조직의 목표를 달성하고 효율성을 높이는 데 긍정적인 역할을 한다고 주장(기능론)한다.

> **풀이**
>
> 사회 각 부분이 상호 의존적 관계를 맺는다고 보는 관점은 기능론이다.
>
> 달 ③

필수 예제 **06** 모평 기출

다음은 학생들이 제출한 수행 평가 과제에 대해 교사가 평가한 내용이다. 이에 대한 설명으로 옳은 것은?

A조 과제에 대한 평가	B조 과제에 대한 평가
A조는 '에고서핑(ego-surfing)'의 의미를 찾아 ⊙'인터넷으로 자신에 대한 정보나 댓글을 검색하는 것'이라고 소개한 후 '에고서핑을 많이 하는 사람일수록 자존감이 낮을 것이다.'라는 가설을 세워 검증하였습니다. A조가 제출한 과제는 일반인을 대상으로 가설과 관련한 일반적인 경향성을 적절히 규명한 연구입니다.	B조는 '에고서핑(ego-surfing)'을 하는 사람들의 심리를 알기 위해 심층 인터뷰를 실시하였습니다. B조가 제출한 과제는 인터넷상에 나타난 자신에 대한 정보나 댓글에 매우 민감한 연예인, 유명 인터넷 1인 방송인 등을 대상으로 그들이 왜 불편한 감정을 감수하고 에고서핑을 하는지에 대해 적절히 조사한 연구입니다.

① ⊙은 A조가 연구 과정에서 실시한 개념의 조작적 정의이다.
② B조가 사용한 연구 방법은 법칙 발견을 목적으로 한다.
③ A조가 사용한 연구 방법은 B조가 사용한 연구 방법에 비해 계량화가 어려운 인간의 주관적 영역에 대해 탐구하기 곤란하다.
④ B조가 사용한 연구 방법은 A조가 사용한 연구 방법과 달리 자료 수집 과정에서 연구자의 가치 중립이 요구된다.
⑤ A조가 사용한 연구 방법은 방법론적 이원론을, B조가 사용한 연구 방법은 방법론적 일원론을 전제로 한다.

> **Tip**
>
> A조가 사용한 연구 방법은 양적 연구 방법, B조가 사용한 연구 방법은 질적 연구 방법이다.

> **풀이**
>
> ① 개념의 조작적 정의는 추상적 개념을 측정 가능하도록 구체화하는 것을 의미한다. ⊙은 '에고서핑'의 사전적 정의(개념적 정의)로, 조작적 정의에 해당하지 않는다.
> ② 법칙 발견을 목적으로 하는 연구 방법은 양적 연구 방법이다.
> ③ 양적 연구 방법은 질적 연구 방법과 달리 계량화가 어려운 인간의 주관적 영역에 대해 탐구하기 곤란하다.
> ④ 양적 연구 방법과 질적 연구 방법 모두 자료 수집 과정에서 연구자의 가치 중립이 요구된다.
> ⑤ 양적 연구 방법은 방법론적 일원론을, 질적 연구 방법은 방법론적 이원론을 전제로 한다.
>
> 달 ③

필수 예제 07

다음 연구에 대한 설명으로 옳은 것은?

> 갑은 '재난 상황에서 인간의 행동에 미치는 주변인의 영향'이라는 주제를 연구하기 위해 자료를 수집하였다. 갑은 대학 생활에 관한 ㉠설문 조사를 한다는 명목으로 조사에 참여할 ㉡대학생 100명을 모집하여 무작위로 A 집단에 60명, B 집단에 20명, C 집단에 20명을 배정하였다. 갑은 A 집단에게 설문 조사는 연구의 목적과 아무 관련이 없다는 점을 설명하고, 방에 연기가 들어오더라도 무해하니 설문지를 작성하는 척하면서 나오지 말라고 하였다. 반면 B 집단, C 집단에게는 연기에 대한 언급 없이 설문 조사에 성실하게 임해 달라고만 하였다. 이후 갑은 격리된 방 40개를 마련하여 20개 방 각각에는 A 집단 학생 3명과 B 집단 학생 1명이, 또 다른 20개 방 각각에는 A 집단 학생 없이 C 집단 학생 1명만 들어가서 설문지를 작성하게 하였다. 갑은 설문 조사 시작 1분 후 각 방에 연기를 들여보내고, 폐쇄회로 텔레비전(CCTV)을 통해 ㉢B 집단과 C 집단 학생들의 행동을 관찰하였다. 연기가 들어오자 B 집단 중 5명은 ㉣A 집단 학생들의 행동을 의식하지 않고 곧바로 방을 나갔고 15명은 다른 학생들을 살피면서 설문지를 계속 작성하였다. C 집단의 경우, 연기가 들어오자 15명은 방에서 곧바로 나갔고 5명은 설문지를 계속 작성하였다. 갑은 이러한 관찰 결과를 바탕으로 논문을 발표하였다.

① ㉠은 사전 검사에 해당한다.
② ㉡은 모집단, A 집단은 표본 집단이다.
③ ㉢은 독립 변인, ㉣은 종속 변인이다.
④ B 집단은 실험 집단, C 집단은 통제 집단이다.
⑤ 갑은 의도한 결과를 얻기 위해 자료를 자의적으로 조작하였다.

Tip

갑은 양적 연구 방법을 사용하였다.

풀이

③ ㉢은 종속 변인, ㉣은 독립 변인이다.
④ 독립 변인(A 집단의 행동)을 인위적으로 처치한 B 집단은 실험 집단, 그렇지 않은 C 집단은 통제 집단이다.

답 ④

응용 07-1

표는 사회·문화 현상의 연구 방법 A, B를 활용하기에 적합한 연구 주제를 나타낸다. 이에 대한 옳은 설명만을 〈보기〉에서 고르시오.

연구 방법	해당 연구 방법을 활용하기에 적합한 연구 주제
A	대학생의 장애인 관련 TV 프로그램 시청이 장애인에 대한 태도에 미치는 영향에 관한 실험 연구
B	장애인 고등학생들의 태보(태권도와 권투, 에어로빅 등의 요소를 조합한 운동) 방과후 건강 캠프 참가 경험과 그 의미에 관한 연구

〈보기〉

ㄱ. A는 사회·문화 현상이 자연 현상과 본질적으로 동일하다는 입장을 바탕으로 한다.
ㄴ. B는 사회·문화 현상을 연구 대상이 아닌 연구자의 관점에서 이해하고자 한다.
ㄷ. B는 A에 비해 연구자의 주관적 가치가 개입될 가능성이 높다.
ㄹ. B와 달리 A를 통해서는 연구 대상의 주관적 의식을 파악하는 것은 불가능하다.

응용 07-2

표는 사회·문화 현상의 연구 방법 A, B를 구분한 것이다. 이에 대한 설명으로 옳은 것은?

구분	A	B
자연 현상에 대한 연구에서는 활용할 수 없는가?	예	아니요
사회·문화 현상에 대한 통계 분석이 의미 있다고 보는가?	아니요	예
(가)	예	아니요

① A는 방법론적 이원론을 바탕으로 한다.
② B는 사회·문화 현상에 대한 심층적 이해를 추구한다.
③ A와 달리 B는 사회·문화 현상에 대한 객관적 연구 가능성을 부정한다.
④ B보다 A를 활용할 때 개념의 조작적 정의가 중요한 절차가 된다.
⑤ (가)에는 '변수와 변수 간의 관계 파악을 목적으로 하는가?'가 들어갈 수 있다.

1 (가), (나)와 같은 현상의 일반적인 특징에 대한 설명으로 옳은 것은?

> (가) 바람이 없는 맑은 새벽에 0℃ 이하로 온도가 떨어질 때 공기 중의 수증기가 지표면의 물체에 접촉하며 서리가 생성된다.
>
> (나) 서리에 따른 농작물 피해를 막고자 농민들이 자신의 밭에 냉해 방지 시설을 설치하였다.

① (가)와 같은 현상은 가치 함축적이다.
② (나)와 같은 현상은 필연성의 원리가 적용된다.
③ (가)와 같은 현상은 특수성이 강하다.
④ (가)와 같은 현상은 (나)와 같은 현상과 달리 경험적 자료로 연구할 수 있다.
⑤ (나)와 같은 현상은 (가)와 같은 현상과 달리 당위 법칙의 지배를 받는다.

Tip
인간의 의지에 의해 일어나는 것은 ⬚⬚⬚ 현상이다.
📋 사회·문화

2 밑줄 친 ㉠～㉣과 같은 현상의 일반적인 특징에 대한 설명으로 옳은 것은?

> □□국에서 규모 7의 강진이 발생한지 ㉠하루만에 또다시 지진이 발생했다. □□국의 언론은 이번 지진은 남부에서 일어난 지진으로는 ㉡50년 만에 가장 큰 규모였다고 보도했다. 이날 지진으로 ㉢지진 피해가 잇따라 접수되고 있는 것으로 전해지고 있다. 언론들은 진앙지에서 멀지 않은 △△시에서 열린 ㉣농구 경기도 지진 탓에 중단되었다고 전했다.

① ㉠과 같은 현상은 존재 법칙이 적용된다.
② ㉡과 같은 현상은 ㉢과 같은 현상과 달리 보편성과 특수성이 공존한다.
③ ㉢과 같은 현상은 ㉣과 같은 현상과 달리 인간의 가치가 개입되어 발생한다.
④ ㉣과 같은 현상은 일반화 도출이 불가능하다.
⑤ ㉠과 같은 현상은 확률의 원리로 설명할 수 있다.

Tip
존재 법칙이 적용되는 것은 ⬚⬚⬚ 현상이다.
📋 자연

3 다음 글에 나타난 사회·문화 현상을 바라보는 관점에 대한 옳은 설명만을 │보기│에서 고른 것은?

> 사회 문제는 사회 각 부분의 비정상적인 작동으로 나타나는 현상이다. 따라서 사회의 각 부분이 정상적으로 작동하는 한 사회 문제는 발생하지 않는다. 설령 사회 문제가 발생하더라도 그 문제는 사회의 각 부분 간 균형을 회복하면 저절로 해결된다.

│보기│
ㄱ. 사회와 유기체 간의 공통점을 중시한다.
ㄴ. 사회 구조에 대한 개인의 자율성을 강조한다.
ㄷ. 사회 각 집단의 이익이 양립 가능하다고 본다.
ㄹ. 사회 제도가 사회 불평등 구조의 재생산을 위한 수단이라고 본다.

① ㄱ, ㄴ ② ㄱ, ㄷ ③ ㄴ, ㄷ ④ ㄴ, ㄹ ⑤ ㄷ, ㄹ

Tip
사회 각 부분 간 상호 의존성과 균형을 강조하는 관점은 ⬚⬚⬚ 이다.
📋 기능론

4 다음은 사회·문화 현상을 바라보는 관점 A, B를 비판한 내용이다. 이에 대한 옳은 설명만을 │보기│에서 고른 것은?

A에 대한 비판	개인을 둘러싼 사회 구조나 제도가 개인의 행위에 미치는 영향력을 간과한다.
B에 대한 비판	계급, 인종 등과 같은 요인들에 기반한 사회 내의 분열과 불평등을 간과하고 사회적 결속을 낳는 요인들만 강조한다.

│보기│
ㄱ. A는 개인이 구성해 내는 주관적 생활 세계를 중시한다.
ㄴ. B는 사회 각 집단 간의 이익이 양립할 수 없다고 본다.
ㄷ. B는 사회 각 부분 간의 유기적 관련성에 주목한다.
ㄹ. B와 달리 A는 사회가 구성원의 합의가 아닌 강제에 의해 통합된다고 본다.

① ㄱ, ㄴ ② ㄱ, ㄷ ③ ㄴ, ㄷ ④ ㄴ, ㄹ ⑤ ㄷ, ㄹ

Tip
사회 구조나 제도가 개인의 행위에 미치는 영향력을 간과하는 관점은 ⬚⬚⬚ 이다.
📋 상징적 상호 작용론

5 표는 질문 (가)~(다)를 통해 사회·문화 현상을 이해하는 관점 A~C를 분류한 것이다. (가)~(다)에 들어갈 수 있는 질문을 보기에서 골라 옳게 연결한 것은? (단, A~C는 각각 기능론, 갈등론, 상징적 상호 작용론 중 하나이다.)

질문 \ 관점	A	B	C
(가)	아니오	예	아니오
(나)	예	아니오	아니오
(다)	예	아니오	예

보기
ㄱ. 사회는 본질적으로 균형을 지향한다고 보는가?
ㄴ. 인간은 상황 정의에 기초하여 행동한다고 보는가?
ㄷ. 계급 간 갈등이 사회 변동의 원동력이라고 보는가?
ㄹ. 사회 체계에 초점을 맞추어 사회·문화 현상을 바라보는가?

	(가)	(나)	(다)			(가)	(나)	(다)
①	ㄱ	ㄴ	ㄴ		②	ㄱ	ㄷ	ㄴ
③	ㄴ	ㄱ	ㄹ		④	ㄴ	ㄹ	ㄷ
⑤	ㄷ	ㄹ	ㄱ					

Tip
사회 체계에 초점을 맞추어 사회·문화 현상을 이해하는 관점은 [   ] 관점으로 기능론과 갈등론이 있다.

🔒 거시적

6 사회·문화 현상을 이해하는 다음 관점에 대한 옳은 설명만을 보기에서 고른 것은?

대상의 본질은 그 대상을 인식하는 사람이 그 대상에 대하여 부여한 의미입니다. 인간은 대상에 대하여 스스로 부여한 의미에 기초하여 행동하고, 의미를 수정하거나 변경할 수 있습니다.

보기
ㄱ. 사회를 유기체로 간주한다.
ㄴ. 개인에 대한 사회 구조의 영향력을 강조한다.
ㄷ. 일상생활에서 나타나는 개인 간의 상호 작용을 중시한다.
ㄹ. 인간은 상황에 대한 자신의 해석을 바탕으로 행동한다고 본다.

① ㄱ, ㄴ ② ㄱ, ㄷ ③ ㄴ, ㄷ ④ ㄴ, ㄹ ⑤ ㄷ, ㄹ

Tip
상징적 상호 작용론은 인간이 대상에 부여하는 [   ]에 따라 대상의 본질이 결정된다고 본다.
🔒 의미

7 다음의 연구 사례에 대한 설명으로 옳지 않은 것은?

갑은 청소년의 자아 존중감에 미술 치료 프로그램이 미치는 효과를 검증해 보기로 하였다. 이를 위해 고등학생 100명을 A집단과 B집단으로 나누고 자아 존중감 척도 검사를 실시하였다. 그 후 A집단에게만 미술 치료 프로그램을 6개월 동안 진행한 뒤에 다시 두 집단에게 자아 존중감 척도 검사를 실시하였다. 검사를 통해 얻은 자료를 분석한 결과 B집단은 첫 번째와 두 번째 검사 점수 간 변화가 거의 없는 반면, A집단은 통계적으로 유의미한 차이를 보였다. 이를 토대로 갑은 미술 치료 프로그램이 자아 존중감을 향상하는 효과가 있다는 결론을 내렸다.

① 방법론적 이원론에 입각한 연구이다.
② 1차 자료의 수집과 분석을 시도하였다.
③ 개념의 조작적 정의가 필요한 연구이다.
④ 심층적 이해보다는 법칙의 발견을 목적으로 한다.
⑤ 가장 엄격한 통제가 가해지는 자료 수집 방법을 활용하였다.

Tip
갑은 [   ]을 통해 자료를 수집하였다. 🔒 실험법

8 다음의 입장에 부합하는 사회·문화 현상의 연구 방법에 대한 옳은 설명만을 보기에서 고른 것은?

외부 세계의 실체는 그 세계 속에서 살고있는 사람들이 주관적으로 부여한 의미에 의해 구성된다. 따라서 사회·문화 현상은 객관적 실체로서 설명되어야 하는 것이 아니라 상황 맥락 속에서 이해되어야 하는 것이다.

보기
ㄱ. 계량화된 자료 수집과 통계 분석을 중시한다.
ㄴ. 변인 간의 관계를 밝히는 것을 목적으로 한다.
ㄷ. 사회·문화 현상에 대한 주관적 의미 해석에 주안점을 둔다.
ㄹ. 연구자의 직관적 통찰에 의한 자료 수집 및 자료 해석을 강조한다.

① ㄱ, ㄴ ② ㄱ, ㄷ ③ ㄴ, ㄷ ④ ㄴ, ㄹ ⑤ ㄷ, ㄹ

Tip
사회·문화 현상은 상황 맥락 속에서 이해되어야 한다는 입장의 연구 방법은 [   ]이다. 🔒 질적 연구

필수 체크 전략 ①

2강_자료 수집 방법 ~
사회·문화 현상의 탐구 태도와 연구 윤리

필수 예제 01

자료 수집 방법 A, B의 일반적 특징에 대한 설명으로 옳은 것은?

> • 갑은 피아노 연주자로 활동하며 A를 활용하여 재즈 음악가에 대한 자료를 수집했다. 갑은 재즈 음악가들이 일하고 여가를 즐기는 다양한 상황에 직접 들어가 같이 생활하면서 그들의 문화에 대한 자료를 얻었다.
> • 을은 B를 활용하여 노숙자에 대한 자료를 수집했다. 을은 그들로부터 노숙자의 문화를 발견하고 싶었기 때문에 그들을 자신의 연구실로 초대하였다. 을은 노숙자들에게 그들의 경험을 세세하게 묘사해 달라고 요청하였다.

① A는 대량의 구조화된 자료를 수집하는 데 용이하다.
② B는 주로 양적 연구에서 사용된다.
③ A는 B에 비해 인위적으로 통제된 상황에서 변수의 효과를 관찰하기에 용이하다.
④ B는 A와 달리 조사 대상자와의 언어적 상호 작용이 필수적이다.
⑤ A, B 모두 인과 관계의 파악을 통해 법칙을 발견하는 데 용이하다.

Tip

A는 참여 관찰법, B는 면접법이다.

풀이

① 대량의 구조화된 자료를 수집하는 데 용이한 방법은 질문지법이다.
② 면접법은 주로 질적 연구에서 사용된다.
③ 인위적으로 통제된 상황에서 변수의 효과를 관찰하기에 용이한 방법은 실험법이다.
④ 조사 대상자에게 질문을 하여 필요한 자료를 수집하는 면접법은 참여 관찰법과 달리 조사 대상자와의 언어적 상호 작용이 필수적이다.
⑤ 참여 관찰법과 면접법 모두 인과 관계의 파악을 통해 법칙을 발견하는 데 용이하지 않다.

답 ④

필수 예제 02

자료 수집 방법 A~C의 일반적인 특징에 대한 설명으로 옳은 것은? (단, A~C는 각각 면접법, 실험법, 질문지법 중 하나이다.)

> • 갑은 '운동에 따른 행복도 차이 연구'에 A를 활용하여, 무작위로 선정된 성인 200명을 대상으로 주당 운동 시간과 행복 수준을 묻는 문항에 답하게 하였다.
> • 을은 '노년층의 인터넷 이용 양상 연구'에 B를 활용하여, 인터넷 동호회 활동을 하고 있는 노인들과의 대화를 통해 비구조화된 질문에 답하게 하였다.
> • 병은 '음악 청취가 암기력에 미치는 영향 연구'에 C를 활용하여, 한 집단은 음악이 있는 상태에서, 다른 집단은 음악이 없는 상태에서 단어를 학습한 후 평가 문항에 답하게 하였다.

① A는 B에 비해 조사 대상자와의 정서적 교감을 중시한다.
② B는 A와 달리 언어를 매개로 한 상호 작용이 필수적이다.
③ C는 B와 달리 조사 대상자의 반응에 유연하게 대처할 수 있다.
④ B는 A, C와 달리 조사 대상자의 주관적 인식을 파악할 수 있다.
⑤ C는 A, B에 비해 자료 수집 상황에 대한 통제 수준이 높다.

Tip

A는 질문지법, B는 면접법, C는 실험법이다.

풀이

① 조사 대상자와의 정서적 교감을 중시하는 것은 면접법이다.
② 언어를 매개로 한 상호 작용이 필수적인 것은 면접법과 질문지법이다.
③ 조사 대상자의 반응에 유연하게 대처할 수 있는 것은 면접법이다.
④ 질문지법, 면접법, 실험법 모두 조사 대상자의 주관적 인식을 파악할 수 있다.
⑤ 자료 수집 상황에 대한 통제 수준은 실험법이 가장 높다.

답 ⑤

필수 예제 03

다음 자료에 대한 설명으로 옳은 것은? (단, A~C는 각각 면접법, 질문지법, 참여 관찰법 중 하나이다.)

연구 사례	자료 수집 방법
토론 수업 방식에 대한 고등학생의 선호도를 연구하기 위해 □□ 지역 고등학생 500명에게 구조화된 문항을 제시하고 응답을 구하였다.	A
정부의 저출산 대책과 그 효과에 대한 젊은 층의 인식을 연구하기 위해 20~30대 신혼부부 10쌍을 선정하여 깊이 있는 대화를 나누고 기록하였다.	B
코로나19로 인한 마스크 착용이 유아들의 언어 발달에 미치는 영향을 연구하기 위해 ○○ 어린이집에 6개월간 머무르며 유아들의 행동과 대화 내용 등 전반적인 상황을 모두 기록하였다.	C

구분	자료 수집 방법		
	A	B	C
(가)	예	아니오	아니오
(나)	아니오	아니오	예
(다)	예	예	아니오

① C는 A, B에 비해 시간과 비용이 적게 든다는 장점이 있다.

② B, C는 A와 달리 연구 대상자의 주관적 인식을 파악할 수 있다.

③ (가)에는 '경험적 자료의 수집에 적합한가?'가 들어갈 수 있다.

④ (나)에는 '연구자가 인위적으로 통제한 상황에서 연구 대상자를 관찰하는가?'가 들어갈 수 있다.

⑤ (다)에는 '연구자와 연구 대상자의 언어적 상호 작용이 필수적인가?'가 들어갈 수 있다.

Tip

A는 질문지법, B는 면접법, C는 참여 관찰법이다.

풀이

① 질문지법은 면접법, 참여 관찰법에 비해 시간과 비용이 적게 든다는 장점이 있다.

② 질문지법, 면접법, 참여 관찰법 모두 연구 대상자의 주관적 인식을 파악할 수 있다.

③ 질문지법, 면접법, 참여 관찰법 모두 경험적 자료의 수집에 적합하다.

④ 연구자가 인위적으로 통제한 상황에서 연구 대상자를 관찰하여 자료를 수집하는 방법은 실험법이다.

⑤ 연구자와 연구 대상자의 언어적 상호 작용이 필수적인 자료 수집 방법은 질문지법과 면접법이다.

답 ⑤

필수 예제 04

교사가 제시한 과제에 대해 옳게 검토한 학생을 고른 것은?

> **고등학생의 여가 활동 실태 조사**
>
> 1. 부모님 중 학력이 높은 분의 최종 학력은 무엇입니까?
>   ① 중졸 이하　② 고졸
>   ③ 대졸　④ 대학원졸
> 2. 여가 활동에 쓰는 시간은 얼마나 됩니까?
>   ① 0시간 ~ 1시간 미만
>   ② 1시간 이상 ~ 2시간 미만
>   ③ 2시간 이상 ~ 3시간 미만
>   ④ 3시간 이상
> 3. 여가 시간에는 주로 어떤 활동을 합니까?
>   ① 공연 관람　② 동호회 활동
>   ③ SNS 활동　④ 독서
>   ⑤ 여행　⑥ 없음
> 4. 최근에 새롭게 접해 봤거나 앞으로 해 보고 싶은 여가 활동은 무엇입니까? (1가지만 적어 주십시오.)

다음은 A학생이 작성한 질문지 초안입니다. 지난 시간에 배운 질문지 작성법에 따라 이 질문지를 검토해 볼까요?

학생	문항	검토 내용
갑	1	특정 응답을 유도하고 있어요.
을	2	응답에 필요한 정보가 빠져 있어요.
병	3	선택지가 상호 배타적이에요.
정	1, 4	한 질문에서 두 가지 사항을 묻고 있어요.
무	2, 3	선택지가 포괄적이지 않아요.

① 갑　② 을　③ 병　④ 정　⑤ 무

Tip

질문지 작성 시에는 질문의 의미가 명확해야 한다.

풀이

① 문항 1의 경우, 특정 응답을 유도하고 있다고 볼 수 없다.

② '여가 활동에 쓰는 시간은 얼마나 됩니까?'라는 질문의 경우, 하루에 쓰는 여가 활동 시간을 묻는 것인지, 일주일에 쓰는 여가 활동 시간을 묻는 것인지 알 수 없다. 즉 질문에 응답에 필요한 정보가 빠져 있다.

③ 문항 3의 선택지를 보면, 동호회 활동으로 여행하는 사람이 있다면 어떤 선택지에 응답을 해야 할지 혼란에 빠질 수 있다. 응답 항목 간에 배타성이 없기 때문이다.

④ 문항 1은 문항 4와 달리 두 가지 사항을 묻고 있지 않다.

⑤ 문항 2는 조사 대상자가 응답 항목 중에서 하나를 선택할 수 있으므로 포괄적이다. 그러나 문항 3은 등산하는 사람은 선택지를 고를 수 없으므로 포괄적이지 않다.

답 ②

필수 예제 05 　　　　　　　수능 기출

다음 연구에 대한 옳은 설명만을 | 보기 |에서 고른 것은?

○ **연구 주제:** 독서 프로그램이 초등학생의 스트레스 및 자아 존중감에 미치는 영향

○ **연구 가설**

　– 가설 1: ┌─────────(가)─────────┐

　– 가설 2: 독서 프로그램은 초등학생의 자아 존중감을 향상시킬 것이다.

○ **연구 설계 및 자료 수집:** ○○ 초등학교 3학년, 6학년 각 100명을 무작위로 선정한 후 제비뽑기를 통해 학년별로 50명씩 A, B 두 집단으로 나누었음. 1개월간 A 집단에는 독서 프로그램을 적용하고, B 집단은 평소와 같이 생활하게 하였음. 프로그램 적용 전후에 검사지를 사용하여 스트레스 정도와 자아 존중감 정도를 스스로 평가하게 하였음.

○ **자료 분석 및 가설 검증:** 자료 분석 결과는 표와 같으며, 가설 1과 가설 2 중 하나만 수용되었다.

(단위: 점)

학년	집단	ⓒ 스트레스		ⓔ 자아 존중감	
		사전	사후	사전	사후
㉠ 3학년	A	6.0	5.0	6.9	7.3
	B	5.9	5.8	6.9	7.2
㉡ 6학년	A	5.9	5.0	6.9	6.8
	B	6.0	5.9	6.9	6.9

* 표의 점수는 각각 스트레스와 자아 존중감을 10점 만점으로 한 해당 집단의 평균값이며, 점수가 높을수록 그 정도가 높음.
** 분석 결과는 통계적으로 유의미함.

| 보기 |

ㄱ. ㉠은 실험 집단, ㉡은 통제 집단이다.

ㄴ. ⓒ, ⓔ은 모두 종속 변수이다.

ㄷ. ⓔ의 경우, ㉠의 B 집단은 ㉡의 B 집단과 달리 독서 프로그램의 영향을 받았다.

ㄹ. (가)에는 '독서 프로그램은 초등학생의 스트레스를 감소시킬 것이다.'가 들어갈 수 있다.

① ㄱ, ㄴ　② ㄱ, ㄷ　③ ㄴ, ㄷ　④ ㄴ, ㄹ　⑤ ㄷ, ㄹ

Tip

ㄹ. 자아 존중감의 경우, 3학년의 A 집단(실험 집단)과 B 집단(통제 집단) 모두 사전 검사에 비해 사후 검사의 점수가 미세하게 상승하였으며, 6학년의 A 집단은 사전 검사에 비해 사후 검사의 점수가 미세하게 하락하였고, B 집단은 변함이 없다. 이를 통해 가설 2는 기각되었음을 알 수 있다. 스트레스의 경우, 3학년과 6학

년 모두 A 집단에서는 사전 검사에 비해 사후 검사의 점수가 크게 감소하였으나 B 집단은 미세하게 감소하였다. 가설 검증에 따르면 가설 1은 수용되었다.

풀이

ㄱ. A 집단이 실험 집단, B 집단이 통제 집단이다.

ㄴ. 독서 프로그램은 독립 변수, 스트레스와 자아 존중감은 종속 변수이다.

ㄷ. B 집단은 통제 집단이므로 독서 프로그램이 적용되지 않았다.

답 ④

응용 05-1

다음 연구에서 사용된 자료 수집 방법에 대한 옳은 설명만을 | 보기 |에서 고르시오.

• **연구 주제:** 노인 환자들의 휠체어 사용 실태와 만족도 조사 연구

• **연구 대상:** 재활 병원 등에 입원한 노인 1,000명

• **자료 분석:** 통계 프로그램을 이용하여 연구 대상의 인구 통계학적 특성, 휠체어 사용 정보, 휠체어 사용 만족도 등을 분석

| 보기 |

ㄱ. 시간과 비용 측면에서 비효율적이다.

ㄴ. 집단 간 특성을 비교하는 데 적합하다.

ㄷ. 주로 질적 자료 수집을 위해 사용된다.

ㄹ. 구조화된 도구를 사용하여 자료를 수집한다.

응용 05-2

밑줄 친 ㉠~㉺에 대한 옳은 설명만을 | 보기 |에서 고르시오.

㉠본 연구는 고등학교 사회 수업에 사용하기 위해 제작된 ㉡광고 활용 교육이 학생들의 ㉢창의성에 어떠한 영향을 미치는지를 파악하는 것을 목적으로 한다. 연구는 △△도에 위치한 ㉣○○고등학교 1~3학년 학생 30명과 ㉤□□고등학교 1~3학년 학생 30명, ㉥총 60명을 대상으로 진행되었다. 연구는 '사전 검사 → 12주 동안 ○○고등학교 학생 30명에 대해서만 광고 활용 교육 실시 → 사후 검사'순으로 진행하였다.

| 보기 |

ㄱ. ㉠은 실험법을 활용하였다.

ㄴ. ㉡은 종속 변인, ㉢은 독립 변인이다.

ㄷ. ㉣은 실험 집단, ㉤은 통제 집단이다.

ㄹ. ㉥은 모집단, ㉣과 ㉤은 표본이다.

필수 예제 06 〔모평 기출〕

(가), (나)는 사회·문화 현상의 탐구 태도이다. 이에 대한 옳은 설명을 | 보기 | 에서 고른 것은?

> (가) 연구자 역시 특정 사회의 가치와 규범을 내면화하기 때문에, 사회·문화 현상을 연구할 때 현상이 가진 사실에만 근거하여 파악해야 한다.
> (나) 연구자는 올바른 절차를 거쳐 사회·문화 현상을 검증했을지라도 자신의 연구 결과에 대한 다른 연구자의 반증 가능성을 인정해야 한다.

┌─ 보기 ─┐
ㄱ. (가)는 연구자가 연구 진행 과정에서 주관적인 가치와 편견을 배제하려는 태도이다.
ㄴ. (나)는 사회·문화 현상 연구에서 유연하고 수용적인 태도를 갖는 것을 강조한다.
ㄷ. (나)는 (가)와 달리 연구자가 연구 절차나 방법이 제대로 수행되었는지 살펴보는 것을 강조한다.
ㄹ. (가)는 제3자의 입장에서, (나)는 상대방의 입장에서 연구를 진행하는 것을 강조한다.

① ㄱ, ㄴ ② ㄱ, ㄷ ③ ㄴ, ㄷ ④ ㄴ, ㄹ ⑤ ㄷ, ㄹ

Tip
(가)에는 객관적 태도, (나)에는 개방적 태도가 나타나 있다.

풀이
ㄷ. 성찰적 태도에 대한 설명이다.
ㄹ. 개방적 태도가 상대방의 입장에서 연구를 진행하는 것을 의미하지는 않는다.

답 ①

응용 06-1

다음 두 주장이 공통적으로 강조하고 있는 사회·문화 현상의 탐구 태도로 가장 적절한 것은?

> 사회·문화 현상의 탐구자는 일상생활에서 접하는 사회·문화 현상에 대하여 자기 스스로가 적극적으로 탐구하는 노력을 기울여야 합니다.

> 사회·문화 현상의 탐구자는 연구 과정에서 연구 목적, 자료 수집 방법, 조사 대상자 선정 등이 적합한지 지속적으로 반성해 보아야 합니다.

① 성찰적 태도 ② 객관적 태도
③ 개방적 태도 ④ 상대주의적 태도
⑤ 조화를 추구하는 태도

필수 예제 07 〔모평 기출〕

(가), (나)를 연구 윤리 측면에서 평가한 진술로 가장 적절한 것은?

> (가) 연구자 갑은 폭력물 시청이 정서에 미치는 영향을 알아보고자 하였다. 모집 공고를 읽고 지원한 실험 대상자를 두 집단으로 나누어 한 집단에는 자극적인 폭력물, 다른 집단에는 가족 드라마를 보여 주었다. 이 과정에서 폭력물을 시청하던 일부가 스트레스를 호소하며 실험 중단을 요청하였으나, 갑은 이를 허락하지 않고 실험을 계속 진행하였다.
> (나) 연구자 을은 공공시설 낙서 행위에 대한 연구를 위해 몰래카메라를 활용하여 낙서 행위자의 행동을 기록·분석하였다. 추가 정보를 얻기 위해 낙서 행위자의 차량 번호를 기록하고 관계 기관을 통해 그들의 이름과 거주지 등을 추적하여 개인 정보를 수집하였다.

① (가)에서는 연구 과정에서 수집된 개인 정보를 동의 없이 연구에 활용하였다.
② (가)에서는 연구 과정에서 알게 된 연구 대상자의 비밀을 보호해야 하는 의무를 준수하지 않았다.
③ (나)에서는 연구 대상자에게 자발적 참여 기회가 주어지지 않았다.
④ (나)에서는 연구 결과의 공표가 연구자에게 미칠 악영향을 고려하여 연구 내용을 왜곡하였다.
⑤ (가), (나) 모두에서 연구자가 예측하지 못한 해로운 영향이 연구 과정에서 발생함을 인지하고도 연구를 즉시 중단하지 않았다.

Tip
연구자 을은 몰래카메라를 활용하여 낙서 행위자의 행동을 기록하고 분석하였다.

풀이
①, ② 연구 과정에서 수집된 개인 정보를 동의 없이 연구에 활용했다는 내용과 연구 과정에서 알게 된 연구 대상자의 비밀을 보호해야 하는 의무를 준수하지 않았다는 내용은 (가)에 나타나 있지 않다.
④ 연구 결과의 공표가 연구자에게 미칠 악영향을 고려하여 연구 내용을 왜곡하였다는 내용은 (나)에 나타나 있지 않다.
⑤ (가)와 달리 (나)에는 연구자가 예측하지 못한 해로운 영향이 연구 과정에서 발생함을 인지하고도 연구를 즉시 중단하지 않았다는 내용이 나타나 있지 않다.

답 ③

필수 체크 전략 ②

2강_자료 수집 방법 ~
사회·문화 현상의 탐구 태도와 연구 윤리

1 표는 갑~병의 자료 수집 과정을 나타낸다. 이에 대한 설명으로 옳은 것은? (단, 갑~병은 각각 면접법, 문헌 연구법, 질문지법 중 하나를 활용하여 자료를 수집하였다.)

구분	자료 수집 과정
갑	도서관 홈페이지를 통해 각 지역 공공 도서관의 장서 현황을 알아보고, 도서관에서 어떤 서비스와 행사들을 제공하는지 정리하였다.
을	각 지역 주민들의 공공 도서관 이용 실태와 만족도 등에 관해 표준화된 질문을 통해 자료를 수집하였다.
병	각 지역 공공 도서관을 자주 활용하는 사람들을 직접 만나 이들에게 도서관이 어떤 의미를 갖는 공간인지 심층적으로 알아보았다.

① 갑은 연구 대상자의 일원으로 직접 참여하였다.
② 을은 양적 자료를 수집하지 않았다.
③ 병의 자료 수집 방법은 시공간적 제약을 적게 받는다.
④ 을, 병은 언어적 상호 작용을 통해 자료를 수집하였다.
⑤ 을의 자료 수집 방법은 갑, 병의 자료 수집 방법보다 자료 수집 상황에 대한 통제 수준이 낮다.

Tip

질문지법과 [   ]은 언어적 상호 작용이 필수적이다.

📋 면접법

2 다음 자료는 고등학생을 대상으로 한 설문지이다. 이에 대한 옳은 설명만을 | 보기 |에서 고른 것은?

> 1. 당신은 몇 학년입니까?
>   ① 1학년　　　② 2학년　　　③ 3학년
> 2. 당신은 정기적으로 책을 읽습니까?
>   ① 예　　　　② 아니요
> 3. 당신이 가장 좋아하는 책의 분야는 무엇입니까?
>   ① 소설　　　② 사회 과학　　③ 자연 과학
>   ④ 문학　　　⑤ 기타

┌ 보기 ┐
ㄱ. 지나치게 어려운 용어를 사용하는 질문이 있다.
ㄴ. 응답자에 따라 다른 의미로 해석할 수 있는 질문이 있다.
ㄷ. 응답지가 응답자의 모든 응답을 포괄하지 못하는 문항이 있다.
ㄹ. 응답 항목 간에 중복되는 경우가 있어 선택에 혼란을 줄 수 있는 문항이 있다.

① ㄱ, ㄴ　② ㄱ, ㄷ　③ ㄴ, ㄷ　④ ㄴ, ㄹ　⑤ ㄷ, ㄹ

Tip

질문지의 선택지는 ❶ [   ]과 ❷ [   ]을 갖고 있어야 한다.

📋 ❶ 배타성 ❷ 포괄성

3 그림은 각 질문에 대한 자료 수집 방법 A와 B의 응답을 연결한 것이다. 이에 대한 설명으로 옳은 것은?

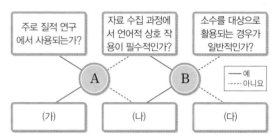

① A는 자료의 실제성을 확보하는 데 불리하다.
② B는 실험 처치를 통해 나타나는 변화를 파악하는 자료 수집 방법이다.
③ (가)에 '조사 대상자와 대면하면서 질문하여 얻은 응답에 의존하는가?'가 들어갈 수 있다.
④ (나)에 '구조화된 도구를 사용하여 자료를 수집하는가?'가 들어갈 수 있다.
⑤ (다)에 '자료 수집 과정에서 조사자가 유연성을 발휘하기 어려운가?'가 들어갈 수 있다.

Tip

주로 질적 연구에서 사용되는 자료 수집 방법은 면접법과 [   ]이다.

📋 참여 관찰법

4 다음 자료에 대한 옳은 설명만을 | 보기 |에서 고른 것은? (단, A~C는 각각 면접법, 질문지법, 참여 관찰법 중 하나이다.)

> '계량화된 자료를 수집하기에 용이한가?'라는 질문으로 A와 C를 구분할 수 있다. '자료 수집 과정에서 질문에 대한 연구 대상자의 응답이 필수 요건인가?'라는 질문으로 A와 B를 구분할 수 없다.

┌ 보기 ┐
ㄱ. A는 B에 비해 구조화된 자료 수집 방법이다.
ㄴ. B는 C에 비해 자료 수집 상황에 대한 통제 수준이 높다.
ㄷ. C는 A에 비해 심층적인 자료를 얻기가 어렵다.
ㄹ. B와 C는 모두 A에 비해 연구 결과의 일반화에 유리하다.

① ㄱ, ㄴ　② ㄱ, ㄷ　③ ㄴ, ㄷ　④ ㄴ, ㄹ　⑤ ㄷ, ㄹ

Tip

계량화된 자료 수집에 용이한 것은 [   ]이다.

📋 질문지법

5 다음 대화에서 공통적으로 강조하는 사회·문화 현상의 탐구 태도로 가장 적절한 것은?

> 우리가 미개하다고 생각하는 어느 사회의 관점에서 볼 때, 우리의 풍습이 그들에게는 극심한 공포를 불러 일으킬 수도 있어. 단지 우리와 다른 풍습을 지니고 있다는 이유만으로 우리가 그들을 야만적이라고 간주하듯이, 우리들도 그들에게는 야만적으로 보일 거야.

> 만약에 우리와 다른 사회에서 살아온 관찰자가 우리를 연구하게 된다면 우리의 어떤 풍습이, 그에게는 우리가 비문명적이라고 여기는 식인 풍습과 비슷한 것으로 간주될 가능성이 있다는 점을 인식해야 해.

① 사회·문화 현상에 내재된 사실과 가치를 엄격히 분리해야 한다.

② 자신의 연구가 연구 절차나 방법을 제대로 지키고 있는지 성찰해야 한다.

③ 편견을 버리고 사회·문화 현상에 담긴 사회적·문화적 특수성을 인정해야 한다.

④ 사회·문화 현상의 탐구는 인간을 대상으로 하므로 엄격한 윤리성을 준수해야 한다.

⑤ 경험적으로 검증하기 전까지는 사회·문화 현상의 연구 내용을 잠정적인 결론으로만 간주해야 한다.

> **Tip**
> 각 사회에서 사회·문화 현상이 발생한 맥락이나 배경을 존중해야 한다는 사회·문화 현상의 탐구 태도는 ⬚⬚⬚⬚⬚이다.   ❸ 상대주의적 태도

6 다음에서 갑이 위반한 연구 윤리로 가장 적절한 것은?

> 갑은 변호사의 의견이 배심원들의 의사 결정 과정에 어떻게 영향을 미치는지 연구하였다. 갑은 판사와 변호사의 동의를 얻고 배심원들의 의사 결정 과정을 녹음하였고, 이를 통해 결론을 도출하였다. 배심원들이 녹음 사실을 알지 못했기 때문에 녹음이 배심원의 의사 결정 과정에는 아무런 영향을 끼치지 않았지만, 연구 윤리에 위반된다는 결정은 피할 수 없었다.

① 사실과 가치를 엄격히 구분하지 않았다.

② 연구 대상의 자발적인 참여를 보장하지 않았다.

③ 연구 결과가 사회에 미치는 영향력을 간과하였다.

④ 의도한 결론을 도출하기 위하여 자료를 왜곡하였다.

⑤ 연구자의 주관적 가치가 개입된 연구 주제를 선정하였다.

> **Tip**
> 연구 참여 여부는 연구 대상의 자발적 ❶⬚⬚⬚에 기초하여 이루어져야 한다. 불가피한 경우가 아니면 연구 대상의 ❷⬚⬚⬚ 참여를 보장하기 위해 사전에 연구의 목적과 과정 등을 연구 대상에게 고지해야 한다.
> ❶ 동의 ❷ 자발적

7 다음 연구에서 나타난 연구 윤리상의 문제점으로 옳은 것은?

> 갑은 계층과 범죄율 간의 관계를 연구하는 과정에서 하층이 상층보다 범죄율이 높을 것이라는 가설을 세우고 자료를 수집하였다. 수집한 자료를 분석한 결과 두 계층의 범죄율 간에는 거의 차이가 없었다. 이에 갑은 범죄 경험이 없는 상층 사람들을 표본에 추가하여 상층의 범죄율을 낮춘 후, 자신의 가설이 입증되었다는 연구 결과를 발표하였다.

① 연구 과정에서 자료를 조작하였다.

② 검증의 필요성이 없는 가설을 설정하였다.

③ 존재하지 않는 자료를 만들어내어 분석하였다.

④ 연구 의도에 부합하지 않는 연구 방법을 활용하였다.

⑤ 연구 결과를 공표할 때 연구 대상자의 개인 정보를 보호하지 않았다.

> **Tip**
> 갑은 ❶⬚⬚⬚⬚ 결과가 자신의 ❷⬚⬚을 뒷받침하지 않자 상층의 범죄율을 낮추기 위한 자료를 추가하였다.
> ❶ 자료 분석 ❷ 가설

1 밑줄 친 ㉠~㉢과 같은 현상의 일반적인 특징에 대한 설명으로 옳은 것은?

> 최근 △△국에서 ㉠□□주를 중심으로 홍역이 유행하고 있다. 올해 가장 많은 홍역 환자가 발생한 지역은 ○○시이며, ㉡관광지로 유명하여 사람들이 많이 방문하는 ▽▽시에서도 환자가 계속 발생하고 있다. △△국 방역 당국은 환자를 진찰할 때 ㉢감염 가능성에 주의하라고 당부하였다. 홍역은 ㉣호흡기 분비물이나 공기를 통해 감염된다.

① ㉠과 같은 현상과 달리 ㉡과 같은 현상은 존재 법칙을 따른다.

② ㉡과 같은 현상과 달리 ㉢과 같은 현상은 확실성의 원리를 따른다.

③ ㉣과 같은 현상과 달리 ㉠과 같은 현상은 경험적 자료를 통해 연구할 수 있다.

④ ㉣과 같은 현상과 달리 ㉢과 같은 현상은 보편성과 특수성이 공존한다.

⑤ ㉠, ㉡과 같은 현상은 몰가치적, ㉢, ㉣과 같은 현상은 가치 함축적이다.

2 사회 · 문화 현상의 연구 방법 A, B에 대한 설명으로 옳은 것은?

구분	해당 연구 방법을 활용한 사례
A	'자녀가 부모와 함께 하는 시간과 자녀의 게임 중독 간의 관계'를 주제로, 청소년 1,000명을 대상으로 질문지를 통해 연구를 진행
B	'게임 중독에 빠진 사람들이 게임에 몰입하게 된 동기와 사례'를 주제로, 게임 중독자 10명을 대상으로 심층 면접을 통해 연구를 진행

① A는 방법론적 이원론에 기초한다.

② B는 사회·문화 현상에 내재한 규칙성을 발견하고자 한다.

③ A는 B에 비해 일반화에 유리하다.

④ 하나의 연구 주제에 대해 A, B를 함께 활용할 수는 없다.

⑤ B는 A에 비해 사회·문화 현상이 발생하는 상황 맥락을 경시한다.

3 그림은 사회 · 문화 현상을 이해하는 관점 A, B의 공통점과 차이점을 나타낸다. 이에 대한 옳은 설명만을 보기 에서 고른 것은?

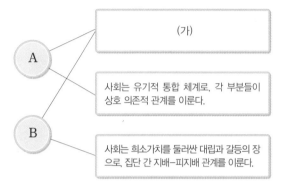

> **보기**
> ㄱ. A는 사회 규범에 지배 집단의 이익만이 반영되어 있다고 본다.
> ㄴ. B는 집단 간 대립과 갈등을 사회 변동의 원동력으로 본다.
> ㄷ. A는 B와 달리 사회화가 현재의 불평등한 구조를 정당화하는 수단에 불과하다고 본다.
> ㄹ. (가)에 들어갈 내용으로 '사회 구성원의 구조화된 행위를 설명하기 용이하다.'가 적절하다.

① ㄱ, ㄴ   ② ㄱ, ㄷ   ③ ㄴ, ㄷ

④ ㄴ, ㄹ   ⑤ ㄷ, ㄹ

4 표는 양적 연구 방법과 질적 연구 방법의 특징을 비교한 것이다. (가)~(다)에 들어갈 내용으로 옳은 것은?

구분	양적 연구 방법	질적 연구 방법
차이점	(가)	(나)
공통점	(다)	

① (가)−연구자의 감정 이입적 이해를 중시한다.

② (가)−자연 현상과 사회·문화 현상이 본질적으로 다르다는 입장을 전제로 한다.

③ (나)−개념의 조작적 정의를 통한 측정과 계량화를 중시한다.

④ (나)−사회·문화 현상에 내재한 규칙성이나 법칙의 발견을 추구한다.

⑤ (다)−경험적 자료에 기초한 연구를 지향한다.

자료 수집 방법

5 다음 연구에 대한 옳은 설명만을 | 보기 |에서 고른 것은?

> 연구자 갑은 연령대가 낮을수록 대통령 선거에서 투표율이 낮다는 가설이 타당한지 확인하기 위해 중앙 선거 관리 위원회에서 역대 대통령 선거의 연령대별 투표율에 관한 통계 자료를 수집하였다. 수집한 자료를 분석해 보니 대체로 연령대가 낮을수록 대통령 선거에서 투표율이 낮았다. 이에 갑은 20대의 투표율이 낮은 이유가 궁금하여 지난 대통령 선거에서 투표를 하지 않은 20대 유권자 10명을 따로 만나 20대가 생각하는 선거의 의미, 투표를 하지 않은 이유 등을 주제로 각각 일정 시간동안 인터뷰를 하였다.

> | 보기 |
> ㄱ. 질문지법과 면접법을 차례로 활용하였다.
> ㄴ. 1차 자료와 2차 자료를 모두 수집하였다.
> ㄷ. 양적 연구를 수행한 후 질적 연구를 시도하였다.
> ㄹ. 가설 검증에 충분한 자료의 수집을 위해 두 가지 자료 수집 방법을 활용하였다.

① ㄱ, ㄴ ② ㄱ, ㄷ ③ ㄴ, ㄷ
④ ㄴ, ㄹ ⑤ ㄷ, ㄹ

자료 수집 방법

6 표는 자료 수집 방법 A~C를 비교한 것이다. 질문 (가)와 그에 대한 대답 ㉠~㉢으로 옳은 것은? (단, A~C는 각각 면접법, 실험법, 질문지법 중 하나이다.)

구분	A	B	C
주로 질적 자료의 수집을 위해 활용되는가?	예	아니요	아니요
윤리적 문제가 발생할 가능성이 높은가?	아니요	아니요	예
(가)	㉠	㉡	㉢

	(가)	㉠	㉡	㉢
①	경험적 자료를 수집할 수 있는가?	아니요	예	예
②	문맹자를 대상으로 자료를 수집하기 어려운가?	아니요	예	아니요
③	일반화 도출이 목적인 연구에서 주로 사용되는가?	예	예	아니요
④	연구자와 응답자 간의 정서적 교감을 중시하는가?	예	아니요	예
⑤	인위적으로 통제된 상황에서 독립 변인의 효과를 측정하는가?	예	아니요	아니요

사회·문화 현상의 탐구 태도

7 다음 대화에서 을이 강조하고 있는 사회·문화 현상의 탐구 태도로 가장 적절한 것은?

갑: 나는 경제학계에서 가장 유명한 A 교수의 주장이라면 무조건 신뢰할 수 있어.

을: 아무리 유명한 학자의 주장이라고 해도 경험적인 근거를 통해 검증되기 전까지는 하나의 가설로 여겨야 해.

① 주관적인 가치관을 배제하고 탐구하는 태도
② 해당 사회나 집단의 입장에서 현상을 탐구하는 태도
③ 자신의 주장에 대한 다른 사람의 비판을 허용하는 태도
④ 현상의 이면에 존재하는 원리를 능동적으로 탐구하는 태도
⑤ 연구 절차나 연구 윤리 등을 제대로 지켰는지 되짚어 보는 태도

연구 윤리

8 다음 사례에 나타난 연구 윤리상의 문제점으로 가장 적절한 것은?

> □□게임을 개발한 기업으로부터 자사수 양도를 약속받은 연구자 갑은 □□게임이 청소년의 집중력 장애를 초래하는지에 관한 연구를 수행하면서 자료 분석 결과와 달리 □□게임이 청소년의 집중력 장애를 초래한다는 주장을 뒷받침할 만한 명확한 근거가 없다는 결론을 내리고 이를 공개적으로 발표하였다.

① 자료 분석 결과를 왜곡하고 은폐하였다.
② 공익을 해치는 연구 주제를 선정하였다.
③ 정해진 결론을 정당화하기 위한 자료만을 수집하였다.
④ 자신의 이익을 위해 연구 결과를 과장하여 발표하였다.
⑤ 자료 수집 및 분석 과정에서 자신의 이해관계를 개입시켰다.

자연 현상과 사회 · 문화 현상의 특징

01 〈자료1〉의 밑줄 친 ㉠~㉣과 같은 현상을 〈자료2〉의 질문에 따라 옳게 분류한 것은?

〈자료1〉

> ㉠고농도 미세 먼지의 이동으로 인한 피해가 갈수록 심각해지고 있다. 이번 고농도 미세 먼지는 쓰레기 소각장과 화력 발전소 등이 밀집한 중국 동해안 지대에서 나온 오염 물질이라는 사실이 ㉡기상 자료와 위성 영상 등으로 확인되고 있다. 지난 2005년 약 8,000만t이던 ㉢중국의 쓰레기 소각량은 2015년엔 1억 8,000만t으로 급증했다. 더욱이 ㉣미세 먼지로 인한 호흡기 질환 발병도 급증하고 있어 사회적 피해가 심각하다.

〈자료2〉

번호	질문	예	아니요
질문1	몰가치적인 현상인가?	㉠, ㉡	㉢, ㉣
질문2	가치 판단이 가능한가?	㉠, ㉣	㉡, ㉢
질문3	존재 법칙의 지배를 받는가?	㉠, ㉣	㉡, ㉢
질문4	계량화가 불가능한 현상인가?	㉡, ㉢	㉠, ㉣
질문5	통제된 실험과 예측이 용이한가?	㉢, ㉣	㉠, ㉡

① 질문 1　　　② 질문 2　　　③ 질문 3
④ 질문 4　　　⑤ 질문 5

Tip

인간의 의지와 무관하게 발생한 현상은 ❶▭이며, 인간의 의지가 개입되어 나타난 현상은 ❷▭이다.

🔲 ❶ 자연 현상 ❷ 사회·문화 현상

자연 현상과 사회 · 문화 현상의 특징

02 다음 판서된 자료에 대한 옳은 설명만을 ┃보기┃에서 있는 대로 고른 것은?

> ㉠이상 고온 현상이 지속되면서 ㉡개나리꽃의 개화 시기가 예년보다 10일 빨라졌다. 이에 따라 이번 주말 꽃구경을 위해 나들이를 나온 사람들이 증가하면서 ㉢전국의 고속도로에는 극심한 정체가 발생하였다.

밑줄 친 ㉠~㉢과 같은 현상의 일반적인 특징에 대해 발표해 보세요.

▭(가)▭라는 질문으로는 ㉠과 같은 현상과 ㉢과 같은 현상을 구분할 수 있습니다.

갑

㉠, ㉡과 같은 현상 모두 필연성으로 설명됩니다.

을

㉢과 같은 현상은 ㉡과 같은 현상과 달리 특수성을 지닙니다.

병

㉣한 명만 빼고 모두 옳게 발표했습니다.

┌ 보기 ┐
ㄱ. ㉣은 갑이다.
ㄴ. '계량화할 수 있습니까?'는 (가)에 들어갈 수 있다.
ㄷ. '하나의 원인에 하나의 결과가 대응합니까?'는 (가)에 들어갈 수 없다.
ㄹ. 병은 사회·문화 현상이 보편성을 갖지 않는다고 생각한다.

① ㄱ, ㄴ　　　② ㄱ, ㄹ　　　③ ㄷ, ㄹ
④ ㄱ, ㄴ, ㄷ　　　⑤ ㄴ, ㄷ, ㄹ

Tip

하나의 원인에 하나의 결과가 대응하는 것은 인과 법칙으로 설명되는 ❶▭의 특징이다.　🔲 ❶ 자연 현상

사회 · 문화 현상을 바라보는 관점

03 다음 자료에 대한 설명으로 옳은 것은?

〈 형성 평가지 〉

[문제]

사회·문화 현상을 바라보는 관점 A~C에 근거한 연구 주제를 하나씩 제시하시오.

[답안]

– A에 근거한 연구 주제: 학생들의 서로 다른 사회 계층 배경이 그들의 학업 성취와 여가 활동에 미치는 영향

– B에 근거한 연구 주제: 학교 안에서 학생과 학생의 상호 작용이 서로에게 미치는 영향 및 그들이 학칙에 대해 부여하고 있는 의미

– C에 근거한 연구 주제: 학교가 인재를 육성하여 사회에 노동력을 공급하고 문화적 가치를 전승함으로써 전체 사회 체계를 유지하는 방법

[교사의 평가]

– 모두 옳게 제시하였음

① B는 사회 구조에 의해 결정되는 개인의 상황 정의를 중시한다.

② B는 A와 달리 사회 집단 간 이익이 양립 불가능하다고 본다.

③ A는 C와 달리 개인의 행위를 초월한 사회 체계의 영향력을 중시한다.

④ C는 A와 달리 사회 질서가 사회 전체적으로 합의된 가치를 기반으로 형성되었다고 본다.

⑤ A는 B, C와 달리 사회 구조의 특성을 통해 개인의 행위를 설명할 수 있다고 본다.

Tip

사회 질서가 사회 전체적으로 합의된 가치를 기반으로 형성되었다고 보는 것은 ❶ [　　　]이다.　　　**답** ❶ 기능론

사회 · 문화 현상을 바라보는 관점

04 사회 · 문화 현상을 보는 관점 A~C에 대한 설명으로 옳은 것은? (단, A~C는 각각 기능론, 갈등론, 상징적 상호 작용론 중 하나이다.)

• '거시적 관점인가?'라는 질문으로 A와 B를 구분할 수는 있지만, B와 C를 구분할 수는 없다.

• '사회 문제를 병리적 현상으로 보는가?'라는 질문으로 A와 C를 구분할 수 는 있지만, A와 B를 구분할 수는 없다.

① A는 C에 비해 사회 구성 요소들이 맺고 있는 상호 의존적인 관계를 강조한다.

② B는 A에 비해 인간을 자율적이고 능동적인 주체로 본다.

③ B는 C와 달리 사회 체계에 초점을 맞추어 사회·문화 현상을 이해한다.

④ C는 A와 달리 사회·문화 현상이 갖는 주관적 의미를 중시한다.

⑤ C는 B와 달리 사회 규범에 대한 사회적 합의가 존재한다고 본다.

Tip

사회 문제를 병리적 현상으로 보는 관점은 ❶ [　　　]이다.　　　**답** ❶ 기능론

사회 · 문화 현상의 연구 방법

05 사회 · 문화 현상의 연구 방법 A, B에 대한 옳은 설명만을 보기 에서 고른 것은?

A는 연구 대상과 감정적인 신뢰 형성을 바탕으로 심층적 이해를 추구하여 최대한 있는 그대로의 맥락 속에서 파악하려는 연구 방법입니다.

B는 연구 대상의 예외적 특성들을 배제하고 일반적인 경향성을 확률의 원리를 적용하여 법칙을 발견하고자 하는 연구 방법입니다.

보기

ㄱ. A는 사회·문화 현상의 주관적 측면을 심층적으로 이해하고자 한다.

ㄴ. B는 자연 과학적 연구 방법을 활용하여 연구 결과를 일반화하고자 한다.

ㄷ. A는 B와 달리 객관적이고 계량화된 자료를 통해 법칙을 발견하는 것을 목적으로 한다.

ㄹ. B는 A와 달리 경험적 자료를 바탕으로 연구를 진행한다.

① ㄱ, ㄴ　　　② ㄱ, ㄷ　　　③ ㄴ, ㄷ
④ ㄴ, ㄹ　　　⑤ ㄷ, ㄹ

Tip

심층적 이해를 추구하여 현상을 최대한 있는 그대로의 맥락 속에서 파악하려는 연구 방법은 ❶ [　　　]이다.

답 ❶ 질적 연구

자료 수집 방법

06 그림은 자료 수집 방법 A~C를 비교한 것이다. 이에 대한 설명으로 옳은 것은? (단, A~C는 각각 질문지법, 면접법, 실험법 중 하나이다.)

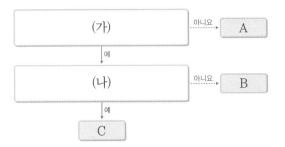

① (가)가 '언어에 의존하는 방법인가?'라면, A는 연구자의 주관적 해석 가능성이 높은 방법이다.

② (가)가 '주로 양적 자료를 수집하는 방법인가?'라면, A는 변인 간의 관계 파악에 용이한 방법이다.

③ (가)가 '언어에 의존하는 방법인가?'이고 (나)가 '주로 양적 자료를 수집하는 방법인가?'라면, B는 A보다 심층적 자료 수집에 불리한 방법이다.

④ (가)가 '주로 양적 자료를 수집하는 방법인가?'이고 (나)가 '세 가지 방법 중 가장 표준화된 방법인가?'라면, B는 C보다 자료 수집 상황에 대한 통제 정도가 더 큰 방법이다.

⑤ (가)가 '경험적인 자료를 수집하는 방법인가?'이고 (나)가 '세 가지 방법 중 다수를 대상으로 한 자료 수집에 유리한 방법인가?'라면, C는 구조화를 중시하는 방법이다.

> **Tip**
> 질문지법과 실험법은 ❶ [ ] 연구에서 주로 활용되며, 면접법은 ❷ [ ] 연구에서 주로 활용된다.
> 답 ❶ 양적 ❷ 질적

양적 연구의 사례

07 밑줄 친 ㉠~㉧에 대한 옳은 설명을 ⏐ 보기 ⏐에서 고른 것은?

> 연구자 갑은 고등학생의 아침 식사가 학업 성취에 미치는 영향을 연구하기로 하였다. 연구를 위해 갑은 먼저 ㉠고등학생이 아침 식사를 하는 것이 ㉡학업 성취 수준을 높일 것이라는 잠정적인 결론을 내리고 ㉢아침 식사를 하지 않는 ○○ 고등학교 2학년 학생 100명을 모집하여 각 학생의 1학기 내신 성적을 파악하였다. 이후 ㉣A 집단으로 명명한 학생 50명에게는 아침 식사를 제공하고 ㉤B 집단으로 나머지 50명의 학생들은 아침 식사를 하지 않는 상태 그대로 둔 후 2학기 내신 성적을 파악한 갑은 ㉥아침 식사를 하게 된 학생들의 내신 성적이 아침 식사를 하지 않은 학생들과 달리 1학기보다 향상된 것을 확인하였다.

> ⏐ 보기 ⏐
> ㄱ. ㉠은 독립 변인, ㉡은 종속 변인이다.
> ㄴ. ㉢은 모집단이다.
> ㄷ. ㉣은 실험 집단, ㉤은 통제 집단이다.
> ㄹ. ㉥을 통해 갑의 연구 결과는 일반화될 수 있다.

① ㄱ, ㄴ ② ㄱ, ㄷ ③ ㄴ, ㄷ
④ ㄴ, ㄹ ⑤ ㄷ, ㄹ

> **Tip**
> 갑은 고등학생의 아침 식사가 학업에 미치는 영향을 연구하기 위해 ❶ [ ]을 설정한 후 연구 대상자에게 ❷ [ ]을 처치한 후 그로 인해 나타나는 종속 변수의 변화를 파악하였다.
> 답 ❶ 가설 ❷ 독립 변수

양적 연구의 사례

08 다음 연구 사례에 대한 옳은 분석만을 ┌보기┐에서 있는 대로 고른 것은?

> 갑은 고등학생의 교우 관계 만족도 및 동아리 활동 만족도가 클수록 학교생활 만족도가 클 것이라는 가설을 세우고 연구를 진행하였다. 이를 위해 ㉠A고등학교 2학년 학생 100명을 대상으로 교우 관계 만족도를 조사하였고, ㉡B고등학교 2학년 학생 100명을 대상으로는 동아리 활동 만족도를 조사하였다. 두 집단을 대상으로 그들의 학교생활 만족도는 공통적으로 조사하였다. 자료 분석 결과 동아리 활동 만족도와 학교생활 만족도는 유의미한 상관관계가 없는 것으로 나타났지만, 교우 관계 만족도가 클수록 학교생활 만족도가 큰 것으로 나타났다.

┌ 보기 ┐
> ㄱ. 가설은 모두 검증되었다.
> ㄴ. 독립 변수는 2개가 설정되었다.
> ㄷ. ㉠, ㉡ 모두 실험 집단에 해당한다.
> ㄹ. 개념의 조작적 정의가 행해졌음을 추론할 수 있다.

① ㄱ, ㄴ ② ㄱ, ㄷ ③ ㄷ, ㄹ
④ ㄱ, ㄴ, ㄹ ⑤ ㄴ, ㄷ, ㄹ

> **Tip**
> 제시된 연구에서 교우 관계 만족도와 동아리 활동 만족도는 **❶**□□□이며, 학교생활 만족도는 **❷**□□□이다.
>
> 🔑 ❶ 독립 변수 ❷ 종속 변수

사회·문화 현상의 탐구 태도

09 갑이 강조하는 사회·문화 현상의 탐구 태도로 가장 적절한 것은?

> 서남아시아 이슬람 문화권에서 돼지고기가 금기 식품이 된 이유에 대해 연구한 결과를 말씀드리겠습니다. 서남아시아는 건조한 기후여서 돼지를 기르기에 부적합합니다. 돼지를 기르기 위해서는 시원한 곳에서 물을 많이 먹이고, 곡식을 주어야 하는데 이러한 노력에 비해 돼지가 제공하는 고기의 양은 많지 않습니다. 또한 식량 부족으로 하층민들은 굶고 있음에도 돼지고기가 맛있다는 것을 알게 된 상류층들은 돼지를 길렀고 이는 이슬람 공동체의 결속을 해치는 효과를 가져왔습니다. 이에 종교 지도자들은 돼지를 악마의 동물로 규정하고 기르지 못하도록 하였으며, 그 결과 서남아시아에서 돼지고기가 금기 식품이 된 것입니다.

갑

① 자신의 연구 결과에 대한 비판을 허용해야 한다.
② 서로 다른 특징을 갖는 사실과 가치를 엄격히 분리해야 한다.
③ 자신의 이해관계를 배제하고 제3자의 입장에서 탐구를 진행해야 한다.
④ 연구 절차나 방법, 연구 윤리 등을 준수하고 있는지를 되짚어 보아야 한다.
⑤ 사회·문화 현상을 탐구할 때에는 그것이 발생한 맥락이나 배경을 고려해야 한다.

> **Tip**
> 서남아시아에서 돼지고기가 금기 식품이 된 이유를 그 지역의 **❶**□□와 사회적 **❷**□□에서 찾고 있다.
>
> 🔑 ❶ 기후 ❷ 상황

연구 윤리

10 다음 자료를 통해 알 수 있는 을의 연구에 대한 설명으로 옳은 것은?

> 갑: 잘 지내? 이번에 새로운 연구 보고서를 제출했다던데 어떤 연구야?
>
> 을: 만학도 여성들의 생애사 연구를 통해 그들의 환경적 특성과 만학의 의미, 그리고 그들의 삶의 변화 과정을 파악하기 위한 연구를 실시하였어.
>
> 갑: 보고서에 연구 대상자들은 어떻게 표현했어?
>
> 을: 연구 보고서를 작성할 때 연구 대상 7명을 A~G로 표시하고, 연구 결과를 이해하는 데 필요한 정보 이외에는 그들에 대한 그 어떤 것도 기재하지 않았어.

① 2차 자료를 수집하였다.
② 연구 대상의 익명성을 보장하였다.
③ 연구 대상의 자발적 참여를 보장하였다.
④ 질적 자료와 더불어 양적 자료도 수집하였다.
⑤ 자료를 누락하여 원하는 결과가 나오도록 유도하였다.

> **Tip**
> 연구 대상 7명을 A~G로 표시하고, 연구 결과를 이해하는 데 필요한 정보 이외에는 그 어떤 것도 기재하지 않았다는 내용을 통해 **❶**□□□□의 **❷**□□□을 보장하였음을 알 수 있다.
>
> 🔑 ❶ 연구 대상 ❷ 익명성

2 개인과 사회 구조

3강_개인과 사회의 관계를 바라보는 관점 ~ 인간의 사회화

4강_사회 집단과 사회 조직 ~ 일탈 행동

개념 01 사회 실재론

1 기본 입장
- 사회는 개인의 외부에 실제로 존재함
- 사회는 독자적인 특징을 가지고 있음
- 사회는 개인의 합 이상이며, 개인은 사회를 구성하는 요소에 불과함

2 주요 내용
- 사회가 개인보다 우월함
- 개인의 이익보다 전체의 이익을 중시함
- 사회는 개인들의 합으로 환원할 수 없음
- 사회 문제의 해결책으로 ❶　　　　　와 제도의 개선을 강조함

3 관련 사상 ❷　　　　　, 전체주의 등

답 ❶ 사회 구조 ❷ 사회 유기체설

확인 01

사회를 개인들의 총합 그 이상의 존재라고 보는 것은 　　　　　의 관점이다.

개념 02 사회 명목론

1 기본 입장
- 사회는 개인들의 집합체에 이름을 붙인 것에 불과함
- 사회는 개인의 이익을 실현시키기 위한 수단임
- 사회는 실제로 존재하지 않음

2 주요 내용
- 개인의 능동성을 강조함
- 공익보다 개인의 이익이나 권리를 우선시함
- 사회는 개인들의 행동에 영향을 미칠 수 없음
- 사회 문제의 해결책으로 개인의 ❶　　　　　개선을 강조함

3 관련 사상 ❷　　　　　, 개인주의, 자유주의 등

답 ❶ 의식 ❷ 사회 계약설

확인 02

사회는 개인들의 집합체를 가리키기 위해 붙여진 이름에 불과하다고 보는 것은 　　　　　의 관점이다.

개념 03 사회화

1 사회화 사회 구성원 간 상호 작용을 통해 사회생활에 필요한 지식, 가치 등을 ❶　　　　　하고 내면화하는 과정

2 유형
- 재사회화: ❷　　　　　에 맞춰 새롭게 요구되는 정보, 가치관 등을 습득하는 과정
- 예기 사회화: 미래에 속할 것으로 예상되는 집단에서 요구되는 행동 양식을 미리 습득하는 과정

3 특징 평생에 걸쳐 진행되며 사회화의 내용이나 방식은 시대나 사회에 따라 다양하게 나타남

답 ❶ 학습 ❷ 사회 변동

확인 03

입학 전 신입생 오리엔테이션은 　　　　　에 해당한다.

> 상징적 상호 작용론은 인간이 가진 상징과 사회 구성원인 인간 개인의 능동성을 강조하는 장점이 있는 반면, 개인의 행위에 영향을 미치는 사회 구조나 제도의 힘을 경시하는 한계가 있어요.

개념 04 사회화를 보는 관점

1 기능론
- 사회화를 통해 사회 구조의 안정과 질서 유지를 도모함
- 사회화의 내용이나 방법 등은 사회적 ❶　　　　　에 의해 결정됨

2 갈등론
- 사회화를 통해 불평등 구조가 ❷　　　　　됨
- 사회화의 내용이나 방법 등은 지배 집단의 가치관을 바탕으로 결정됨

3 상징적 상호 작용론 사회화는 개인이 타인과의 상호 작용 과정에서 이루어진다고 봄

답 ❶ 합의 ❷ 재생산

확인 04

사회화는 개인이 타인과의 상호 작용 과정이라고 보는 관점은 　　　　　이다.

개념 05 사회화 기관

1 1차적 사회화 기관 직접적이고 기본적인 사회화를 수행하는 기관

　예 가족, 친족, 또래 집단 등

2 2차적 사회화 기관 보다 **❶** [＿＿＿＿] 사회화를 수행하는 기관

　예 학교, 회사, 대중 매체 등

3 공식적 사회화 기관 사회화를 **❷** [＿＿＿＿]으로 설립된 기관

　예 학교, 직업 훈련소 등

4 비공식적 사회화 기관 사회화 이외의 목적으로 설립되었으나 부수적으로 사회화를 수행하는 기관

　예 가족, 또래 집단, 회사, 대중 매체 등

답 ❶ 전문적인 ❷ 목적

확인 05

학교는 [＿＿＿＿] 사회화 기관이자, [＿＿＿＿] 사회화 기관이다.

개념 06 지위

1 의미

- 개인이 사회에서 차지하고 있는 위치
- 여러 개의 지위를 동시에 갖게 되는 경우가 많음

2 특징

- 시간이 흐르면서 개인이 갖는 지위는 달라질 수 있음
- 현대 사회로 오면서 귀속 지위보다 성취 지위의 중요성이 더 커지고 있음

3 종류

- 귀속 지위: 자연적·**❶** [＿＿＿＿]으로 얻게 되는 지위
  　예 딸, 아들, 노인, 청소년 등
- 성취 지위: 개인의 노력이나 능력을 통해 얻게 되는 **❷** [＿＿＿＿] 지위
  　예 아버지, 어머니, 학생, 남편, 아내 등

답 ❶ 선천적 ❷ 후천적

확인 06

고등학교 3학년 학생은 [＿＿＿＿] 지위이다.

개념 07 역할

1 의미 일정한 **❶** [＿＿＿＿]에 대해 사회적으로 기대되는 행동 양식

2 역할 행동

- 개인이 역할을 수행하는 구체적인 행동 양식
- 동일한 지위에 대해서도 개인의 성향에 따라 역할 행동은 다양하게 나타남
- 사회적 기대에 부응하면 **❷** [＿＿＿＿], 사회적 기대에 어긋나면 제재가 주어짐

답 ❶ 지위 ❷ 보상

확인 07

보상이나 제재는 [＿＿＿＿]에 대해 주어진다.

사회적 역할은 문화와 시대에 따라 다를 수 있습니다. 성 역할 구분이 명확했던 전통 사회에서는 가사 노동을 여성의 역할로 여겼으나, 현대 사회에서는 양성평등 의식의 확산으로 남녀 모두의 역할로 생각합니다.

개념 08 역할 갈등

1 의미 개인에게 요구되는 **❶** [＿＿＿＿] 사이에 충돌이 발생하는 것

2 종류

- 하나의 지위에 대해 상반되는 여러 가지 역할의 수행이 동시에 요구되는 경우
  　예 자상한 선생님과 엄격한 선생님의 역할이 동시에 요구되는 경우
- 한 사람이 가진 여러 가지 지위에 대해 기대되는 역할들 간에 충돌이 나타나는 경우
  　예 일과 중 아픈 자녀를 둔 직장인 부모

3 해결 방안

- 개인적 차원: 역할의 **❷** [＿＿＿＿]를 정하여 더 중요한 역할을 선택함
- 사회적 차원: 역할 갈등을 겪지 않도록 예방하고 지원하는 제도나 시설을 마련함

답 ❶ 역할 ❷ 우선순위

확인 08

역할 갈등이란 개인에게 요구되는 서로 다른 [＿＿＿＿]들이 충돌하여 발생하는 것이다.

개념 돌파 전략 ① 4강_사회 집단과 사회 조직 ～ 일탈 행동

개념 01 사회 집단

1 **사회 집단** 2명 이상의 구성원들이 모여 소속감이나 공통의 관심사를 갖고 비교적 지속적으로 상호 작용하는 사회적 집합체

2 **소속감에 따른 분류(섬너)**
  • 내집단(우리 집단): 강한 소속감이나 **❶** [ ] 의식을 가지고, 자신을 집단의 일부라고 생각하는 집단
    예 우리 학교, 우리나라 등
  • 외집단(그들 집단): 이질감 또는 적대감의 대상이 되는 집단
    예 상대 팀, 라이벌 학교 등

3 **결합 의지에 따른 분류(퇴니에스)**
  • 공동 사회(공동체): 본능적 결합 의지에 의해 자연 발생적으로 구성된 집단
    예 가족, 친족, 전통적 지역 사회 등
  • 이익 사회(결사체): **❷** [ ] 결합 의지에 의해 인위적으로 구성된 집단
    예 학교, 회사, 정당, 국가 등

4 **접촉 방식에 따른 분류(쿨리)**
  • 1차 집단(원초 집단): 구성원 간 직접 접촉, 전인격적인 인간관계를 바탕으로 형성된 집단
    예 가족, 또래 집단 등
  • 2차 집단: 구성원 간 간접 접촉, 수단적인 인간관계를 바탕으로 형성된 집단
    예 학교, 회사 등

5 **준거 집단**
  • 실제 소속 여부와 상관없이 개인의 가치와 행동의 판단 기준이 되는 집단
    예 진학하고 싶은 대학교 등
  • 준거 집단과 소속 집단이 불일치하는 경우 소속 집단에 대해 불만이나 상실감을 느낄 수 있음

답 ❶ 공동체 ❷ 선택적

확인 01

우리 학교는 접촉 방식에 따른 분류에 의하면 [ ]에 속한다.

개념 02 사회 조직

1 **의미** 목표와 경계가 뚜렷하고, 구성원의 지위와 역할이 명확하게 구분되며 명시적 규범이 적용되는 체계적인 사회 집단

2 **공식 조직** 구성원의 지위와 책임이 명확하게 규정되고 정해진 절차에 의해 특정 **❶** [ ]을 달성하려는 조직(= 사회 조직)
    예 학교, 회사 등

3 **비공식 조직**
  • 공식 조직 내에서 공통의 관심사나 취미에 따라 친밀한 인간관계를 바탕으로 자연 발생적으로 형성된 조직
    예 직장 내 동호회·친목회 등
  • 순기능: 구성원들에게 정서적 안정과 만족감 제공, 사기를 증진시켜 과업의 효율성을 높임
  • 역기능: 파벌 조성, 비공식 조직 간의 경쟁과 대립 발생, 지나친 개인적 친밀감은 조직의 효율성을 떨어뜨림

4 **자발적 결사체**
  • 공동의 목표나 이해관계를 가진 사람들이 **❷** [ ]으로 만든 사회 집단
  • 가입과 탈퇴의 자유, 구성원의 열의와 자발성에 기초, 조직의 형태와 운영의 다양성, 1차적 관계와 2차적 관계의 공존
  • 친목 집단: 친목을 목적으로 조직
    예 친목회, 동호회 등
  • 이익 집단: 특수한 이익을 추구하고자 조직
    예 노동조합, 직능 단체 등
  • 시민 단체: 공익을 실현하기 위해 조직
    예 환경 단체, 봉사 단체 등

답 ❶ 목적 ❷ 자발적

확인 02

공식 조직 내에서 친밀한 인간관계를 바탕으로 공통의 관심사나 취미 등에 따라 자연 발생적으로 형성된 집단을 [ ]이라고 한다.

개념 03 관료제

1 **의미** 위계질서를 바탕으로 명시적인 규범과 절차에 따라 대규모의 조직을 합리적으로 관리·운영하는 조직 형태

2 **등장 배경** 근대 이후 산업화에 따른 조직의 대규모화 → 대규모 조직을 효율적으로 관리하고 신속·정확한 업무 처리의 필요성 증대

3 **특징** 과업의 분화와 ❶   , 권한과 책임에 따른 위계의 서열화, 규약과 절차에 따른 과업 수행, 과업의 표준화, 하향식 의사 결정, 중간 관리층의 역할 강함, ❷   에 따른 보상(연공서열주의)과 신분 보장

4 **순기능과 역기능**
- 순기능: 권한과 책임의 명확성, 과업 수행의 지속성 유지, 집단 과업에 대한 효율적·안정적 처리
- 역기능: 목적 전치 현상, 인간 소외 현상, 무사안일주의

답 ❶ 전문화 ❷ 경력

확인 03

구성원들이 규약과 절차에 따라 업무를 수행하는 조직 형태를 □□□□□라고 한다.

수평화는 관료제의 엄격한 수직적 위계 구조를 완화하거나 제거하는 방향으로 조직을 운영하는 것입니다.
네트워크화는 조직의 물리적 경계를 벗어나 조직 기능을 핵심 역량 중심으로 조정하고 다른 외부 기관과 협력하여 나머지 기능을 수행하는 것입니다.

개념 04 탈관료제

1 **의미** 관료제 한계를 극복하기 위한 새로운 조직 형태

2 **등장 배경** ❶   사회 진입 → 관료제 조직의 비효율성 증대 → 새로운 조직 형태 등장 압박

3 **특징** 의사 결정 권한 분산, 유연한 조직 구조, 능력과 성과에 따른 보상, ❷   의 역할 비중 감소

4 **종류** 팀제 조직, 네트워크형 조직, 아메바형 조직

답 ❶ 정보화 ❷ 중간 관리층

확인 04

탈관료제 조직은 관료제 조직에 비해 의사 결정 권한이 분산된 □□□□□ 조직 체계이다.

개념 05 일탈 행동

1 **일탈 행동**
- 의미: 한 사회에서 일반적으로 받아들여지고 있는 사회 규범이나 사회적 기대에 어긋나는 행동
- 특징: 시대나 사회에 따라 다양하게 나타나며, 사회적 상황에 따라 일탈 행동의 판단 기준이 다르게 나타남(상대성)

2 **뒤르켐의 아노미론**
- 급격한 ❶   → 지배적인 규범의 부재 → 일탈 행동 발생
- 해결 방안: 사회 규범의 통제력 회복, 새로운 가치관 확립

3 **머튼의 아노미론**
- 문화적 목표와 제도적 수단의 괴리 → 일탈 행동 발생
- 해결 방안: 문화적 목표를 달성할 수 있는 제도적 수단의 제공

4 **낙인 이론**
- 특정 행동 발생 → 사회 구성원들이 일탈 행동자라고 규정 → 부정적 자아 내면화 → ❷   일탈 반복
- 일탈을 규정하는 객관적 기준이 없다고 보는 이론
- 해결 방안: 사회적 낙인에 대한 신중한 접근

5 **차별 교제 이론**
- 일탈 행동자와의 교제 → 일탈 학습 → 일탈 행동 발생
- 해결 방안: 일탈자와의 접촉 차단, 정상적인 사회 집단과의 교류

답 ❶ 사회 변동 ❷ 2차적

확인 05

차별적인 제재가 일탈 행동의 원인이라고 보는 이론은 □□□□□이다.

개념 돌파 전략 ②

1 다음은 개인과 사회의 관계를 바라보는 관점 A, B를 정리한 것이다. 이에 대한 설명으로 옳은 것은?

구분	A	B
사회는 개인들의 총합에 불과한가?	아니요	예
(가)	예	아니요

① A는 개인의 이익 총합이 공익과 같다고 본다.
② B와 관련된 사상으로 사회 유기체설이 있다.
③ A는 B와 달리 개인의 능동성을 강조한다.
④ A, B는 모두 사회를 개인을 위한 수단으로 인식한다.
⑤ (가)에는 '사회를 독자적인 존재로 인식하는가?'가 들어갈 수 있다.

문제 해결 전략

사회가 개인들의 총합과 같다고 보는 관점은 **①**□□□□, 사회를 독자적인 존재로 인식하는 관점은 **②**□□□□이다.

🖳 **①** 사회 명목론 **②** 사회 실재론

2 제시된 사회화 기관에 대한 옳은 설명만을 |보기|에서 고른 것은?

> • 가족　　　• 학교　　　• 회사　　　• 또래 집단

┌ 보기 ┐
ㄱ. 1차적 사회화 기관은 1개이다
ㄴ. 2차적 사회화 기관은 2개이다.
ㄷ. 공식적 사회화 기관은 2개이다.
ㄹ. 비공식적 사회화 기관은 3개이다.

① ㄱ, ㄴ　　② ㄱ, ㄷ　　③ ㄴ, ㄷ　　④ ㄴ, ㄹ　　⑤ ㄷ, ㄹ

문제 해결 전략

사회화를 목적으로 설립한 사회화 기관을 **①**□□□□ 사회화 기관이라고 하며, 전문적인 내용의 사회화를 담당하는 사회화 기관을 **②**□□□□ 사회화 기관이라고 한다.

🖳 **①** 공식적 **②** 2차적

3 밑줄 친 ㉠~㉢에 대한 옳은 설명만을 |보기|에서 고른 것은?

성명	홍길동	성별	㉠ 남자	취미	축구 및 밴드 활동
학력	○○대학교 △△학과 졸업			직업	㉡ 고등학교 교사
가족 관계	2남 중 ㉢ 장남이고, ㉣ 아내와 함께 살고 있음				
봉사 경험	밴드 멤버들과 함께 독거노인 분들을 위한 찾아가는 음악회를 진행하고 있음				

┌ 보기 ┐
ㄱ. ㉠은 ㉡과 달리 귀속 지위이다.
ㄴ. ㉡은 ㉢과 달리 성취 지위이다.
ㄷ. ㉢과 ㉣은 모두 귀속 지위이다.
ㄹ. ㉡은 ㉠, ㉢, ㉣과 달리 후천적 노력에 의해 얻게 된 지위이다.

① ㄱ, ㄴ　　② ㄱ, ㄷ　　③ ㄴ, ㄷ　　④ ㄴ, ㄹ　　⑤ ㄷ, ㄹ

문제 해결 전략

아들, 딸, 여자, 남자와 같이 태어나면서부터 얻게 되는 지위를 **①**□□□□, 남편, 아내, 아빠, 엄마와 같이 후천적인 노력을 통해 얻을 수 있는 지위를 **②**□□□□라고 한다.

🖳 **①** 귀속 지위 **②** 성취 지위

4 다음은 갑의 일기를 정리한 것이다. 밑줄 친 ㉠~㉤에 대한 설명으로 옳은 것은?

> 20△△년 △월 △일 △요일 날씨 맑음
> …(중략)… 지난 한 주의 피로를 잘 풀고 새로운 한 주를 맞이한다. 이번 주의 주요 일정을 정리해 보았다.
> • 월요일: 우리 ㉠회사 신입 사원 오리엔테이션 자료 정리
> • 화요일: 퇴근 후 ㉡○○ 시민 단체 캠페인 활동 참가
> • 수요일: 퇴근 후 ㉢사내 축구 모임 리그 준결승 참가
> • 목요일: 오후 ㉣☆☆ 노동조합 사무실 방문
> • 금요일: 퇴근 후 ㉤가족과 ◇◇레스토랑에서 저녁 식사
> 앞으로 매주 일요일마다 한 주의 주요 일정을 이렇게 정리하면 보다 의미 있고 보람찬 한 주를 보낼 수 있을 것 같다.

① ㉠은 ㉡과 달리 비공식 조직이다.
② ㉡은 ㉢과 달리 이익 사회이다.
③ ㉢은 ㉣과 달리 자발적 결사체이다.
④ ㉣은 ㉤과 달리 1차 집단이다.
⑤ ㉤은 ㉠과 달리 사회 조직이 아니다.

문제 해결 전략

구성원의 지위와 책임이 명확하게 규정되고 정해진 절차에 의해 특정 목적을 달성하려는 사회 집단을 ❶ 이라고 하고, 공식 조직 내에서 공통의 관심사나 취미에 따라 친밀한 인간관계를 바탕으로 자연 발생적으로 형성된 사회 집단을 ❷ 이라고 한다.

🗒 ❶ 공식 조직 ❷ 비공식 조직

---

5 다음 글과 관련된 일탈 이론에 대한 설명으로 옳은 것은?

> 프로 야구 선수 갑은 올림픽 대표 선수로 선발된 만큼 좋은 구위와 성적으로 팬들에게 좋은 인상을 심어 주고 있었다. 하지만 고등학교 시절 학교 폭력 가해 경력이 있던 팀 후배 을과 어울리면서 갑은 자연스럽게 일탈에 대해 긍정적인 가치관을 함양하게 되었다. 결국 갑은 을과 함께 원정 경기 기간 중 원정 숙소를 무단 이탈함과 동시에 코로나(Covid-19) 방역 수칙을 위반하는 행동을 하게 되어 스스로 올림픽 대표 자격을 반납하고 이에 상응하는 징계를 받게 되었다.

① 일탈 행동을 규정하는 객관적인 기준이 없다고 본다.
② 일탈 행동을 야기하는 사회 구조적인 측면에 주목한다.
③ 일탈 행동 자체보다는 그에 대한 사회적 반응에 주목한다.
④ 일탈 행동의 해결 방안으로 정상적인 집단과의 교류를 제안한다.
⑤ 문화적 목표와 제도적 수단 간의 괴리로 인해 일탈 행동이 발생한다고 본다.

문제 해결 전략

일탈 행동에 대한 이론 중 ❶ 은 일탈 행동 자체보다는 그에 대한 사회적 반응에 주목하며 일탈 행동을 규정하는 객관적인 기준이 없다고 본다. 한편 ❷ 은 제도적 수단을 통해 문화적 목표를 달성할 수 없을 때 일탈 행동을 하게 된다고 본다.

🗒 ❶ 낙인 이론 ❷ 머튼의 아노미 이론

필수 예제 01 　　　　　수능 기출

개인과 사회의 관계를 바라보는 갑, 을의 관점에 대한 설명으로 옳은 것은?

> 환경 오염에 대한 국민들의 자각 수준이 국가별 환경 오염의 정도를 결정합니다. 따라서 국민 각자가 환경 오염의 심각성을 깨닫고, 일상생활에서부터 책임 의식을 가지고 환경 보호를 실천해야 합니다. （갑）

> 국가별 환경 오염의 정도는 사회 개별 구성원들의 생활을 환경 친화적으로 유도하는 국가의 의지와 역량에 따라 달라집니다. 결국 환경을 지키는 것이 중요하다는 사회 분위기를 만들어야 합니다. （을）

① 갑의 관점은 사회의 특성이 개인의 특성으로 환원되지 않는다고 본다.

② 을의 관점은 개인이 사회에 의해 구조화된 행동을 한다고 본다.

③ 갑의 관점은 을의 관점과 달리 개인이 사회 속에서만 존재 의미를 가질 수 있다고 본다.

④ 을의 관점은 갑의 관점과 달리 사회 현상이 개인의 자율적인 의지에 의해 만들어진다고 본다.

⑤ 갑, 을의 관점은 모두 개인의 자율성이 사회 규범의 구속성보다 우선한다고 본다.

Tip

갑은 사회 명목론, 을은 사회 실재론이다.

풀이

사회 실재론은 개인의 행동에 사회가 큰 영향력을 행사하기 때문에 구성원들은 사회적 요구에 맞는 구조화된 행동을 한다고 본다.
답 ②

응용 01-1

다음 글에 나타난 개인과 사회를 보는 관점에 대한 설명으로 옳은 것만을 ┃보기┃에서 고르시오.

> 사회 계약설은 시민들이 어떻게 국가를 형성하게 되었는지를 설명한 이론들로 구성되어 있다.

┃보기┃
ㄱ. 인간의 능동성을 강조한다.
ㄴ. 사회는 개인보다 우월한 존재이다.
ㄷ. 개인은 사회를 떠나서 존재할 수 없다.
ㄹ. 개인의 특성이 사회의 특성을 만들어 낸다.

필수 예제 02 　　　　　수능 기출

다음에 나타난 개인과 사회의 관계를 바라보는 관점에 부합하는 진술만을 ┃보기┃에서 고른 것은?

> 모든 사회에는 세대에서 세대로 전수되며 집단적 삶의 통일성과 연속성의 기반이 되는 공통적인 관념과 감정들이 존재한다. 그것들은 심리학적 성격을 갖는데 개인적 차원이 아닌 사회적 차원으로 접근할 수 있다. 왜냐하면 종교적 전통, 정치적 세계관, 언어 등의 현상은 개인적 차원을 훨씬 넘어서기 때문이다. 이러한 관념 및 감정들은 실질적인 사회적 삶과 관련되며 개인은 그것들을 존중하고 준수하도록 요구받는다.

┃보기┃
ㄱ. 개인은 사회 속에서만 존재의 의미를 갖는다.
ㄴ. 사회는 개인의 외부에서 독자적으로 작동한다.
ㄷ. 조직의 역량은 구성원들의 능력을 합한 것과 같다.
ㄹ. 사회는 개인의 이익을 실현해 주는 수단에 불과하다.

① ㄱ, ㄴ ② ㄱ, ㄷ ③ ㄴ, ㄷ ④ ㄴ, ㄹ ⑤ ㄷ, ㄹ

Tip

제시문은 사회 실재론적 관점이다.

풀이

ㄱ, ㄴ. 사회 실재론에서 개인은 사회의 구성 요소 중 하나로 사회의 존재를 인정할 때 그 의미를 찾을 수 있고, 사회는 개인의 외부에 실제로 존재한다고 본다.
답 ①

응용 02-1

다음 글에 나타난 개인과 사회를 보는 관점에 대한 설명으로 옳은 것만을 ┃보기┃에서 고르시오.

> 사회는 살아 있는 유기체와 같아서 사회를 구성하고 있는 구성 요소인 개인들을 구속하는 힘이 있기 때문에 개인들은 실존하는 사회의 영향력을 받을 수밖에 없다.

┃보기┃
ㄱ. 사익보다 공익을 우선시한다.
ㄴ. 극단적인 개인주의로 빠질 우려가 있다.
ㄷ. 사회는 개인들의 합으로 환원할 수 없다.
ㄹ. 사회는 개인의 이익을 실현시켜 주는 수단이다.

필수 예제 03 　　　수능 기출

자료에서 교사의 질문에 옳게 응답한 학생을 고른 것은?

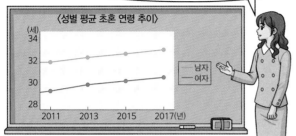

사회는 개인들로 환원하여 설명할 수 없다는 관점에서 이 자료에 나타난 사회 현상에 대해 어떤 설명이 가능할까요?

〈성별 평균 초혼 연령 추이〉

* 평균 초혼 연령: 처음 결혼한 인구의 연령을 평균한 수치

갑: 결혼이 필수라고 생각하지 않아 자발적으로 독신을 선택한 사람이 늘어난 결과입니다.

을: 경기 침체로 취업난이 날로 심해지면서 결혼 시기를 놓친 사람이 늘어난 결과입니다.

병: 결혼보다 다른 개인적 가치 추구를 더 중시하여 결혼을 미루는 사람이 늘어난 결과입니다.

정: 주택 가격 폭등으로 신혼집 마련이 어려워 결혼을 늦출 수밖에 없는 사람이 늘어난 결과입니다.

① 갑, 을　　② 갑, 병　　③ 을, 병
④ 을, 정　　⑤ 병, 정

Tip

교사는 사회 실재론의 입장에서 성별 평균 초혼 연령 추이에 대해 어떤 설명이 가능한지를 묻고 있다.

풀이

갑과 병은 사회 명목론적 입장에서, 을과 정은 사회 실재론적 입장에서 성별 평균 초혼 연령 추이를 설명하고 있다.　답 ④

응용 03-1

개인과 사회의 관계를 보는 관점 A, B에 대한 설명으로 옳은 것을 고르시오.

질문	A	B
사회는 개인들의 합으로 환원할 수 있는가?	아니요	예

① A는 사회는 독자적인 특성을 지니고 있다고 본다.
② B와 관련된 사상으로 사회 유기체설이 있다.
③ A는 B와 달리 사회 구조의 문제를 개인의 탓으로 생각한다.
④ B는 A와 달리 개인이 사회에 미치는 영향력을 간과하는 경향이 있다.
⑤ A, B는 모두 사회가 개인의 외부에 실재한다고 본다.

필수 예제 04 　　　수능 기출

개인과 사회의 관계를 바라보는 관점 (가), (나)에 대한 옳은 설명을 보기 에서 고른 것은?

(가) 에 따르면 결혼, 가족, 종교의 본질은 해당 제도에 대응되는 개인적 욕구인 성적 욕구, 부모의 애정, 종교의 본능 등으로 구성된 것이다. 이 경우 개인의 정신 상태가 유일하게 관찰 가능한 대상이 된다. 그러나 제도란 그 자체로 다양하고 복합적인 역사적 맥락을 가지며 개인의 의식 외부에 실체로서 존재하는 것이다. 실체가 존재하지 않는다면 사회학은 그 자체의 연구 대상을 가질 수가 없기에, (나) 을 바탕으로 할 때 사회학의 연구 대상을 가지게 된다.

보기

ㄱ. (가)는 사회가 개인들의 속성으로 환원될 수 없다고 본다.
ㄴ. (가)는 사회가 개인의 자율적인 의지에 의해 형성된다고 본다.
ㄷ. (나)는 개인이 사회 속에서만 존재 의미를 갖는다고 본다.
ㄹ. (나)는 개인들이 옳다고 믿기 때문에 사회 규범이 존재한다고 본다.

① ㄱ, ㄴ　② ㄱ, ㄷ　③ ㄴ, ㄷ　④ ㄴ, ㄹ　⑤ ㄷ, ㄹ

Tip

(가)는 사회 명목론, (나)는 사회 실재론이다.

풀이

ㄴ. 사회 명목론에서는 개인의 자율적인 의지에 의해 사회가 구성된다고 본다.
ㄷ. 사회 실재론에서는 개인은 사회를 구성하는 요소에 불과하며, 개인은 사회 속에서만 존재 의미를 갖는다고 본다.　답 ③

응용 04-1

사회 명목론에 대한 옳은 설명만을 보기 에서 고르시오.

보기

ㄱ. 사회는 개인들의 계약으로 만들어진다.
ㄴ. 문제 해결을 위한 제도 개선에 주목한다.
ㄷ. 개인의 생각은 사회적 분위기에 의해 결정된다.
ㄹ. 하나의 집합체는 부분들이 합쳐진 것에 불과하다.

필수 예제 05

수능 기출

다음 사례에 대한 옳은 분석만을 | 보기 |에서 있는 대로 고른 것은?

- 갑은 대형 유통 업체에 취업하기 위해 회사를 알아보던 중, 영세한 식품 회사를 운영 중인 부모님이 함께 일하자고 간곡하게 요청하여 고민에 빠졌다. 결국 부모님의 회사에 입사하여 신입 사원 연수를 받았다. 그 후 회사 매출이 늘어나자 자신의 선택에 뿌듯해 하였다.
- 을은 자신이 원하던 연구소에 취업하여 만족감을 느끼고 있었다. 동물 보호 단체 회원이기도 한 을은 연구소로부터 동물 대상 실험을 시행하라는 요구를 받지 고민에 빠졌다. 결국 을은 실험을 거부하고 동물 실험 반대 운동을 주도하여 동물 보호 단체로부터 감사장을 받았다.

┌ 보기 ┐
ㄱ. 갑은 귀속 지위와 성취 지위에 따른 역할 갈등을 경험하였다.
ㄴ. 을은 서로 다른 2차적 사회화 기관에서의 각 지위에 따른 역할 갈등을 경험하였다.
ㄷ. 갑은 을과 달리 공식적 사회화 기관에서 예기 사회화를 경험하였다.
ㄹ. 을은 갑과 달리 역할 행동에 대한 보상을 받았다.

① ㄱ, ㄴ ② ㄱ, ㄷ ③ ㄴ, ㄷ ④ ㄴ, ㄹ ⑤ ㄷ, ㄹ

Tip

부모님의 부탁에 대한 고민은 역할 갈등이 아니다. 또한 회사 매출 증가로 인해 뿌듯함을 느낀 것도 보상이라고 볼 수 없다.

풀이

ㄴ. 을은 연구소와 동물 보호 단체에서의 지위에 따른 역할 갈등을 경험하였고, 연구소와 동물 보호 단체는 모두 2차적 사회화 기관이다.
ㄹ. 을은 동물 보호 단체로부터 감사장을 받았지만 갑은 스스로 뿌듯해 하였다.

답 ④

응용 05-1

성취 지위만을 | 보기 |에서 있는 대로 고르시오.

┌ 보기 ┐
ㄱ. 장남 ㄴ. 아내 ㄷ. 부모 ㄹ. 할아버지

필수 예제 06

수능 기출

밑줄 친 ㉠~㉺에 대한 설명으로 옳은 것은?

갑은 ㉠광고 회사 재직 중 세계 일주 여행을 결심하였다. 장기 휴가에 대해 상사에게 어떻게 말할지 ㉡고민하던 갑은 다니던 회사를 ㉢퇴직하기로 결정하였다. 갑은 자신의 퇴직에 대해 부모님과 ㉣갈등을 겪었으나 결국 여행을 떠났다. 여행 중 블로그에 올린 글과 사진을 모아 포토 에세이집을 출간한 갑은 ㉤출판 시장에서 좋은 반응을 얻으면서 큰 ㉥소득을 올렸다. 이를 계기로 마침내 갑은 ㉦청소년 시절부터 꿈꿔 왔던 ㉧베스트셀러 작가가 되었다.

① ㉠은 2차적 사회화 기관이자 공식적 사회화 기관이다.
② ㉡은 ㉣과 달리 갑의 역할 갈등이다.
③ ㉢은 ㉥과 달리 갑의 역할 행동에 대한 제재이다.
④ ㉤은 ㉧으로서의 갑의 역할 행동이다.
⑤ ㉦은 자연적으로 주어진 귀속 지위이다.

Tip

귀속 지위는 자연적·선천적으로 주어지는 지위이다.

풀이

① 광고 회사는 비공식적 사회화 기관이다.
② 단순한 심리적 고민과 갈등은 역할 갈등이라고 볼 수 없다.
③ 퇴직은 역할 행동에 대한 제재가 아니다.
④ 출판 시장에서의 좋은 반응은 갑의 역할 행동에 대한 보상이다.

답 ⑤

응용 06-1

다음 주장에 나타난 사회학적 개념에 대한 설명으로 옳은 것은?

한 개인이나 집단은 그 사회 속에서 일정한 위치를 차지합니다. 이때 이 위치를 결정하는 요인에는 선천적 요인과 후천적 요인이 존재하며, 이 위치에 따라 사회적으로 기대되는 행동 양식이 존재합니다. 개인이나 집단은 자신에게 기대되는 행동 양식을 성실히 수행하거나 혹은 제대로 수행하지 않기도 합니다.

① 고등학생은 귀속 지위이다.
② 하나의 지위에 대해 하나의 역할만 기대된다.
③ 지위가 같으면 역할 행동도 모두 같게 나타난다.
④ 한 사람에게 여러 가지 지위가 동시에 주어질 수 있다.
⑤ 어느 대학교에 지원할지 고민하는 것은 고등학생의 역할 갈등이다.

필수 예제 07　수능 기출

밑줄 친 ㉠~㊀에 대한 설명으로 옳은 것은?

갑은 어려서부터 ㉠또래 집단과 어울리기보다는 혼자서 ㉡사색하기를 즐겼다. 청소년기에 접어든 갑은 어느 학자와의 만남을 계기로 학문에 뜻을 품고 철학, 사회, 역사 등 ㉢여러 분야의 서적을 섭렵했다. 그 후 철학자가 된 갑은 현실 사회를 비판하는 주장을 펼쳐 다른 입장을 가진 ㉣철학자들과 갈등을 겪었다. 그러나 갑은 왕성한 ㉤저술과 강연 활동으로 ㉥청년 세대의 지지와 존경을 받으면서 ㊀학문 발전을 위해 크게 힘썼다.

① ㉠은 비공식적 사회화 기관이자 2차적 사회화 기관이다.
② ㉡은 갑의 예기 사회화에 해당한다.
③ ㉢은 갑의 재사회화에 해당한다.
④ ㉣은 하나의 지위에 둘 이상의 역할이 동시에 기대될 때 나타나는 상황이다.
⑤ ㉤에 대한 보상에 ㉥은 해당하나 ㊀은 해당하지 않는다.

Tip

1차적 사회화 기관은 기초적인 사회화가 이루어지는 기관이고, 2차적 사회화 기관은 전문적인 사회화가 이루어지는 기관이다.

풀이

① 또래 집단은 1차적 사회화 기관이다.
② 사색은 예기 사회화라고 볼 수 없다.
③ 청소년기에 여러 서적을 읽은 것을 재사회화라고 볼 수 없다.
④ 다른 철학자들과의 단순한 의견 갈등은 역할 갈등이라고 볼 수 없다.

답 ⑤

응용 07-1

다음 글에서 설명하는 사회화 기관만을 | 보기 |에서 고르시오.

기초적인 수준의 사회화를 담당하며 기본적인 가치 및 규범, 언어 등을 습득하게 함으로써 개인의 인성과 자아 정체성 형성에 큰 영향을 미치는 사회화 기관이다.

| 보기 |
ㄱ. 가족　　ㄴ. 학교　　ㄷ. 회사　　ㄹ. 또래 집단

필수 예제 08　수능 기출

밑줄 친 ㉠~㊀에 대한 설명으로 옳은 것은?

유명 연예인인 어머니의 반대에도 불구하고, 배우가 되고 싶었던 갑은 ㉠연예인 2세라는 것을 숨기고 ㉡A인터넷 쇼핑몰에서 모델로 일하며 ㉢연기 학원에서 연기와 노래를 배우고 있었다. 갑은 스스로 인지도를 높이기 위해 ㉣시청자 평가단의 투표 결과에 따라 ㉤가수 데뷔가 결정되는 ㉥TV 프로그램에 지원하여 치열한 경쟁 과정을 통해 가수로 데뷔하였다. 인기가 높아지자 갑은 가수로 계속 활동해야 할지 가수를 그만두고 원래 계획했던 대로 배우로 전향해야 할지 ㊀고민이다.

① ㉠, ㉤ 모두 개인의 능력과 노력에 위해 획득한 지위이다.
② ㉡은 비공식적 사회화 기관, ㉢은 2차적 사회화 기관이다.
③ ㉣은 갑의 외집단이자 준거 집단이다.
④ ㉥은 재사회화에 해당한다.
⑤ ㊀은 갑이 역할 갈등에 해당한다.

Tip

공식적 사회화 기관은 사회화를 목적으로 설립된 기관이고, 비공식적 사회화 기관은 사회화가 설립 목적은 아니지만 부수적으로 사회화를 담당하는 기관이다.

풀이

① ㉠은 귀속 지위, ㉤은 성취 지위이다.
③ 외집단은 적대감이나 이질감의 대상이 되는 집단을 의미한다.
④ TV 프로그램에 지원하는 것을 재사회화라고 보기에는 어렵다.

답 ②

응용 08-1

다음 글에서 설명하는 사회화 기관만을 | 보기 |에서 고르시오.

사회화를 목적으로 설립된 기관으로 통상적으로 보다 고차원적이며 공식적이고 체계적인 사회화를 담당하는 경향이 있다.

| 보기 |
ㄱ. 군대　　ㄴ. 회사　　ㄷ. 대학교　　ㄹ. 고등학교

1 개인과 사회의 관계를 보는 갑, 을의 관점에 대한 설명으로 옳은 것은?

사회자: 이번 프로 농구 시즌을 앞두고 새롭게 부임한 감독님들께서 팀을 운영할 때 가장 고려해야 할 부분은 무엇이라고 생각하십니까?

갑: 각 팀마다 고유한 팀 분위기가 있고, 선수들은 그 분위기에 영향을 받기 마련입니다. 그렇기 때문에 감독님들은 팀 전체적인 분위기와 조직력 강화에 초점을 맞추는 것이 좋을 것 같습니다.

을: 팀이란 선수들이 모인 집합체에 불과합니다. 그렇기 때문에 감독님들은 선수 개개인의 기량과 성향을 파악하여 선수의 능력을 최대한 발휘할 수 있는 전략을 만들어야 합니다.

① 갑의 관점은 개인의 행동이 사회에 의해 구속된다고 본다.

② 을의 관점은 사회를 개인의 외부에 실재하는 것으로 본다.

③ 갑의 관점은 을의 관점과 달리 개인의 이익을 총합한 개념이 공익이라고 본다.

④ 을의 관점은 갑의 관점과 달리 사회 문제를 해결할 때 의식의 개혁보다 제도의 개혁을 중시한다.

⑤ 갑, 을의 관점 모두 사회는 개인의 속성으로 환원될 수 없다고 본다.

Tip

갑은 고유의 팀 분위기를 강조하기 때문에 ☐☐적 관점이다.

📄 사회 실재론

2 그림은 개인과 사회의 관계를 보는 관점 (가), (나)를 분류한 것이다. 이에 대한 설명으로 옳은 것은?

사회의 구속성이 개인의 능동성보다 우선한다고 보는가?

A

B

(가)

(나)

→ 예　⋯→ 아니요

① (가)는 사회는 개인의 외부에 독자적으로 실재하는 개념이라고 본다.

② (나)는 사회가 개인의 행동을 강제한다고 본다.

③ (가)는 (나)와 달리 개인의 발전이 사회의 발전이라고 본다.

④ A에는 '사회 문제의 해결책으로 사회의 제도 개선을 중시하는가?'가 적절하다.

⑤ B에는 '사회는 개인들의 집합체에 이름을 붙인 것인가?'가 적절하다.

Tip

(가)는 사회의 구속성이 개인의 능동성보다 우선한다고 보기 때문에 ☐☐☐이다.

📄 사회 실재론

3 다음 글에 나타난 개인과 사회의 관계를 보는 갑과 을의 관점에 대한 설명으로 옳은 것만을 |보기|에서 고른 것은?

갑은 개개인들이 스스로 생각할 때 선하고 올바른 것이라고 생각하는 덕목이나 행위들을 모은 개념으로 도덕을 설명하고자 한다. 그래서 사회 전체적인 도덕이라는 개념은 결국 개개인들의 덕목을 모두 합친 개념이라고 주장하고 있다. 그에 비해 을은 도덕이란 개인의 양심에 기인하기보다는 사회로부터 주어지는 개념이라고 주장한다. 즉 '도덕적'이라는 개념 자체가 사회 전체적으로 옳은 의미를 내포하고 있다는 것을 강조한다는 것이다.

┌ 보기 ┐

ㄱ. 갑의 관점은 개인들은 사회에 의해 구조화된 행동을 한다고 본다.

ㄴ. 을의 관점은 개인의 능동성이 사회의 구속성보다 우선한다고 본다.

ㄷ. 갑의 관점은 을의 관점에 비해 개인의 자율성을 중시한다.

ㄹ. 을의 관점은 갑의 관점과 달리 사회의 특성은 개인들의 특성으로 환원할 수 없다고 본다.

① ㄱ, ㄴ　② ㄱ, ㄷ　③ ㄴ, ㄷ　④ ㄴ, ㄹ　⑤ ㄷ, ㄹ

Tip

갑은 개개인의 덕목을 합친 것이 공익이라고 보기 때문에 ☐☐적 관점에 해당한다.

📄 사회 명목론

4 밑줄 친 ㉠~㉥에 대한 옳은 설명만을 | 보기 |에서 고른 것은?

> 세계적인 여자 ㉠배구 선수로 활약하고 있는 갑은 현재 외국의 프로 ㉡배구팀에서 선수 인생의 마지막을 준비하고 있다. 특히 은퇴를 앞두고 인터넷 개인 방송 크리에이터로도 팬들과 소통하며 여자 배구 인기를 끌어올리기 위한 노력도 병행하고 있다. 특유의 거침없는 화법과 유머러스한 행동으로 큰 인기를 얻어 ㉢구독자 수가 지속적으로 늘고 있는 갑에게 많은 ㉣방송사에서 TV 예능 프로그램에 고정 ㉤출연자로 출연해 줄 수 있는지를 묻는 문의가 끊이지 않고 있다. 하지만 은퇴 후 지도자 연수를 떠날지, 방송에 고정 출연할지 ㉥고민하고 있다.

보기
- ㄱ. ㉥은 갑의 역할 갈등에 해당한다.
- ㄴ. ㉠, ㉤은 모두 성취 지위이다.
- ㄷ. ㉡, ㉣은 모두 비공식적 사회화 기관이다.
- ㄹ. ㉢은 ㉠으로서의 갑의 역할 행동에 대한 보상이다.

① ㄱ, ㄴ ② ㄱ, ㄷ ③ ㄴ, ㄷ ④ ㄴ, ㄹ ⑤ ㄷ, ㄹ

Tip
배구 선수, 출연자는 모두 [　　] 지위이다.
답 성취

5 밑줄 친 ㉠~㉤에 대한 설명으로 옳은 것은?

> 갑은 자녀인 을이 ㉠○○ 고등학교에 다니고 있는 것을 매우 자랑스럽게 생각하고 있다. ○○ 고등학교는 매 학기 성적이 우수한 학생들을 대상으로 ㉡장학금을 차등적으로 지급하고 있다. 장학생인 을은 최근 ㉢학생회장으로도 선출되어 애교심이 더 커졌다. 현재 을은 ㉣학생 부장 선생님과 함께 입학식 전에 진행할 ㉤신입생 오리엔테이션을 준비하고 있다.

① ㉠은 갑의 내집단이다.
② ㉠은 을의 소속 집단이면서 비공식적 사회화 기관이다.
③ ㉡은 학생들의 역할에 대한 보상이다.
④ ㉤은 예기 사회화이다.
⑤ ㉢은 ㉣과 달리 성취 지위이다.

Tip
보상이나 제재는 [　　]에 대한 사회적 반응이다.
답 역할 행동

6 밑줄 친 ㉠~㉥에 대한 옳은 설명만을 | 보기 |에서 고른 것은?

갑: 다음 주에 ㉠○○ 대학교에서 주관하는 ㉡대입 설명회에 참가할 사람 있어?

을: 나는 ㉢누나와 함께 갈 예정이야. 학력 우수상이 학생부 종합 전형에서 어떻게 반영되는지 알아보고 싶어.

병: 모의 평가 결과를 보고 나서 학생부 종합 전형과 정시 전형 중에서 어떤 전형을 선택할지 ㉣생각 중이야.

정: 나는 ㉤학생 자치회 부회장 활동을 자기 소개서 항목 중 어디에 기재하는 것이 좋은지 ㉥담임 선생님과 상담할 예정이야.

보기
- ㄱ. ㉡은 갑~정의 재사회화이다.
- ㄴ. ㉣은 병의 역할 갈등이 아니다.
- ㄷ. ㉠은 ㉤과 달리 2차적 사회화 기관이자 공식적 사회화 기관이다.
- ㄹ. ㉢은 ㉥과 달리 귀속 지위이다.

① ㄱ, ㄴ ② ㄱ, ㄷ ③ ㄴ, ㄷ ④ ㄴ, ㄹ ⑤ ㄷ, ㄹ

Tip
누나는 [　　] 지위이다.
답 귀속

7 사회화를 바라보는 갑, 을의 관점에 대한 설명으로 옳은 것은?

> 갑은 사회화 내용에 특정 집단의 이데올로기가 반영되어 있기에 현재의 불평등 사회 구조를 정당화하는 데 도구로 사용된다고 주장한다. 그에 비해 을은 사회화는 개인이 사회에 적응하기 위해 필요한 사회적 요구를 학습하는 과정이라고 본다.

① 갑의 관점은 타인의 반응을 내면화하는 과정에서 사회화가 진행된다고 본다.
② 을의 관점은 사회화의 내용이 사회 전체적으로 합의된 것이라고 본다.
③ 갑은 을과 달리 사회화 과정에서 개인의 능동성을 강조한다.
④ 을은 갑과 달리 사회 구조가 개인의 사회화에 미치는 영향력을 중시한다.
⑤ 갑과 을은 모두 미시적 관점에서 사회화를 바라본다.

Tip
갑의 관점은 ❶[　　], 을의 관점은 ❷[　　]이다.
답 ❶ 갈등론 ❷ 기능론

필수 체크 전략 ①

4강_사회 집단과 사회 조직 ~ 일탈 행동

필수 예제 01

다음 자료에 대한 옳은 설명만을 | 보기 |에서 고른 것은? (단, A~D는 각각 공동 사회, 이익 사회, 공식 조직, 자발적 결사체 중 하나이다.)

- **과제:** 갑의 일상에 나타난 밑줄 친 사회 집단 및 사회 조직을 A, B, C, D에 맞게 분류하시오.

〈갑의 일상〉	〈분류 결과〉	
갑은 평일에는 직장의 ㉠ 노동조합 모임이나 ㉡ 사내 탁구 동호회에서, 주말에는 ㉢ 가족 행사가 없으면 주로 ㉣ 대학교 졸업 후 참여했던 ㉤ 조기 축구회나 유기견 관련 ㉥ 시민 단체에서 활동한다.	A	㉠, ㉣, ㉥
	B	㉠, ㉡, ㉣, ㉤, ㉥
	C	(가)
	D	㉢

- **평가:** 사회 집단 및 사회 조직을 모두 맞게 분류하였음.

┌ 보기 ┐
ㄱ. ㉠~㉥ 중 비공식 조직의 개수는 2개이다.
ㄴ. (가)는 '㉠, ㉡, ㉤, ㉥'이다.
ㄷ. A는 공식 조직, B는 이익 사회이다.
ㄹ. C는 D와 달리 집단의 결합 자체가 집단 형성의 목적이다.

① ㄱ, ㄴ ② ㄱ, ㄷ ③ ㄴ, ㄷ ④ ㄴ, ㄹ ⑤ ㄷ, ㄹ

Tip
A: 공식 조직, B: 이익 사회, C: 자발적 결사체, D: 공동 사회이다.

풀이
ㄴ. 노동조합, 사내 탁구 동호회, 조기 축구회, 시민 단체는 모두 가입과 탈퇴가 자유로운 자발적 결사체이다.
ㄷ. 노동조합, 대학교, 시민 단체의 공통점은 공식 조직이다. 노동조합, 사내 탁구 동호회, 대학교, 조기 축구회, 시민 단체의 공통점은 이익 사회이다.

답 ③

응용 01-1

다음 글에서 설명하고 있는 사회 집단의 사례로 옳은 것만을 | 보기 |에서 고르시오.

> 구성원의 본질 의지에 따라 자연 발생적으로 결합한 집단

┌ 보기 ┐
ㄱ. 가족 ㄴ. 정당 ㄷ. 친족 ㄹ. 학교

필수 예제 02

밑줄 친 ㉠~㉦에 대한 옳은 설명만을 | 보기 |에서 있는 대로 고른 것은?

> ★★영화제에서 ㉠ 가족 희비극 '○○○'이 최우수 작품상을 수상했다. 이 영화는 ㉡ 빈곤층에 속한 한 가족의 이야기를 웃기면서도 슬프게 다뤄 ㉢ 평론가 협회로부터 호평을 받았다. 감독 갑은 시사회장에서 주연 및 조연 배우뿐 아니라 ㉣ 보조 출연자들 그리고 ㉤ 관객들에게 감사의 마음을 전했다. 특히 이 작품은 표준 근로 계약을 준수하며 제작되어 화제가 되었는데, 방송 작가 ㉥ 노동조합은 이 소식을 전하며 환영의 뜻을 밝혔다. 수상 직후 갑에게는 다수의 ㉦ 대학 연극영화학과 및 영화 동호회 등에서 강연 요청이 쇄도하고 있다.

┌ 보기 ┐
ㄱ. ㉡은 ㉠과 달리 2차 집단이다.
ㄴ. ㉢은 ㉣과 달리 사회 조직이다.
ㄷ. ㉤, ㉥은 모두 관심사나 목표를 공유하는 자발적 결사체이다.
ㄹ. ㉥, ㉦은 모두 공식 조직이다.

① ㄱ, ㄷ ② ㄴ, ㄷ ③ ㄴ, ㄹ
④ ㄱ, ㄴ, ㄹ ⑤ ㄱ, ㄷ, ㄹ

Tip
사회 집단은 복수의 구성원들이 소속감이나 공동체 의식을 가지고 지속적인 상호 작용을 하는 집단이다.

풀이
ㄴ. 보조 출연자들은 지속적인 상호 작용이 없기 때문에 사회 집단이라고 볼 수 없지만 평론가 협회는 공식 조직이다.
ㄹ. 노동조합과 학교는 대표적인 공식 조직의 사례이다.

답 ③

응용 02-1

다음 글에서 설명하고 있는 사회 집단의 사례로 옳은 것만을 | 보기 |에서 고르시오.

> 공식적인 목적 달성을 위해 합리적인 기준에 따라 의도적으로 형성된 조직

┌ 보기 ┐
ㄱ. 가족 ㄴ. 방송국 ㄷ. 노동조합 ㄹ. 또래 집단

필수 예제 03
학평 기출

표는 사회 조직 운영 원리 A, B를 비교한 것이다. 이에 대한 설명으로 옳은 것은? (단, A와 B는 각각 관료제, 탈관료제 중 하나이다.)

질문	A	B
상향식 의사 결정 방식을 강조하는가?	예	㉠
효율적인 과업 수행을 지향하는가?	㉡	예
(가)	예	아니요

① ㉠, ㉡은 모두 '아니요'이다.
② A는 B에 비해 중간 관리층의 비중이 높다.
③ B는 A에 비해 연공서열에 따른 보상을 중시한다.
④ B는 A에 비해 업무 담당자에게 주어진 재량권이 크다.
⑤ (가)에는 '비공식적 규범을 통한 구성원의 통제가 지배적인가?'가 들어갈 수 있다.

Tip

관료제는 하향식 의사 결정, 탈관료제는 상향식 의사 결정 방식을 강조한다. A는 탈관료제, B는 관료제이다.

풀이

① ㉠은 '아니요', ㉡은 '예'이다.
② 중간 관리층의 비중은 관료제가 더 높다.
③ 관료제 조직은 경력에 따른 보상, 탈관료제 조직은 능력에 따른 보상을 중시한다.
④ 업무 담당자에게 주어진 재량권이 더 큰 조직은 탈관료제이다.
⑤ 관료제와 탈관료제 모두 공식 조직으로 공식적 규범을 통한 구성원의 통제가 이루어진다.

답 ③

응용 03-1

다음의 의미를 가지고 있는 조직의 특징으로 옳은 것만을 보기에서 고르시오.

명시적 규범과 절차에 따라 대규모 조직을 관리·운영하는 조직 체계

┌ 보기 ┐
ㄱ. 과업의 전문화
ㄴ. 능력에 따른 보상
ㄷ. 수평적 조직 체계
ㄹ. 문서화된 규약과 절차에 따른 업무 수행

필수 예제 04
학평 기출

그림은 A기업의 조직 운영 평가 보고서의 일부이다. 이에 나타난 A기업의 변화에 대한 옳은 추론을 보기에서 고른 것은?

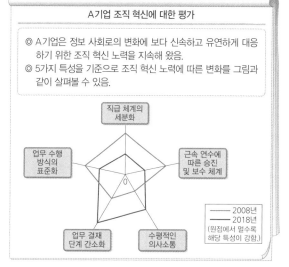

A기업 조직 혁신에 대한 평가

◎ A기업은 정보 사회로의 변화에 보다 신속하고 유연하게 대응하기 위한 조직 혁신 노력을 지속해 왔음.
◎ 5가지 특성을 기준으로 조직 혁신 노력에 따른 변화를 그림과 같이 살펴볼 수 있음.

┌ 보기 ┐
ㄱ. 중간 관리층의 비중이 높아졌을 것이다.
ㄴ. 구성원 간 위계의 서열화가 강화되었을 것이다.
ㄷ. 업무 처리 방식에 있어 담당자의 재량권이 커졌을 것이다.
ㄹ. 연공서열을 기준으로 하는 보상 체계가 약화되었을 것이다.

① ㄱ, ㄴ ② ㄱ, ㄷ ③ ㄴ, ㄷ ④ ㄴ, ㄹ ⑤ ㄷ, ㄹ

Tip

관료제에서 탈관료제로 변화한 것을 확인할 수 있다.

풀이

ㄷ. 탈관료제 조직에서는 업무 담당자의 재량권이 커진다.
ㄹ. 연공서열을 중시하는 조직 운영 형태는 관료제이다.

답 ⑤

응용 04-1

탈관료제 조직이 등장하게 된 배경으로 옳은 것만을 보기에서 고르시오.

┌ 보기 ┐
ㄱ. 관료제의 역기능 심화
ㄴ. 탈산업·정보화 사회의 등장
ㄷ. 산업화에 따른 조직의 대규모화
ㄹ. 소품종 대량 생산의 필요성 증대

필수 예제 05 · 수능 기출

다음은 일탈 이론 A~C에 대한 수행 평가 및 교사의 채점 결과이다. 이에 대한 옳은 설명만을 ┤보기├에서 있는 대로 고른 것은? (단, A~C는 각각 낙인 이론, 머튼의 아노미 이론, 차별 교제 이론 중 하나이다.)

〈수행 평가 과제〉

학생	과제 내용
갑	A와 구분되는 B의 특징 3가지 서술하기
을	B와 구분되는 C의 특징 3가지 서술하기
병	C와 구분되는 A의 특징 3가지 서술하기

〈각 학생의 서술 및 교사의 채점 결과〉

학생	서술 내용	점수
갑	1. 차별적인 제재가 일탈 행동의 원인이라고 본다. 2. 일탈 행동이 발생하는 과정에서 나타나는 상호 작용에 주목한다. 3. 일탈자로 규정하는 것에 대한 신중한 접근이 필요하다고 본다.	2점
을	1. 사회 규범의 통제력 회복을 일탈 행동의 근본적인 해결 방안으로 본다. 2. 일탈 행동의 원인을 부정적 자아 정체성 형성에서 찾는다. 3. 일탈 행동을 규정하는 객관적 기준이 존재한다고 본다.	⊙
병	1. 정상적인 사회 집단과의 교류가 일탈 행동을 억제한다고 본다. 2. 일탈 행동에 대한 사회적 반응이 지속적인 일탈 행동의 원인이라고 본다. 3. _____ (가)	1점

※ 교사는 각 서술별로 채점하고, 서술 하나가 맞을 때마다 1점씩 부여함.

┤보기├

ㄱ. ⊙은 2점이다.

ㄴ. (가)에는 '일탈 행동은 비행 집단과의 접촉을 통해 학습된다고 본다.'가 들어갈 수 있다.

ㄷ. B는 최초의 일탈 행동보다 반복적 일탈 행동에 초점을 맞춘다.

ㄹ. C는 일탈 행동 예방 방안으로 소외 계층에 대한 교육 지원, 직업 훈련 프로그램 제공을 지지할 것이다.

① ㄱ, ㄴ ② ㄱ, ㄹ ③ ㄷ, ㄹ
④ ㄱ, ㄴ, ㄷ ⑤ ㄴ, ㄷ, ㄹ

Tip

A: 차별 교제 이론, B: 낙인 이론, C: 아노미 이론(머튼)이다.

풀이

낙인 이론은 2차적 일탈에 초점을 맞추고, 머튼의 아노미 이론은 일탈 행동의 해결책으로 합법적 수단을 제공해야 한다고 주장한다.

답 ③

응용 05-1

일탈 행동 이론 (가)~(다)에 대한 옳은 설명만을 ┤보기├에서 고르시오. (단, (가)~(다)는 각각 낙인 이론, 뒤르켐의 아노미 이론, 머튼의 아노미 이론 중 하나이다.)

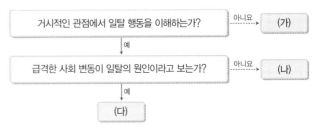

거시적인 관점에서 일탈 행동을 이해하는가? → 아니요 → (가)
↓ 예
급격한 사회 변동이 일탈의 원인이라고 보는가? → 아니요 → (나)
↓ 예
(다)

┤보기├

ㄱ. (가)는 일탈을 규정하는 객관적 기준이 없다고 본다.

ㄴ. (나)는 목표와 수단 간의 괴리가 일탈의 원인이라고 본다.

ㄷ. (다)는 일탈 행동보다는 그에 대한 사회적 반응을 중시한다.

ㄹ. (나)는 (다)와 달리 기능론적 관점에서 일탈 행동을 본다.

응용 05-2

갑~병의 일탈 이론에 대한 설명으로 옳은 것은?

(교사) 여러분이 생각하는 일탈의 원인은 무엇일까요?

(갑) 특별한 이유 없이 한 행동에 대해 주변 사람들로부터 일탈 행동자라고 규정되면 부정적인 자아를 내면화하게 되어 일탈을 반복하게 됩니다.

(을) 일탈에 대해 우호적인 태도를 지닌 사람들과 지속적으로 교류하게 되면서 일탈 행동을 배우기 때문입니다.

(병) 자신의 목표를 달성하고자 합법적인 방법을 사용했지만 목표를 달성하지 못한 사람이 합법적이지 않은 방법을 사용했기 때문입니다.

① 갑의 이론은 아노미로 인해 일탈 행동이 발생한다고 본다.

② 을의 이론은 급격한 사회 변동이 일탈 행동의 원인이라고 본다.

③ 병의 이론은 일탈 행동이 학습의 결과라고 본다.

④ 갑의 이론은 을, 병의 이론과 달리 일탈 행동을 규정하는 객관적인 기준이 없다고 본다.

⑤ 갑~병의 이론 모두 거시적인 관점에서 일탈 행동을 바라보고 있다.

필수 예제 06
수능 기출

다음 자료에 제시된 일탈 이론 (가)~(다)에 대한 설명으로 옳은 것은? (단, (가)~(다)는 각각 낙인 이론, 머튼의 아노미 이론, 차별 교제 이론 중 하나이다.)

〈수업용 읽을거리〉
중학생이었던 A와 B는 가벼운 장난을 하다 친구를 다치게 한 일로 문제라는 소리를 들었다. 이로 인해 A는 스스로 문제라고 생각하게 되었고, 고등학교를 다닐 때 폭력 사건 가해자로 경찰서에 들락거렸다. 한편 고등학교에 입학한 B는 경제적 성공을 중요하게 여기는 사회적 분위기 속에서 고액 연봉을 받는 프로 운동선수가 되어 가족을 부양하겠다는 결심을 한 뒤 운동에 매진하였다. 그런데 기록 향상을 위해 금지된 약물까지 복용하다 적발되어 프로구단 입단 기회가 박탈되면서 경제적으로 더욱 어려워졌다. 고등학교 졸업 후 범죄 조직에 가입한 A는 B에게 범죄 행위를 도와 달라고 요청하기 위해 우연을 가장하여 접촉하였다. 결국 돈이 필요했던 B는 A의 제안을 수락하여 범죄를 저질렀다.

교사: A, B의 사례에 일탈 이론을 적용해 보세요.

갑: A의 중학교 시기부터 고등학교 시기에 걸쳐 나타난 일탈 행동에 주목하면 A의 일탈 행동에는 (가)를 적용해야 합니다.

을: B의 고등학교 입학 후의 일탈 행동에 주목하면 B의 일탈 행동에는 (나)를 적용해야 합니다.

병: B가 A와 접촉하여 일탈 행동을 학습한다는 점에 주목하면 B의 일탈 행동에는 (다)를 적용해야 합니다.

교사: A, B의 일탈 행동에 (가), (나)는 적절하게 적용되었습니다. 하지만 B는 (다)를 적용하여 설명할 수 있는 일탈 행동을 하지 않았습니다.

① (가)는 일탈 집단 대신 정상적인 집단과의 교류가 일탈 행동을 억제한다고 본다.
② (나)는 일탈 행동이 문화적 목표와 제도적 수단 간의 괴리에서 비롯된다고 본다.
③ (다)는 일탈 행동 자체보다 일탈 행동에 대한 사회적 반응을 중시한다.
④ (가), (나)는 모두 일탈 행동이 발생하는 과정에서 나타나는 상호 작용에 주목한다.
⑤ (나)는 (가), (다)와 달리 일탈 행동을 규정하는 객관적 기준이 존재한다고 본다.

Tip
(가) 낙인 이론, (나) 아노미 이론(머튼), (다) 차별 교제 이론이다.

풀이
문화적 목표와 제도적 수단 간의 괴리를 일탈의 원인으로 분석하는 이론은 머튼의 아노미 이론이다. 답 ②

응용 06-1

대화에 나타난 갑~병의 일탈 행동 이론에 대한 옳은 설명만을 보기 에서 고르시오. (단, 갑~병은 각각 낙인 이론, 아노미 이론, 차별 교제 이론 중 하나를 설명하고 있다.)

사회자: 지배적인 사회 규범의 부재가 일탈 행동의 원인이라고 생각하십니까?
갑: 아니요. 그렇지 않습니다.
을: 저는 그렇다고 생각합니다.
병: 저도 갑의 의견에 동의합니다.
사회자: 그렇다면 일탈 행동을 해결하기 위해 정상적인 집단과의 교류를 촉진시켜야 한다고 생각하십니까?
갑: 네, 그렇습니다.
을: 저는 다른 의견을 가지고 있습니다.
병: 저 역시 다른 방법으로 해결해야 한다고 생각합니다.

보기
ㄱ. 갑은 일탈 집단과의 교제가 일탈 행동의 원인이라고 본다.
ㄴ. 을은 문화적 목표를 달성할 수 있는 제도적 수단이 필요하다고 본다.
ㄷ. 병은 2차적 일탈에 주목한다.
ㄹ. 갑~병은 모두 거시적인 관점에서 일탈 행동을 보고 있다.

응용 06-2

일탈 행동 이론 (가), (나)에 대한 옳은 설명만을 보기 에서 고르시오.

(가) 일탈 행동은 의도하지 않은 행동에 대해 다수의 부정적인 평가를 하게 된 결과이다. 다수에 의해 일탈 행동을 했다는 평가를 받게 된 사람은 부정적인 평가를 내면회하여 새로운 정체성을 형성하게 된 것이다.
(나) 일탈 행동은 기존의 일탈자들과 상호 작용하면서 학습하게 된 결과이다. 단순히 일탈 행동만을 배우는 데서 끝나는 것이 아니라 자신의 일탈 행동을 정당화하는 가치관과 태도까지 내면화하면서 일탈 행동을 반복하게 된다.

보기
ㄱ. (가)는 일탈 행동의 해결 방안으로 일탈 행동에 대한 규정을 신중하게 하는 것을 제안한다.
ㄴ. (나)는 문화적 목표를 달성할 수 있는 제도적 수단의 마련이 필요하다고 본다.
ㄷ. (가)는 (나)와 달리 일탈 행동을 규정하는 합의된 기준이 없다고 본다.
ㄹ. (가), (나)는 모두 거시적인 관점에서 일탈 행동을 보고 있다.

1 사회 집단 (가)~(바)에 대한 설명으로 옳은 것은?

기준	특징	사회 집단
소속감	소속감이 있음	(가)
	소속감이 없음	(나)
결합 의지	본질적 결합 의지	(다)
	선택적 결합 의지	(라)
접촉 방식	수단적 접촉	(마)
	전인격적 접촉	(바)

① 자신이 소속된 집단은 모두 (가)에 해당한다.

② (가)는 준거 집단, (나)는 이익 집단이다.

③ (다)는 공동 사회, (라)는 이익 사회이다.

④ (마)에 해당하는 사회 집단은 모두 (다)에 해당한다.

⑤ (바)에서는 (마)와 달리 공식적 수단에 의한 통제가 이루어진다.

Tip

사회 집단은 결합 의지를 기준으로 [ ]와 이익 사회로 분류한다. 🔑 공동 사회

2 밑줄 친 ㉠~㉤에 대한 설명으로 옳은 것은?

> 가정과 회사 생활 모두 충실하게 살아가는 갑은 오는 주말에도 알찬 계획을 세워 보낼 예정이다. 먼저 토요일 오전에는 ㉠회사 내 축구 동호회 회원들과 함께 축구를 하고 저녁에는 작년부터 후원을 하던 ㉡시민 단체의 홍보 행사에 참여할 예정이다. 또한 일요일 오전에는 자신이 졸업한 ㉢○○ 고등학교 동문회 테니스회 회원들과 테니스 경기를 갖고 점심에는 ㉣가족들과 함께 ㉤종친회 모임에 참석하여 식사를 하고자 한다.

① ㉠은 공식 조직이자 이익 사회이다.

② ㉡은 ㉢과 달리 비공식 조직이다.

③ ㉣은 ㉠과 달리 수단적이고 간접적인 접촉을 하는 집단이다.

④ ㉤은 ㉣과 달리 구성원들의 본질 의지에 따라 결합한 집단이다.

⑤ ㉠, ㉡, ㉢은 모두 자발적 결사체이다.

Tip

종친회는 친족이라는 공동 사회를 바탕으로 만들어진 [ ]이다. 🔑 이익 사회

3 자발적 결사체 A~C에 대한 옳은 설명만을 |보기|에서 고른 것은? (단, A~C는 각각 시민 단체, 이익 집단, 친목 단체 중 하나이다.)

구분	A	B	C
과업 지향적인 집단입니까?	예	예	아니요
공익을 실현하기 위해 결성된 집단입니까?	예	아니요	아니요

┌ 보기 ┐

ㄱ. B의 활동은 공익과 충돌할 우려가 있다.

ㄴ. C의 사례로 조기 축구회를 들 수 있다.

ㄷ. C는 A와 달리 가입과 탈퇴가 자유롭다.

ㄹ. A, B, C는 모두 공식 조직 내에서 형성된다.

① ㄱ, ㄴ ② ㄱ, ㄷ ③ ㄴ, ㄷ ④ ㄴ, ㄹ ⑤ ㄷ, ㄹ

Tip

공식 조직 내에서 형성되는 사회 조직은 ❶[ ]이다. ❷[ ]는 가입과 탈퇴가 자유롭다는 특징을 가지고 있다. 🔑 ❶ 비공식 조직 ❷ 자발적 결사체

4 다음 글에 나타난 A와 B에 대한 설명으로 옳은 것은? (단, A와 B는 각각 관료제 조직과 탈관료제 조직 중 하나이다.)

> 현재 갑국의 자동차 산업을 이끌어 가는 두 회사인 A와 B는 조직 운영 방식에 있어서 눈에 띄는 차이가 있다. 먼저 A는 B에 비해 연공서열 중시 정도, 중간 관리층의 비중, 업무 수행 방식의 표준화 정도에서 더 크거나 중시하는 경향이 강하다. 그에 비해 B는 A보다 수평적인 의사소통 정도나 업무 결재 단계를 간소하게 운영하고 있다는 특징을 보여 주고 있다.

① A는 정보화와 탈산업 사회로의 진입으로 인해 등장한 조직 유형에 가깝다.

② B는 소품종 대량 생산 체제에 적합한 조직 유형이다.

③ A는 B와 달리 구성원의 창의력을 중시하는 조직이다.

④ B에서는 A에서와 달리 목적 전치 현상이 나타날 수 있다.

⑤ A와 B는 모두 효율적인 업무 관리를 중시하는 조직이다.

Tip

소품종 대량 생산 체제는 [ ] 조직에 더 적합한 생산 방식이다. 🔑 관료제

5 그림에 대한 옳은 설명만을 ㅣ보기ㅣ에서 고른 것은? (단, A, B는 각각 관료제와 탈관료제 중 하나이다.)

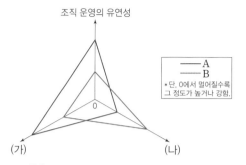

조직 운영의 유연성

━━A
━━B
* 단, 0에서 멀어질수록 그 정도가 높거나 강함.

(가)   0   (나)

ㅣ보기ㅣ
ㄱ. A는 B와 달리 효율성을 추구한다.
ㄴ. B는 A와 달리 수평적 인간관계를 중시한다.
ㄷ. (가)에는 '업무 담당자의 재량권 중시 정도'가 들어갈 수 있다.
ㄹ. (나)에는 '중간 관리층의 비중'이 들어갈 수 있다.

① ㄱ, ㄴ ② ㄱ, ㄷ ③ ㄴ, ㄷ ④ ㄴ, ㄹ ⑤ ㄷ, ㄹ

Tip
중간 관리층의 비중은 ☐☐☐☐에서 더 높다.
🅰 관료제

6 그림은 일탈 행동 이론 (가), (나)를 도식화한 것이다. 이에 대한 옳은 설명만을 ㅣ보기ㅣ에서 고른 것은?

(가) 1차적 일탈 ⇨ 주변의 부정적 시선 ⇨ 부정적 자아 형성 ⇨ 일탈

(나) 일탈 행동자들과의 교류 ⇨ 일탈 행동자들의 가치관 내면화 ⇨ 일탈

ㅣ보기ㅣ
ㄱ. (가)는 일탈 행동이 학습의 결과임을 강조한다.
ㄴ. (나)는 일탈 행동의 해결 방안으로 정상적인 사회 집단과의 교류를 주장한다.
ㄷ. (가)는 (나)와 달리 2차적 일탈에 초점을 맞추고 있다.
ㄹ. (가)와 (나)는 모두 거시적 관점에서 일탈 행동을 이해하고 있다.

① ㄱ, ㄴ ② ㄱ, ㄷ ③ ㄴ, ㄷ ④ ㄴ, ㄹ ⑤ ㄷ, ㄹ

Tip
2차적 일탈에 초점을 맞추고 있는 이론은 ☐☐☐☐이다.
🅰 낙인 이론

7 갑, 을의 일탈 행동 이론에 대한 설명으로 옳은 것은?

사회자
일탈 행동이 발생하는 원인에 대해 말씀해 주시겠습니까?

일반적으로 사람들은 저마다의 문화적 목표를 설정하고 살아갑니다. 그런데 이 목표를 달성하기 위해 제도화된 수단이 있는데 이를 통해서는 목표를 달성하기 힘든 괴리가 발생합니다. 이로 인해 자신의 목표를 달성하기 위해 제도화된 수단이 아닌 다른 방법을 사용하는 과정에서 일탈 행동을 하게 됩니다.

갑

저의 생각은 조금 다릅니다. 사회 변동 속도가 너무 빠른 나머지 너무 많은 규범이 등장하며 소위 말하는 '지배적인 규범'이 사라지게 되고 이로 인해 사회 구성원들의 가치관이 혼란에 빠지게 됩니다. 이 과정에서 일부 구성원들은 일탈 행동을 하게 되는 것입니다.
을

① 갑의 이론은 일탈을 규정하는 객관적 기준이 없다고 본다.
② 을의 이론은 차별적인 제재가 일탈 행동의 원인이라고 본다.
③ 갑의 이론은 을의 이론과 달리 일탈 행동의 해결 방안으로 사회적 합의를 주장한다.
④ 을의 이론은 갑의 이론과 달리 2차적 일탈에 주목하고 있다.
⑤ 갑과 을의 이론 모두 기능론적 관점에서 일탈 행동을 바라보고 있다.

Tip
갑은 머튼의 아노미 이론, 을은 ☐☐☐의 아노미 이론을 바탕으로 이야기하고 있다.
🅰 뒤르켐

8 표는 일탈 행동 이론을 비교한 것이다. 이에 대한 설명으로 옳은 것은?

구분	A	B	C
원인	(가)	문화적 목표와 제도적 수단 간의 괴리	지배적인 규범의 부재
해결 방안	사회적 낙인에 대한 신중한 접근	(나)	(다)

① A, B는 C와 달리 거시적인 관점에서 일탈 행동을 바라보고 있다.
② B, C는 A와 달리 일탈을 규정하는 객관적 기준이 있다고 본다.
③ (가)에는 '일탈 행동자와의 교류'가 적절하다.
④ (나)에는 '사회 규범의 통제력 회복'이 적절하다.
⑤ (다)에는 '타인과의 지속적인 교류'가 적절하다.

Tip
일탈을 규정하는 객관적 기준이 없다고 보는 이론은 ☐☐☐☐이다.
🅰 낙인 이론

누구나 합격 전략

1 다음 주장에 나타난 개인과 사회의 관계를 보는 관점에 대한 설명으로 옳은 것은?

> 공익이라는 것이 단순히 개인들의 이익을 합친 것은 아닙니다. 사회가 개인들의 합과 같은 의미가 아니듯이 공익은 사익과는 별개로 존재하는 공동체 전체의 이익입니다.

① 개인은 자율적인 의지를 바탕으로 행동한다.
② 개인의 속성에 의해 사회의 속성이 결정된다.
③ 사회는 개인의 외부에 독자적으로 작동하는 존재이다.
④ 사회 규범은 개인들이 옳은 것이라고 생각하기 때문에 존재한다.
⑤ 사회 문제 발생 시 제도적인 측면보다 개인의 의식 개혁을 주장한다.

2 밑줄 친 ㉠~㉴에 대한 옳은 설명만을 | 보기 |에서 고른 것은?

> 갑은 가난한 집안의 ㉠장남으로 태어나 가난에서 벗어나기 위해 열심히 공부하여 고등학교 재학 때 매 학기 ㉡학업 우수상을 수상하였다. ㉢대학교에서 행정학과 사회교육학을 전공한 후 현재 ㉣고등학교 사회 ㉤교사로 재직 중이다. 갑은 본인의 전공 과목만큼이나 음악을 좋아하여 계속 사회 교사로 교직 생활을 이어 나갈지 아니면 음악 교사 자격증을 취득하기 위해 도전해야 할지를 ㉴고민하고 있다.

> ┌ 보기 ┐
> ㄱ. ㉠은 ㉤과 달리 귀속 지위이다.
> ㄴ. ㉡은 갑의 역할에 대한 보상이다.
> ㄷ. ㉢과 ㉣은 모두 공식적 사회화 기관이다.
> ㄹ. ㉴은 갑이 경험하고 있는 역할 갈등이다.

① ㄱ, ㄴ ② ㄱ, ㄷ ③ ㄴ, ㄷ
④ ㄴ, ㄹ ⑤ ㄷ, ㄹ

3 〈자료 1〉은 질문에 따라 사회화 기관을 구분한 것이다. 〈자료 2〉의 밑줄 친 ㉠~㉣을 A~C로 옳게 분류한 것은?

> 〈자료 1〉
>
> | 질문 | A | B | C |
> |---|---|---|---|
> | 전문적 지식과 기능의 사회화를 담당하는가? | 아니요 | 예 | 예 |
> | 사회화 이외의 목적으로 설립되었는가? | 예 | 아니요 | 예 |
>
> 〈자료 2〉
>
> ㉠◎◎ 고등학교에 재학 중인 갑은 언론인이 되겠다는 꿈이 생겼다. 이를 위해 ㉡☆☆ 방송사에 다니는 언니로부터 기자들의 생활이나 취재 방법 등을 미리 익히고 있다. 그리고 매일 아침 일찍 일어나 ㉢◇◇ 일보의 신문을 읽고 등교하는 습관을 들이고 있다. ㉣가족들도 갑의 꿈을 위해 함께 응원해 주고 있다.

	A	B	C
①	㉠	㉡	㉢, ㉣
②	㉡	㉠, ㉢	㉣
③	㉢	㉡	㉠, ㉣
④	㉣	㉠	㉡, ㉢
⑤	㉠, ㉢	㉣	㉡

4 다음 글에 나타난 개인과 사회의 관계를 보는 관점에 부합하는 진술로 옳은 것은?

> 사회는 실체가 없으며 오로지 개별 구성원들의 계약에 의해 유지되는 인공적인 존재에 불과하다. 개인들의 동의 없이는 사회 체제가 구성되지 못하며 구성원 사이에 체결된 합리적인 계약의 결과에 따라 다양한 사회 형태가 만들어질 수 있다.

① 사회가 발전해야 개인도 발전할 수 있다.
② 사회에 대한 개인의 불가항력성을 강조한다.
③ 사회의 구속성이 개인의 능동성보다 우선한다.
④ 사회는 개인의 행동을 구속하는 힘을 가지고 있다.
⑤ 개인들 간 상호 작용을 이해하면 사회를 이해할 수 있다.

사회 집단

5 표는 사회 집단을 분류한 것이다. 이에 대한 설명으로 옳은 것은?

기준	유형	특징
결합 의지	A	집단의 구성원 간 결합 자체가 목적
	B	㉠
접촉 방식	C	㉡
	D	구성원 간 직접 접촉을 바탕으로 형성된 집단

① ㉠에는 '본질 의지를 바탕으로 형성된 집단'이 들어갈 수 있다.

② ㉡에는 '형식적·수단적 접촉을 하는 집단'이 들어갈 수 있다.

③ A는 B와 달리 이해관계를 중심으로 구성원 간 관계가 형성된다.

④ C는 D와 달리 비공식적 수단을 통한 통제가 이루어진다.

⑤ B와 D의 사례로 가족을 들 수 있다.

사회 집단과 사회 조직

6 사회 집단 및 사회 조직 A~D에 대한 설명으로 옳은 것은?

> 사회 집단은 구성원의 결합 의지를 기준으로 A와 B로 구분할 수 있다. 이 중 A는 구성원들의 본질 의지에 따라 발생한 사회 집단이다. 또한 사회 집단 중에서 목표와 경계가 뚜렷하고 명시적인 규범과 절차에 따라 운영되는 집단은 C라고 한다. 특히 C의 구성원들 중에서 친밀감을 바탕으로 자발적으로 형성된 집단을 D라고 한다.

① B는 이익 집단이다.

② 모든 C는 모두 A에 해당한다.

③ 노동조합은 B, C에 모두 해당한다.

④ 고등학교는 A, D에 모두 해당한다.

⑤ D의 사례로 고등학교 학급 자치회를 들 수 있다.

관료제와 탈관료제

7 표는 사회 조직 운영 원리 A, B를 비교한 것이다. 이에 대한 설명으로 옳은 것은? (단, A, B는 각각 관료제, 탈관료제 중 하나이다.)

질문	A	B
조직 운영의 효율성을 지향하는가?	㉠	예
하향식 의사 결정 방식을 강조하는가?	예	㉡

① ㉠은 '예'이다.

② ㉡은 '예'이다.

③ A는 다품종 소량 생산 방식에 적합하다.

④ B는 연공서열에 따른 보상을 강조한다.

⑤ B는 A에 비해 중간 관리층의 비중이 높다.

일탈 행동

8 일탈 행동 이론 (가)~(다)에 대한 설명으로 옳은 것은?

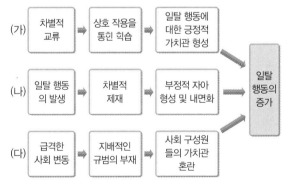

① (가)는 일탈을 규정하는 객관적인 기준이 없다고 본다.

② (나)는 해결 방안으로 제도 개혁을 제시한다.

③ (다)는 머튼의 아노미 이론이다.

④ (가)는 (나)와 달리 사회 구조적인 측면에서 일탈 행동을 본다.

⑤ (나)는 (다)와 달리 2차적 일탈 발생 과정에 주목한다.

창의·융합·코딩 전략

01 개인과 사회의 관계를 바라보는 갑, 을의 관점에 대한 설명으로 옳은 것은?

> 우리가 재학 중인 ○○고등학교가 명문 학교가 되기 위해서는 어떤 노력이 필요하다고 생각해?

갑

> 아무래도 좋은 인재들이 많이 모인 학교가 명문 학교가 되지 않을까? 다양한 분야에서 우수한 학생들을 선발해서 구성원 자체를 우수한 인적 자원으로 채우는 것이 필요할 것 같아.

을

> 아무리 우수한 인재들을 모은다 해도 학교의 분위기와 역사적인 전통을 바로 세우는 것이 더 필요하지 않을까 생각해. 개인들은 우수한 재능들을 갖추고 있을지 몰라도 그 학생들이 ○○고등학교의 구성원이라는 소속감을 갖도록 하는 것이 명문 학교로 가는 지름길이 아닐까?

갑

> 글쎄, 아무리 좋은 시스템을 갖춘다 하더라도 능력이 뛰어나지 않은 학생들이 모인다면 별 소용이 없을 것 같은데.

을

① 갑의 관점은 사회가 발전하면 개인도 발전한다고 보고 있다.

② 을의 관점은 사회는 개인의 외부에 실제로 존재한다고 보고 있다.

③ 갑의 관점은 을의 관점에 비해 개인의 능동적인 측면을 더 강조한다.

④ 을의 관점은 갑의 관점과 달리 거시적인 관점에서 개인과 사회의 관계를 바라보고 있다.

⑤ 갑의 관점과 을의 관점은 모두 사회는 개인들의 총합으로 환원하여 설명할 수 없다고 보고 있다.

> **Tip**
>
> 갑은 ❶⬜⬜⬜, 을은 사회 명목론적 관점에서 이야기하고 있다. 개인의 능동적인 측면을 더 강조하는 관점은 ❷⬜⬜적 관점이다. **답** ❶ 사회 실재론 ❷ 사회 명목론

02 다음 자료에 대한 설명으로 옳은 것은?

> **사회자:** 산업화 이후 이촌향도 현상이 심해지고 있습니다. 특히 사람들의 이동 경향이 중소 도시보다 대도시로 몰리는 경향이 강하여 서울과 같은 메트로폴리스들의 인구 밀도가 높아지는 사회 문제를 야기하고 있습니다. 이러한 현상에 대해 어떤 설명이 가능할까요?
>
> **갑:** 대도시라는 표현 자체가 다른 도시에 비해 인구 규모가 큰 도시를 부르는 표현이지요. 그 말은 대도시의 구성 자체가 주관적 의지를 가진 개인들이 각자의 다양한 목적을 달성하기 위해 자연스럽게 한곳으로 집중된 것이고 그렇게 형성된 일정 범위의 장소에 대도시라는 이름을 붙인 것입니다.
>
> **을:** 대도시는 단순히 인구의 규모가 큰 장소만을 의미하지는 않습니다. 다른 지역이나 도시에 비해 인구 규모가 크다는 의미도 있지만 국가·지역적으로 정치, 경제, 문화 등의 다양한 분야에서 중추적인 역할을 수행하는 도시를 의미하기도 합니다. 결국 이러한 대도시에서만 누릴 수 있는 다양한 혜택을 누리기 위해 사람들은 각자의 사정이 다를지라도 대도시로 집중될 수밖에 없는 구조적인 원인이 존재한다고 봐야 합니다.

① 갑의 관점은 개인들이 사회 속에서만 존재의 의미를 갖는다고 본다.

② 을의 관점은 개인들의 이익을 모두 합친 것이 공익이라고 본다.

③ 갑의 관점은 을의 관점에 비해 개인의 자율적인 의지를 바탕으로 사회가 형성된다고 보는 경향이 강하다.

④ 을의 관점은 갑의 관점과 달리 사회는 개인들의 총합으로 환원하여 설명할 수 있다고 본다.

⑤ 갑의 관점과 을의 관점은 모두 개인의 외부에서 개인의 사고와 행위를 구속하는 실존하는 사회가 존재한다고 본다.

> **Tip**
>
> 갑은 사회 명목론적 관점, 을은 ⬜⬜⬜적 관점에서 이야기하고 있다. **답** 사회 실재론

03 다음 자료에 대한 옳은 설명만을 | 보기 |에서 고른 것은?

> **장군 갑:** 용맹한 신라의 군사들이여! 오늘 신라의 영광을 위해 그대들의 존재하는 이유를 증명하라! 신라는 그대들의 희생을 기억할 것이다!
>
> **장군 을:** 병사들은 경거망동하지 마라! 목숨을 가벼이 여기지 말며 수비를 굳건히 하라! 그대들 모두가 곧 백제임을 잊지 마라! 그대들이 없는 백제는 아무런 의미가 없다!

┌ 보기 ┐
ㄱ. 갑의 관점은 사회 문제 발생 시 구조적인 측면에서 해결책을 찾아보는 관점이다.
ㄴ. 을의 관점은 개인의 주관성을 간과한다는 비판을 받을 수 있다.
ㄷ. 갑의 관점은 을의 관점에 비해 개인의 희생을 강요할 수 있는 관점이라는 비판을 받을 수 있다.
ㄹ. 을의 관점은 갑의 관점에 비해 전체주의로 빠질 위험성이 높다는 비판을 받을 수 있다.

① ㄱ, ㄴ   ② ㄱ, ㄷ   ③ ㄴ, ㄷ
④ ㄴ, ㄹ   ⑤ ㄷ, ㄹ

Tip
갑은 ❶[ ]적 관점, 을은 ❷[ ]적 관점에서 군사들을 지휘하고 있다. 🔁 ❶ 사회 실재론 ❷ 사회 명목론

04 사회화를 바라보는 갑, 을의 관점에 대한 옳은 설명만을 | 보기 |에서 고른 것은?

사회화의 내용은 사회의 안정적 유지와 발전을 위해 그 사회가 요구하는 가치들을 갖추도록 하는 것이 핵심입니다.

그렇지 않습니다. 오히려 지배 집단의 가치와 그들만을 위한 제도를 보편타당한 것으로 정당화하기 위한 수단에 불과합니다.

┌ 보기 ┐
ㄱ. 갑의 관점은 사회화를 통해 사회 통합을 도모할 수 있다고 본다.
ㄴ. 을의 관점은 사회화의 내용이 특정 집단의 합의에 의해 결정되었다고 본다.
ㄷ. 갑의 관점은 을의 관점과 달리 미시적 관점에서 사회화를 본다.
ㄹ. 을의 관점은 갑의 관점과 달리 타인과의 상호 작용을 통해 사회화가 진행된다고 본다.

① ㄱ, ㄴ   ② ㄱ, ㄷ   ③ ㄴ, ㄷ
④ ㄴ, ㄹ   ⑤ ㄷ, ㄹ

Tip
갑은 ❶[ ]적 관점, 을은 ❷[ ]적 관점에서 사회화를 바라보고 있다. 기능론과 갈등론은 모두 거시적 관점이다. 🔁 ❶ 기능론 ❷ 갈등론

05 그림은 사회 집단과 사회 조직의 개념 관계를 나타낸 것이다. A~C에 대한 설명으로 옳은 것은? (단, A~C는 각각 공식 조직, 비공식 조직, 자발적 결사체 중 하나이다.)

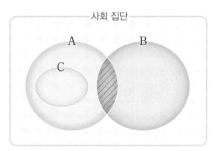

① A는 C에 비해 구성원의 지위와 역할이 명확하다.
② B는 A에 비해 가입과 탈퇴가 비교적 자유롭다.
③ C는 B와 달리 구성원들이 반드시 공식 조직에 속해 있어야 한다.
④ A는 공식 조직, B는 자발적 결사체, C는 비공식 조직이다.
⑤ 빗금 친 부분의 사례로 노동조합과 시민 단체를 들 수 있다.

Tip
A는 ❶[ ], B는 ❷[ ], C는 비공식 조직이다.
🔁 ❶ 자발적 결사체 ❷ 공식 조직

사회화 기관

06 밑줄 친 ㉠~㉣에 대한 옳은 설명만을 | 보기 |에서 고른 것은?

각자 결정한 고려에 대한 조사 연구 주제를 발표해 볼까요?

저는 고려의 최고 교육 기관인 ㉠국자감에 대해 조사하기로 결정했습니다.

저는 대몽 항쟁의 대표적인 집단인 ㉡삼별초를 조사할 예정입니다.

저는 ㉢부석사를 조사했습니다. 부석사 무량수전은 고려 공민왕과 관련이 있었어요.

저는 고려 시대 ㉣가족 문화를 조사하고 싶어요.

| 보기 |

ㄱ. ㉠은 ㉡과 달리 사회화를 목적으로 전문적인 수준의 사회화를 담당하는 사회화 기관이다.

ㄴ. ㉡은 ㉢과 달리 사회화 이외의 목적으로 설립된 기초적인 사회화를 담당하는 사회화 기관이다.

ㄷ. ㉢은 ㉣과 달리 2차적 사회화 기관이면서 비공식적 사회화 기관이다.

ㄹ. ㉠~㉢은 ㉣과 달리 사회화를 목적으로 설립된 사회화 기관이다.

① ㄱ, ㄴ   ② ㄱ, ㄷ   ③ ㄴ, ㄷ
④ ㄴ, ㄹ   ⑤ ㄷ, ㄹ

Tip

사회화 기관은 사회화의 내용을 기준으로 하여 기본적인 사회화를 담당하는 **❶**　　　　사회화 기관과 보다 전문적인 사회화를 담당하는 **❷**　　　　사회화 기관으로 구분한다. 또한 기관의 설립 목적을 기준으로 하여 사회화를 목적으로 설립된 **❸**　　　　사회화 기관과 다른 목적이 있지만 부수적으로 사회화를 담당하게 되는 **❹**　　　　사회화 기관으로 구분한다.

🔑 ❶ 1차적 ❷ 2차적 ❸ 공식적 ❹ 비공식적

일탈 행동

07 다음 대화에서 (가)에 들어갈 내용으로 가장 적절한 것은?

일탈 이론 A에 대해 설명해 볼까요?

급속한 사회 변동으로 인해 기존의 지배적인 사회 규범이 약해진 것이 원인입니다.

새로운 가치관이 확립되지 않아 기존의 규범과 새로운 규범이 혼재된 상황에서 나타납니다.

(가)

세 학생 모두 정확하게 이해하고 있네요.

① 기능론적 관점에서 일탈 행동을 보고 있어요.

② 차별적 교제를 일탈 행동의 원인으로 강조해요.

③ 차별적 제재로 인해 일탈 행동이 초래된다고 봐요.

④ 일탈 행동의 원인으로 목표와 수단의 괴리를 강조해요.

⑤ 일탈 행동을 규정하는 객관적 기준이 존재하지 않는다고 봐요.

Tip

차별적 교제를 강조하는 일탈 이론은 **❶**　　　　이론이고, 차별적 제재를 강조하는 일탈 이론은 **❷**　　　　이론이다.

🔑 ❶ 차별 교제 ❷ 낙인

사회 집단과 사회 조직

[08~09] 다음 자료를 읽고 물음에 답하시오.

〈자료 1〉	갑은 ○○고등학교 교사로 자신의 연고 지역 팀의 프로 축구 ① □□팀의 ② △△ 서포터즈에 가입하여 회원으로 왕성한 활동을 현재까지 보이고 있다. 하지만 얼마 전, 어쩔 수 없이 자신이 응원하는 축구팀의 라이벌인 ③ ☆☆팀의 연고 지역에 있는 ② ◇◇ 고등학교로 전근을 가게 되었다. 축구를 좋아했던 갑은 ③ 교내 교사 축구 동호회에 가입하였고, 동호회 활동을 통해서 동료들과 친분을 쌓을 수 있었다. 하지만 □□팀과 ☆☆팀의 경기가 열릴 때면 대부분의 축구 동호회 동료들이 ☆☆팀을 일방적으로 응원하기 때문에 소외감을 느낄 때가 많다.
〈자료 2〉	〈사회 집단 간 관계〉 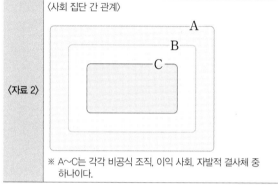 ※ A~C는 각각 비공식 조직, 이익 사회, 자발적 결사체 중 하나이다.

08 〈자료 1〉에 대한 설명으로 옳은 것은?

① 갑의 소속 집단은 모두 준거 집단에 해당한다.

② ①은 갑의 소속 집단이자 이익 사회이다.

③ ②은 갑의 소속 집단이면서 내집단이다.

④ ③, ②은 모두 갑에게 내집단에 해당한다.

⑤ ③은 갑에게 준거 집단이자 외집단에 해당한다.

Tip

자신이 속해 있으면서 강한 소속감과 공동체 의식을 느끼는 집단을 **❶** 이라고 한다.　　📖 ❶ 내집단

09 〈자료 1〉, 〈자료 2〉에 대한 옳은 설명만을 보기에서 고른 것은?

┌─ 보기 ─────────────────────┐
ㄱ. ①은 ②과 달리 B에만 해당한다.
ㄴ. ②은 ③과 달리 B, C에 모두 해당한다.
ㄷ. ③, ②은 모두 A에만 해당한다.
ㄹ. ③은 ①~②과 달리 A, B, C에 모두 해당한다.
└──────────────────────────┘

① ㄱ, ㄴ　　② ㄱ, ㄷ　　③ ㄴ, ㄷ

④ ㄴ, ㄹ　　⑤ ㄷ, ㄹ

Tip

A는 **❶** , B는 자발적 결사체, C는 **❷** 이다.

📖 ❶ 이익 사회 ❷ 비공식 조직

관료제와 탈관료제

10 그림에 대한 옳은 설명만을 보기에서 있는 대로 고른 것은? (단, A, B는 각각 관료제와 탈관료제 조직 중 하나이다.)

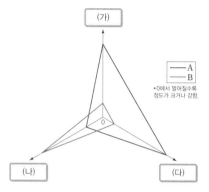

┌─ 보기 ─────────────────────┐
ㄱ. (가)가 '능력에 따른 보상'이라면, (나)는 '중간 관리층의 역할 비중'이 적절하다.
ㄴ. '효율적인 과업 수행의 지향'은 (가), (다)에는 들어갈 수 있지만 (나)에는 들어갈 수 없다.
ㄷ. (나)가 '수직적 조직 체계'라면, A는 B에 비해 정보화 사회에 적합한 조직 운영 원리이다.
ㄹ. (다)가 '업무의 세분화와 전문화'라면, A는 B보다 다품종 소량 생산 방식에 적합하다.
└──────────────────────────┘

① ㄱ, ㄴ　② ㄱ, ㄷ　③ ㄴ, ㄷ　④ ㄴ, ㄹ　⑤ ㄷ, ㄹ

Tip

경력보다 능력에 따른 보상을 중시하는 조직 운영 원리는 **❶** 이고, 산업 사회에 적합한 조직 운영 원리인 관료제는 **❷** 생산 방식에 적합하다.

📖 ❶ 탈관료제 ❷ 소품종 대량

전편 마무리 전략

사회·문화 현상을 바라보는 관점

선생님

우리나라의 출산율이 낮아지는데 그 이유가 무엇일까요?

출산을 지원하는 다양한 사회 제도가 제 역할을 하지 못하기 때문이라고 봅니다.

갑

을

예전과 달리 사람들이 출산을 선택의 문제로 인식하는 경우가 많아졌기 때문입니다.
특히 결혼 후에도 반드시 아이를 가질 필요가 없다고 인식하는 사람들이 늘어났기 때문에
출산율이 낮아지는 것입니다.

기성세대가 자신들에게 유리한 고용 구조를 만들다 보니,
청년들이 불안정한 고용 상태에 처해 있습니다.
이로 인해 젊은 세대들이 출산을 미루게 되어 출산율이 낮아지는 것입니다.

병

자료 수집 방법

제 ○ 차 □□ 연구 발표회
연구 주제: 비정규직 노동자에 대한 차별 실태

주최: △△ 노동연구원

저는 비정규직 노동자가 겪은 차별 유형별
경험 비율을 알아보고 싶었습니다. 그러기 위해서는
다수를 대상으로 효율적으로 자료를 확보할 수
있으며 통계 분석이 용이한 방법, 즉 질문지법을
사용하는 것이 가장 효과적이었습니다.
그래서 비정규직 노동자 1,000명을
대상으로 설문 조사를
실시하였습니다.

저는 정규직과 비정규직의 업무 유형,
주당 평균 업무 시간, 월평균 임금 격차를 지역,
성별로 비교하여 정리해 보고자 했습니다.
그러기 위해서는 최대한 많은 2차 자료를
참고할 필요가 있었기에 문헌 연구법을
사용하여 자료를
수집하였습니다.

저는 비정규직 노동자들이
차별을 받는 과정에서 겪은 정서적 소외와 우울감
등을 심층적으로 조사하고자 했습니다.
그러기 위해서는 소수를 대상으로 깊이 있는
자료를 확보할 수 있는 방법인 면접법을 사용하는 것이
적합하다고 판단했습니다. 차별을 받은 경험이 있는
비정규직 노동자 20명을 대상으로 6개월간 면담을
진행한 결과를 발표하겠습니다.

인간의 사회화

일탈 행동

신유형·신경향 전략

신유형 전략

01 자연 현상과 사회·문화 현상의 특징

다음 자료에 대한 설명으로 옳은 것은?

> A~C는 세 장의 카드 뒷면에 적힌 내용으로, 각각 자연 현상의 일반적인 특징, 사회·문화 현상의 일반적인 특징, 자연 현상과 사회·문화 현상의 공통된 특징이다. 세 장의 카드 중 두 장을 뽑았을 때, 두 장의 내용 모두가 자연 현상에 해당하거나 사회·문화 현상에 해당하면 2점을, 두 장의 내용이 각각 어느 한 현상에만 해당하면 1점을 준다. 이 원칙에 따르면 뒷면에 적힌 내용이 A, B 또는 B, C일 때 2점, A, C일 때 1점을 받게 된다.

① '보편성이 나타난다.'는 A에 해당할 수 있다.

② '과학적 연구의 대상이 된다.'는 B에 해당할 수 있다.

③ A, B에 해당하는 현상은 당위 법칙으로 설명된다.

④ A는 자연 현상의 일반적인 특징, C는 사회·문화 현상의 일반적인 특징이다.

⑤ A가 '가치 함축적이다.'이면, '개연성으로 설명된다.'는 C에 해당할 수 있다.

Tip

카드 뒷면에 적힌 내용이 A, B 또는 B, C일 때 2점, A, C일 때 1점이라는 조건을 통해 A, C는 각각 서로 다른 하나의 현상에만 해당하는 특징이고, **❶**⬚⬚⬚는 자연 현상과 사회·문화 현상의 **❷**⬚⬚⬚ 특징임을 알 수 있다. 답 **❶** B **❷** 공통적인

02 사회·문화 현상을 바라보는 관점

사회·문화 현상을 바라보는 갑~병의 관점에 대한 설명으로 옳은 것은?

> **을:** 학교 교육과 직업 세계 사이에는 유의미한 기능적 관계가 있다고 보기 어렵습니다. 학교는 업적주의에 매몰되어 있지만 실상은 개인의 사회 경제적 지위의 결정 과정에서 출신 배경의 영향이 작용합니다. 따라서 개인은 학교에서 지적 기술보다 특정 가치관, 규범 및 태도의 내면화를 강조받습니다.

> **갑:** 학교는 사회가 요구하는 기술, 지식 등과 공동체 의식을 전수하는 곳입니다. 학교에서의 기술 훈련은 개인에게 국가의 경제 성장과 발전에 이바지할 수 있는 기회를 제공하며, 개인의 자아실현에 결정적인 역할을 합니다.

> **병:** 두 분 모두 (가) 라고 인식하고 계시는데, 그렇지 않습니다. 학생들은 학교의 교육 과정에 대해 나름의 의미를 부여하고 해석합니다.

① (가)에는 "학생들은 주어진 학교의 교육 과정을 능동적으로 받아들인다."가 들어갈 수 있다.

② 갑의 관점은 사회 변동이 불공정한 자원 배분으로 인한 갈등 때문에 나타난다고 본다.

③ 병의 관점은 개인의 상황 정의가 개개인의 행위를 초월한 사회 체계에 의해 결정된다고 본다.

④ 갑의 관점에 비해 을의 관점은 급격하게 나타나는 사회 변동을 설명하기 용이하다.

⑤ 갑의 관점, 병의 관점과 달리 을의 관점은 학교의 교육 과정에 사회의 지배적인 가치가 반영되어 있다고 본다.

Tip

점진적으로 나타나는 사회 변동을 설명하기 용이한 관점은 **❶**⬚⬚⬚이며, 급격하게 나타나는 사회 변동을 설명하기 용이한 관점은 **❷**⬚⬚⬚이다. 답 **❶** 기능론 **❷** 갈등론

03 지위와 역할

밑줄 친 ㉠~㉯에 대한 옳은 설명만을 ⌐보기⌐에서 고른 것은?

갑은 을이 나이도 어리고 고아라는 점을 ㉠ 애틋하게 여겨 거두어 여러 ㉡ 아들과 똑같이 길렀으며, 자신의 ㉢ 장남과 함께 기거하도록 했다. 을은 항상 사람들과 함께 사냥을 하였다. 한번은 호랑이에게 쫓기던 을이 뒤돌아서서 활을 쏘았는데, 활 쏘는 소리가 나기 무섭게 호랑이가 고꾸라졌다. 갑은 을의 용맹함을 ㉣ 칭찬하고, 호표기를 통솔하여 영구현(靈丘縣)의 도적을 토벌하도록 했다. 을이 도적을 무찌르자 영수정후(靈壽亭侯)에 봉했다. 후에 을은 편장군(偏將軍)이 되어 ㉤ 병사들을 인솔하여 하변에 있는 ㉥ 적군을 공격하여 무찔렀으므로, ㉦ 중견장군(中堅將軍)으로 임명되었다.

⌐ 보기 ⌐
ㄱ. ㉠은 갑의 역할 갈등이다.
ㄴ. ㉡, ㉢은 귀속 지위이다.
ㄷ. ㉤, ㉥은 을의 역할 행동이다.
ㄹ. ㉣은 ㉦과 달리 을의 역할에 대한 보상이다.

① ㄱ, ㄴ ② ㄱ, ㄷ ③ ㄴ, ㄷ
④ ㄴ, ㄹ ⑤ ㄷ, ㄹ

Tip

역할은 지위에 대해 기대되는 행동 양식을 의미하며, 보상이나 제재는 **❶** 에 대한 반응이다. 아들이나 장남같이 선천적으로 태어나면서 갖게 되는 지위를 **❷** 라고 한다.

🔒 ❶ 역할 행동 ❷ 귀속 지위

04 사회 집단과 사회 조직

그림은 대선 후보 갑의 일정에 대한 뉴스의 일부이다. 이에 대한 설명으로 옳은 것은?

첫 번째 소식입니다. 유력한 대선 주자인 갑 후보의 이번 주 일정이 화제입니다. ○○○기자의 보도입니다.

저는 지금 갑 후보의 캠프 사무실에 나와 있습니다. 갑 후보 측에서는 주요 일정으로 월요일에는 본인이 소속해 있는 정당의 전당 대회에 참석하고, 화요일에는 국립 ◇◇대학교 총동문회에 참석하기로 했습니다. 또한 수요일에는 후보자가 소속되어 있는 환경 단체가 주최하는 캠페인에 참석하겠다고 발표했습니다.

○○○기자, 그렇다면 이번 주 후반부 갑 후보의 일정은 어떻게 진행된다고 합니까?

네, 갑 후보는 수요일 저녁은 가족들과 함께 휴식을 취한 후, 목요일 전국 ☆☆ 노동조합 간부들과의 면담을 통해 자신의 노동 정책을 설명하고 금요일에는 ◇◇시 축구 협회가 주최하는 축구 대회에 참석하여 축사를 할 예정이라고 합니다.

① 월요일에는 공식적 사회화 기관에서의 일정이 있다.
② 수요일에는 자발적 결사체에서의 일정이 있다.
③ 금요일에는 비공식 조직에서의 일정이 있다.
④ 화요일에는 목요일과 달리 공식 조직이면서 자발적 결사체에서의 일정이 있다.
⑤ 월요일부터 금요일 중에는 이익 사회에서의 일정이 없다.

Tip

가입과 탈퇴가 자유로우며 구성원들의 자발적인 참여를 토대로 형성된 사회 집단은 **❶** 이다. 노동조합은 자발적 결사체이면서 동시에 **❷** 의 성격을 가지고 있다.

🔒 ❶ 자발적 결사체 ❷ 공식 조직

05 자료 수집 방법

다음 자료에 대한 설명으로 옳은 것은? (단, A~D는 각각 실험법, 면접법, 질문지법, 참여 관찰법 중 하나이다.)

> **교사:** 갑~정이 제출한 연구 보고서를 보니 갑은 A, 을은 B, 병은 A, C, 정은 D를 사용하여 자료를 수집하는군요. 서로의 자료 수집 방법에 대해 평가해 봅시다.
>
> **갑:** 을은 자료 수집 과정에서 무성의한 응답의 가능성을 줄일 수 있는 방안을 고민해야 합니다.
>
> **을:** 병이 선택한 자료 수집 방법은 모두 언어적 상호 작용이 필수적이네요. 정은 자료 해석 과정에서 자신의 편견이나 가치가 개입될 가능성이 높다는 점을 유의해야겠습니다.
>
> **병:** 을은 자료 수집 과정에서 윤리적 문제가 발생할 수 있음을 염두해야 합니다.
>
> **정:** 갑은 조사 목적 달성을 위해서 연구 대상과의 친밀한 관계를 형성하는 것이 중요합니다.
>
> **교사:** 네 사람 중 □(가)□ 와 을만 옳게 발표했습니다.

① 자료 수집 도구의 구조화 정도는 'A>D>C>B'이다.

② A는 C에 비해 자료의 실제성을 확보하는 데 유리하다.

③ B는 D와 달리 자료 수집 상황에 대한 엄격한 통제를 바탕으로 한다.

④ A, D는 B, C와 달리 변인 간의 관계를 밝히는 연구에 주로 활용된다.

⑤ (가)에 들어갈 사람이 선택한 자료 수집 방법은 참여 관찰법이다.

> **Tip**
>
> 을의 발표는 옳은 내용이므로 A, C는 각각 면접법과 질문지법 중 하나이며, B는 ❶□□□, D는 ❷□□□이다.
>
> 📋 ❶ 실험법 ❷ 참여 관찰법

06 양적 연구의 사례

다음 자료는 갑이 수행한 연구의 주요 절차를 순서대로 나열한 것이다. 이에 대한 설명으로 옳은 것은?

> - 예산이 많은 고등학교일수록 해당 학교 학생들의 학교생활 만족도가 높을 것이라고 임시로 결론을 내렸다.
> - ㉠자신이 예전에 쓴 논문에 수록된 자료를 활용하여, 지역별 고등학교 ㉡연간 투입 예산 규모를 파악하였다. 그 후 각 지역별 인구를 고려하여 무작위로 선정한 남녀 고등학생 각각 1,000명에게 ㉢학교생활 만족도를 묻는 조사를 실시하였다. (1점: 매우 만족, 5점: 매우 불만족)
> - ㉣수집한 자료를 분석한 결과 학교 예산 규모와 학생들의 학교생활 만족도 간의 관계가 가설에서 설정했던 것과 일치하지 않아 ㉤두 변인 간의 관계에 대해 가설과 다른 결론을 내렸다.

① ㉠은 갑의 가설 검증을 위한 1차 자료의 활용에 해당한다.

② ㉣에서 ㉡과 ㉢ 간 부(−)의 관계가 나타났다.

③ ㉤은 ㉣로부터 귀납적으로 도출되었다.

④ 독립 변인과 달리 종속 변인에 대한 조작적 정의가 이루어졌다.

⑤ 갑이 사용한 연구 방법은 연구자의 관점이 아닌 연구 대상의 관점에서 현상을 이해하고자 한다.

> **Tip**
>
> 갑은 양적 연구를 수행하였으며, 투입 예산 규모는 ❶□□□ 변인, 학교생활 만족도는 ❷□□□ 변인이다.
>
> 📋 ❶ 독립 ❷ 종속

07 관료제와 탈관료제

다음 대화에 나타난 갑, 을이 소속되어 있는 회사에 대한 설명으로 옳은 것은? (단, 갑, 을이 소속되어 있는 회사는 관료제와 탈관료제 조직 중 하나이다.)

① 갑의 회사에서는 목적 전치 현상이 나타날 우려가 있다.

② 을의 회사에서는 능력에 따른 보상을 하기 때문에 인간 소외 현상이 나타날 우려가 있다.

③ 갑의 회사는 을의 회사에 비해 구성원의 창의력을 증진 시키는데 유리한 구조이다.

④ 을의 회사는 갑의 회사에 비해 규약과 절차에 따른 업무 수행 정도가 강하다.

⑤ 갑의 회사와 을의 회사는 모두 다품종 소량 생산 체제에 적합한 조직 운영 구조이다.

Tip

갑의 회사는 ❶ _____ 조직, 을의 회사는 ❷ _____ 조직의 성격을 갖고 있다.　　🔑 ❶ 관료제 ❷ 탈관료제

08 일탈 행동

다음은 일탈이 발생하는 과정을 영화로 제작하기 위한 시나리오이다. 시나리오에 소개되고 있는 일탈 이론에 대한 옳은 설명만을 | 보기 |에서 고른 것은?

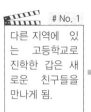

# No. 1	# No. 2	# No. 3
다른 지역에 있는 고등학교로 진학한 갑은 새로운 친구들을 만나게 됨.	새롭게 만난 친구들은 중학생 때부터 주변에서 유명한 비행 청소년들임을 알게 됨.	친구들과 어울리면서 갑도 자연스럽게 비행을 접하게 되며 순간의 재미를 위한 행동을 반복함.

┌ 보기 ┐

ㄱ. 차별적 제재로 인해 일탈 행동이 발생한다고 본다.

ㄴ. 미시적인 관점에서 일탈 행동의 원인을 바라본다.

ㄷ. 일탈 행동에 대한 해결 방안으로 정상적인 집단과의 교류를 제시한다.

ㄹ. 문화적 목표와 제도적 수단 간의 괴리 때문에 일탈 행동이 발생한다고 본다.

① ㄱ, ㄴ　　　② ㄱ, ㄷ　　　③ ㄴ, ㄷ

④ ㄴ, ㄹ　　　⑤ ㄷ, ㄹ

Tip

차별적 제재로 인한 2차적 일탈에 초점을 맞추는 일탈 이론은 ❶ _____ 이다. 문화적 목표와 제도적 수단 간의 괴리에 초점을 맞추는 일탈 이론은 ❷ _____ 이다.

🔑 ❶ 낙인 이론 ❷ 머튼의 아노미 이론

1강_사회·문화 현상의 이해 ~ 사회·문화 현상의 연구 방법

:: 1등급 킬러

01 다음 자료에 대한 설명으로 옳은 것은?

〈자료1〉은 〈자료2〉의 밑줄 친 ㉠~㉢과 같은 현상이 제시된 특징을 갖는 경우 '1', 그렇지 않은 경우 '0'을 표시하고자 작성한 것이다.

〈자료1〉

구분	㉠	㉡	㉢	계
존재 법칙으로 설명된다.				A
개연성으로 설명된다.				B
(가)				C
계	D	E	F	G

〈자료2〉

㉠ ○○ 부족 사람들은 사람이 죽으면 저세상에서 새로운 삶이 시작된다고 믿는다. 그래서 장례식 때 ㉡ 고인이 사용하던 물품을 함께 매장한다. 매장하기 힘든 물품은 불에 태우는데, 이는 그 물품이 ㉢ 불에 타 재가 됨으로써 고인의 혼과 함께 저세상으로 날아갈 수 있다고 믿기 때문이다.

① A와 B의 합은 2이다.
② (가)에 '경험적인 연구의 대상이 된다.'가 들어가면 G는 4이다.
③ (가)에 '보편성과 특수성을 함께 갖는다.'가 들어가면 C, E, F의 합은 6이다.
④ G가 5라면 (가)에 '규칙성이 엄격하게 적용된다.'가 들어갈 수 있다.
⑤ C와 D의 합이 F와 같다면 (가)에 '가치 함축성을 갖는다.'는 들어갈 수 없다.

:: 1등급 킬러

02 다음 자료에 대한 옳은 설명만을 | 보기 |에서 있는 대로 고른 것은?

표는 질문 (가)~(다)에 대해 사회·문화 현상을 보는 관점 A의 응답 내용을 정리한 것이다. 각 질문에 대해 '예' 또는 '아니요'로 응답하게 되며, A는 기능론, 갈등론, 상징적 상호 작용론 중 하나이다.

질문 내용	응답 내용
(가)	
(나)	
(다)	㉠
(가)~(다)에 대해 '예'로 응답한 횟수	2회

| 보기 |

ㄱ. A가 기능론, ㉠이 '예'라면, (가)에 '거시적 관점인가?', (나)에 '사회 규범에 대한 사회적 합의가 존재한다고 보는가?'가 들어갈 수 있다.
ㄴ. (가)가 '거시적 관점인가?'이고, (나)가 '개인의 상황 정의를 중시하는가?'이면, ㉠은 '예'이다.
ㄷ. (가)가 '사회 구성 요소들의 상호 의존성을 중시하는가?'이고, (나)가 '갈등이 사회에 내재한다고 보는가?'이면, A는 인간을 자율적이고 능동적인 주체로 보는 관점이다.
ㄹ. (가)가 '사회를 유기체로 간주하는가?'이고, (나)가 '사회 문제를 병리적 현상으로 보는가?'이면, (다)에 '사회는 본질적으로 안정보다 변동을 지향하는가?'가 들어갈 수 있다.

① ㄱ, ㄷ   ② ㄱ, ㄹ   ③ ㄴ, ㄹ
④ ㄱ, ㄴ, ㄷ   ⑤ ㄴ, ㄷ, ㄹ

03 다음 글에 나타난 사회·문화 현상을 바라보는 관점에 대한 설명으로 옳은 것은?

언어 습득 과정에서 인간은 언어의 뜻뿐만 아니라 그 언어가 가리키는 행동의 의미를 배우게 된다. 예를 들어, 부모로부터 '안 돼'라는 말이 사용되는 상황에서 자신이 저지른 특정 행동이 다른 사람들로부터 비난받는 행동이라는 것을 스스로 깨닫게 된다. 이렇게 인간은 능동적인 해석 과정을 통해 사회 규범을 마음속으로 받아들인다.

① 개인의 행위에 미치는 사회 구조의 영향력을 중시한다.
② 사회 규범이 지배 집단의 합의를 통해 형성된다고 본다.
③ 사회·문화 현상의 의미는 구성원의 해석에 따라 달라진다고 본다.
④ 사회가 구성 요소 간의 상호 의존적 관계를 통해 안정을 이룬다고 본다.
⑤ 사회 제도는 현재의 불평등한 사회 구조를 정당화하는 수단이라고 본다.

04 사회·문화 현상의 연구 방법 (가), (나)에 대한 옳은 설명만을 | 보기 |에서 고른 것은?

- (가)가 적용된 연구 사례의 목적: 영유아를 보육하는 교사들이 가지고 있는 직업 및 영유아들과의 상호 작용 방식을 심층적으로 이해하고자 한다.
- (나)가 적용된 연구 사례의 목적: 고등학교에서 이루어지고 있는 학생 자치 활동에 영향을 주는 주요 변수의 영향력과 학생 자치 활동에 대한 만족도를 계량화된 수치로 조사하여 학생 자치 활동의 만족도에 미치는 주요 변수의 영향력을 측정하고자 한다.

| 보기 |
ㄱ. (가)는 방법론적 이원론에 근거하고 있다.
ㄴ. (나)는 연구 대상자와의 공감적 유대 형성을 중시한다.
ㄷ. (가)는 (나)와 달리 연구 대상자들의 행동 선택에 대한 동기나 의미 부여에 주목한다.
ㄹ. (나)는 (가)와 달리 경험적 자료를 바탕으로 결론을 도출한다.

① ㄱ, ㄴ ② ㄱ, ㄷ ③ ㄴ, ㄷ ④ ㄴ, ㄹ ⑤ ㄷ, ㄹ

05 다음 연구에 대한 옳은 설명만을 | 보기 |에서 고른 것은?

갑은 저소득층이면서도 양호한 건강을 유지하고 있는 남성 노인 5명, 여성 노인 5명을 선정해 매주 1시간씩 3개월간 면담을 진행하였다. 갑은 노인들에게 그들이 육체적, 정신적 건강을 유지하는 데 중요한 역할을 하는 다양한 요인들을 물어보고 그 요인을 심층적으로 이해하고자 하였다. 연구 결과 저소득층 남성 노인과 여성 노인 모두 건강을 유지하는 데 중요한 요인으로 규칙적인 운동과 긍정적인 심리적 태도를 꼽았다.

| 보기 |
ㄱ. 변인과 변인 간의 상관관계를 파악하는 것을 목적으로 한다.
ㄴ. 구체적 사례에 대한 계량적 분석을 바탕으로 결론을 도출한다.
ㄷ. 상황 맥락 속에서 사회·문화 현상이 갖는 의미를 이해하고자 한다.
ㄹ. 연구자의 직관적 통찰과 감정 이입적 이해를 바탕으로 결론을 도출한다.

① ㄱ, ㄴ ② ㄱ, ㄷ ③ ㄴ, ㄷ ④ ㄴ, ㄹ ⑤ ㄷ, ㄹ

06 다음 글에서 강조된 연구 방법의 일반적인 특징에 대한 옳은 설명만을 | 보기 |에서 고른 것은?

사회·문화 현상은 인간의 의식과 의지를 바탕으로 일어나며, 인간의 행위에는 주어진 환경과 조건, 그리고 자신의 행위에 대한 해석과 의미가 담겨 있기 때문에, 자연 과학적 방법과는 다른 방법으로 탐구해야 한다. 자연 현상은 외부로부터만 관찰이 가능하며 또 설명될 수 있는 반면, 인간 활동의 세계는 그 내부로부터 이해되어야 하기 때문이다.

| 보기 |
ㄱ. 방법론적 이원론에 기초한다.
ㄴ. 귀납적 추론보다 연역적 추론을 중시한다.
ㄷ. 직관적 통찰과 감정 이입적 이해를 중시한다.
ㄹ. 수량화된 자료를 분석하여 가설의 진위 여부를 검증한다.

① ㄱ, ㄴ ② ㄱ, ㄷ ③ ㄴ, ㄷ ④ ㄴ, ㄹ ⑤ ㄷ, ㄹ

07 다음 연구에 대한 옳은 설명만을 | 보기 | 에서 있는 대로 고른 것은?

> 본 연구의 목적은 집단 음악 치료 프로그램이 지적 장애 취업 준비생의 사회적 기술과 대인 관계 태도에 미치는 효과를 알아보는 데 있다. ⊙지적 장애 2급 판정을 받은 20명의 지적 장애 취업 준비생을 10명씩 두 집단으로 나누어 한 집단에게만 집단 음악 치료 프로그램을 총 13회에 걸쳐 실시하였다. ⓒ실험 처치 이전 검사에서는 두 집단의 차이가 거의 없었지만, ⓒ실험 처치 이후 검사에서는 ②집단 음악 치료 프로그램을 제공받은 집단의 점수가 유의미하게 높아졌고, 그렇지 않은 집단의 점수는 크게 변화하지 않은 것으로 나타나 가설을 수용하였다.

> ┌ 보기 ┐
> ㄱ. ⊙은 모집단, ②은 실험 집단이다.
> ㄴ. ⓒ, ⓒ에서는 사회적 기술과 대인 관계 태도 검사가 이루어졌을 것이다.
> ㄷ. 방법론적 일원론을 기초로 한 연구 방법을 사용하였다.
> ㄹ. 독립 변인 값을 지속적으로 높여 감에 따라 나타나는 종속 변인의 변화를 파악하고자 하였다.

① ㄱ, ㄷ   ② ㄱ, ㄹ   ③ ㄴ, ㄷ
④ ㄱ, ㄴ, ㄹ   ⑤ ㄴ, ㄷ, ㄹ

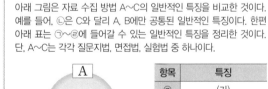

2강_자료 수집 방법 ~
    사회·문화 현상의 탐구 태도와 연구 윤리

 ** 1등급 킬러

08 다음 자료에 대한 설명으로 옳은 것은?

아래 그림은 자료 수집 방법 A~C의 일반적인 특징을 비교한 것이다. 예를 들어, ⓒ은 C와 달리 A, B에만 공통된 일반적인 특징이다. 한편 아래 표는 ⊙~②에 들어갈 수 있는 일반적인 특징을 정리한 것이다. 단, A~C는 각각 질문지법, 면접법, 실험법 중 하나이다.

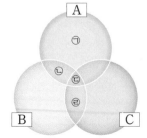

항목	특징
⊙	(가)
ⓒ	자료 수집 과정에서 언어적 상호 작용에 의존한다.
ⓒ	(나)
②	주로 양적 자료를 수집할 때 이용된다.

① B보다 A는 응답 내용에 있어서 연구 대상자의 자유가 작다.
② A와 달리 B는 조사자와 조사 대상자 간 신뢰 관계가 중요하다.
③ B는 A, C보다 표준화, 구조화된 도구를 사용하는 정도가 높다.
④ (가)에 '방법론적 일원론에 입각한 연구에서 주로 활용된다.'가 들어갈 수 있다.
⑤ (나)에 '2차 자료를 수집하는 방법이다.'가 들어갈 수 있다.

09 다음 자료에 대한 설명으로 옳은 것은?

> 〈수행 평가지〉
> [문제] 자료 수집 방법 A~C의 특징을 비교하여 서술하시오. (단, A~C는 각각 면접법, 질문지법, 참여 관찰법 중 하나이다.) (옳은 진술 한 가지당 2점씩 총 4점)
> [학생 답안]
> • A는 B, C에 비해 자료의 실제성을 확보하기에 용이하다.
> • B는 A, C에 비해 양적 연구에서 활용하기에 적합하다.
> [교사의 평가]
> 질문지법의 특징은 잘 이해하고 있으나, 참여 관찰법의 특징은 다른 자료 수집 방법의 특징으로 잘못 이해하고 있으므로 2점 부여함.

① A는 B와 달리 연구 대상자의 주관적 인식을 조사할 수 있다.
② '연구자의 주관적 해석 가능성이 큰가?'라는 질문으로 A와 B를 구분할 수 있다.
③ A는 B, C에 비해 구조화·표준화된 자료 수집 방법이다.
④ A, B는 C에 비해 자료 수집 상황에 대한 통제 정도가 낮다.
⑤ C는 A, B와 달리 자료 수집 과정에서 언어적 상호 작용이 필수적이다.

10 다음은 어느 연구 과정을 순서와 관계없이 나열한 것이다. 이에 대한 설명으로 옳은 것은?

> (가) 교실 수업에서 교사와 학생이 경험하는 갈등 양상을 연구하기로 하였다.
>
> (나) 학생의 흥미와 학습 내용을 의미 있게 연결시키는 것이 필요하다는 연구 결론을 내렸다.
>
> (다) 연구자가 교생이 되어 A 중학교 1개교와 B 고등학교 1개교를 선정하여 교실 수업을 살펴보기로 하였다.
>
> (라) 학교에 가서 수업이 전개되는 과정을 노트에 기록하고 귀가 후에 기억 재생을 통해 필요한 자료를 보완하였다.
>
> (마) 학생들은 수업을 통해 경험하는 교과 내용을 재미가 없을 뿐 아니라 의미가 있는 것으로 받아들이지 않는 경우가 많았다.

① 방법론적 일원론에 입각한 연구이다.

② (가) → (마) → (다) → (라) → (나)의 순으로 연구가 진행되었다.

③ (다)로 미루어 연구자는 실제성 있는 자료를 수집하지 못하였다.

④ (마)에서는 연구자의 감정 이입적 이해가 요구된다.

⑤ (가)에서는 (다)와 달리 연구자의 가치 개입이 불가피하다.

** 1등급 킬러

11 자료는 갑이 수행한 연구의 주요 절차를 순서대로 나열한 것이다. 밑줄 친 ㉠~㉴에 대한 설명으로 옳은 것은?

> • ㉠복지 예산이 많은 광역 자치 단체일수록 ㉡주민의 행복도가 높을 것이라는 가설을 설정하였다.
>
> • ㉢자신이 1년 전에 쓴 논문에 수록된 자료를 활용하여 광역 자치 단체별 복지 예산 규모를 파악하고, 광역 자치 단체별로 무작위로 100명씩 선정하여 ㉣10점 만점으로 행복도를 묻는 조사를 실시하였다.
>
> • ㉤수집한 자료를 분석한 결과 광역 자치 단체의 복지 예산 규모와 주민의 행복도 간의 관계가 가설에서 설정했던 관계와 일치하지 않아 ㉥두 변인 간의 관계에 대하여 가설과 다른 결론을 내렸다.
>
> • ㉴지방 자치 단체가 주민의 행복도를 높이기 위해서는 비경제적인 접근 방식에 관심을 가져야 한다는 주장을 하였다.

① 갑의 가설에서 ㉠은 독립 변인, ㉡은 종속 변인이다.

② ㉢은 2차 자료의 활용에 해당하지 않는다.

③ ㉣은 종속 변인을 조작적으로 정의하기 위한 조사이다.

④ ㉥을 통해 볼 때 자료 분석 결과 독립 변인과 종속 변인 간에 부(−)의 관계가 나타났다.

⑤ ㉥은 ㉤으로부터 귀납적으로, ㉴은 ㉥으로부터 연역적으로 도출되었다.

12 연구 윤리 측면에서 갑과 을에 대한 평가로 옳은 것은?

> • 갑은 학교 현장에서 나타나는 관리자와 일반 교사들 간의 갈등 이해를 위한 연구를 진행하였다. 갑은 연구를 위해 방문한 학교에서 연구 주제를 '교무실 문화의 이해'라고 두리뭉실하게 소개하여 거부감을 줄인 후 교원들의 동의를 얻어 관찰 및 면접 등을 실시하였다. 연구가 끝난 후 갑은 실제 연구 주제를 해당 교원들에게 알리는 절차를 생략하고 연구 논문을 공표하였다.
>
> • 을은 폭주족들에게서 나타나는 일탈적 가치의 학습 과정에 대한 연구를 진행하였다. 하지만 외부인에 대한 배타성과 경계가 심한 폭주족의 특성상 자발적 동의를 얻는 방식으로의 연구는 어렵다고 판단하였고, 이에 을은 자신을 폭주족으로 위장한 채 폭주족에 접근하여 필요한 정보를 수집하였다. 연구 종료 후 을은 연구 대상자들에게 자신이 연구자였다는 점과 연구 주제를 알리지 않고 연구 결과를 언론을 통해 발표하였다.

① 갑은 연구 과정에서 경험적인 자료를 활용하지 않았다.

② 을이 연구 결과를 발표한 것은 연구 결과의 일반화 단계에 해당한다.

③ 갑은 을과 달리 의도했던 결론을 얻기 위해 자료를 임의로 조작하였다.

④ 을은 갑과 달리 연구에 대한 정확한 정보를 연구 대상자에게 제공하지 않았다.

⑤ 갑, 을 모두 연구 윤리의 준수보다 연구 결과의 정확성 확보를 중시하였다.

3강_개인과 사회의 관계를 바라보는 관점 ~ 인간의 사회화

01 그림은 개인과 사회의 관계를 보는 관점 A, B를 나타낸 것이다. 이에 대한 옳은 설명만을 ㅣ보기ㅣ에서 있는 대로 고른 것은?

✱. 1등급 킬러

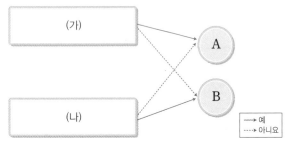

```
(가)          →  A
                ↗
(나)          →  B

→ 예
---→ 아니요
```

ㅣ보기ㅣ

ㄱ. (가)에 '사회는 개인의 총합에 불과한가?'가 들어가면, A는 사회 명목론이고, B는 사회 실재론이다.

ㄴ. (나)에 '사회는 개인으로 환원될 수 없는 고유한 성격을 지니는가?'가 들어가면, A는 사회 실재론이고, B는 사회 명목론이다.

ㄷ. A가 전체를 위한 개인의 희생을 정당화하고 조장할 우려가 있는 관점이라면, (나)에는 '사회는 개인들의 집합체에 붙여진 이름에 불과한가?'가 들어갈 수 있다.

ㄹ. B가 개인의 행위에 대해 사회 구조나 사회 제도가 미치는 영향력을 간과하는 관점이라면, (가)에는 '사회 전체의 이익보다 개인의 이익이나 권리 보장을 중시하는가?'가 들어갈 수 있다.

① ㄱ, ㄴ 　　② ㄱ, ㄷ 　　③ ㄴ, ㄷ
④ ㄱ, ㄴ, ㄹ 　　⑤ ㄴ, ㄷ, ㄹ

02 다음 자료에 대한 설명으로 옳은 것은?

사회화 기관 A~D는 분류 기준 (가), (나)에 따라 다음과 같이 구분된다.
• (가)에 따라 A와 B로 구분할 수 있으며, A의 사례로는 가족을 들 수 있다.
• (나)에 따라 C와 D로 구분할 수 있으며, C의 사례로는 직업 훈련소를 들 수 있다.

① (가)가 '사회화의 내용'이면, A는 공식적 사회화 기관이다.

② (가)가 '기관의 설립 목적'이면, B는 비공식적 사회화 기관이다.

③ (나)가 '사회화의 내용'이면, C의 사례로는 직업 훈련소 외에 가족도 들 수 있다.

④ (나)가 '기관의 설립 목적'이면, D의 사례로는 대중 매체를 들 수 있다.

⑤ (나)가 '기관의 설립 목적'이면, C와 D는 모두 이익 사회에 포함된다.

03 개인과 사회의 관계를 바라보는 다음의 관점에 부합하는 진술로 옳은 것은?

서로 다른 특성의 개인 A, B, C가 집단을 이루면, A, B, C의 개별적 속성과는 전혀 별개의 집단만의 고유한 특성이 생긴다. 세 사람 사이에 지배와 피지배와 같은 힘의 관계가 나타나거나 차등적인 지위 구조가 생기기도 하며, 서로 대립하고 갈등하거나 또는 서로 좋아하고 끌리기도 한다. 또한 시간이 지나면서 세 사람 사이의 관계와 상호 작용을 규제하는 규범이나 구조가 생성되고, 그것을 변경 또는 지속시키려는 알력이나 협동 관계가 만들어진다. 이러한 현상들은 집단을 구성하는 세 사람의 개별적인 속성과는 별개의 집단만의 고유한 것들이 표출된 것이다.

① 개인들은 자유 의지에 따라 행동한다.

② 사회는 개인 속성의 총합과 같은 속성을 갖는다.

③ 사회는 개인보다 우위에 있는 독자적인 존재이다.

④ 개인은 사회에 대해 독립적이고 자율적인 존재이다.

⑤ 사회는 개인의 목표를 실현시켜주는 수단에 불과하다.

04 사회화를 보는 관점 (가), (나)에 대한 설명으로 옳은 것은?

(가)	학교 교육은 사회에서 필요로 하는 인재를 공정하게 선발하는 데 기여하지 못하며 학교 교육의 내용은 기득권 집단의 필요에 부응하는 것으로 가득 차 있다. 학교 교육은 학생들이 미래에 차지할 경제적 위치를 반영한 차별적 사회화를 위한 도구일 뿐이다.
(나)	학교 교육을 통해 개인은 사회적 생활에 필요한 행동 양식과 가치관, 규범 및 지식 등을 습득함으로써 사회에 적응하고 통합할 수 있다. 만약 누군가가 학교 교육을 받지 못한 상태라면 사회화가 원만하게 진행되지 못해 사회 통합에 부정적 영향을 끼치게 된다.

① (가)는 사회화의 내용이 사회 구성원 간 합의에 따라 조직된 것이라고 본다.

② (나)는 사회화되지 않은 개인은 부적응과 소외를 경험하게 된다고 본다.

③ (가)는 (나)와 달리 사회화에 작용하는 사회 구조의 영향력을 중시한다고 본다.

④ (가)는 (나)와 달리 사회화를 통해 개인들의 행동이 원만하게 조정되고 통합된다고 본다.

⑤ (나)는 (가)와 달리 사회화는 개인이 타인과의 상호 작용을 통해 자아를 형성하는 과정이라고 본다.

05 밑줄 친 ㄱ~ㅂ에 대한 옳은 설명만을 ┤보기├에서 고른 것은?

> ㉠◯◯ 고등학교를 졸업한 갑은 현재 ㉡◯◯ 방송국의 드라마에 전속 출연하며 열심히 자신의 이름을 알리고 있다. ㉢영화배우인 아버지와 가수 출신의 ㉣어머니로부터 많은 조언을 받으며 성장한 갑은 ㉤아이돌 그룹 ☆☆☆의 멤버로 활동했으며 노래는 물론 연기력까지 겸비하고 있었기에 본인이 출연하는 드라마의 OST를 직접 부르기도 하였고 안정적인 연기력을 바탕으로 ㉥신인상을 수상하기도 하였다.

┤보기├
ㄱ. ㉠은 ㉡과 마찬가지로 공식적 사회화 기관에 해당한다.
ㄴ. ㉢은 ㉣과 마찬가지로 성취 지위에 해당한다.
ㄷ. ㉤은 ㉠, ㉡과 달리 사회 집단에 속하지 않는다.
ㄹ. ㉥은 갑의 역할 행동에 대한 보상이다.

① ㄱ, ㄴ　　② ㄱ, ㄷ　　③ ㄴ, ㄷ
④ ㄴ, ㄹ　　⑤ ㄷ, ㄹ

06 밑줄 친 ㄱ~ㅇ에 대한 설명으로 옳은 것은?

> 농촌에서 가난한 농부의 ㉠장남으로 태어난 갑은 어려운 환경 가운데 남들보다 몇 배의 노력으로 ㉡검정고시를 통해 ㉢고등학교를 마쳤고, 2년 만에 법무부 ㉣사법 시험에 합격했다. 사법 연수원 수료 후 □□지역 ㉤△△ 법원의 ㉥판사로 임용된 그는 20년 후 ㉦☆☆ 정당 공천을 받아 국회 의원에 당선되었고 그 이후, 2021년 상반기 ㉧올해의 시민 단체상을 수상한 ◇◇시민 단체의 대표로 활동하고 있다.

① ㉠은 ㉥과 달리 귀속 지위이다.
② ㉡은 ㉣과 달리 역할 행동이다.
③ ㉢은 ㉤과 달리 이익 사회이다.
④ ㉦은 ㉢과 달리 2차적 사회화 기관이다.
⑤ ㉧은 ㉥으로서 역할 행동에 대한 보상이다.

4강_사회 집단과 사회 조직 ~ 일탈 행동

07 그림은 사회 집단의 유형 A~C의 상호 관계를 나타낸 것이다. 이에 대한 옳은 설명만을 ┤보기├에서 있는 대로 고른 것은? (단, A~C는 각각 공식 조직, 비공식 조직, 자발적 결사체 중 하나이다.)

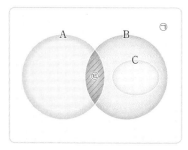

┤보기├
ㄱ. 학교는 ㉠에 해당한다.
ㄴ. ㉡에 해당하는 사회 집단은 모두 이익 사회이다.
ㄷ. C의 구성원은 모두 A에 소속되어 있다.
ㄹ. A~B는 모두 구성원들의 본질 의지를 바탕으로 형성된 사회 집단이다.

① ㄱ, ㄴ　　② ㄱ, ㄷ　　③ ㄴ, ㄷ
④ ㄱ, ㄴ, ㄹ　　⑤ ㄴ, ㄷ, ㄹ

08 밑줄 친 ㉠~◎에 대한 옳은 설명만을 ｜보기｜에서 고른 것은?

★★ 1등급 킬러

> ㉠○○고등학교의 ㉡교사로 근무하고 있는 갑은 올해도 어김없이 ㉢학생 생활부에서 ㉣학생 자치회와 학교 폭력 업무를 담당하게 되었다. 요즘 ㉤갑은 학생 자치회의 실질적인 운영과 지원에 대해 늘 고민하고 있으며 ㉥학교 폭력 예방 교육과 생활 지도 업무로 인해 교사 을과 함께 야근이 잦다. 그래서 ㉦아내와 자녀들에게 늘 미안한 마음이 앞선다. 그래서 주말이면 가족과 함께 가입한 ◎□□ 시민 단체에서 봉사 활동을 하면서 즐거운 시간을 보내고 있다.

┌ 보기 ┐
ㄱ. ㉠과 ◎은 공식 조직, ㉢과 ㉣은 비공식 조직이다.
ㄴ. ㉡과 ㉦은 모두 개인의 의지나 노력에 의해 얻게 되는 성취 지위이다.
ㄷ. ㉤은 갑이 경험하고 있는 역할 갈등이 아니며, ㉥은 갑의 ㉡이라는 지위에 따른 역할에 해당한다.
ㄹ. ㉠에 비해 ◎은 가입과 탈퇴가 비교적 더 자유로우며, 구성원들의 조직 활동에 대한 신념과 열의가 높다.

① ㄱ, ㄴ   ② ㄱ, ㄷ   ③ ㄴ, ㄷ
④ ㄴ, ㄹ   ⑤ ㄷ, ㄹ

09 표는 사회 조직 유형 A, B의 일반적인 특징을 비교한 것이다. 이에 대한 설명으로 옳은 것은? (단, A, B는 각각 관료제와 탈관료제 중 하나이다.)

구분	A	B
업무 수행의 표준화	높음	낮음
(가)	낮음	높음
(나)	낮음	높음
(다)	높음	낮음

① A는 B와 달리 조직 운영의 효율성을 추구한다.
② B는 A와 달리 공식적인 통제 방식을 사용한다.
③ (가)에는 '중간 관리층의 역할 비중 정도'가 적절하다.
④ (나)에는 '조직 운영의 유연성'이 적절하다.
⑤ (다)에는 '의사 결정의 분산 정도'가 적절하다.

10 밑줄 친 ㉠~㉣에 대한 설명으로 옳은 것은?

★★ 1등급 킬러

> 우리나라의 여러 도시에 대해 조사한 결과를 발표해 볼까요?

> 저는 세종특별자치시에 대해 조사했습니다. 세종특별자치시는 정부 세종 청사가 위치한 행정 중심 복합 도시로 우리나라에 있는 유일한 특별자치시입니다. 정부 세종 청사 14동에는 대한민국 교육을 책임지는 ㉠교육부가 있습니다. 특히 세종특별자치시는 전국 광역 자치 단체 중 유일하게 ㉡교도소와 같은 교정 시설이 없다는 것이 특징입니다.
>
> 갑

> 저는 강원도 홍천군을 조사했습니다. 홍천군은 우리나라 시·군 가운데 면적이 가장 넓다는 특징을 가지고 있습니다. 또한 ㉢제11 기계화 보병 사단 등 우리나라 육군의 예하 부대들이 주둔하고 있는 지역이기도 합니다.
>
> 을

> 저는 경기도 수원시를 조사했습니다. 수원시는 경기도 도청 소재지로 전국 기초 자치 단체 중에서 가장 인구가 많은 도시이며 세계 문화유산인 수원 화성이 있는 도시입니다. 특히 수원에는 ㉣○○전자의 본사가 자리 잡고 있어서 지역 경제에 큰 영향을 미치고 있습니다.
>
> 병

① ㉠은 ㉡과 달리 구성원들의 선택적 의지를 바탕으로 형성된 집단이다.
② ㉡은 ㉢과 달리 결합 자체를 목적으로 한다.
③ ㉢은 ㉣에 비해 가입과 탈퇴가 자유롭다.
④ ㉣은 ㉠~㉢과 달리 자발적 결사체이다.
⑤ ㉠~㉣은 모두 이익 사회이다.

11

다음 글에서 비유하고 있는 사회 조직 유형 A, B의 일반적인 특징으로 옳은 것은? (단, A, B는 각각 관료제와 탈관료제 중 하나이다.)

> 일반적으로 A는 장기에 비유하기도 한다. 장기판의 말들이 첫 포진과 가는 길이 정해져 있는 것처럼 A의 구성원들의 역할과 위치도 규약과 절차에 의해 엄격하게 적용된다는 것이다. 또한 장기판의 말들의 의미를 말 자체에서 찾기는 어렵다. 각 말들은 오로지 임금(궁)을 지키고 상대방을 제압하기 위한 수단에 불과한 것이다. 특히 장기판의 말들은 궁을 정점으로 해서 졸까지 수직 계층화되어 있다는 것도 A와 유사한 점이다.
>
> 그에 비해 B는 바둑에 비유한다. 바둑에도 규칙이 존재하지만 처음부터 각 돌들의 위치가 정해진다거나 길이 정해져 있지 않아서 자율권과 재량권이 비교적 많이 보장되어 있는 B와 유사한 점이 많기 때문이다. 특히 바둑에서는 돌 하나하나가 의미가 있어서 모든 돌이 수평적인 관계라는 것도 B와 유사한 점으로 비유되는 것이다.

① A는 B와 달리 공식적인 조직 운영 원리가 존재한다.
② A는 B에 비해 중간 관리층의 비중이 약한 편이다.
③ B는 A와 달리 인간 소외 현상이 발생한다.
④ B는 A에 비해 목적 전치 현상이 발생할 우려가 크다.
⑤ A와 B는 모두 조직을 효율적으로 운영하는 것을 목적으로 한다.

12

대화에 나타난 갑~병의 일탈 행동 이론에 대한 설명으로 옳은 것은?

> 고등학생인 A가 범죄를 저지르게 된 이유가 무엇이라고 생각하십니까?

> A가 초등학생 시절 장난으로 했던 수박 서리에 대해 주변 사람들이 A를 '도둑놈'이라고 규정하며 멀리하였고. A는 이를 내면화하면서 부정적인 자아가 형성되었습니다. 결국 A는 이러한 과정의 결과 반복적으로 범죄를 저지르는 사람이 된 것입니다.

> A는 중학생 때 유행하던 가방을 사기 위해 각종 아르바이트를 하였지만 돈은 계속해서 부족했고, 결국 합법적인 수단을 찾지 못한 나머지 절도를 비롯한 각종 범죄를 저지르게 되었습니다.

> A는 비행을 일삼는 친구들을 만나게 되면서 청소년 비행 및 범죄에 대한 우호적인 가치관을 형성하게 되었고, 새로운 범죄 수법도 배웠습니다. 이로 인해 결국 더 큰 범죄를 저지르게 된 것입니다.

① 갑은 일탈 행동의 해결책으로 사회 규범의 통제력 회복을 강조한다.
② 을은 일탈 행동이 타인과의 상호 작용을 통해 학습된다고 본다.
③ 병은 일탈 행동의 발생 원인으로 지배적 규범의 부재를 강조한다.
④ 갑과 달리 을은 거시적 관점에서 일탈 행동을 설명한다.
⑤ 을과 달리 병은 일탈 행동에 대한 객관적 기준이 존재하지 않는다고 본다.

memo

핵심 개념부터 실전까지, 고품격 수능 대비서

고등 수능전략
전과목 시리즈

체계적인 수능 대비

하루 6쪽, 주 3일 학습으로
핵심 개념과 유형, 실전까지
빠르고 확실하게 준비 완료!

신유형 문제까지 정복

수능에 자주 나오는 유형부터
신유형·신경향 문제까지
다양한 유형의 문제를 마스터!

실전 감각 익히기

수능과 모의평가 유형의 구성으로
단기간에 실전 감각을 익혀
실제 수능에 완벽하게 대비!

개념과 유형, 실전을 한 번에!

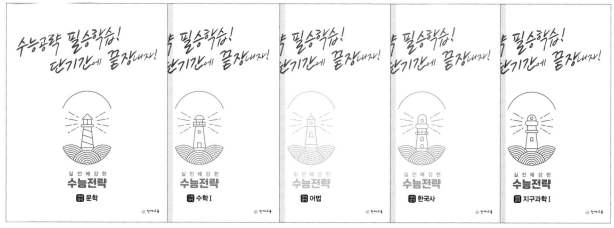

국어: 고2~3(문학/독서/언어와 매체/화법과 작문)
수학: 고2~3(수학Ⅰ/수학Ⅱ/확률과 통계/미적분)
영어: 고2~3(어법/독해 150/독해 300/어휘/듣기)

사회: 고2~3(한국사/사회·문화/생활과 윤리/한국지리)
과학: 고2~3(물리학Ⅰ/화학Ⅰ/생명과학Ⅰ/지구과학Ⅰ)

book.chunjae.co.kr

교재 내용 문의	⋯⋯⋯⋯⋯⋯	교재 홈페이지 ▶ 고등 ▶ 교재상담
교재 내용 외 문의	⋯⋯⋯⋯⋯	교재 홈페이지 ▶ 고객센터 ▶ 1:1문의
발간 후 발견되는 오류	⋯⋯⋯⋯	교재 홈페이지 ▶ 고등 ▶ 학습지원 ▶ 학습자료실

수능공략 필승학습!
단기간에 끝장내자!

BOOK 2

실전에 강한
수능전략

사탐영역 **사회·문화**

실 전 에 강 한
수능전략

 사회·문화

수능전략

사·회·탐·구·영·역

사회·문화

BOOK 2

BOOK 1	BOOK 2	BOOK 3
1주, 2주	1주, 2주	정답과 해설

본책인 BOOK 1과 BOOK2의 구성은 다음과 같습니다.

주 도입

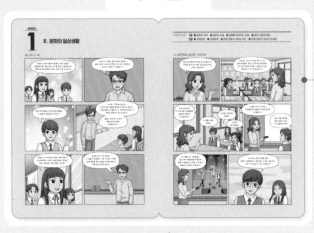

본격적인 학습에 앞서, 재미있는 만화를
살펴보며 이번 주에 학습할 내용을 확인해
봅니다.

1일

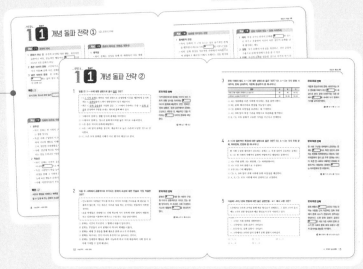

개념 돌파 전략
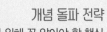

수능을 대비하기 위해 꼭 알아야 할 핵심
개념을 익힌 뒤, 간단한 문제를 풀며 개념을
잘 이해했는지 확인해 봅니다.

2일, 3일

필수 체크 전략
기출문제에서 선별한 대표 유형 문제와 응용 문제
를 함께 풀어 보며 문제에 접근하는 과정과 해결
전략을 체계적으로 익혀 봅니다.

수능에 꼭 나오는
필수 유형 ZIP

본 책에서 다룬 대표 유형과 그 해결 전략을 집중적으로
연습할 수 있도록 권두부록을 구성했습니다.
부록을 뜯으면 미니북으로 활용할 수 있습니다.

주 마무리 코너

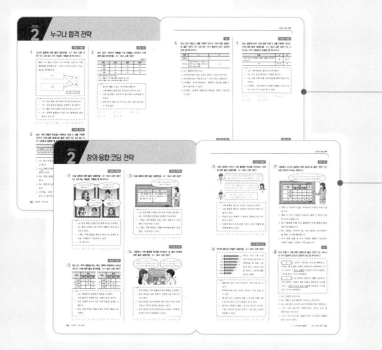

누구나 합격 전략
수능 유형에 맞춘 기초 연습 문제를 풀어
보며 학습에 대한 자신감을 높일 수 있습
니다.

창의·융합·코딩 전략
수능에서 요구하는 융·복합적 사고력과
문제 해결력을 기를 수 있습니다.

권 마무리 코너

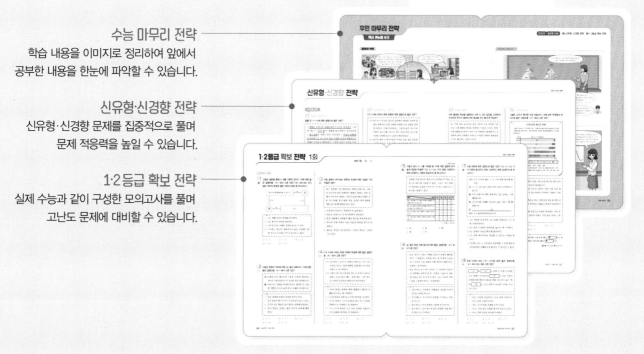

수능 마무리 전략
학습 내용을 이미지로 정리하여 앞에서
공부한 내용을 한눈에 파악할 수 있습니다.

신유형·신경향 전략
신유형·신경향 문제를 집중적으로 풀며
문제 적응력을 높일 수 있습니다.

1·2등급 확보 전략
실제 수능과 같이 구성한 모의고사를 풀며
고난도 문제에 대비할 수 있습니다.

이 책의 차례

Ⅲ. 문화와 일상생활

1강_문화의 이해

선생님, 우리가 평소에 문화인, 문화 상품권, 대중문화처럼 '문화'라는 단어를 많이 사용하잖아요. 그렇다면 모든 문화의 의미는 같다고 볼 수 있나요?

아닙니다. 문화는 좁은 의미의 문화와 넓은 의미의 문화로 나눠서 생각할 수 있어요. 문화라는 단어는 다양하게 사용됩니다.

그렇다면 선생님, 인간의 모든 행동은 다 문화에 해당하는 건가요?

아니요, 그렇지는 않아요. 인간의 모든 행위를 문화라고 할 수는 없어요. 가령, 졸려서 하품하는 것, 개인적인 습관이나 버릇은 문화라고 할 수 없어요.

문화는 후천적인 인간의 생활 양식으로부터 비롯된답니다.

선생님, 전 세계에 다양한 장례 문화가 존재하던데, 이러한 장례 문화와 관련된 문화 내용에는 어떤 것들이 있나요?

궁금한 점이 아주 많군요! 그 질문에 관련해서 다음 시간에 다양한 장례 문화를 보는 관점과 이해의 태도에 대해 알아보도록 합시다.

2강_하위문화와 대중문화 ~ 문화 변동

오늘은 하위문화에 대해 알아보겠습니다. 여러분 중에 인디 밴드 음악을 좋아하는 사람이 있을까요?

그렇군요, 우리 반 학생 모두가 아닌 일부 학생들만 손을 든 것처럼 하위문화는 한 사회 구성원 대부분이 공유하는 주류 문화와는 다른 성격을 띱니다.

이와 비슷하게 한 사회 일부 구성원들만 공유하는 문화가 또 있을까요?

지역별 사투리 문화요.

노인들이 공유하는 문화요.

미국의 히피 문화요.

아울러 이번 시간에는 대중문화에 대해서도 배워 보도록 하겠습니다.

대중 매체를 통해 섭할 수 있는 문화가 대중문화인거죠?

네, 맞습니다. 여러분들도 알다시피 대중문화를 비롯하여 문화가 변동하는 이유와 그 모습에 대해서도 공부할 예정입니다.

저 역시도 대중 매체를 통해 문화가 변동한다는 것을 많이 느끼는 요즘인데, 이번 시간 공부가 너무 기대됩니다!

1 1 개념 돌파 전략 ① 1강_문화의 이해

개념 01 문화의 의미

1 **문화가 아닌 것** 유전적 요인에 의한 행동, 개인적인 습관이나 버릇, 본능적인 행동이나 ❶☐☐☐☐☐으로 타고난 것은 문화가 아님

2 **좁은 의미의 문화** 고상하거나 세련된 것, 예술 활동이나 작품(예 문화 시민, 문화인 등)

3 **넓은 의미의 문화** 한 사회나 집단의 구성원들이 ❷☐☐☐☐하는 삶의 방식 자체(예 음식 문화, 청소년 문화 등)

답 ❶ 선천적 ❷ 공유

확인 01

음식 문화, 청소년 문화 등은 ☐☐☐☐☐ 의미의 문화이다.

개념 02 문화의 공유성, 학습성

1 **공유성**
- 의미: 문화는 한 사회의 구성원이 공통적으로 가지는 생활 양식임
- 특징: 사회 구성원의 사고와 행동에 동질성을 형성하여 서로의 행동을 이해하고 ❶☐☐☐☐할 수 있으며, 원만한 사회생활을 할 수 있게 해 줌
- 사례: 설날에 떡국을 먹어야 나이를 한 살 더 먹는다는 말을 우리나라 사람들은 자연스럽게 받아들임

2 **학습성**
- 의미: 문화는 선천적·유전적으로 나타나는 행동이 아니라 ❷☐☐☐☐으로 배우는 것임
- 특징: 사람만이 학습 능력을 갖고 태어나고 사회화 과정을 통해 그 사회의 문화를 익히며 살아감, 본능에 따른 행동은 문화가 아님
- 사례: 어린아이들이 부모로부터 말을 배워 사용함

답 ❶ 예측 ❷ 후천적

확인 02

서로의 행동을 이해하고 예측할 수 있으며, 원만한 사회생활을 할 수 있게 해 주는 문화의 속성은 ☐☐☐☐☐이다.

개념 03 문화의 축적성, 전체성, 변동성

1 **축적성**
- 의미: 문화는 상징을 통해 한 세대에서 다음 세대로 전승되고 시간이 지남에 따라 새로운 요소가 추가되기도 하면서 풍부해짐
- 특징: 문화가 발전할 수 있는 원동력이 되며, 인간의 문화를 다른 동물의 후천적으로 학습된 행동과 구별해 주는 기준이 됨
- 사례: 과거에는 밀가루와 이스트를 활용하여 단순한 형태로 빵을 만들어 먹었지만, 시간이 흐르면서 다양한 재료와 기법을 사용하여 빵의 종류가 풍부해짐

2 **전체성(총체성)**
- 의미: 문화는 독립적으로 존재하는 것이 아니라 ❶☐☐☐☐으로 관계를 유지하며 하나로서의 전체를 이루고 있음
- 특징: 한 부분(요소)의 변동은 다른 부분(요소)의 연쇄적인 변동을 초래함
- 사례: 우리나라의 음식 문화는 우리나라의 기후, 조상들의 종교적 신념, 가족에 대한 전통적 관념 등과 연관되어 있음

3 **변동성**
- 의미: 기존의 문화 요소가 사라지거나 새로운 문화 요소가 나타나면서 문화의 형태와 내용은 끊임없이 변화함
- 특징: 문화는 ❷☐☐☐☐의 것이 아님, 새로운 환경에 적응하기 위해 인간이 끊임없이 변화를 추구함으로써 나타남
- 사례: 예전에는 한복을 일상복으로 입었으나, 이제 일상복은 대부분 서양식 의복임

답 ❶ 상호 유기적 ❷ 고정불변

확인 03

문화는 상징을 통해 한 세대에서 다음 세대로 전승되고 시간이 지남에 따라 새로운 요소가 추가되기도 하면서 풍부해진다는 문화의 속성은 ☐☐☐☐☐이다.

개념 04 문화를 바라보는 관점

1 총체론적 관점
- 의미: 문화의 각 구성 요소는 상호 유기적인 관계를 맺으면서 하나로서의 **❶** 를 이루고 있음
- 의의: 문화 현상을 부분적인 측면에서 바라봄으로써 편협하고 왜곡된 이해가 초래되는 것을 방지하는 데 기여함

2 비교론적 관점
- 의미: 각 사회의 문화는 **❷** 과 특수성을 지니고 있다는 점을 주목하여 서로 다른 문화의 비교를 통해 공통점과 차이점을 연구함
- 의의: 자기 문화를 보다 객관적으로 이해할 수 있음

3 상대론적 관점
- 의미: 각 사회의 역사적·문화적·사회적 맥락 속에서 해당 문화의 의미를 파악함
- 의의: 문화는 이해의 대상이므로 절대적인 기준을 가지고 특정 문화를 평가하는 것은 올바른 태도가 아님

🔒 **❶** 전체 **❷** 보편성

확인 04

문화의 각 구성 요소가 갖는 의미를 다른 문화 요소 및 전체와의 유기적인 관련 속에서 파악하는 관점은 [ ]이다.

개념 05 문화 이해의 태도 – 자문화 중심주의

1 의미 자기 문화만을 우수한 것으로 여기고 이를 기준으로 다른 문화를 **❶** 평가하는 태도

2 장점 자기 문화에 대한 자부심을 높이고 집단 내 결속력을 강화함

3 단점 자기 문화의 우수성만을 강조한 나머지 국수주의로 흐르거나 **❷** 로 변질될 수 있음, 타문화에 대한 이해와 수용을 어렵게 함

4 사례 중국의 중화사상

🔒 **❶** 낮게 **❷** 문화 제국주의

확인 05

독일의 나치즘, 중국의 중화사상 등은 [ ]의 사례에 해당한다.

개념 06 문화 이해의 태도 – 문화 사대주의

1 의미 특정 국가나 민족의 문화를 **❶** 한 것으로 여기고 추종하며 자신이 속한 집단의 문화를 낮게 평가하는 태도

2 장점 자기 문화의 낙후성을 개선하고, 선진 문물의 수용으로 문화 발전에 도움을 줄 수 있음

3 단점 자신의 문화를 열등한 것으로 여기며 자기 문화의 **❷** 을 상실할 수 있음, 고유문화가 소멸되거나 외래문화에 종속될 수 있음

4 사례 외국 상품에 대한 맹목적인 선호 사상

🔒 **❶** 우월 **❷** 주체성

확인 06

자문화 중심주의와 문화 사대주의는 특정 문화를 기준으로 삼아 다른 문화를 [ ]하려는 태도이다. 이들 태도는 절대적인 기준을 가지고 문화의 우열을 가리려고 한다는 점에서 [ ]로 분류하기도 한다.

> 문화 상대주의는 문화 간 갈등 예방과 해결에 이바지하므로 바람직한 문화 이해 태도이지만, 인간의 존엄성을 훼손하는 문화까지 인정하려는 극단적인 태도는 반드시 경계해야 해요.

개념 07 문화 이해의 태도 – 문화 상대주의

1 의미 모든 문화를 각 사회가 처한 자연환경, 사회적 맥락에서 갖는 고유한 의미와 가치에 따라 이해하고 존중하려는 태도

2 장점 다른 문화를 바르게 이해함으로써 문화의 **❶** 을 보존하는 데 기여함, 현대 다문화 사회를 이해하는 데 적합함

3 단점 **❷** 로 치우칠 경우 인류의 보편적 가치를 훼손할 우려가 있음

🔒 **❶** 다양성 **❷** 극단적 문화 상대주의

확인 07

문화 상대주의의 전제는 문화 간에 [ ]이 따로 존재하지 않는다는 것이다.

개념 돌파 전략 ① 2강_하위문화와 대중문화 ~ 문화 변동

개념 01 하위문화의 의미와 특징

1 **하위문화의 의미**
- 주류 문화: 한 사회의 구성원 대부분이 공유하는 문화
- 하위문화: 한 사회 내의 일부 구성원이 공유하는 문화

2 **하위문화의 특징**
- 하위문화의 범주는 ❶[   ]으로 결정됨
- 주류 문화에서 누릴 수 없는 다양한 문화적 욕구를 해결해 줌
- 전체 사회에 역동성, ❷[   ]을 제공함
- 같은 하위문화를 공유하는 사람들에게 소속감과 유대감을 높여 줌

🔑 ❶ 상대적 ❷ 다양성

확인 01

한 사회 내의 일부 구성원이 공유하는 문화를 [   ]라고 한다.

개념 02 반문화

1 **의미** 한 사회의 지배적인 문화에 ❶[   ]하거나 대립하는 문화

2 **특징** 어떤 문화가 반문화인지에 대한 규정은 시대나 사회에 따라 달라질 수 있음

3 **기능**
- 순기능: 기존의 주류 문화를 대체하며 사회 변동을 가져오기도 하고 이를 통해 사회가 바람직한 방향으로 변화하는 데 도움을 주기도 함
- 역기능: 사회의 주류 문화와 대립하는 과정에서 ❷[   ]을 일으키기도 함

🔑 ❶ 저항 ❷ 충돌

확인 02

반문화는 [   ]의 한 유형이다.

개념 03 대중문화의 의미와 특징

1 **의미** 한 사회의 대다수의 사람인 대중이 즐기고 누리는 문화

2 **특징**
- ❶[   ]를 통해 형성되고 확산되는 경향이 있음
- 최근 인터넷을 통한 ❷[   ] 매체의 비중이 커지면서 대중이 대중문화의 생산에 직접 참여하는 일이 많아짐
- 일상생활 속에서 손쉽게 접하고 자연스럽게 즐길 수 있다는 특징이 있음

🔑 ❶ 대중 매체 ❷ 쌍방향

확인 03

한 사회의 대다수의 사람인 대중이 즐기고 누리는 문화를 [   ]라고 한다.

개념 04 대중문화의 순기능과 역기능

1 **순기능**
- 과거에 소수 특권층만이 누리던 문화적 혜택들을 ❶[   ]가 누릴 수 있게 됨
- 적은 비용으로 다양한 오락과 휴식을 제공함으로써 대중들의 삶을 풍요롭게 만듦

2 **역기능**
- 문화의 ❷[   ]으로 인해 개인의 독창성과 개성이 쇠퇴될 수 있음
- 상업성을 띤 문화로 인해 대중문화의 질이 낮아질 수 있음
- 정치적 무관심 조장, 정보 왜곡 및 여론 조작 가능성이 있음

🔑 ❶ 다수 ❷ 획일성

확인 04

대중문화 수용을 위한 바람직한 자세는 대중이 대중문화를 [   ]으로 인식하고 수용해야 한다.

개념 05 문화 변동의 내재적 요인

1 **문화 변동** 새로운 문화 요소의 등장이나 다른 문화 체계와의 접촉을 통해 한 사회의 문화 체계에 변화가 나타나는 현상

2 **내재적 요인** 한 사회 내부에서 ❶[   ]을 초래하는 요인

3 **종류**
- 발명: 그동안 존재하지 않았던 ❷[   ] 문화 요소를 만들어 내는 것 (예 전화기, 비행기 등)
- 발견: 이미 존재하고 있었지만 알려지지 않았던 것을 찾아내는 것 (예 불, 바이러스 등)

📋 ❶ 문화 변동 ❷ 새로운

확인 05

한 사회 내부에서 문화 변동을 초래하는 요인에는 [   ]과 발견이 있다.

문화의 접촉적 변동은 전파에 의해 발생하는데, 현대에는 교통·통신의 발달과 출판·인터넷 등의 발달로 범세계적으로 동시 다발적인 문화 전파가 일어나고 있어요.

개념 06 문화 변동의 외재적 요인

1 **외재적 요인** 한 문화가 다른 문화와 교류하고 접촉하는 과정에서 새로운 문화 요소가 전달되는 문화 변동을 초래하는 요인

2 **종류**
- 직접 전파: 이주, 무역, 전쟁 등을 통해 사람이 다른 문화와 직접 접촉하며 문화 요소가 전달되는 것
- 간접 전파: 텔레비전, 인터넷 등과 같은 ❶[   ]를 통해 문화 요소가 전달되는 것
- 자극 전파: 다른 사회의 문화 요소에서 ❷[   ]를 얻어 새로운 문화 요소를 만들어 내는 것

📋 ❶ 매체 ❷ 아이디어

확인 06

신라 시대의 이두 문자는 [   ]의 사례에 해당한다.

개념 07 문화 변동의 결과

1 **자발성 유무에 따른 구분**
- 강제적 문화 접변: 정복과 같은 ❶[   ]에 의해 수용자의 의사에 반하여 외부 사회의 문화 요소가 이식되는 문화 변동
- 자발적 문화 접변: 스스로의 필요에 따라 외부 사회의 문화 요소를 자연스럽게 받아들이는 문화 변동

2 **변동 결과에 따른 구분(문화 접변의 결과)**
- 문화 동화(문화 대체): 한 사회의 문화가 다른 사회의 문화로 흡수되거나 ❷[   ]되는 것
- 문화 병존(문화 공존): 서로 다른 사회의 문화가 한 사회의 문화 속에서 나란히 존재하는 것
- 문화 융합: 서로 다른 사회의 문화 요소가 결합하여, 기존의 두 문화 요소와는 다른 성격을 지닌 새로운 문화가 나타나는 것

📋 ❶ 강제 ❷ 대체

확인 07

문화 접변의 결과 중 기존의 문화 정체성이 상실되는 유형은?

개념 08 문화 변동에 따른 문제점과 대처 방안

1 **문화 변동으로 인한 문제점**
- 전통적 규범과 가치관을 대체할 새로운 규범과 가치관이 정립되지 못하여 혼란과 무규범 상태에 빠지는 ❶[   ] 현상이 발생할 수 있음
- 물질문화의 변동 속도를 비물질문화가 따라가지 못하는 ❷[   ] 현상이 나타날 수 있음

2 **문화 변동의 문제점에 대한 대처 방안**
- 새롭고 다양한 문화 요소의 특징과 차이를 인지하고 문화 요소 간 조화와 공존을 위해 노력해야 함
- 문화 변동이나 새로운 물질문화에 적합한 사회 규범, 제도 등을 확립해야 함

📋 ❶ 아노미 ❷ 문화 지체

확인 08

기술의 발달로 인해 물질문화는 비교적 빠르게 변동하는데 규범, 제도 등의 비물질문화의 변동은 느리기 때문에 [   ] 현상이 발생한다.

개념 돌파 전략 ②

1 밑줄 친 ㉠~㉣에 대한 설명으로 옳지 <u>않은</u> 것은?

> • ㉠<u>A 지역 문화</u>는 뛰어난 자연 경관으로 유명한데 이곳을 깨끗하게 유지하려는 ㉡<u>문화인</u>들의 노력이 뒷받침되어 있기 때문이다.
> • 최근 ㉢<u>문화 상품권</u>을 구입한 갑은 ○○시에서 주관하는 각종 ㉣<u>문화 공연</u>을 감상하며 주말을 보내는 재미에 흠뻑 빠져 있다.

① ㉠에서의 '문화'는 생활 양식의 총체를 의미한다.

② ㉡에서의 '문화'는 '청소년 문화'에서처럼 넓은 의미로 사용되었다.

③ ㉢은 좁은 의미의 문화에 해당한다.

④ ㉣은 ㉠과 달리 문화를 정신적, 예술적으로 높은 수준에 도달한 것으로 인식한다.

⑤ ㉢, ㉣은 모두 문화를 이해가 아닌 평가의 대상으로 본다.

문제 해결 전략

'지역 문화'에서의 문화는 인간의 모든 사회적 생활 양식을 의미하는 **❶** 의미의 문화에 해당한다. 반면, '문화인', '문화 상품권', '문화 공연'에서의 문화는 고상하고 세련된 것, 예술적인 것을 의미하는 **❷** 의미의 문화에 해당한다.

📖 ❶ 넓은 ❷ 좁은

2 다음 두 사례에서 공통적으로 부각되는 문화의 속성에 대한 진술로 가장 적절한 것은?

> • 인도네시아 사람들은 악수를 하거나 아이의 머리를 쓰다듬을 때 왼손을 사용하지 않는데, 이는 왼손은 더러운 일을 하는 손이라는 믿음에서 비롯된 것이다.
> • 요즘 학생들은 전염병으로 인해 학교에 가지 못하게 되면 집에서 태블릿 또는 컴퓨터를 이용하여 원격으로 수업 받는 것을 당연시한다.

① 문화는 시간이 흐르면서 그 형태나 내용이 달라진다.

② 문화는 부분들이 모여 전체로서 하나의 체계를 이룬다.

③ 문화는 세대 간 전승을 통해 새로운 문화 요소가 추가된다.

④ 문화는 타고나는 것이 아니라 후천적으로 습득되는 것이다.

⑤ 문화는 상대방의 행동을 예측 가능하게 하고 이에 대응하여 사회 질서 유지에 기여할 수 있게 해 준다.

문제 해결 전략

문화의 **❶** 이란 한 사회의 구성원 다수가 공통적으로 가지고 있는 생활 양식이다. 이 속성은 사회 구성원의 사고와 행동에 **❷** 을 형성하게 한다.

📖 ❶ 공유성 ❷ 동질성

3 문화 이해의 태도 A~C에 대한 설명으로 옳은 것은? (단, A~C는 각각 문화 사대주의, 문화 상대주의, 자문화 중심주의 중 하나이다.)

질문	A	B	C
문화 간에 우열이 존재한다고 보는가?	예	예	아니요
타문화의 수용에 적극적인가?	예	아니요	아니요

① A는 자문화를 다른 사회에 이식하는 것을 당연시한다.
② B는 문화 제국주의로 변질될 가능성이 낮다.
③ C는 문화의 다양성을 보존하는 데 기여한다.
④ A는 B와 달리 특정 기준을 바탕으로 타문화를 평가한다.
⑤ B, C는 모두 문화가 고유한 가치를 지닌다고 전제한다.

문제 해결 전략

자문화 중심주의와 문화 사대주의는 모두 문화를 이해가 아닌 **❶** 의 대상으로 본다. 문화 사대주의는 다른 문화의 **❷** 을 내세워 자기 문화의 가치를 낮게 평가한다.

답 ❶ 평가 ❷ 우수성

4 A~C의 일반적인 특징에 대한 설명으로 옳은 것은? (단, A~C는 각각 주류 문화, 하위문화, 반문화 중 하나이다.)

> 한 사회 구성원 대부분이 공유하는 문화는 A, 특정 집단이 공유하는 문화는 B, C는 한 사회의 지배적인 문화에 저항하거나 대립하는 문화이다.

① A는 주류 문화, B는 반문화, C는 하위문화이다.
② A는 모든 B의 총합으로 구성된다.
③ 모든 B는 C에 해당한다.
④ C는 A, B와 달리 전체 사회에 문화 다양성을 제공한다.
⑤ A, B, C는 모두 사회에 따라 상대적으로 규정된다.

문제 해결 전략

한 사회 구성원 대부분이 공유하는 문화는 **❶** 이고, 특정 집단이 공유하는 문화를 하위문화라고 하는데, 모든 하위문화의 합이 곧 주류 문화는 아니다. 또한 한 사회의 지배적인 문화에 저항하거나 대립하는 문화인 **❷** 는 하위문화의 한 유형이다.

답 ❶ 주류 문화 ❷ 반문화

5 다음에 나타난 문화 변동에 대한 옳은 설명만을 〈보기〉에서 고른 것은?

A국에서는 B국과 교역을 통해 매운 향신료가 전해졌고, 그 결과 A국의 음식에는 A국의 전통 향신료와 매운 향신료가 모두 사용되고 있습니다.

┌ 보기 ┐
ㄱ. A국은 직접 전파를 경험하였다.
ㄴ. A국에서는 문화 공존이 나타났다.
ㄷ. B국에서는 문화 융합이 나타났다.
ㄹ. A국에서는 B국과 달리 강제적 문화 접변이 나타났다.

① ㄱ, ㄴ   ② ㄱ, ㄷ   ③ ㄴ, ㄷ
④ ㄴ, ㄹ   ⑤ ㄷ, ㄹ

문제 해결 전략

문화 변동의 **❶** 요인인 직접 전파는 사람들 간의 직접적인 접촉 과정에서 문화 요소가 전달되어 정착되는 현상이다. 또한 문화 접변의 결과인 **❷** 은 서로 다른 사회의 문화 요소가 한 사회의 문화 체계 속에서 나란히 존재하는 현상을 의미한다.

답 ❶ 외재적 ❷ 문화 병존(공존)

핵심 예제 01

모평 기출

밑줄 친 ㉠~㉤에 대한 옳은 설명을 l 보기 l에서 고른 것은?

> 갑국에는 다양한 ㉠이민자 집단의 문화가 존재한다. 그중 일부는 갑국의 보편적 문화로 자리 잡았다. 그 대표적인 사례를 음식과 ㉡음악에서 찾을 수 있다. 한 때 토마토소스는 '마녀의 피'라고 불리며 ㉢문화인이라면 먹어서는 안 되는 야만적인 식재료로 간주되었으나, 오늘날 갑국에서 토마토소스를 사용한 ㉣요리는 누구나 즐겨 먹는 음식이 되었다. 하층 계급 이민자들의 정서를 표현하고 있어 ㉤과거 대다수 사람들이 저속하다고 여기던 재즈(Jazz)와 블루스(Blues)도 주류 음악과 융합하여 변형되면서 갑국의 대중음악으로 자리 잡았다.

보기
ㄱ. ㉠은 갑국의 주류 문화에 대항하는 반문화이다.
ㄴ. ㉠에서 '문화'는 넓은 의미, ㉢에서 '문화'는 좁은 의미로 사용되었다.
ㄷ. ㉡은 물질문화, ㉣은 비물질문화에 해당한다.
ㄹ. ㉤은 문화가 고정되어 있지 않고 변화하는 것임을 보여 준다.

① ㄱ, ㄴ ② ㄱ, ㄷ ③ ㄴ, ㄷ
④ ㄴ, ㄹ ⑤ ㄷ, ㄹ

Tip

넓은 의미의 문화란 인간의 모든 사회적 생활 양식 총체를 의미하고, 좁은 의미의 문화란 세련되고 고급스러운 것, 예술적인 것에 관련된 생활 양식을 의미한다. 문화의 변동성이란 문화가 시간이 흐르면서 그 형태나 내용, 의미가 변화하는 속성을 말한다.

풀이

'이민자 집단'의 문화는 생활 양식 총체를 의미하는 넓은 의미의 문화, '문화인'의 문화는 교양 있는 사람을 의미하는 좁은 의미의 문화이다. 또한 음악 문화가 변화된 것은 문화의 변동성을 보여 준다.   답 ④

핵심 예제 02

학평 기출

그림은 문화의 의미에 관한 갑, 을의 대화이다. 이에 대한 옳은 설명을 l 보기 l에서 고른 것은?

문화는 문학, 미술, 음악 작품 등에서 나타나는 인간의 사고 및 표현의 뛰어난 정수(精髓)만을 의미하는 것입니다.

제 생각은 다릅니다. 문화는 각 사회의 환경 적응 과정의 산물로서 그 사회의 총체적인 생활 양식을 의미하는 것입니다.

갑   을

보기
ㄱ. 갑은 문화를 평가의 대상이 아닌 이해의 대상으로 본다.
ㄴ. 갑은 문화를 정신적, 예술적으로 높은 수준에 도달한 것으로 본다.
ㄷ. 인간의 모든 행동은 을이 말하는 문화에 포함된다.
ㄹ. 을이 말하는 문화는 '청소년 문화'에서의 문화와 같이 넓은 의미의 문화에 해당한다.

① ㄱ, ㄴ ② ㄱ, ㄷ ③ ㄴ, ㄷ
④ ㄴ, ㄹ ⑤ ㄷ, ㄹ

Tip

갑은 문학, 미술, 음악 작품 등에 나타나는 고상하고 세련된 것을 문화로 보기 때문에 좁은 의미의 문화를, 을은 그 사회의 총체적인 생활 양식을 문화로 보기 때문에 넓은 의미의 문화를 말하고 있다.

풀이

문화를 정신적, 예술적으로 높은 수준에 도달한 것으로 인식하는 것은 좁은 의미의 문화이며, '청소년 문화'는 을이 말하는 생활 양식 차원의 넓은 의미의 문화이다.   답 ④

핵심 예제 03 수능 기출

다음 두 사례에서 공통적으로 부각된 문화의 속성에 대한 진술로 가장 적절한 것은?

- A 사회에서는 가족 중 누군가가 사망하면 남은 가족 모두가 흰색 옷을 입고 추모하는 것이 일반적이다.
- B 부족민 일부가 착용한 조개 목걸이와 팔찌는 관광객에게 평범한 장신구로 보이지만, 해당 부족민에게는 사회적 위세를 과시하는 상징물로 여겨진다.

① 고정되어 있지 않고 지속적으로 변화한다.
② 문화 요소들이 관련을 맺으며 하나의 체계를 형성한다.
③ 구성원 간에 사고와 행동의 동질성을 형성하게 해 준다.
④ 새로운 삶의 방식들이 더해지면서 문화 요소가 풍부해진다.
⑤ 한 문화 요소의 변화가 다른 요소의 연쇄적 변화를 가져온다.

Tip

A 사회에서 흰색 옷을 입고 추모하는 것이 일반적인 것과 B 부족민이 착용한 장신구가 이 부족민에게 사회적 위세를 과시하는 상징물로 여겨진다는 것은 모두 문화의 공유성을 나타낸다.

풀이

공유성은 구성원 간에 사고와 행동의 동질성을 형성하게 해 준다.

달 ③

응용 03-1

다음 두 사례에서 공통적으로 부각된 문화의 속성에 대한 진술로 가장 적절한 것은?

- A 부족 사회에서는 부족원 중 누군가 화가 나면 자연스럽게 그 사람에게 간지럼을 태워 기분을 풀어주는 것을 당연하게 여긴다.
- 섬나라인 B국에서는 가족 중 누군가가 사망하면 근처 바닷가에서 장례를 치르고 유해를 바다에 뿌리는 것이 일반적이다.

① 선천적이기보다는 후천적으로 습득된다.
② 상대방의 행동을 예측하고, 대응할 수 있게 한다.
③ 새로운 특성이 추가되거나 기존의 특성이 소멸되기도 한다.
④ 한 부분의 변동이 다른 부분에 영향을 주어 변동을 일으킨다.
⑤ 각 문화 요소들이 서로 연결되어 하나의 전체로서 존재한다.

핵심 예제 04 학평 기출

다음 자료에 대한 옳은 설명을 |보기|에서 고른 것은?

[형성 평가]

3학년 1반 홍길동

다음 각 진술에 해당하는 문화의 속성을 쓰시오. (옳은 답을 쓰면 1점, 틀린 답을 쓰면 0점임.)

문화의 속성에 대한 진술	답란	점수
1. 문화는 세대 간 전승되면서 점점 더 풍부해진다.	㉠	㉡
2. 문화는 한 사회의 구성원들이 공통으로 가지는 생활 양식이다.	㉢	1점
3. 문화의 각 부분은 상호 밀접한 관련을 맺고 있다.	㉣	1점
4. (가)	변동성	1점

┌ 보기 ┐

ㄱ. ㉠이 '축적성'이면 ㉡은 '0점'이다.
ㄴ. ㉢은 한 사회의 구성원 간 원활한 소통을 가능하게 한다.
ㄷ. ㉣은 문화의 한 부분에서 나타난 변동이 다른 부분에 미치는 영향을 설명하는 데 적합하다.
ㄹ. (가)에 '문화는 후천적으로 습득되는 생활 양식이다.'가 들어갈 수 있다.

① ㄱ, ㄴ　　② ㄱ, ㄷ　　③ ㄴ, ㄷ
④ ㄴ, ㄹ　　⑤ ㄷ, ㄹ

Tip

문화가 세대 간 전승되면서 점점 더 풍부해지는 것은 축적성이다.

풀이

한 사회의 구성원 간 원활한 소통을 가능하게 하는 것은 공유성이다. 문화의 한 부분에서 나타난 변동이 다른 부분에 미치는 영향을 설명하는 데 적합한 것은 전체성이다.

달 ③

응용 04-1

다음 중 문화의 전체성과 관련된 선지만을 |보기|에서 고르시오.

┌ 보기 ┐

ㄱ. 새로운 문화 요소가 추가되면서 전승된다.
ㄴ. 부분들이 모여 전체로서 하나의 체계를 이룬다.
ㄷ. 특정 상황에서 상대방의 행동을 예측하게 한다.
ㄹ. 하나의 전체 속에서 다른 것들과 관련을 맺으며 존재한다.

핵심 예제 05
수능 기출

(가), (나)에 나타난 문화 이해의 관점에 대한 옳은 설명만을 I 보기 I에서 있는 대로 고른 것은?

(가) 벌레를 섭취하는 ○○족의 음식 문화가 그들의 자연환경, 관습, 정치 제도 등 다양한 문화 요소들과 어떤 관련을 맺고 있는지 전체적으로 연구하였다.

(나) 벌레를 섭취하는 ○○족의 음식 문화를 해당 사회의 문화적 전통과 사회적 맥락 속에서 연구하여 부족한 단백질 보충이라는 그 사회 나름의 합리적 근거를 찾아내었다.

┌ 보기 ┐
ㄱ. (가)의 관점은 문화에 대한 편협하고 왜곡된 이해를 방지하는 데 기여한다.
ㄴ. (나)의 관점은 해당 문화를 향유하는 사회 구성원의 입장에서 문화의 의미를 파악하는 데 초점을 둔다.
ㄷ. (나)의 관점은 (가)의 관점과 달리 문화를 평가의 대상으로 인식한다.
ㄹ. (가), (나)의 관점은 모두 문화 간 비교를 통해 자기 문화를 객관적으로 이해하는 데 유용하다.

① ㄱ, ㄴ　　② ㄱ, ㄷ　　③ ㄷ, ㄹ
④ ㄱ, ㄴ, ㄹ　　⑤ ㄴ, ㄷ, ㄹ

Tip
(가)에서는 ○○족의 음식 문화를 다양한 문화 요소와 어떤 관련을 맺고 있는지를 연구했으므로 총체론적 관점을, (나)에서는 해당 사회의 문화적 전통과 사회적 맥락 속에서 연구했으므로 상대론적 관점을 취하고 있다.

풀이
ㄱ. 문화에 대한 편협하고 왜곡된 이해를 방지하는 데 기여하는 것은 총체론적 관점이다.
ㄴ. 해당 문화를 향유하는 사회 구성원의 입장에서 의미 파악에 초점을 두는 것은 상대론적 관점이다.

답 ①

핵심 예제 06
모평 기출

문화 이해 태도 A~C에 대한 설명으로 옳은 것은? (단, A~C는 각각 문화 사대주의, 문화 상대주의, 자문화 중심주의 중 하나이다.)

• [A]는 자기 문화의 우수성을 지나치게 강조하여 다른 문화를 부정적으로 여기고 낮게 평가하는 태도이다.

• [B]는 다른 문화의 우수성을 내세워 자기 문화의 가치를 부정적으로 여기고 낮게 평가하는 태도이다.

• [C]는 해당 사회의 맥락에서 각 문화가 가지는 고유한 의미를 이해하고 존중하려는 태도이다.

① A는 국수주의로, B는 문화 제국주의로 나아갈 수 있다는 비판을 받는다.
② 타문화와의 공존에 대해 A는 부정적인 태도를, C는 긍정적인 태도를 보인다.
③ A, B는 자기 문화의 정체성 유지에, C는 문화 간 갈등 예방에 기여한다는 평가를 받는다.
④ '문화 다양성 보존에 기여하는가?'라는 질문으로 A, B를 C와 구분할 수 없다.
⑤ '문화 간에 우열이 존재한다고 보는가?'라는 질문으로 A를 B, C와 구분할 수 있다.

Tip
A는 자문화 중심주의, B는 문화 사대주의, C는 문화 상대주의이다.

풀이
① 국수주의 또는 문화 제국주의로 나아갈 수 있다는 비판을 받는 것은 자문화 중심주의이다.
② 자문화 중심주의는 자기 문화만의 우수성을 강조하기 때문에 타문화와의 공존에 대해 부정적인 태도를 보이고, 문화 상대주의는 문화의 다양성 보존에 기여하기 때문에 타문화와의 공존에 대해 긍정적인 태도를 보인다.

답 ②

핵심 예제 07

갑, 을의 문화 이해 태도에 대한 설명으로 옳은 것은?

- 갑은 외국에서 유학을 온 일부 학생들이 종교 의례에 참석하기 위해 특정 요일의 수업에 결석하는 모습을 보고, 자국의 생활 양식에 비해 뒤떨어진 문화라고 생각하였다.
- 이주민인 신입 사원이 자신이 속한 문화권에서는 술을 마시거나 접촉하는 것을 금기시한다며 술 판매 업무를 할 수 없다고 하자, 관리자 을은 그 금기가 해당 문화권에서 매우 중요한 것임을 인정하여 다른 업무를 배정하였다.

① 갑의 태도는 자문화 정체성을 상실할 우려가 있다는 비판을 받는다.

② 을의 태도는 국수주의로 변질될 수 있다는 비판을 받는다.

③ 갑의 태도는 을의 태도와 달리 각 사회의 문화가 동등한 가치를 지닌다고 본다.

④ 을의 태도는 갑의 태도와 달리 문화의 다양성 확보에 유리하다.

⑤ 갑, 을의 태도는 모두 특정 사회의 문화를 기준으로 타문화를 평가할 수 있다고 본다.

Tip

갑은 외국에서 유학을 온 학생들의 종교 의례 참석에 대해 자국에 비해 뒤떨어진 문화라고 생각하므로 자문화 중심주의를, 을은 이주민인 신입 사원 업무 배정에 있어서 을이 속한 문화권을 이해하는 태도를 보였으므로 문화 상대주의 태도를 취하고 있다.

풀이

① 자문화 정체성을 상실할 우려가 있다는 비판을 받는 태도는 문화 사대주의이다.

②, ⑤ 국수주의로 변질될 수 있다는 비판을 받고 특정 사회의 문화를 기준으로 타문화를 평가할 수 있다고 보는 것은 자문화 중심주의이다.

③ 각 사회의 문화가 동등한 가치를 지닌다고 보는 태도는 문화 상대주의이다.

답 ④

핵심 예제 08

갑~병의 문화 이해 태도에 대한 설명으로 옳은 것은?

○○족의 △△ 축제에 대해 자신의 의견을 이야기해 봅시다.

○○족이 축제를 위해 돼지 전체 개체 수의 4분의 3을 도축하는 것은 야만적입니다. 또한 그 고기를 먹기 위해 요리하는 과정도 우리나라의 위생 관념에 비춰 봤을 때 불결하다고 생각합니다.

과도하게 증가한 돼지 개체 수가 ○○족의 생존 기반이 되는 경작지를 위협하기 때문에 돼지를 대규모로 도축하는 것입니다. 이 축제는 부족의 생존에 필요한 적정한 규모의 경작지를 확보하기 위한 그들만의 방법이라고 생각합니다.

○○족의 축제가 고단백질을 얻기 위한 그들만의 방법임을 인정해야 합니다. 하지만 그 축제가 대다수 사람들이 소중하게 생각하는 생명 존중의 가치를 훼손하지 않는지 생각해 봐야 합니다.

① 갑의 태도는 문화를 이해가 아닌 평가의 대상으로 본다.

② 을의 태도는 문화의 다양성 보존에 기여한다.

③ 병의 태도는 극단적 문화 상대주의의 입장을 대변하고 있다.

④ 갑, 병의 태도는 을의 태도와 달리 문화를 해당 사회의 맥락에서 바라보고 있다.

⑤ 을, 병의 태도는 갑의 태도와 달리 타문화에 대한 긍정적 인식에서 비롯된다.

Tip

제시문에서 ○○족의 △△ 축제에 대해 갑은 이 축제가 부족의 생존에 필요하다는 그들만의 방법으로 이해하고 있으므로 문화 상대주의를 취하고 있으며, 을은 이 부족의 축제에 대해 자국과 비교했을 때 불결하다고 판단했으므로 자문화 중심주의를 보이고 있다. 병은 이 부족의 축제에 대해 인류의 보편적 가치의 훼손 측면에서 생각해 봐야 함을 강조하고 있다.

풀이

① 문화 상대주의는 문화를 평가가 아닌 이해의 대상으로 본다.

② 문화의 다양성 보존에 기여하는 것은 문화 상대주의이다.

③ 병은 극단적 문화 상대주의를 경계하고 있다.

④ 문화 상대주의는 해당 사회의 맥락에서 문화를 이해하는 태도이다.

⑤ 자문화 중심주의는 타문화를 부정적으로 여긴다.

답 ④

필수 체크 전략 ② 1강_문화의 이해

1 다음 중 문화에 해당하는 것만을 옳게 고른 학생은?

> A: 사람들이 딸꾹질을 하는 것
> B: 친구들과 수업 종료 후 교실 청소를 하는 것
> C: 사람들이 전염병 예방을 위해 마스크를 착용하는 것
> D: 봄철에 황사로 인해 기관지 호흡 환자가 늘어나는 것

① 갑: A, B입니다.
② 을: B, C입니다.
③ 병: B, D입니다.
④ 정: C, D입니다.
⑤ 무: B, C, D입니다.

Tip

개인적인 습관이나 [   ]은 문화라고 볼 수 없다.

📖 버릇

2 밑줄 친 ㉠~㉣에 대한 옳은 설명만을 |보기|에서 고른 것은?

> 과거 아마존의 부족 사이에는 ㉠모든 음식을 자급자족하는 것이 당연시되었다. 하지만 이러한 ㉡음식 문화는 인근 국가의 자본주의 제도의 영향을 받으며 ㉢자급자족에서 다른 부족과의 교환 및 판매 형태로 대체되었고, 이로 인해 ㉣부족 사회의 경제 형태와 가족 제도에도 영향을 미치고 있다.

| 보기 |
ㄱ. ㉠에 부각된 문화의 속성은 사회 구성원 간 원활한 상호 작용의 토대가 됨을 보여 준다.
ㄴ. ㉡에서의 문화는 '청소년 문화'에서의 '문화'와 같이 넓은 의미로 사용되었다.
ㄷ. ㉢은 문화가 세대 간 전승 과정에서 더욱 풍부해짐을 보여 준다.
ㄹ. ㉣을 통해 문화가 후천적으로 습득된다는 것을 보여 준다.

① ㄱ, ㄴ ② ㄱ, ㄷ ③ ㄴ, ㄷ ④ ㄴ, ㄹ ⑤ ㄷ, ㄹ

Tip

음식 문화는 ❶[   ] 의미의 문화이다.
문화의 ❷[   ]은 문화가 시간의 흐름에 따라 그 형태나 내용이 변한다는 것을 보여 준다. 📖 ❶ 넓은 ❷ 변동성

3 (가), (나)에서 공통적으로 부각된 문화의 속성에 대한 옳은 진술만을 |보기|에서 고른 것은?

> (가) A 섬나라에서는 모든 사람들이 아침마다 집 앞에 나뭇잎으로 만든 접시에 쌀밥을 올려 둔다. 이는 자신들을 보호해 주는 신에게 감사를 드리는 의미를 담고 있다.
> (나) 우리나라 사람들은 절이나 산을 올라갈 때 돌무더기 탑에 돌을 쌓아 올리며 소원을 비는데, 똑같은 곳을 지나는 외국인들은 이 의미를 알 수 없다.

| 보기 |
ㄱ. 구성원의 사고와 행동을 구속한다.
ㄴ. 시간이 흐르면서 그 형태나 내용이 달라진다.
ㄷ. 서로 다른 문화 체계를 구분하는 기준이 된다.
ㄹ. 부분들이 모여 전체로서 하나의 체계를 이룬다.

① ㄱ, ㄴ ② ㄱ, ㄷ ③ ㄴ, ㄷ ④ ㄴ, ㄹ ⑤ ㄷ, ㄹ

Tip

문화의 [   ]은 사고와 행동의 동질성을 형성한다.

📖 공유성

4 다음 글에서 부각되는 문화의 속성에 대한 진술로 가장 적절한 것은?

> 브라질 아마존의 조에족이 턱에 뽀뚜루라는 나무 막대를 꽂고 다니는 행동을 이해하려면 조에족의 전통과 정체성 유지에 주목해야 한다. 이는 다른 부족과의 차이점을 두기 위한 그들만의 전통이며 이를 통해 조에족 부족으로서의 정체성을 지켜 나간다는 그들만의 믿음에서부터 기인한다.

① 선천적이기보다는 후천적으로 습득된다.
② 새로운 문화 요소가 추가되면서 전승된다.
③ 고정된 것이 아니라 지속적으로 변화한다.
④ 하나의 전체 속에서 다른 것들과 관련을 맺으며 존재한다.
⑤ 새로운 특성이 추가되거나 기존의 특성이 소멸되기도 한다.

Tip

문화의 [   ]은 문화는 부분이 아닌 전체로서 의미를 갖는다고 본다.

📖 전체성(총체성)

5 다음에서 강조하는 문화를 바라보는 관점에 대한 설명으로 가장 적절한 것은?

> 우리는 우리 주위에 있는 문화를 늘 당연하게 여기고 다른 문화를 경험하기 전까지는 우리 문화의 특징을 제대로 이해하기 힘들다. 따라서 자신의 문화를 제대로 이해하기 위해서는 다른 문화와의 비교를 통해 공통점과 차이점을 파악하도록 노력해야 한다.

① 다른 문화를 거울삼아 자기 문화를 파악하는 데 어렵다.
② 문화에 대한 편협하고 왜곡된 이해를 방지하는 데 기여한다.
③ 해당 문화를 향유하는 사회 구성원의 관점에서 문화의 의미를 파악한다.
④ 문화가 부분이 아닌 전체로서의 의미를 갖는 생활 양식임을 중시한다.
⑤ 보편적 문화 현상을 바탕으로 특정 문화 현상의 객관적 의미를 파악한다.

Tip
비교론적 관점은 각 사회의 문화가 ❶ [   ]과 ❷ [   ]이 있다는 점을 전제로 한다.　🅑 ❶ 보편성 ❷ 특수성

6 문화 이해 태도 A~C에 대한 설명으로 옳은 것은? (단, A~C는 각각 문화 사대주의, 문화 상대주의, 자문화 중심주의 중 하나이다.)

질문	A	B	C
서로 다른 문화 간에 우열이 존재한다고 보는가?	아니요	예	예
자기 문화가 가장 우월하다고 보는가?	아니요	예	아니요
(가)	아니요	아니요	예

① A는 서로 다른 가치를 지닌 문화가 공존해야 함을 부정한다.
② B는 각 사회의 맥락을 고려하여 문화를 이해해야 한다고 본다.
③ C는 타문화의 수용에 대하여 긍정적이다.
④ B는 C와 달리 국수주의로 흐를 가능성이 낮다.
⑤ (가)에는 '문화의 다양성 보존에 기여하는가?'가 들어갈 수 있다.

Tip
문화 간에 우열이 존재한다고 보는 것은 [   ]이다.
🅑 문화 절대주의

7 다음은 문화 이해의 태도를 구분하기 위한 질문과 답변이다. 자문화 중심주의, 문화 사대주의, 문화 상대주의 중 하나의 태도에서 일관되게 응답한 학생은?

질문 \ 학생	갑	을	병	정	무
문화를 특정 기준에 의해 평가하는가?	×	○	○	○	×
국수주의적 태도로 인해 문화의 다양성을 거부하는가?	○	○	×	×	○
문화의 다양성 보존에 기여하는가?	×	×	○	○	○
환경과 맥락을 고려한 문화 이해를 강조하는가?	×	×	○	×	×

(○: 예, ×: 아니요)

① 갑　② 을　③ 병　④ 정　⑤ 무

Tip
문화를 특정 기준에 의해 평가하는 것은 문화 절대주의의 입장으로 ❶ [   ]와 ❷ [   ]가 해당된다.
🅑 ❶ 자문화 중심주의 ❷ 문화 사대주의

8 갑~병의 문화 이해 태도에 대한 설명으로 옳은 것은?

> 우리나라의 전통 춤은 전 세계 어떤 춤보다도 가장 우월하고 최고라고 생각해. (갑)
>
> 우리나라보다 더 흥이 나는 남미나 아프리카의 전통 춤의 문화를 수용하여 낙후된 우리나라 전통 춤에 활기를 불어넣어야 한다고 생각해. (을)
>
> 세계의 모든 전통 춤은 각국이 처한 자연환경, 역사적 맥락이 있을테니 각자 나름대로 존중받아야 된다고 생각해. (병)

① 갑의 태도는 국수주의로 변질될 수 있다는 비판을 받는다.
② 을의 태도는 문화를 이해의 대상으로 본다.
③ 병의 태도는 극단적 문화 상대주의의 입장을 경계하고 있다.
④ 갑의 태도는 을의 태도와 달리 문화 간에 우열이 있음을 인정한다.
⑤ 병의 태도는 갑, 을의 태도와 달리 문화의 다양성 유지에 불리하다.

Tip
문화 상대주의는 문화를 평가가 아닌 ❶ [   ]의 대상으로 보며, 문화의 ❷ [   ]을 보존하는 데 유리하다.
🅑 ❶ 이해 ❷ 다양성

필수 체크 전략 ①

2강_하위문화와 대중문화 ~ 문화 변동

핵심 예제 01 핵심 예제 **01**　　　　　　　　　　모평 기출

하위문화 유형 (가), (나)의 일반적인 특징에 대한 옳은 설명만을 I 보기 I에서 고른 것은?

유형	사례
(가)	갑국의 음식 문화는 주식인 밥에 다양한 반찬을 곁들여 먹는 것을 기본 형태로 한다. 하지만 기후와 지형 등에 따라 산물이 다르기 때문에 지역별로 즐겨 먹는 반찬이 다르다. 북쪽 지역은 간이 약하고 담백한 반찬이, 남쪽 지역은 간이 강하고 자극적인 반찬이 주를 이룬다.
(나)	을국에서는 종교적 전통을 중시하여 경찰이 일상의 풍속까지 세세하게 단속할 정도로 사람들의 자유를 제한하였다. 이러한 정부의 강력한 통제에 불만을 가진 일부 집단에서는 저항의 표시로 남성들은 관습적으로 길러 온 수염을 짧게 잘랐고, 여성은 긴 치마 대신 짧은 반바지를 입고 다녔다.

┌ 보기 ┐

ㄱ. (가)는 주류 집단에 의해 일탈로 규정된다.

ㄴ. (나)는 사회 혼란을 초래하는 역기능도 있지만 기존 주류 문화가 지닌 문제를 드러내 주는 순기능도 있다.

ㄷ. (가)를 규정하는 기준은 (나)와 달리 시대와 장소에 따라 달라진다.

ㄹ. (가)와 (나)는 모두 문화적 다양성을 높이는 데 기여한다.

① ㄱ, ㄴ　　　② ㄱ, ㄷ　　　③ ㄴ, ㄷ

④ ㄴ, ㄹ　　　⑤ ㄷ, ㄹ

Tip

(가)에서는 지역별로 다른 반찬 문화를 보여주므로 지역 문화에 해당한다. (나)에서는 한 사회에 저항을 표시한 문화로서 반문화를 보여 준다.

풀이

ㄱ. 주류 집단에 의해 일탈로 규정되는 것은 대개 반문화이다.

ㄴ. 반문화는 기존의 주류 문화를 대체하면서 사회 변동을 가져오는 순기능이 있기도 하다.

ㄷ. (가), (나) 모두 하위문화이므로 하위문화에 대한 규정은 시대와 장소에 따라 달라지는 상대적인 특성이 있다.

답 ④

핵심 예제 **02**　　　　　　　　　　수능 기출

다음과 같이 A~C를 구분할 때, 이에 대한 질문에 모두 옳게 응답한 학생은? (단, A~C는 각각 반문화, 주류 문화, 하위문화 중 하나이다.)

'한 사회의 구성원 대다수가 공유하는 문화인가?'라는 질문으로 A와 B를 구분할 수 없다. 그리고 '한 사회의 지배적 가치와 규범에 저항하거나 대립하는 문화인가?'라는 질문으로 A와 C를 구분할 수 있다.

질문 　　　　　　　　　　　　 학생	갑	을	병	정	무
A는 모두 B에 속하는가?	○	○	×	○	×
A를 공유하는 구성원은 C의 문화 요소 전체를 거부하는가?	×	○	○	×	×
B는 C와 달리 해당 문화를 누리는 구성원의 정체성 형성에 기여하는가?	×	×	○	×	×
C는 사회가 변화하면서 A가 될 수 있는가?	○	×	×	×	○

(○: 예, ×: 아니요)

① 갑　　② 을　　③ 병　　④ 정　　⑤ 무

Tip

A는 반문화, B는 하위문화, C는 주류 문화이다.

풀이

반문화는 하위문화의 한 유형이므로 첫 번째 답은 '예'이다. 반문화를 공유하는 구성원은 주류 문화의 일부도 공유하므로 두 번째 답은 '아니요'이다. 하위문화와 주류 문화 모두 구성원의 정체성 형성에 기여하므로 세 번째 답은 '아니요'이다. 주류 문화는 사회가 변화하면서 반문화가 될 수 있으므로 네 번째 답은 '예'이다.

답 ①

응용 02-1

다음과 같이 A~C를 구분할 때 이에 대한 옳은 설명만을 I 보기 I에서 고르시오. (단, A~C는 각각 반문화, 주류 문화, 하위문화 중 하나이다.)

'한 사회 내에서 일부 구성원들만 공유하는 문화인가?'라는 질문으로 A와 B를 구분할 수 없다. 또한 '한 사회의 지배적인 문화를 거부하거나 저항하는 문화인가?'라는 질문으로 B와 C를 구분할 수 있다.

┌ 보기 ┐

ㄱ. A는 C와 공통 요소를 가지고 있다.

ㄴ. A는 사회 변동에 따라 C가 되기도 한다.

ㄷ. 모든 A와 B의 총합은 C이다.

핵심 예제 **03**

다음 글을 통해 추론할 수 있는 옳은 진술을 |보기|에서 고른 것은?

> 우리는 대중 매체를 통해 세상을 바라본다. 그런데 언론의 보도 내용이 모든 것을 있는 그대로 보여 주는 것은 아니다. 뉴스 가치에 따라 어떤 사건의 보도 여부와 그 비중이 달라질 수 있기 때문이다. 뉴스 가치는 기자 개인의 성향, 언론사의 방침, 언론사의 외적 환경 등으로 인해 다양하게 해석되어 결정된다.

┌ 보기 ┐
ㄱ. 대중 매체는 사회 문제에 대해 중립적인 입장을 취한다.
ㄴ. 특정 사건의 중요도는 대중 매체에 따라 달라질 수 있다.
ㄷ. 언론의 보도 내용을 결정하는 것은 시청자의 선호도이다.
ㄹ. 대중 매체가 전달하는 내용을 비판적으로 수용할 필요가 있다.

① ㄱ, ㄴ   ② ㄱ, ㄷ   ③ ㄴ, ㄷ
④ ㄴ, ㄹ   ⑤ ㄷ, ㄹ

Tip

제시문에서 언론의 보도 내용이 모든 것을 있는 그대로 보여 주는 것이 아니고 뉴스 가치가 다양한 요인에 의해 해석되어 결정된다고 했으므로 대중 매체를 통하여 제공되는 정보를 능동적이고 비판적으로 수용하는 자세가 필요하다는 것을 알 수 있다.

풀이

ㄱ. 제시문에 따르면 대중 매체는 사회 문제에 대해 중립적인 입장을 취하는 것이 아니라 상황에 따라 그 입장이 달라질 수 있다.
ㄷ. 제시문을 통해 언론의 보도 내용을 결정하는 것은 시청자의 선호도임을 알 수 없다.

답 ④

핵심 예제 **04**

다음 |자료1|의 A~D에 해당하는 문화 변동의 요인을 |자료2|의 (가)~(라)에 옳게 연결한 것은? (단, A~D는 각각 발견, 발명, 직접 전파, 자극 전파 중 하나이다.)

┌ 자료1 ┐
• B, D를 통해 기존에 없었던 문화 요소가 창조된다.
• B, C는 A, D와 달리 타문화와의 접촉으로 발생한다.

┌ 자료2 ┐
갑국의 선조들은 자연에서 광물을 (가) 하였고, 이를 활용하여 금속 그릇을 (나) 하였다. 이 금속 그릇은 갑국의 상인들에 의해 을국에 (다) 되었다. 이 과정에서 을국 사람들은 갑국의 금속 그릇에서 아이디어를 얻어 새로운 금관 악기를 만들게 되었는데 이는 (라) 의 사례로 볼 수 있다.

	(가)	(나)	(다)	(라)
①	A	B	C	D
②	A	D	C	B
③	B	C	A	D
④	B	D	C	A
⑤	D	A	C	B

Tip

A는 발견, B는 자극 전파, C는 직접 전파, D는 발명에 해당한다.

풀이

(가)는 발견, (나)는 발명, (다)는 직접 전파, (라)는 자극 전파이다.

답 ②

응용 **04**-1

다음 |자료1|의 A~D에 해당하는 문화 변동의 요인을 참고로 하여 |자료2|의 (가)~(라)가 무엇인지 해당 알파벳을 쓰시오. (단, A~D는 각각 발견, 발명, 간접 전파, 자극 전파 중 하나이다.)

┌ 자료1 ┐
• B, D를 통해 기존에 없었던 문화 요소가 창조된다.
• C, D는 A, B와 달리 외재적 요인에 의한 문화 변동이다.

┌ 자료2 ┐
갑국 사람들은 갯벌 조개에서 진주를 (가)하였고, 이를 활용하여 진주 목걸이를 (나)하였다. 이 진주 목걸이는 SNS를 통해 을국으로 (다)되었다. 이 과정에서 을국 사람들은 갑국의 진주 목걸이에서 아이디어를 얻어 새로운 악세사리를 만들게 되었는데, 이는 (라)의 사례로 볼 수 있다.

핵심 예제 05 　　　　　　　모평 기출

그림은 문화 변동 요인 ㉠~㉤을 구분한 것이다. 이에 대한 설명으로 옳은 것은? (단, ㉠~㉤은 각각 발견, 발명, 직접 전파, 자극 전파, 간접 전파 중 하나이다.)

① (가)가 '존재하지 않던 문화 요소를 새롭게 만들어냈는가?'라면, 인쇄술은 ㉡의 사례에 해당한다.

② (나)가 '문화 요소가 매체에 의해 전달되었는가?'라면, 통신 기술이 발달할수록 ㉣을 통한 문화 변동이 더 용이하게 나타날 수 있다.

③ ㉠의 사례로 활을 들 수 있다면, (가)는 '존재하고 있었으나 알려지지 않았던 문화 요소를 찾아냈는가?'가 적절하다.

④ ㉢의 사례로 전쟁을 통해 유럽에 전파된 설탕을 들 수 있다면, (나)는 '문화 요소의 전달이 직접 이루어졌는가?'가 적절하다.

⑤ ㉤의 사례로 외국인 선교사에 의해 외래 종교가 전래된 것을 들 수 있다.

Tip

변동의 요인이 외부로부터 온 것은 외재적 요인인 전파에 해당한다. 따라서 ㉠, ㉡에는 내재적 요인인 발명 또는 발견이 들어가야 한다. 또한 외부 사회의 문화 요소에서 아이디어를 얻어 새로운 문화 요소를 만든 것은 자극 전파이므로 ㉢, ㉣에는 각각 직접 전파와 간접 전파 중 하나가 들어가야 한다.

풀이

① (가)가 존재하지 않던 문화 요소를 새롭게 만들어내는 것이라면, 이는 발명이므로 ㉠의 사례에 해당한다.

③ ㉠의 사례인 활은 발명이므로, (가)에 발견에 대한 질문인 '존재하고 있었으나 알려지지 않았던 문화 요소를 찾아냈는가?'는 들어갈 수 없다.

④ ㉢의 사례인 전쟁을 통해 유럽에 전파된 설탕은 직접 전파이므로, (나)에 직접 전파에 대한 질문인 '문화 요소의 전달이 직접 이루어졌는가?'는 들어갈 수 없다.

⑤ 외국인 선교사에 의해 외래 종교가 전래된 것은 직접 전파의 사례이다.

답 ②

핵심 예제 06 　　　　　　　모평 기출

다음 사례에 나타난 문화 변동에 대한 설명으로 옳은 것은?

- 갑국 사람들은 A국의 요리사 이야기를 다룬 영화를 보고, 영화에서 그 요리사가 만든 방법 그대로 A국의 전통 옥수수빵을 따라 만들어 일상에서 즐기게 되었다.

- 을국 사람들은 무역을 하면서 만난 B국 사람들이 B국의 전통에 따라 음식을 만들 때 앞치마를 두르는 것에 아이디어를 얻어, 냅킨 등 청결 유지를 위한 다양한 용품을 만들어 사용하면서 독특한 식사 문화를 갖게 되었다.

- 병국 사람들은 이웃 주민인 C국 이민자들이 C국의 전통적 농기구인 호미를 들여와 사용하는 것을 보고, 온라인 유통망을 통해 호미를 구매하여 정원을 가꾸는 데 적극적으로 사용하게 되었다.

① 갑국에서는 발명으로 인한 문화 변동이 발생하였다.

② 을국에서는 매개체를 통해 타문화의 문화 요소가 전파되었다.

③ 병국에서는 서로 다른 문화의 구성원 간 접촉을 통해 문화 요소가 전파되었다.

④ 갑국에서는 내재적 요인, 을국과 병국에서는 외재적 요인에 의한 문화 변동이 발생하였다.

⑤ 갑국에서는 직접 전파, 을국에서는 자극 전파, 병국에서는 간접 전파가 나타났다.

Tip

첫 번째 사례에서 갑국 사람들이 영화를 통해 문화 요소를 전달받은 것은 간접 전파의 사례이다. 두 번째 사례에서 을국 사람들이 B국 사람들이 두른 앞치마에서 아이디어를 얻어 다양한 용품을 만들어 낸 것은 자극 전파의 사례이다. 세 번째 사례에서 병국 사람들이 C국 이민자들을 통해 호미를 들여온 것은 직접 전파의 사례이다.

풀이

② 매개체를 통해 타문화의 문화 요소가 전파되는 것은 간접 전파이다.

④ 갑, 을, 병국 모두에서 외재적 요인에 의한 문화 변동이 발생하였다.

답 ③

핵심 예제 07

(가), (나)에 나타난 문화 변동에 대한 분석으로 가장 적절한 것은?

> (가) 일본에서 '완탕'으로 불리는, 만둣국의 일종인 '완당'은 일본에서 조리법을 배운 요리사에 의해 우리나라에 전해져 인기를 얻고 있다. 일본식 완탕은 닭고기를 사용하여 육수를 내지만, 완당은 우리나라 사람들의 입맛에 맞게 국수처럼 멸치와 다시마로 육수를 내고 피가 일본식보다 훨씬 얇은 것이 특징이다.
>
> (나) 영국에서 일본으로 전래된 카레 가루는 인도의 '카리'가 기원이다. 식민지 인도를 통치했던 총독 일행이 영국으로 가져간 카리가 영국인의 입맛에 맞게 변형되어 일본에 전래되었다. 카레가 일본에서 인기를 얻으면서 카레 우동, 가츠 카레(카레 돈가스) 등 다양한 음식이 등장하였고, 기존의 우동, 돈가스와 함께 큰 사랑을 받고 있다.

① (가)에는 간접 전파로 인한 문화 변동의 사례가 나타나 있다.
② (나)에는 강제적 문화 접변의 사례가 나타나 있다.
③ (가)에는 (나)와 달리 문화 공존의 사례가 나타나 있다.
④ (나)에는 (가)와 달리 문화 동화의 사례가 나타나 있다.
⑤ (가), (나)에는 모두 문화 융합의 사례가 나타나 있다.

Tip

(가)에서 완당이 일본에서 조리법을 배운 요리사에 의해 전해진 것은 직접 전파의 사례이고, 우리나라 사람들의 입맛에 맞게 새로운 형태의 음식으로 만들어진 것은 문화 융합의 사례이다. (나)에서 카레 우동, 가츠 카레는 문화 융합의 사례, 기존의 우동, 돈가스와 함께 존재하는 것은 문화 공존의 사례이다.

풀이

② 식민지 인도를 통치했던 총독 일행이 영국으로 카리를 가져간 것을 강제적 문화 접변의 사례라고 단정 지을 수 없다. 　답 ⑤

핵심 예제 08

다음 두 사례에 대한 공통적인 설명으로 가장 적절한 것은?

> • 요즘 스마트 기기에 저장된 생체 정보, 신용 카드 정보 등을 통해 온·오프라인 상거래에서 간편 결제 서비스를 이용하는 사람들이 증가하고 있다. 그런데 간소화된 지불 절차를 악용하여 불필요한 결제를 유도하는 등 다른 사람에게 금전적 피해를 입히는 신종 범죄도 발생하고 있다.
>
> • 최근 '먹방', '신제품 리뷰' 등 다양하고 유용한 정보를 제공하여 수익을 창출하는 1인 방송이 늘어나고 있다. 그런데 누구나 쉽게 제작하여 경제적 이익을 얻을 수 있다는 점을 악용하여 선정적이고 폭력적인 콘텐츠가 그대로 방송되는 부작용도 발생하고 있다.

① 물질문화의 발명으로 인해 세대 간 갈등이 증가하였음을 보여 준다.
② 지배적인 문화의 질적 저하로 인해 반문화가 확산되었음을 보여 준다.
③ 문화 요소 간 변동 속도의 차이로 인해 병리적인 현상이 나타났음을 보여 준다.
④ 대중문화의 확산으로 인해 문화의 상업화와 획일화가 심화되었음을 보여 준다.
⑤ 정보 통신 기술의 발달로 인해 하위문화가 전체 문화로 변화되었음을 보여 준다.

Tip

첫 번째 사례에서 스마트 기기나 간편 결제 서비스 같은 기술-물질문화의 변동 속도는 빠른데 간소화된 지불 절차를 악용하여 금전적 피해를 입히는 것은 비물질문화의 속도가 따라가지 못하는 문화 지체의 사례이다. 두 번째 사례에서 1인 방송이 늘어나는 것은 물질문화인 정보 통신 기술이 빠르게 변동하는 것인데, 이에 반해 폭력적인 콘텐츠를 그대로 방영하는 등의 부작용이 발생하는 것은 비물질문화 속도가 따라가지 못하는 것으로 문화 지체 사례에 해당한다.

풀이

문화 지체 현상은 문화 요소 간 변동 속도의 차이로 인한 병리적인 현상이다. 　답 ③

필수 체크 전략 ② 2강_하위문화와 대중문화 ~ 문화 변동

1 다음 A~C에 대한 설명으로 옳은 것은? (단, A~C는 각각 주류 문화, 하위문화, 반문화 중 하나이다.)

> '한 사회 내에서 일부 구성원만 공유하는 문화인가?'라는 질문을 통해 A와 B를 구분할 수 없다. '미국의 히피 문화가 사례에 해당되는가?'라는 질문으로 B와 C를 구분할 수 있다.

① 모든 A는 B에 해당한다.
② 모든 A의 총합은 C이다.
③ A를 향유하는 구성원도 C를 향유한다.
④ A는 B와 달리 시대에 따라 상대적으로 규정된다.
⑤ A, C는 B와 달리 문화의 다양성에 기여한다.

Tip

특정 집단의 구성원이 공유하는 문화는 **❶** ⬚ 이며, **❷** ⬚ 는 하위문화의 한 유형에 해당한다.

🅰 ❶ 하위문화 ❷ 반문화

2 하위문화의 유형인 A, B 문화의 일반적인 특징에 대한 설명으로 옳은 것은?

유형	사례
A 문화	조선 시대에 천주교는 당시 유교 사상이 지배적인 조선 사회에서 박해를 당할 수 밖에 없었고 그럼에도 불구하고 일부 백성들 사이에 천주교를 믿는 집단이 생겨났다.
B 문화	최근 젊은 사람들 사이에서 경제적 독립과 조기 은퇴를 꿈꾸는 파이어 족이 늘어나고 있다. 이들은 조기 퇴사를 목표로 수입의 대부분을 저축하며 은퇴 자금을 마련한다.

① A 문화는 B 문화와 달리 전체 사회에 문화 다양성을 제공한다.
② A 문화는 B 문화와 달리 기존 문화에 저항하는 특징을 보인다.
③ A 문화나 B 문화에 속하는 것을 구분하는 기준은 절대적이다.
④ A 문화와 B 문화는 모두 사회 통합에 기여한다.
⑤ A 문화와 B 문화의 총합은 주류 문화이다.

Tip

하위문화의 범주는 **❶** ⬚ 으로 규정되며, 반문화는 기존의 지배적인 문화에 **❷** ⬚ 또는 대립하는 문화이다.

🅰 ❶ 상대적 ❷ 저항

3 다음 글을 통해 추론할 수 있는 내용으로 옳은 것은?

> 요즘 개인 인터넷 방송을 하는 사람들이 늘어나면서 한 가지 이슈에 대해서도 잘못된 정보를 여과 없이 방송하거나 전달하는 경우를 쉽게 볼 수 있다. 인터넷 방송에서 보여 주는 내용은 개인의 성향, 외부 요인에 의해 다양하게 해석될 수 있다는 사실을 명심해야 한다.

① 대중이 손쉽게 고급문화를 향유하는 데 기여한다.
② 대중 매체는 사회 이슈에 대해 중립적인 입장을 취한다.
③ 대중 매체가 전달하는 내용을 비판적으로 수용할 필요가 있다.
④ 특정 사건에 대한 중요도는 대중 매체에 따라 동일하게 결정된다.
⑤ 대중 매체를 통한 정보의 생산자와 소비자 간의 구분이 점점 모호해진다.

Tip

대중문화는 대중이 ⬚ 으로 인식하고 수용해야 한다.

🅰 비판적

4 다음은 문화 변동의 요인 A~D를 구분한 것이다. 이에 대한 옳은 설명만을 ㅣ보기ㅣ에서 고른 것은? (단, A~D는 각각 발견, 발명, 직접 전파, 자극 전파 중 하나이다.)

질문	A	B	C	D
문화 변동의 외재적 요인인가?	아니요	예	아니요	예
기존에 없었던 문화 요소가 창조된 것인가?	예	아니요	아니요	예

> **보기**
> ㄱ. A의 사례로 ○○국에서 최초로 인쇄 기술을 만들어 낸 것을 들 수 있다.
> ㄴ. B는 매개체에 의해 문화 요소가 전달되는 것을 의미한다.
> ㄷ. C의 사례로 전기의 발견을 들 수 있다.
> ㄹ. D는 A와 달리 한 사회의 문화적 다양성에 기여한다.

① ㄱ, ㄴ ② ㄱ, ㄷ ③ ㄴ, ㄷ ④ ㄴ, ㄹ ⑤ ㄷ, ㄹ

Tip

외재적 요인에 의한 문화 변동은 **❶** ⬚ 와 **❷** ⬚ 가 해당한다. 🅰 ❶ 직접 전파 ❷ 자극 전파

5 다음 A~C에 대한 설명으로 옳은 것은?

> 교사: 문화 변동의 요인에 대해 발표해 보세요. 단, A~C는 각각 발견, 간접 전파, 자극 전파 중 하나입니다.
> 갑: A는 B, C와 달리 내재적 요인에 해당합니다.
> 을: B는 A, C와 달리 새로운 문화 요소를 만들어 낸 것에 해당합니다.
> 교사: 모두 옳게 발표했습니다.

① A는 발견, B는 간접 전파, C는 자극 전파이다.
② A는 다른 사회와의 접촉을 통한 문화 변동 요인이다.
③ B의 사례로 신라 시대의 이두 문자를 들 수 있다.
④ C는 사람들 간의 접촉을 통한 문화 변동 요인에 해당한다.
⑤ A, B, C는 모두 자발적으로 이루어지는 문화 변동 요인에 해당한다.

> **Tip**
> 발견은 ❶ [　　] 요인에 의한 문화 변동, 간접 전파와 자극 전파는 ❷ [　　] 요인에 의한 문화 변동이다.
>
> 답 ❶ 내재적 ❷ 외재적

6 표는 문화 접변의 결과 A, B를 비교한 것이다. 이에 대한 옳은 설명만을 | 보기 |에서 고른 것은?

구분	A	B
의미	한 사회의 문화 요소가 다른 사회의 문화 체계에 흡수됨	(가)
사례	(나)	미국에서 아프리카 흑인 음악의 요소가 어우러져 재즈가 탄생함

> | 보기 |
> ㄱ. A를 통해 기존 문화 요소의 정체성은 유지된다.
> ㄴ. B는 A와 달리 문화 다양성의 유지에 기여한다.
> ㄷ. (가)에는 '서로 다른 사회의 문화 요소가 한 사회 문화 체계 속에 나란히 존재함'이 적절하다.
> ㄹ. (나)에는 '인디언들의 문화가 백인들에 의해 사라짐'이 적절하다.

① ㄱ, ㄴ ② ㄱ, ㄷ ③ ㄴ, ㄷ ④ ㄴ, ㄹ ⑤ ㄷ, ㄹ

> **Tip**
> 문화 동화는 기존 문화 요소의 정체성을 ❶ [　　]하게 만들며, 문화 융합을 통해 ❷ [　　]의 문화가 만들어진다.
>
> 답 ❶ 상실 ❷ 제3

7 그림은 문화 접변의 결과를 A~C로 분류한 것이다. 이에 대한 설명으로 옳은 것은? (단, A~C는 문화 공존, 문화 동화, 문화 융합 중 하나이다.)

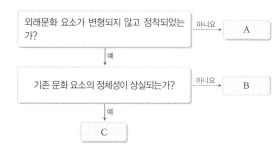

① A는 문화 동화, B는 문화 융합, C는 문화 공존이다.
② A를 통해 제3의 문화 요소가 나타난다.
③ B는 C에 비해 문화의 다양성 보존에 불리하다.
④ C는 A, B와 달리 내재적 요인에 의한 변동 결과이다.
⑤ A, B, C는 모두 자발적 문화 접변에 의해서만 이루어진다.

> **Tip**
> 문화 동화, 문화 공존, 문화 융합 모두 ❶ [　　]의 결과이며, 문화 공존, 문화 융합은 기존 문화 요소의 정체성이 ❷ [　　]된다.
>
> 답 ❶ 문화 접변 ❷ 유지

8 다음 사례에 대한 설명으로 가장 적절한 것은?

> 최근 집에서 배달 앱을 통해 음식을 시켜 먹는 문화가 증가하고 있다. 배달 앱으로 원하는 메뉴를 빠른 시간 안에 원하는 곳으로 배달 받아 즐길 수 있다는 점은 큰 혜택이다. 하지만 의도적으로 악의적인 댓글을 달아 배달 앱에 등록된 식당이 피해를 보는 문제도 발생하고 있다.

① 강제적 문화 접변에 의한 부작용에 해당한다.
② 대중문화의 확산으로 인해 문화의 질적 저하가 이루어졌음을 보여 준다.
③ 문화 요소 간 변동 속도 차이로 인해 병리적인 현상이 나타남을 보여 준다.
④ 급속한 문화 변동으로 인해 기존의 전통 규범이 약화되어 나타남을 보여 준다.
⑤ 급격하게 유입되는 새로운 문화를 무분별하게 수용하여 고유의 정체성이 상실된 사례이다.

> **Tip**
> 문화 지체 현상이란 ❶ [　　]의 빠른 변동 속도를 ❷ [　　]의 변동 속도가 뒤따르지 못하여 나타난다.
>
> 답 ❶ 물질문화 ❷ 비물질문화

누구나 합격 전략

1 밑줄 친 ⑦~㉣에 대한 옳은 설명만을 |보기|에서 있는 대로 고른 것은?

> 과거 ⑦<u>우리나라 시골에 돌을 쌓아 놓은 서낭당을 만드는 것</u>은 아주 흔한 일이었다. 서낭당이 마을을 보호해 준다는 ⑥<u>토속 신앙 문화</u>가 있었기 때문이다. 서낭당 옆에는 솟대나 장승을 같이 세워두기도 했는데 이처럼 서낭당은 ⓒ<u>단군 신화와 수호신에 대한 믿음 등이 함께 영향을 주며 만들어진 결과</u>라고 볼 수 있다. 서낭당은 ㉣<u>처음에 단순히 복을 비는 곳에서 무당들이 제사를 지내는 장소처럼 다른 형태로도 사용</u>되기도 하였다.

> |보기|
> ㄱ. ⑦은 문화가 한 사회와 다른 사회를 구별하는 기준이 된다는 것을 보여 준다.
> ㄴ. ⑥의 문화는 '문화인'에서의 문화와 같은 의미이다.
> ㄷ. ⓒ은 각 문화 요소들이 서로 연결되어 하나의 전체로서 존재함을 보여 준다.
> ㄹ. ㉣은 문화가 고정된 것이 아니라 지속적으로 변화한다는 것을 보여 준다.

① ㄱ, ㄷ   ② ㄴ, ㄷ   ③ ㄴ, ㄹ
④ ㄱ, ㄴ, ㄹ   ⑤ ㄱ, ㄷ, ㄹ

2 다음 두 사례에서 공통적으로 부각된 문화의 속성을 쓰시오.

> • A 부족은 사냥해 온 짐승을 남성들이 먼저 먹는다. 이는 A 부족원들 사이에서 다음 사냥을 준비하는 남성들을 위한 단백질 보충으로 인식되어 있다.
> • 외국인들은 우리나라 사람들이 식사할 때 어른들이 수저를 들기 전에 아이들이 먼저 식사를 하지 않는 행위를 이해하는 데에 어려움을 겪는다.

3 갑, 을이 가진 문화 이해의 관점을 각각 쓰시오.

베트남 관련 연구 주제에 대해 발표해 보세요.

저는 베트남 국민과 우리나라 국민의 성향을 연구할 계획입니다. 베트남은 우리나라처럼 유교 문화의 기반이 강하게 깔려 있어 효나 애국심이 강하다는 공통점이 있지만 차이점도 있을 것이므로 이 두 가지를 중점으로 연구할 예정입니다.

갑

을

저는 베트남의 오토바이 문화에 대해 연구할 계획입니다. 베트남에는 도로에 자동차보다 오토바이가 더 많을 수 밖에 없는 지형적 특징, 열악한 교통 체계 시스템 등의 요인이 오토바이 문화와 어떤 관련을 맺고 있는지 주목할 예정입니다.

4 그림은 문화 이해 태도 A~C를 구분한 것이다. 이에 대한 설명으로 옳은 것은? (단, A~C는 각각 문화 사대주의, 문화 상대주의, 자문화 중심주의 중 하나이다.)

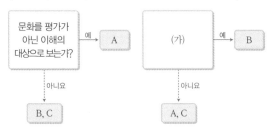

문화를 평가가 아닌 이해의 대상으로 보는가? —예→ A
(가) —예→ B
↓아니요   ↓아니요
B, C   A, C

① A는 B, C와 달리 문화의 다양성을 발전 수준의 차이로 본다.
② B가 타문화 수용에 적극적이라면, C는 A와 달리 자문화의 정체성을 상실할 우려가 높다.
③ C가 자문화 중심주의라면, (가)에는 '문화 제국주의로 변질될 가능성이 있는가?'가 적절하다.
④ (가)가 '국수주의로 흐를 가능성이 높은가?'라면, B는 모든 문화가 고유한 가치를 지닌다고 본다.
⑤ (가)가 '문화적 주체성을 상실할 가능성이 높은가?'라면, C는 자기 문화의 관점으로 타문화를 이해해야 한다고 본다.

5 하위문화 유형인 A, B 문화의 일반적인 특징에 대한 설명으로 옳은 것은?

유형	사례
A 문화	최근 개방된 인터넷을 통하여 방송 프로그램, 영화 등 미디어 콘텐츠를 제공하는 OTT 서비스가 보편화되면서 젊은이들 사이에 '드라마 정주행 족'이 생겼다. 이들은 주말이나 연휴에 다른 곳을 가지 않고 집에서 밀린 드라마를 보며 자신들만의 여가를 즐긴다.
B 문화	미국에서 백인 우월주의자 집단으로 불리는 KKK단은 자신들이 백인임을 강조하며 자신들의 생각과 반대되는 사람들을 상대로 무자비한 폭력, 테러 등을 저지르는 범죄 집단으로 알려져 있다.

① A 문화는 B 문화와 달리 반문화적 성격을 띠고 있다.

② A 문화는 B 문화와 달리 전체 사회에 문화적 다양성을 제공한다.

③ B 문화는 A 문화와 달리 해당 집단 구성원들의 소속감을 강화시킨다.

④ A 문화와 B 문화의 총합은 주류 문화이다.

⑤ A 문화나 B 문화에 속하는 것을 구분하는 기준은 상대적이다.

6 다음에서 강조하는 대중문화를 수용하기 위한 바람직한 자세를 쓰시오.

최근 증가하는 뉴미디어의 경우, 이윤을 추구하는 기업이 플랫폼을 운영하는 경우가 많습니다. 따라서 이러한 플랫폼을 운영하는 기업은 대중들이 최대한 플랫폼에 오래 체류하기를 원하고 이곳에서 제공하는 정보들을 최대한 많이 소비하며 사용량을 늘리게 합니다. 이 과정에서 대중들은 자신의 관심에 따른 정보만을 소비하고 다양한 관점을 견지하지 못하게 되는 경우가 생기기도 합니다.

7 다음 A국과 B국에 나타난 문화 변동에 대한 옳은 설명만을 ┤보기├에서 고른 것은?

- A국에서는 황토를 이용하여 이전에 없었던 황토 벽돌을 만들어 사용하였다. 그리고 황토 벽돌의 원리에서 아이디어를 얻어 황토 찜질방을 만들었다.
- B국은 이웃 국가로부터 오랜 식민지 생활을 경험하며 그들의 의복을 입게 되었고, 고유의 의복을 상실하였다.

┤보기├
ㄱ. A국에서는 자극 전파가 나타났다.
ㄴ. A국에서는 내재적 요인에 의한 문화 변동이 나타났다.
ㄷ. B국에서는 문화 공존이 나타났다.
ㄹ. B국에서는 강제적 문화 접변이 나타났다.

① ㄱ, ㄴ   ② ㄱ, ㄷ   ③ ㄴ, ㄷ
④ ㄴ, ㄹ   ⑤ ㄷ, ㄹ

8 자료에 대한 옳은 설명만을 ┤보기├에서 고른 것은? (단, A~C는 각각 문화 동화, 문화 공존, 문화 융합 중 하나이다.)

구분	A	B	C
기존 문화 요소의 정체성이 남아 있는가?	예	예	아니요
새로운 문화가 형성되었는가?	예	아니요	아니요

┤보기├
ㄱ. A는 문화 융합, B는 문화 공존, C는 문화 동화이다.
ㄴ. A는 B, C와 달리 외재적 요인에 의한 문화 변동이다.
ㄷ. B의 사례로 한 나라에서 고유 언어와 외래 언어를 공용어로 사용하는 것을 들 수 있다.
ㄹ. B는 A, C와 달리 강제적 문화 접변에 의해 나타난다.

① ㄱ, ㄴ   ② ㄱ, ㄷ   ③ ㄴ, ㄷ
④ ㄴ, ㄹ   ⑤ ㄷ, ㄹ

01 밑줄 친 ㉠~㉣에 대한 옳은 설명만을 |보기|에서 고른 것은?

> 엄마, 이번 겨울에 김장 담그실 거예요?

> 그러게 고민 중이야. 우리나라도 점점 ㉠김장 문화가 사라지는 것 같네. 할머니 세대만 해도 ㉡날이 추워지면 이웃끼리 모여서 김장 담그는 걸 당연시했는데.

> 그러게요, 요즘엔 ㉢김장을 같이 담그지 않고 사 먹는 일이 많아진 것 같아요.

> 그러게. 너처럼 ㉣여성들도 경제 활동을 하고 개인 생활 중심의 아파트 문화가 보편화되면서 김장 문화에 영향을 준 것 같아.

─┤ 보기 ├─

ㄱ. ㉠에서의 '문화'는 문화인에서의 '문화'와 같이 좁은 의미로 사용된 것이다.

ㄴ. ㉡은 문화가 새로운 문화 요소가 추가되어 점점 더 풍부해진다는 것을 보여 준다.

ㄷ. ㉢은 문화 현상이 고정된 것이 아니라 지속적으로 변화함을 보여 준다.

ㄹ. ㉣을 통해 문화가 하나로서의 전체임을 파악할 수 있다.

① ㄱ, ㄴ ② ㄱ, ㄷ ③ ㄴ, ㄷ
④ ㄴ, ㄹ ⑤ ㄷ, ㄹ

Tip

'김장 문화'에서의 문화는 생활 양식의 총체로서 **❶ [   ]** 의미의 문화에 해당한다.

답 ❶ 넓은

---

02 밑줄 친 ㉠~㉣에 대한 옳은 설명만을 |보기|에서 고른 것은?

> 혹시 갑국 부족의 ㉠의복 문화에 대해 본 적 있니? 여성들이 외출을 할 때 모자를 쓰고 그 위에 꽃을 달고 다니던데……

> ㉡갑국 부족들은 모자에 꽃을 달고 다니는 여성은 결혼한 여성으로 여긴다고 하더라고.

> 아, 그렇구나. ㉢조선 시대에 장가를 간 남자가 상투를 틀었던 것과 비슷하다고 볼 수 있겠네.

> 맞아. ㉣갑국 부족의 문화는 이들의 전통 신앙과 꽃을 키우기 좋은 환경과 관련이 깊다고 하네.

─┤ 보기 ├─

ㄱ. ㉠에서의 문화는 좁은 의미로 사용되었다.

ㄴ. ㉡은 문화가 고정되어 있지 않고 변화하는 것임을 보여 준다.

ㄷ. ㉢은 인간의 생활 양식이 어느 사회에서나 공통으로 존재한다는 것을 보여 준다.

ㄹ. ㉣은 문화 요소가 다른 문화 요소와 관련을 맺으며 하나의 전체를 형성하고 있음을 보여 준다.

① ㄱ, ㄴ ② ㄱ, ㄷ ③ ㄴ, ㄷ
④ ㄴ, ㄹ ⑤ ㄷ, ㄹ

Tip

문화의 **❶ [   ]** 은 어느 사회에서나 공통으로 존재하는 생활 양식이 있음을 나타내며, 각 사회의 문화가 다른 사회와 구분되는 고유한 특징을 보이는 것은 문화의 **❷ [   ]** 이다.

답 ❶ 보편성 **❷** 특수성

문화를 바라보는 관점

03 갑과 을이 지닌 문화 이해의 관점에 대한 옳은 설명만을 ┌보기┐에서 고른 것은?

> 교사: 팬데믹 시대에서 나타나고 있는 소비 문화에 대한 연구 계획을 발표해 보세요.
> 갑: 저는 우리나라와 미국, 중국, 일본 국가를 선정하여 이들 나라 간에 나타나고 있는 소비 문화의 공통점과 차이점을 연구할 계획입니다.
> 을: 저는 팬데믹 시대의 우리나라 소비 문화가 정부의 방역 지침, 인터넷 기술 발달 수준, 소비자들의 심리 등과 어떻게 연관되어 있는지 연구할 계획입니다.

┌ 보기 ┐
ㄱ. 갑의 관점은 문화 간의 보편성과 특수성을 파악하고자 한다.
ㄴ. 을의 관점은 특정 문화 요소를 그 사회의 전체적인 맥락에서 이해하는 데 유용하다.
ㄷ. 갑의 관점은 을의 관점과 달리 사회적 맥락을 고려하여 문화를 이해하는 데 기여한다.
ㄹ. 을의 관점은 갑의 관점과 달리 자문화의 객관적인 이해에 기여한다.

① ㄱ, ㄴ ② ㄱ, ㄷ ③ ㄴ, ㄷ ④ ㄴ, ㄹ ⑤ ㄷ, ㄹ

> **Tip**
> 모든 문화가 보편성과 특수성을 가지고 있다는 점에 주목하는 관점은 **❶** 관점이며, **❷** 관점은 문화의 여러 요소가 상호 유기적인 관계를 맺으면서 전체로서 하나의 문화를 이루고 있다는 점을 강조한다.
>
> 🔑 ❶ 비교론적 ❷ 총체론적

문화 이해의 태도

04 갑의 문화 이해의 태도에 대한 옳은 설명만을 ┌보기┐에서 있는 대로 고른 것은?

> ○○족의 성인식 문화에 대해 자신의 의견을 이야기해 봅시다.

> 이 부족이 성인식을 할 때 총알개미가 가득한 장갑을 끼고 극한의 고통을 참는 행위는 정글에서 맞닥뜨릴 위험과 고통을 느껴 봐야 전사가 될 수 있다는 그들만의 고유한 전통과 문화라고 생각합니다.

갑

┌ 보기 ┐
ㄱ. 문화 다양성 유지에 기여한다.
ㄴ. 자문화의 정체성 보존에 유리하다.
ㄷ. 문화를 평가가 아닌 이해의 대상으로 본다.
ㄹ. 문화의 의미와 가치를 그것이 발생한 사회의 맥락 속에서 파악한다.

① ㄱ, ㄷ ② ㄴ, ㄷ ③ ㄴ, ㄹ
④ ㄱ, ㄴ, ㄹ ⑤ ㄱ, ㄷ, ㄹ

> **Tip**
> 문화를 평가가 아닌 이해의 대상으로 간주하며, 각 문화가 해당 사회의 맥락에서 갖는 고유한 의미를 이해하고 존중하려는 태도를 **❶** 라고 한다.
>
> 🔑 ❶ 문화 상대주의

문화 이해의 태도

05 문화를 이해하는 갑과 을의 태도에 대한 설명으로 옳은 것은?

갑
어떻게 살아있는 소의 뿔에 불을 붙이는 가학적인 행동이 축제가 될 수 있지? 역시 교양 있는 우리나라 축제와는 너무 비교되는 것 같아.

을
저런 축제를 하는 것은 축제를 저 지역의 경제가 활성화되고 인간의 용기를 시험한다는 요인들을 고려할 때 충분히 이해되는 축제야.

① 갑은 문화의 우열을 평가하는 기준이 없다고 본다.
② 갑의 태도는 국수주의에 빠질 우려가 있다.
③ 을은 자기 문화의 관점으로 타문화를 이해해야 한다고 본다.
④ 을의 태도는 문화의 다양성을 보존하는 데 불리하다.
⑤ 갑과 을의 태도는 모두 모든 문화가 가치를 지닌다고 전제한다.

> **Tip**
> 자문화 중심주의와 문화 사대주의는 모두 문화를 **❶** 가 아닌 **❷** 의 대상으로 본다.
>
> 🔑 ❶ 이해 ❷ 평가

06 하위문화 유형인 A, B 문화의 일반적인 특징에 대한 설명으로 옳은 것은?

⟨A 문화⟩   ⟨B 문화⟩

① A 문화는 B 문화와 달리 전체 사회에 문화 다양성을 제공한다.
② A 문화를 향유하는 구성원은 주류 문화를 향유하지 않는다.
③ B 문화는 A 문화와 달리 사회에 따라 상대적으로 규정된다.
④ A 문화와 B 문화의 총합은 주류 문화이다.
⑤ 사회가 다원화되고 복잡해질수록 A, B 문화는 다양해진다.

Tip

하위문화의 범주는 ❶ [   ]으로 규정된다.

🔒 ❶ 상대적

07 다음 글을 통해 파악할 수 있는 내용으로 가장 적절한 것은?

최근 쌍방향 콘텐츠를 기반으로 하는 대중 매체가 증가하면서 인터넷 구독자들을 상대로 먹방 콘텐츠가 급증하고 있다. 음식을 먹는 쾌락을 느끼게 해 주고 식욕을 대신 해소해 주기도 하는 먹방은 주로 학생들을 비롯한 젊은 사람들 사이에서 큰 인기를 얻고 있다. 그만큼 먹방은 중독성이 강한 콘텐츠라는 점도 큰 특징인데 문제는 이와 같은 먹방에서 광고라는 점을 표시하지 않고 뒷광고를 하며 먹방 유튜버가 하차하는 경우가 생기기도 한다.

① 정보 생산자와 소비자 간 경계가 점점 뚜렷해지고 있다.
② 대중 매체가 대중문화의 상업화를 조장할 우려가 있다.
③ 대중 매체를 통하여 손쉽게 고급문화를 향유하는 데 기여한다.
④ 대중 매체가 정보를 왜곡하여 대중 조작을 할 가능성을 보여 준다.
⑤ 대중 매체가 대량의 정보를 유출하여 사회적 혼란을 유발하고 있다.

Tip

대중문화는 문화의 ❶ [   ]와 ❷ [   ]를 조장할 우려와 함께 지나친 상업성의 추구로 대중문화가 질적으로 저하될 수 있다.

🔒 ❶ 상업화 ❷ 획일화

08 다음 사례에 나타난 문화 변동에 대한 옳은 설명만을 |보기|에서 고른 것은?

• 갑국 학생들은 TV를 통해 A국의 힙합 음악을 접하게 된 후 일상생활 속에서 힙합 음악을 즐기게 되었다.
• 을국은 무역을 통해 B국의 향신료를 들여왔는데, 을국 사람들이 이 향신료로부터 아이디어를 얻어 향신료를 이용한 다양한 양념 가루를 만들게 되었다.

|보기|
ㄱ. 갑국에서는 간접 전파가 나타났다.
ㄴ. 갑국에서는 문화 융합이 나타났다.
ㄷ. 을국에서는 자극 전파가 나타났다.
ㄹ. 을국에서는 강제적 문화 접변이 나타났다.

① ㄱ, ㄴ   ② ㄱ, ㄷ   ③ ㄴ, ㄷ
④ ㄴ, ㄹ   ⑤ ㄷ, ㄹ

Tip

문화 요소를 제공하는 사회와 수용하는 사회 간에 매개체를 통해 간접적으로 문화 요소가 전달되는 현상을 ❶ [   ], 다른 사회의 문화로부터 얻은 아이디어가 새로운 문화 요소의 등장을 자극하는 현상을 ❷ [   ]라고 한다.

🔒 ❶ 간접 전파 ❷ 자극 전파

문화 변동의 요인과 양상

09 (가), (나)에 나타난 문화 변동에 대한 옳은 분석만을 ⌐보기⌐에서 고른 것은?

(가) 최근 우리나라에 한옥 카페를 보는 것은 어려운 일이 아니다. 우리나라의 전통 가옥인 한옥에 서양식 카페로 내부를 꾸며 새로운 느낌의 카페로 재탄생하며 사람들에게 많은 인기를 얻고 있다.

(나) 개화기 당시 서양과의 교역을 통해 다양한 문물의 영향을 받았고, 그중 하나로 의복의 경우 서구식의 의복과 한복을 입은 사람들이 혼재했다.

⌐ 보기 ⌐

ㄱ. (가)에는 간접 전파에 의한 문화 변동 사례가 나타나 있다.
ㄴ. (가)에는 문화 융합 현상이 나타나 있다.
ㄷ. (나)에는 강제적 문화 접변이 나타나 있다.
ㄹ. (나)에서는 문화 변동 후에도 기존 문화의 정체성이 남아 있다.

① ㄱ, ㄴ   ② ㅣ, ㄴ   ③ ㄴ, ㄷ
④ ㄴ, ㄹ   ⑤ ㄷ, ㄹ

Tip

문화 **❶** 과 문화 **❷** 은 모두 문화 변동 후에도 기존 문화 요소의 정체성이 남아 있다.

🗒 ❶ 공존 ❷ 융합

문화 변동의 문제점

10 다음 신문 기사 제목을 통해 유추할 수 있는 문화 변동의 문제점으로 가장 적절한 것은?

> ○○ **일보** **월 **일
>
> '인터넷 개인 방송 운영자 ○○만 명 시대, 가짜 뉴스 유포 등에 대한 규제법 마련은 여전히 과제로 남아…'

① 세대 간 갈등으로 인해 나타난다.
② 대중문화의 획일화가 심화되었음을 보여 준다.
③ 새로운 문화 유입으로 인한 정체성 상실을 보여 준다.
④ 기존의 전통적인 규범의 통제력이 약화된 결과이다.
⑤ 문화 요소 간 변동 속도의 차이로 인한 현상이 나타났음을 보여 준다.

Tip

물질문화의 빠른 속도를 **❶** 의 변동 속도가 뒤따르지 못하여 발생하는 현상을 **❷** 라고 한다.

🗒 ❶ 비물질문화 ❷ 문화 지체

문화 변동의 요인과 양상

11 다음 자료에 대한 옳은 분석만을 ⌐보기⌐에서 고른 것은?

> 표는 갑국과 을국에서 발생한 문화 변동을 나타낸 것이다. 1차 문화 변동 시기에는 내재적 변동만, 2차 문화 변동 시기에는 갑국과 을국 간 문화 접변만 있었다. (가)~(라)는 각각 발견, 발명, 간접 전파, 자극 전파 중 하나이며, (나)와 (라)는 각각 새로운 문화 요소를 창조하는 요인이다.

〈갑국과 을국의 문화 변동〉

구분	변동 전 문화 요소	1차 문화 변동		2차 문화 변동		문화 접변 결과
		변동 요인	추가된 문화 요소	변동 요인	추가된 문화 요소	
갑국	a	(가)	c	(다)	b, d	㉠
을국	b	(나)	d	(라)	e	f

* a~f는 서로 다른 문화 요소를 의미하며, 이외에 다른 문화 요소는 존재하지 않는다.
** 제시된 문화 변동 이외에 다른 문화 변동은 없었으며, 문화 요소의 소멸도 없었다.

⌐ 보기 ⌐

ㄱ. (가), (다)는 모두 갑국의 문화 요소를 다양하게 하는 요인이다.
ㄴ. 을국의 경우 문화 접변의 결과 ㉠에는 a, b, c, d가 들어가는 것이 적절하다.
ㄷ. 갑국은 을국과 달리 자발적 문화 접변을 경험하였다.
ㄹ. 을국은 갑국과 달리 문화 변동 후 자기 문화의 정체성을 유지하였다.

① ㄱ, ㄴ ② ㄱ, ㄷ ③ ㄴ, ㄷ ④ ㄴ, ㄹ ⑤ ㄷ, ㄹ

Tip

문화 변동의 **❶** 요인은 한 사회 내부에서 나타나는 문화 변동의 요인이며, **❷** 는 다른 사회의 문화 체계와 접촉하며 문화 변동을 초래하는 요인이다.

🗒 ❶ 내재적 ❷ 문화 전파

Ⅳ. 사회 계층과 불평등 ~ Ⅴ. 현대의 사회 변동

3강_사회 불평등 현상의 이해 ~ 사회 이동과 사회 계층 구조

사람들이 가지고 싶어하는 사회적 희소가치에는 돈, 명예, 권력 등이 있습니다. 사회 전체적으로 보았을 때 사회적 희소가치는 어떻게 분배되어 있고, 이에 따라 계층 구조는 어떤 형태를 띠고 있을까요?

산업화 이전의 봉건적 신분 사회에서는 일반적으로 희소가치를 적게 가진 하층의 비율이 가장 높고, 희소가치를 많이 가진 상층이 비율이 가장 낮은 피라미드형 계층 구조가 나타났습니다.

근대 이후 산업 사회에서는 직업이 분화되고 사회 보장 제도의 실시로 인해 과거보다 일정 수준의 희소가치를 가진 사람들이 증가하였으며, 이로 인해 중층의 비율이 가장 높은 다이아몬드형 계층 구조가 나타나고 있습니다.

두 학생 모두 설명을 잘하였습니다. 그러면 이러한 불평등 계층 구조를 설명하는 이론에 대해 공부해 보도록 하겠습니다.

네, 선생님!

선생님, 사람들 간에 보유하고 있는 사회적 희소가치의 양이 서로 다른 이유는 무엇인가요? 왜 불평등하게 분배되어 있는지 궁금합니다.

사람들마다 사회적 역할의 중요도와 기여도에 따라 희소가치가 차등적으로 분배되고 이는 구성원에게 성취동기를 부여한다는 점에서 사회의 발전에 기여하기도 해요. 이렇게 불평등을 바라보는 관점을 '기능론'이라고 합니다.

반대로 지배 계급이 자신에게 유리하게 분배 기준을 만들어 불평등한 계층 구조를 재생산하거나 고착화하고 있으며, 따라서 불평등을 제거해야 할 현상으로 바라보기도 하는데 이러한 관점을 '갈등론'이라고 합니다.

아하! 관점에 따라 사회 불평등을 바라보는 입장이 서로 다르군요. 어떤 관점이 사회 불평등 현상을 보다 잘 설명할 수 있는지에 대해 고민해 보도록 하겠습니다.

4강_다양한 사회 불평등 현상 ~ 현대의 사회 변동

개념 돌파 전략 ①

3강_사회 불평등 현상의 이해
~ 사회 이동과 사회 계층 구조

개념 01 사회 계층화 현상에 관한 대표적 이론

1 계급론(마르크스)

- 경제적 수단(❶ 　　　 의 소유 여부)이 다른 모든 사회 불평등을 결정함
- 불연속적, 이분법적으로 계급을 구분함

2 계층론(베버)

- 경제적, 사회적, 정치적 요인 등 다양한 요인에 의해 사회 불평등이 발생함
- 계층화가 연속적으로 나타나며, ❷ 　　　 현상을 설명하기 용이함

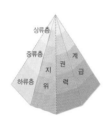

답 ❶ 생산 수단 ❷ 지위 불일치

확인 01

(계급론 , 계층론)은 동일한 계급에 대한 연대 의식을 중시한다.

개념 02 사회 불평등 현상을 이해하는 관점

1 기능론

- 개인의 노력, 능력, 업적 등 사회 전체적으로 합의된 기준에 따라 희소가치가 분배됨
- 사회 불평등은 개인에게 ❶ 　　　 를 부여하고, 사회가 효율적으로 작동하는데 기여함
- 사회 불평등은 사회의 발전을 위해 불가피한 현상임

2 갈등론

- 권력, 재산, 가정 배경 등 지배 집단에게 유리한 기준으로 능력과 무관하게 희소가치가 분배됨
- 불평등한 계층 구조가 ❷ 　　　 되거나 고착화됨으로써 사회적 갈등과 대립 관계가 형성됨
- 사회 불평등은 불가피하지 않으며 제거해야 할 현상임

답 ❶ 성취동기 ❷ 재생산

확인 02

(기능론 , 갈등론)은 사회 희소가치의 분배 기준이 사회 전체적 합의의 결과라고 본다.

개념 03 사회 이동

1 이동 방향에 따른 유형

- 수평 이동: 동일한 계층 내에서 다른 직업을 갖거나 소속을 옮기는 등의 이동, 계층적 위치에 변화가 없음 예 ○○고 교사 → □□고 교사
- 수직 이동: 한 계층에서 다른 계층으로 상승하거나 하강하는 이동, 계층적 위치가 변화함, ❶ 　　　 과 하강 이동으로 구분됨 예 ○○고 교사 → ○○고 교장

2 이동 원인에 따른 유형

- 개인적 이동: 노력이나 능력 등 개인적 요인에 의해 계층적 위치가 변화하는 이동, 계층 구조에는 변화가 없음 예 ○○ 기업 사원 → ○○ 기업 사장
- 구조적 이동: 기존의 ❷ 　　　 가 변화하면서 개인이나 집단의 계층적 위치가 변화하는 이동 예 (왕정의 폐지에 따라) 왕 → 평민

3 이동 범위에 따른 유형

- 세대 내 이동: 개인의 한 생애 내에서 나타나는 사회 이동, 한 개인이 사회에 진출하며 처음 가지게 된 지위와 중장년기의 지위를 비교하여 판단 예 ○○ 기업 사원 → ○○ 기업 사장
- 세대 간 이동: 두 세대 이상에 걸쳐 계층적 위치가 변화하는 이동, 한 개인이 사회에 진출하기 이전의 부모의 지위와 그 개인의 중장년기 지위를 비교하여 판단 예 부모 소작농 → 자녀 ○○ 기업 사장

답 ❶ 상승 이동 ❷ 사회 구조

확인 03

노예 제도 폐지에 따라 노예에서 평민이 된 경우는 (수직 , 수평) 이동이자 (개인적 , 구조적) 이동에 해당한다.

한국인 최초의 양의사인 박서양은 백정의 아들이었어요. 백정의 신분으로 의사가 된 것은 사회 이동 유형 중 수직 이동(상승 이동), 세대 간 이동, 세대 내 이동에 해당해요. 갑오개혁으로 신분제가 폐지되어 계층적 위치가 변했으므로 구조적 이동, 개인의 노력으로 의사가 되었으므로 개인적 이동에도 해당돼요.

개념 04 계층 구조 1 (계층 구성 비율)

1 피라미드형 계층 구조
- 하층의 비율이 가장 높고, ❶ [　　　] 의 비율이 가장 낮은 계층 구조
- 봉건적 신분 사회에서 주로 나타나며, 하층의 비율이 높아 사회 안전성이 낮음

2 다이아몬드형 계층 구조
- 중층의 비율이 상층 비율 및 하층 비율보다 높은 계층 구조
- 산업 사회에서 주로 나타나며, 현 상태 유지를 지향하는 ❷ [　　　] 의 비율이 높아 사회 안전성이 높음

답 ❶ 상층 ❷ 중층

확인 04

다이아몬드형 계층 구조는 피라미드형 계층 구조에 비해 사회 안전성이 (높다 , 낮다).

개념 05 계층 구조 2 (계층 이동 가능성)

1 폐쇄적 계층 구조
- 계층 간 이동이 엄격하게 제한된 계층 구조
- ❶ [　　　] 지위가 중시되며, 전근대 사회에서 지배적으로 나타남, 동일 계층 내에서의 수평 이동만 나타남

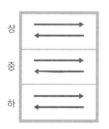

2 개방적 계층 구조
- 계층 간 이동 가능성이 열려 있는 계층 구조
- 성취 지위가 중시되며, 근대 이후에 확산됨, 수평 이동과 ❷ [　　　] 이동 모두 자유롭게 나타남

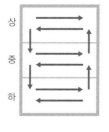

답 ❶ 귀속 ❷ 수직

확인 05

현대 민주 사회의 계층 구조는 수직 이동과 수평 이동이 모두 자유롭다는 점에서 (폐쇄적 , 개방적) 계층 구조에 해당한다.

개념 06 계층 구조 3 (정보화 사회의 계층 구조)

1 타원형 계층 구조 계층 간 소득 격차가 감소하여 중층이 대다수를 차지하는 계층 구조, 정보화로 기존에 하층이었던 사람들이 중층이 될 기회가 많아져 ❶ [　　　] 의 비율이 높아짐

2 모래시계형 계층 구조 중층의 비율이 가장 낮고 소수의 상층과 다수의 하층으로 구성되는 계층 구조, 정보 격차, 부의 집중 등으로 인해 중층의 비율이 현저히 낮아지며, 사회 ❷ [　　　] 문제가 심각하게 나타남

답 ❶ 중층 ❷ 양극화

확인 06

정보화에 대하여 비관적인 입장에서 예측하는 계층 구조는 (타원형 , 모래시계형) 계층 구조이다.

개념 07 계층 구조 및 이동의 분석

(단위: %)

구분		부모의 계층			계
		상층	중층	하층	
자녀의 계층	상층	10	6	4	20
	중층	8	20	22	50
	하층	2	4	24	30
계		20	30	50	100

부모 세대의 경우 하층의 비율이 가장 높은 피라미드형 계층 구조, 자녀 세대의 경우 중층의 비율이 가장 높은 ❶ [　　　] 계층 구조이다. 부모에서 자녀로 계층이 대물림된 경우는 부모 세대 상층－자녀 세대 상층이 전체의 10%, 중층－중층이 전체의 20%, 하층－하층이 전체의 24%이다. 하강 이동을 한 경우는 상층－중층이 8%, 상층－하층이 2%, 중층－하층이 4%이다. 반면, 상승 이동을 한 경우는 중층－상층이 6%, 하층－상층이 4%, 하층－중층이 ❷ [　　　] 이다.

답 ❶ 다이아몬드형 ❷ 22%

확인 07

부모 세대의 계층과 자녀 세대의 계층이 다른 경우는 (세대 간 , 세대 내) 이동에 해당한다.

개념 돌파 전략 ①

4강_ 다양한 사회 불평등 현상 ~ 현대의 사회 변동

개념 **01** 사회적 소수자

1 사회적 소수자 신체적 또는 문화적 특징으로 인해 불평등한 처우를 받는 사람들

2 특성

- 수적으로 반드시 ❶ [____]를 의미하는 것은 아님
- 소수자 집단의 구성원이라는 이유만으로 사회적 차별의 대상이 됨
- 주류 집단에 비해 사회적 자원(권력, 재산 등)의 획득에서 불리한 위치에 있음
- 자신들이 주류 집단으로부터 ❷ [____] 받는 집단의 구성원이라는 인식이 존재함

[답] ❶ 소수 ❷ 차별

확인 01

신체적 또는 문화적 특징으로 인해 불평등한 처우를 받는 사람들을 [____]라고 한다.

개념 **02** 빈곤의 유형

1 절대적 빈곤

- 의미: 인간이 최소한의 생활을 유지하는 데 필요한 자원이나 소득이 부족한 상태
- 특징: 절대적 빈곤은 주로 저개발국에서 두드러지게 나타나며, 선진국에서도 나타날 수 있음
- 기준: 우리나라는 소득이 ❶ [____] 미만 가구를 절대적 빈곤 가구로 분류함

2 상대적 빈곤

- 의미: 다른 사람들보다 자원이나 소득을 상대적으로 적게 가져 사회 구성원 다수가 누리는 생활 수준을 누리지 못하는 상태
- 특징: 소득 격차가 심한 국가에서 부각되며, 선진국에서도 나타남
- 기준: 우리나라는 소득이 중위 소득의 ❷ [____] 미만인 가구를 상대적 빈곤 가구로 분류함

[답] ❶ 최저 생계비 ❷ 50%

확인 02

우리나라에서 (절대적 , 상대적) 빈곤 가구의 구분 기준은 중위 소득의 50%이다.

개념 **03** 사회 보장 제도

1 사회 보험

- 의미: 사회적 위험을 보험 방식으로 대처함으로써 국민의 건강과 소득을 보장하는 제도
- 특징
- 사(私) 보험과 달리 강제 가입을 원칙으로 함
- ❶ [____]의 원리를 기반으로 함
- 각자의 능력에 따라 비용을 부담함
- 사전 예방적 성격이 강함
- 금전적 지원을 원칙으로 함
- 종류: 국민 건강 보험, 국민 연금, 고용 보험, 산업 재해 보상 보험, 노인 장기 요양 보험 등

2 공공 부조

- 의미: 생활이 어려운 국민의 최저 생활을 보장하고 자립을 지원하는 제도
- 특징
- 국가의 재정으로 소요 비용 전액을 부담함
- 사회 보험보다 ❷ [____] 효과가 큼
- 사후 처방적 성격이 강함
- 금전적 지원을 원칙으로 함
- 대상자 선정 과정에서 부정적인 낙인이 발생함
- 종류: 국민 기초 생활 보장 제도, 의료 급여 제도, 기초 연금 제도 등

3 사회 서비스

- 의미: 보건, 의료 등의 서비스를 통해 국민의 삶의 질이 향상되도록 지원하는 제도
- 특징
- ❸ [____] 지원을 원칙으로 함
- 국가와 민간 부문 모두 복지 제공에 참여 가능함
- 부담 능력이 있는 경우 수익자 부담을 원칙으로 함
- 종류: 간병 지원 사업, 신생아 건강 관리 지원 사업, 발달 장애인 부모 심리 상담 지원 사업 등

[답] ❶ 상호 부조 ❷ 소득 재분배 ❸ 비금전적

확인 03

(사회 보험 , 공공 부조)은/는 사후 처방적 성격이 강하며, (사회 보험 , 공공 부조)은/는 상호 부조의 원리를 기반으로 한다.

개념 **04** 사회 변동을 설명하는 이론 1 (사회 변동 방향)

1 진화론
- 사회 변동은 일정한 **❶** [   ](진보와 발전)을 가지고 있음
- 사회는 유기체와 같이 단순한 형태에서 복잡한 형태로 발전함
- 개발 도상국이 근대화 과정을 거쳐 선진국으로 발전한 사례를 설명하기에 적합함

2 순환론
- 사회는 생성, 성장, 쇠퇴, 소멸의 과정을 **❷** [   ]함
- 역사 속에서 반복되는 사회 변동을 설명하기에 유용하지만, 미래 사회의 변동을 예측하여 대응하는 데 적합하지 않음

답 ❶ 방향 ❷ 반복

확인 **04**

(진화론 , 순환론)은 사회 변동 과정에서 필연적으로 퇴보의 과정이 나타난다고 본다.

개념 **05** 사회 변동을 설명하는 이론 2 (사회 구조적 측면)

1 기능론
- 사회 변동은 사회의 부분이나 전체가 일시적 불균형을 극복하고 새로운 **❶** [   ] 상태를 찾아가는 과정임
- 점진적인 사회 변동을 설명하는 데 유용하지만, 혁명과 같은 급진적인 사회 변동을 설명하기 어려움

2 갈등론
- 사회 변동은 피지배 집단이 **❷** [   ]을 유지하고자 하는 지배 집단에 저항하는 과정에서 발생하는 자연스러운 현상임
- 사회 구조적 모순과 갈등으로 인해 발생하는 급격한 사회 변동을 설명하기 용이하지만, 사회 변동을 갈등과 대립의 측면에서만 파악함

답 ❶ 균형 ❷ 기득권

확인 **05**

사회 변동을 사회 전체의 균형과 안정을 되찾는 과정으로 바라보는 관점은 (기능론 , 갈등론)이다.

개념 **06** 사회 운동

1 사회 운동 자신의 신념과 가치를 실현하기 위하여 다수의 사람들이 자발적으로 하는 **❶** [   ]이고 지속적인 행동

2 사회 운동의 특징
- 목표 달성을 위한 구체적인 활동 방법과 계획이 있음
- 목표와 활동 방향을 정당화하는 **❷** [   ]을 가지고 있음
- 활동을 위한 체계적인 조직을 갖추고 있고, 구성원 간 역할 분담이 이루어짐

3 사회 운동의 유형
- 복고적 사회 운동: 과거의 사회 유형으로 회귀 추구
- 개혁주의 운동: 특정 부분에 대한 개혁을 추구
- 급진적 혁명 운동: 사회 구조의 근본적 변화 추구

답 ❶ 집단적 ❷ 이념

확인 **06**

신념과 가치 실현을 위한 다수 사람들의 집단적인 행동을 [   ]이라고 한다.

개념 **07** 정보 사회

1 정보 사회의 특징
- 부가가치 창출의 원천으로서 지식과 **❶** [   ]가 중시됨
- 재택근무의 확산으로 가정과 직장의 통합이 확대됨
- 사이버 공간을 통해 비대면 접촉이 증가함
- 직접 민주 정치의 실현 가능성이 증가함
- 인터넷 기반의 **❷** [   ] 통신 매체가 발달함
- 탈관료제화로 의사 결정의 분권화 경향이 나타남

2 정보 사회의 문제
- 정보 격차로 정보의 접근과 이용에 차이가 나타남
- 개인 정보 유출, 저작권 침해 등의 사이버 범죄가 증가함
- 대면 접촉 감소에 따른 피상적 인간관계 확산으로 인간 소외 현상이 나타남

답 ❶ 정보 ❷ 쌍방향

확인 **07**

재택근무의 확대로 정보 사회는 산업 사회에 비해 가정과 직장의 결합 정도가 (높다 , 낮다).

개념 돌파 전략 ②

1 다음 A, B에 대한 설명으로 옳은 것은? (단, A와 B는 각각 계급론, 계층론 중 하나이다.)

> 사회 계층화 현상을 설명하는 이론은 생산 수단의 소유 여부에 따라 계층을 구분하는 A와 다양한 요인에 따라 계층을 구분하는 B로 구분된다.

① A는 계층을 연속적으로 구분한다.
② A는 다원론적 관점에서 계층을 설명한다.
③ B는 이분법적으로 계층화 현상을 설명한다.
④ B는 경제적 요인이 모든 사회 불평등을 결정한다고 본다.
⑤ B는 A에 비해 지위 불일치 현상을 설명하기 적합하다.

문제 해결 전략

계급론은 ❶ □□□□ 의 소유 여부가 사회 불평등을 결정한다고 보며, 계층론은 ❷ □□□□ 현상을 설명하기에 용이하다.

🔑 ❶ 생산 수단 ❷ 지위 불일치

2 다음에 나타난 사회 불평등을 바라보는 관점에 부합하는 진술만을 |보기|에서 고른 것은?

> 사회 불평등은 가장 중요한 지위가 가장 자질 있는 사람들에 의해 충원되도록 하기 위해 필연적으로 나타나는 사회적 현상이다.

┌─ 보기 ─────────────────────
ㄱ. 사회 불평등은 제거해야 할 현상이다.
ㄴ. 차등적 보상은 사회적 효율성 향상에 기여한다.
ㄷ. 희소가치의 분배 기준은 사회적 합의의 결과이다.
ㄹ. 능력보다 가정 배경에 의해 사회 계층이 결정된다.
└──────────────────────────

① ㄱ, ㄴ　　　　② ㄱ, ㄷ　　　　③ ㄴ, ㄷ
④ ㄴ, ㄹ　　　　⑤ ㄷ, ㄹ

문제 해결 전략

기능론은 사회 불평등의 분배 기준이 ❶ □□□□ 의 결과라고 보는 반면, 갈등론은 사회 불평등의 분배 기준이 ❷ □□□□ 의 이익이 부합한다고 본다.

🔑 ❶ 사회적 합의 ❷ 지배 계급

3 다음에서 갑이 경험한 사회 이동의 유형만을 |보기|에서 있는 대로 고른 것은?

> 가난한 부모를 둔 갑은 고등학교를 중퇴하고 음식 배달 기사로 사회 생활을 시작하였다. 이후 음식점을 창업하여 많은 돈을 벌었으며, 현재는 전국적으로 수백개의 지점을 가지고 있는 대형 프랜차이즈 기업의 CEO로 성공하였다.

┌─ 보기 ─────────────────────
ㄱ. 개인적 이동　　　　　ㄴ. 구조적 이동
ㄷ. 세대 내 이동　　　　　ㄹ. 세대 간 이동
└──────────────────────────

① ㄱ, ㄴ　　　　② ㄱ, ㄹ　　　　③ ㄴ, ㄷ
④ ㄱ, ㄷ, ㄹ　　　　⑤ ㄴ, ㄷ, ㄹ

문제 해결 전략

한 개인의 생애 내에서 나타나는 사회 이동을 ❶ □□□□, 두 세대 이상에 걸쳐 계층적 위치가 변화하는 사회 이동을 ❷ □□□□ 이라고 한다.

🔑 ❶ 세대 내 이동 ❷ 세대 간 이동

4 다음 A, B에 대한 설명으로 옳은 것은? (단, A와 B는 각각 절대적 빈곤과 상대적 빈곤 중 하나이다.)

> 한 사회 안에서 다른 사람들과 비교하여 상대적으로 소득이 적은 상태를 A 라 하고, 최소한의 생활 수준을 유지하는데 필요한 소득이 부족한 상태를 B 라 한다.

① A는 선진국에서는 나타나지 않는다.
② A는 주관적이고 심리적인 빈곤이다.
③ B의 기준선이 되는 금액은 모든 사회에서 동일하다.
④ B는 개발 도상국에서만 나타나는 현상이다.
⑤ 우리나라에서 A의 기준은 중위 소득의 50%, B의 기준은 최저 생계비이다.

문제 해결 전략

우리나라에서 ❶ 의 기준은 가구 소득이 최저 생계비 미만인 경우이고, ❷ 의 기준은 가구 소득이 중위 소득의 50% 미만인 경우이다.

탭 ❶ 절대적 빈곤 ❷ 상대적 빈곤

5 표는 사회 보장 제도 A, B의 특징을 구분한 것이다. 이에 대한 옳은 설명만을 ⌐보기⌐에서 고른 것은? (단, A와 B는 각각 사회 보험, 공공 부조 중 하나이다.)

구분	A	B
빈곤층의 최저 생활 보장을 목적으로 하는가?	예	아니요
(가)	아니요	예

⌐ 보기 ⌐
ㄱ. A는 금전적 지원을 원칙으로 한다.
ㄴ. A는 상호 부조의 원리를 바탕으로 한다.
ㄷ. B는 의무 가입을 원칙으로 한다.
ㄹ. B는 복지 비용 전액을 재정으로 충당한다.

① ㄱ, ㄴ   ② ㄱ, ㄷ   ③ ㄴ, ㄷ
④ ㄴ, ㄹ   ⑤ ㄷ, ㄹ

문제 해결 전략

사회 보험과 공공 부조는 모두 금전적 지원을 원칙으로 한다는 점에서 공통점이 있으나, ❶ 은 사전 예방적 성격을 가지는 반면, ❷ 는 사후 처방적 성격을 가진다는 점에서 차이가 있다.

탭 ❶ 사회 보험 ❷ 공공 부조

6 사회 변동을 설명하는 관점 A, B에 대한 설명으로 옳은 것은? (단, A와 B는 각각 진화론과 순환론 중 하나이다.)

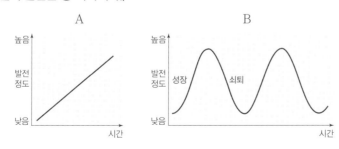

① A는 서구 사회가 진보된 사회임을 전제한다.
② A는 운명론적 관점에서 사회 변동을 설명한다.
③ B는 사회 변동이 항상 발전을 의미한다고 본다.
④ B는 미래의 사회 변동에 대한 역동적 대응이 용이하다.
⑤ A는 B와 달리 사회가 생성과 몰락의 과정을 반복한다고 본다.

문제 해결 전략

사회 변동을 긍정적으로 바라보며 사회 변동을 발전적인 것으로 간주하는 것은 ❶ , 사회 변동을 반복적인 순환 과정으로 바라보는 것은 ❷ 이다.

탭 ❶ 진화론 ❷ 순환론

필수 체크 전략 ①

3강_사회 불평등 현상의 이해
~ 사회 이동과 사회 계층 구조

핵심 예제 01 수능 기출

밑줄 친 'A 이론'에 대한 옳은 설명을 ㅣ보기ㅣ에서 고른 것은?

사회 불평등 현상을 설명하는 A 이론은 생산 수단의 소유 여부와 더불어 소득이나 부의 크기도 계급을 결정하는 요인으로 본다. 그러나 소득이나 부의 크기는 계급 관계의 산물일 뿐, 계급을 구분하는 요인은 아니다. 또한 A 이론에서 사회 불평등을 구성하는 요인으로 보는 지위나 파당도 기본적으로 계급 관계에 의해 규정될 뿐이며, 그 자체로는 독자적인 기원을 가지지 못한다.

ㅣ보기ㅣ
ㄱ. 지위 불일치 가능성을 인정한다.
ㄴ. 다차원적 측면에서 사회 불평등 현상을 파악한다.
ㄷ. 동일 집단 구성원 간의 강한 연대 의식을 강조한다.
ㄹ. 사회 불평등 현상을 불연속적으로 구분되어 있는 상태로 본다.

① ㄱ, ㄴ　　② ㄱ, ㄷ　　③ ㄴ, ㄷ
④ ㄴ, ㄹ　　⑤ ㄷ, ㄹ

Tip

A 이론은 다양한 요인에 의해 사회 불평등이 발생한다고 본다는 점에서 계층론에 해당한다.

풀이

ㄱ, ㄴ. 계층론은 경제적 요인·사회적 요인·정치적 요인과 같이 다차원적 측면에서 사회 불평등 현상을 파악하므로, 지위 불일치 가능성을 인정한다.　답 ①

응용 01-1

표에서 A와 B에 대한 옳은 설명만을 ㅣ보기ㅣ에서 고르시오.

질문	A	B
사회 불평등 현상을 연속적인 서열화 상태로 보는가?	예	아니요

ㅣ보기ㅣ
ㄱ. A는 위계를 구분하는 기준이 다차원적이라고 본다.
ㄴ. A는 동일 계급에 속한 사람들의 강한 귀속 의식을 강조한다.
ㄷ. B는 지위 불일치 현상을 설명하기 적합하다.
ㄹ. B는 경제적 요인이 모든 불평등을 결정한다고 본다.

핵심 예제 02 수능 기출

다음 자료는 사회 계층화 현상에 대한 두 이론 A, B의 공통점과 차이점을 나타낸 것이다. (가)~(다)에 들어갈 수 있는 내용으로 옳은 것은?

- A: 불연속적·이분법적 관계로 계층화 현상을 설명한다.
- B: 연속적·서열적 관계로 계층화 현상을 설명한다.

① (가)-동일 계층 집단 구성원 간의 연대 의식을 강조한다.
② (가)-현대 사회의 다양한 계층 분화를 설명하기에 용이하다.
③ (나)-경제적 불평등이 정치적 불평등을 결정한다고 본다.
④ (다)-사회 계층화 현상의 원인을 단일 요인으로 설명한다.
⑤ (다)-사회 계층화 현상에서 귀속적 요인의 영향력을 중시한다.

Tip

A는 지배 계급과 피지배 계급으로 계층화 현상을 설명한다는 점에서 계급론이고, B는 계층론이다.

풀이

① 계급론은 생산 수단을 소유한 지배 계급과 생산 수단을 소유하지 않은 피지배 계급이 적대적 관계이며, 이로 인해 동일 계층 집단 구성원 간에 연대 의식이 강하게 나타난다고 본다.
③ 계층론과 계급론 모두 경제적 요인에 의해 사회 불평등이 발생한다고 본다. 반면, 경제적 불평등이 나머지 불평등을 결정한다고 보는 이론은 계급론이다.

답 ①

핵심 예제 03   모평 기출

다음 글에 나타난 사회 불평등 현상을 보는 관점에 대한 옳은 설명만을 ⌐보기⌐에서 고른 것은?

> 개인의 소득은 개인의 생산성에 의해 결정되고 그 생산성은 기술의 숙련 여부에 의해 결정된다. 기술의 숙련은 교육이나 훈련과 같이 사람들이 자신의 인적 자본에 얼마나 많은 투자를 하였는지에 따라 결정된다. 기술의 숙련과 같이 사회가 요구하는 능력을 갖추는 데 게을리한 사람들이나, 구성원들에게 이러한 능력을 갖추도록 동기를 부여하지 못하는 사회는 실업 및 빈곤 문제에 직면하게 될 것이다.

⌐ 보기 ⌐
ㄱ. 개인의 가정 배경이 사회 불평등에 미치는 영향력을 중시한다.
ㄴ. 직업 유형 간 사회적 중요도의 우위를 객관적으로 평가하기 어렵다는 지적을 받는다.
ㄷ. 사회 불평등 현상이 개인의 성취동기를 감소시킬 수 있음을 간과한다는 비판을 받는다.
ㄹ. 사회적으로 사용 가능한 자원이 제한되어 있기 때문에 사회 불평등 현상이 존재한다는 사실을 간과한다.

① ㄱ, ㄴ   ② ㄱ, ㄷ   ③ ㄴ, ㄷ
④ ㄴ, ㄹ   ⑤ ㄷ, ㄹ

Tip

제시문에 따르년 개인의 능력과 노력 정도, 사회에의 기여 정도에 따라 개인의 소득이 결정되며, 이는 기능론의 입장에 부합한다.

풀이

ㄴ. 기능론의 주장과 같이 사회에의 기여 정도에 따라 소득이 분배되기 위해서는 기여 정도 및 사회적 중요도에 대한 객관적 평가가 필요하다. 그렇지만 객관적으로 평가하기 어려울 수 있기 때문에 기능론은 비판을 받고 있다.
ㄷ. 기능론은 사회 불평등 현상이 개인의 성취동기를 고취한다고 본다. 그렇지만 사회 양극화가 지나치게 심각하게 나타날 경우 오히려 개인의 성취동기가 감소될 수 있다는 한계도 존재하나, 기능론은 이러한 한계를 간과한다는 비판을 받는다.

답 ③

핵심 예제 04   수능 기출

다음은 사회 불평등 현상을 바라보는 관점을 나타낸 자료이다. 이에 대한 설명으로 옳은 것은?

> 사회에서 가치가 있다고 생각하는 자리를 자격 있는 사람으로 채우기 위해서는 더 많은 보상을 제공해야 한다. 따라서 사회 불평등 현상은 어느 사회에서나 나타난다. 이를 그림으로 표현하면 오른쪽과 같다.

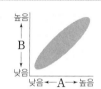

① 사회 불평등 현상을 보편적이지만 제거해야 할 대상이라고 본다.
② 사회적 지위나 직업에는 중요도에 따른 위계 체계가 존재한다고 본다.
③ 지배 집단과 피지배 집단 간의 대립 관계에서 사회 불평등 현상을 이해한다.
④ A가 '부모의 경제적 지위'라면, B는 '자녀의 사회적 성공 가능성'이 적절하다.
⑤ A가 '희소가치의 균등 분배 수준'이라면 B는 '개인의 성취동기'가 적절하다.

Tip

사회적으로 인재를 적재적소에 배치하기 위해서 적절한 보상이 필요하다는 주장은 기능론에 부합한다.

풀이

② 기능론은 사회적 지위나 직업이 사회에 기여하는 정도에 따라 중요도의 차이가 존재하며, 그러한 정도의 차이에 따라 사회적 희소가치가 차등적으로 분배되어야 중요한 지위에 적절한 인재가 자리할 수 있다고 본다.
④ 부모의 경제적 지위가 높아질수록 자녀의 성공 가능성이 높아진다고 보는 관점은 갈등론이다.

답 ②

핵심 예제 05

수능 기출

그림은 갑국의 시기별 계층 구성 비율을 나타낸 것이다. 이에 대한 분석으로 옳은 것은? (단, 갑국의 계층은 상층, 중층, 하층으로만 구성되며, 각 시기별 조사 대상은 동일하다.)

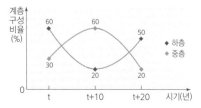

① t년 대비 t+20년에 상층의 비율은 3배가 되었다.

② 상층과 하층의 비율 차이는 t년보다 t+10년이 크다.

③ t년은 폐쇄적 계층 구조, t+10년과 t+20년은 개방적 계층 구조이다.

④ t+10년보다 t+20년이 사회 통합에 더 유리한 계층 구조이다.

⑤ t년 대비 t+20년의 변화는 세대 간 이동, t+10년 대비 t+20년의 변화는 세대 내 이동의 결과이다.

Tip

갑국의 시기별 계층 구성 비율을 표로 나타내면 다음과 같다.

구분	t년	t+10년	t+20년
상층	10%	20%	30%
중층	30%	60%	20%
하층	60%	20%	50%

풀이

상층 비율은 t년이 10%, t+20년이 30%로 t년에 비해 t+20년에 상층의 비율이 3배가 되었다. **답** ①

응용 05-1

표와 같이 갑국의 계층 구성 비율이 변화할 경우 T기 대비 T+1기에 대한 옳은 설명만을 |보기|에서 고르시오.

구분	상층	중층	하층
T기	20%	50%	30%
T+1기	20%	30%	50%

보기

ㄱ. 사회 통합의 필요성이 높아졌다.

ㄴ. 하층에 해당하는 인구가 많아졌다.

ㄷ. 하층 인구 대비 중층 인구의 비가 작아졌다.

ㄹ. 중층 및 하층과 달리 상층의 구성원은 변화가 없다.

핵심 예제 06

학평 기출

자녀 세대 계층 A~C에 대한 옳은 설명을 |보기|에서 고른 것은? (단, A~C는 각각 상층, 중층, 하층 중 하나이다.)

A에는 세대 간 상승 이동한 사람의 비율이 80%이고, 세대 간 하강 이동한 사람은 없다. B에는 세대 간 상승 이동한 사람은 없고, 세대 간 하강 이동한 사람의 비율이 30%이다. C에는 세대 간 상승 이동한 사람의 비율이 60%이고, 세대 간 하강 이동한 사람의 비율이 10%이다. 단, 자녀 세대는 피라미드형 계층 구조이다.

보기

ㄱ. A에서 계층을 세습한 사람의 비율은 20%이다.

ㄴ. 계층을 세습한 사람은 B에서 가장 많다.

ㄷ. 신분제 사회에서는 C의 비율이 가장 높다.

ㄹ. C보다 B의 비율이 높을수록 사회 통합에 유리하다.

① ㄱ, ㄴ ② ㄱ, ㄷ ③ ㄴ, ㄷ ④ ㄴ, ㄹ ⑤ ㄷ, ㄹ

Tip

세대 간 하강 이동한 사람이 없음은 상층임을 의미하며, 세대 간 상승 이동한 사람이 없음은 하층임을 의미한다. 따라서 A는 상층, B는 하층, C는 중층이다.

풀이

ㄱ. 세대 간 상승 이동하여 상층이 된 비율이 80%이므로 세대 간 계층이 대물림된 비율은 20%이다.

ㄴ. B의 경우 세대 간 하강 이동하여 B가 된 경우가 30%이므로 70%는 세대 간 계층이 대물림된 경우이다. C는 세대 간 계층이 대물림된 비율이 30%이다. **답** ①

응용 06-1

다음 사례에 나타난 갑의 사회 이동에 대한 옳은 설명만을 |보기|에서 고르시오.

갑은 마트의 계산원으로 일하며 가난하지만 열심히 살았다. 그러던 어느날 공개 오디션 TV프로그램을 통해 자신의 노래를 알리게 되었고, 오디션에서 최종 우승자가 되어 이제는 인기 가수로 부유한 삶을 살고 있다.

보기

ㄱ. 상승 이동이면서 개인적 이동이다.

ㄴ. 수직 이동이면서 구조적 이동이다.

ㄷ. 세대 내 이동이면서 개인적 이동이다.

ㄹ. 세대 간 이동이면서 구조적 이동이다.

핵심 예제 07 　　　모평 기출

다음 자료에 대한 분석으로 옳은 것은?

그림은 갑국과 을국의 자녀 세대를 대상으로 본인의 계층과 본인의 어머니 또는 아버지의 계층을 전수 조사한 것이다. 계층은 상층, 중층, 하층으로만 구성된다. 부모 세대에서 부부의 계층은 동일하며, 모든 부모의 자녀는 1명씩이다.

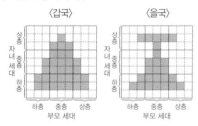

〈갑국〉　　　〈을국〉

* 음영 부분 면적의 크기는 사람 수에 비례하며, 각 ■의 면적은 동일하다.

① 갑국은 을국과 달리 세대 간 상승 이동이 나타났다.
② 을국은 갑국과 달리 세대 간 하강 이동이 나타났다.
③ 갑국의 자녀 세대에서는 피라미드형 계층 구조가 나타나고, 을국의 자녀 세대에서는 모래시계형 계층 구조가 나타난다.
④ 갑국과 을국 모두 부모 세대에서는 다이아몬드형 계층 구조가 나타난다.
⑤ 갑국과 을국 모두 부모의 계층을 대물림 받은 자녀는 하층에서 가장 많다.

Tip

제시된 그림은 부모 세대와 자녀 세대 간의 계층 이동을 나타내고 있다. 음영 부분의 면적의 크기가 계층 이동에 해당하는 사람 수에 비례하므로 각 계층 이동별 음영 부분 사각형의 개수를 통해 각각의 계층 이동에 해당하는 인구의 수를 표로 나타내면 다음과 같다.

〈갑국〉

구분		부모의 계층			계
		상층	중층	하층	
자녀 세대	상층	0	4	0	4
	중층	2	9	2	13
	하층	4	6	4	14
계		6	19	6	31

〈을국〉

구분		부모의 계층			계
		상층	중층	하층	
자녀 세대	상층	1	4	1	6
	중층	0	7	0	7
	하층	3	6	3	12
계		4	17	4	25

풀이

갑국과 을국 모두 부모 세대의 경우 중층의 수가 가장 많다. 즉, 중층에 해당하는 인구가 가장 많은 다이아몬드형 계층 구조에 해당한다.　　　답 ④

응용 07-1

표는 A, B국의 계층 간 상대적 인구 비율을 나타낸다. 이에 대한 옳은 설명만을 보기에서 고르시오.

구분	중층 / 하층	상층 / 하층
A국	1 / 6	1 / 2
B국	2 / 1	1 / 3

보기
ㄱ. 상층 인구는 B국보다 A국이 많다.
ㄴ. 사회 통합의 필요성은 A국보다 B국이 높다.
ㄷ. 상층 대비 하층 인구의 비는 A국보다 B국이 높다.
ㄹ. A국은 모래시계형, B국은 다이아몬드형 계층 구조이다.

응용 07-2

그림은 갑국의 계층 구성 비율 변화를 나타낸다. 이에 대한 옳은 설명만을 보기에서 고르시오. (단, t기에 비해 t+1기에 전체 인구는 10% 증가하였다.)

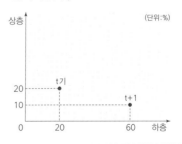

보기
ㄱ. 하층 인구는 t+1기가 t기의 3배이다.
ㄴ. t+1기 보다 t기의 계층 구조가 안정적이다.
ㄷ. t기의 하층은 t+1기에도 모두 하층에 해당한다.
ㄹ. t기에는 다이아몬드형 계층 구조, t+1기에는 피라미드형 계층 구조가 나타난다.

필수 체크 전략 ②

3강_사회 불평등 현상의 이해
~ 사회 이동과 사회 계층 구조

1 표는 사회 불평등 현상에 대한 관점 A, B에 대한 질문을 구분한 것이다. 이에 대한 설명으로 옳은 것은? (단, A와 B는 각각 기능론과 갈등론 중 하나이다.)

구분	A	B
사회 불평등 현상은 불가피한 현상입니까?	아니요	예
(가)	예	아니요

① A는 사회 불평등이 사회 발전에 기여한다고 본다.
② A는 사회적 희소 자원의 분배 기준이 사회적 합의의 결과라고 본다.
③ B는 개인의 가정 환경에 따라 부의 배분이 이루어진다고 본다.
④ B는 사회적 희소가치가 개인의 사회적 기여도와 관계없이 배분된다고 본다.
⑤ (가)에는 '기능적 중요도에 대한 정의는 지배 계급이 결정하는가?'가 들어갈 수 있다.

Tip
사회 불평등 현상이 불가피한 현상이라고 보는 것은 ☐☐☐이다.
🔑 기능론

2 다음 대화에 대한 옳은 설명만을 ┃보기┃에서 고른 것은? (단, A와 B는 계급론, 계층론 중 하나이다.)

교사: 사회 불평등 현상을 설명하는 개념 A, B에 대해 이야기해 보세요.
갑: A는 생산 수단의 소유 여부에 의해 결정됩니다.
을: B는 부와 더불어 위신, 권력의 요인들에 의해 복합적으로 형성됩니다.
병: B는 A와 달리 이분법적, 불연속적으로 구분됩니다.
교사: ㉠한 명의 학생만 옳지 않게 설명하였습니다.

┃보기┃
ㄱ. ㉠은 갑이다.
ㄴ. A는 지위 불일치 현상을 설명하기 용이하다.
ㄷ. A는 동일 계층 집단 내의 연대 의식을 강조한다.
ㄹ. A와 B 모두 사회 불평등 현상의 원인으로 경제적 요인을 고려한다.

① ㄱ, ㄴ ② ㄱ, ㄷ ③ ㄴ, ㄷ ④ ㄴ, ㄹ ⑤ ㄷ, ㄹ

Tip
경제적 요인이 다른 모든 사회 불평등을 결정한다고 보는 것은 ☐☐☐이다.
🔑 계급론

3 그림은 (가)의 관점에서 A와 B의 관계를 나타난 것이다. 이에 대한 옳은 설명만을 ┃보기┃에서 고른 것은?

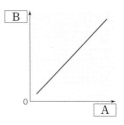

┃보기┃
ㄱ. (가)가 기능론이고 A가 소득의 균등 분배 정도라면, B는 사회 발전 가능성이다.
ㄴ. (가)가 기능론이고 B가 소득의 차등 분배 정도라면, A는 개인의 성취동기이다.
ㄷ. (가)가 갈등론이고 A가 개인의 노력 수준이라면, B는 개인의 사회적 성공 가능성이다.
ㄹ. (가)가 갈등론이고 B가 개인이 속한 가족의 계층이라면, A는 개인의 사회적 계층 수준이다.

① ㄱ, ㄴ ② ㄱ, ㄷ ③ ㄴ, ㄷ ④ ㄴ, ㄹ ⑤ ㄷ, ㄹ

Tip
☐☐☐은 사회적 불평등으로 대립이 형성된다고 본다.
🔑 갈등론

4 그림에 대한 옳은 설명만을 ┃보기┃에서 고른 것은? (단, A와 B는 계급론, 계층론 중 하나이다.)

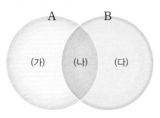

┃보기┃
ㄱ. A가 계급론이라면, (가)에는 '지위 불일치 현상을 설명하기 적합하다'가 들어갈 수 있다.
ㄴ. A는 계층론이라면, (나)에는 '경제적 요인을 사회 계층화 현상의 원인으로 본다'가 들어갈 수 있다.
ㄷ. B가 계급론이라면, (다)에는 '이분법적 구분으로 사회 계층화 현상을 설명한다'가 들어갈 수 있다.
ㄹ. B가 계급론이라면, (가)에는 '생산 수단의 소유 여부에 따라 계급을 구분한다'가 들어갈 수 있다.

① ㄱ, ㄴ ② ㄱ, ㄷ ③ ㄴ, ㄷ ④ ㄴ, ㄹ ⑤ ㄷ, ㄹ

Tip
☐☐☐은 불연속적으로 계급을 구분한다.
🔑 계급론

5 다음 자료에 대한 설명으로 옳은 것은?

> A는 하층이 비율이 가장 높고, B는 중층의 비율이 가장 높고, C는 중층의 비율이 가장 낮다. 산업화 과정에서 중층의 비율이 증가하면서 계층 구조가 (㉠)에서 B로 변화였다. 단, A~C는 각각 피라미드형, 다이아몬드형, 모래시계형 계층 구조 중 하나이다.

① A는 정보 사회에서 주로 나타난다.
② B에서는 수직 이동이 나타나지 않는다.
③ C는 봉건적 신분제 사회에서 주로 나타난다.
④ 사회 양극화 문제는 B에 비해 C에서 심각하게 나타난다.
⑤ ㉠에는 C가 들어갈 수 있다.

> **Tip**
> 하층의 비율이 높고, 상층의 비율이 낮은 [   ] 계층 구조는 봉건적 신분제 사회에서 주로 나타난다.
> 🔑 피라미드형

6 그림은 A국과 B국의 계층 간 상대적 비율을 나타낸다. 이에 대한 옳은 설명만을 |보기|에서 고른 것은?

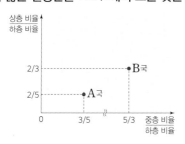

> **보기**
> ㄱ. A국의 계층 구조는 정보 사회에서 일반적으로 나타난다.
> ㄴ. B국의 계층 구조는 산업 사회에서 일반적으로 나타난다.
> ㄷ. A국의 계층 구조에 비해 B국의 계층 구조는 폐쇄적이다.
> ㄹ. B국의 계층 구조는 A국의 계층 구조에 비해 사회 통합에 유리하다.

① ㄱ, ㄴ ② ㄱ, ㄷ ③ ㄴ, ㄷ ④ ㄴ, ㄹ ⑤ ㄷ, ㄹ

> **Tip**
> 중층의 비율이 가장 높은 [   ] 계층 구조는 사회 안정성이 높으며, 사회 통합에 유리하다.   🔑 다이아몬드형

7 (가), (나)는 갑국의 부모 세대와 자녀 세대 간 계층 이동을 나타낸 것이다. 이에 대한 옳은 분석만을 |보기|에서 있는 대로 고른 것은? (단, 계층은 상층, 중층, 하층으로만 구분하고, 모든 부모의 자녀는 1명이다.)

(가) 세대별 계층 간 상대적 비율

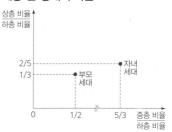

(나) 자녀 세대 계층 중 부모 세대와 자녀 세대 계층의 일치 비율

계층	비율(%)
상층	30
중층	40
하층	80

> **보기**
> ㄱ. 세대 간 이동을 경험한 비율은 전체의 50%이다.
> ㄴ. 세대 간 계층 이동을 한 사람은 세대 간 계층이 대물림 된 사람에 비해 많다.
> ㄷ. 부모 세대의 계층 구조는 다이아몬드형, 자녀 세대의 계층 구조는 피라미드형이다.
> ㄹ. 부모 세대 계층 중 부모 세대와 자녀 세대 계층의 일치 비율은 중층에서 가장 높다.

① ㄱ, ㄷ ② ㄱ, ㄹ ③ ㄴ, ㄷ
④ ㄱ, ㄴ, ㄹ ⑤ ㄴ, ㄷ, ㄹ

> **Tip**
> 부모 세대와 자녀 세대의 계층이 같은 경우는 ❶ [   ] 이 발생하지 않은 반면, 부모 세대와 자녀 세대의 계층이 다른 경우는 ❷ [   ] 이 발생하였다.
> 🔑 ❶, ❷ 세대 간 이동

필수 체크 전략 ①

4강_다양한 사회 불평등 현상 ~ 현대의 사회 변동

핵심 예제 01

모평 기출

그림은 빈곤의 유형 A, B를 구분한 것이다. 이에 대한 설명으로 옳은 것은? (단, A, B는 각각 상대적 빈곤, 절대적 빈곤 중 하나이다.)

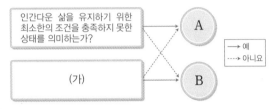

① A를 판단하는 기준선은 시대와 사회에 상관없이 동일하다.
② B는 해당 사회 전체 가구의 소득 분포를 고려하여 결정된다.
③ A는 B와 달리 사회 구성원 간 상대적 박탈감을 유발한다.
④ B에 해당하는 가구는 모두 A에도 해당한다.
⑤ (가)에는 '소득 수준이 높은 국가에서는 나타나지 않는가?'가 들어갈 수 있다.

Tip

A는 최소한의 조건을 충족하지 못한 상태를 의미한다. 따라서 A는 절대적 빈곤, B는 상대적 빈곤이다.

풀이

상대적 빈곤은 사회 구성원 다수가 누리는 생활 수준을 누리지 못하는 상태로 사회 전체 가구의 소득 분포를 고려하여 결정된다.

답 ②

응용 01-1

다음 빈곤 개념에 대한 옳은 설명만을 |보기|에서 고르시오.

한 사회에서 일반적이거나 보통 수준에 해당하는 생활을 영위하는 데 필요한 소득 수준과 비교하여 소득이 부족한 상태

┌ 보기 ┐
ㄱ. 객관적으로 평가되는 빈곤이다.
ㄴ. 국가에 따라 판단 기준이 같다.
ㄷ. 개인이 주관적으로 느끼는 빈곤이다.
ㄹ. 우리나라의 판단 기준은 중위 소득의 50%이다.

핵심 예제 02

모평 기출

다음 자료의 A~D에 대한 설명으로 옳은 것은?

 인권 다큐멘터리 영화제 주요 작품 소개

A: 갑국에서 대다수의 어린 여자 아이들이 단지 여자라는 이유만으로 취학을 하지 못하는 실상을 추적한 작품
B: 을국 정부에게 고용 안정과 처우 개선을 요구하는 비정규직 노동자들의 목소리를 담은 작품
C: 병국의 지배 세력에게 억압과 착취를 당하는 병국 내 소수 민족의 아픔을 표현한 작품
D: 정국에서 새로운 정보 기기를 잘 다루지 못하는 노인들이 겪고 있는 여러 가지 어려움을 취재한 작품

① A는 B와 달리 인간의 선천적 요인으로 인한 차별을 다룬 작품이다.
② B는 C와 달리 구성원 수의 많고 적음에 따라 규정되는 사회적 소수자를 다룬 작품이다.
③ C는 D와 달리 연령대에 따라 처우가 달라지는 차별을 다룬 작품이다.
④ D는 A와 달리 적극적 우대 조치로 인해 역차별을 받는 집단을 다룬 작품이다.
⑤ A와 C는 사회적 소수자에 대한 차별 사례를, B와 D는 해당 사회 주류 집단에 대한 우대 사례를 다룬 작품이다.

Tip

A는 성, B는 고용 형태에 따른 차별을 다루고 있으며, C는 소수 민족, D는 노인의 어려움을 다루고 있다.

풀이

① 성에 따른 차별은 선천적 요인에 따른 차별에 해당한다.
② 사회적 소수자는 수의 많고 적음이 기준이 아니다.
③ D는 연령대에 따른 차별을 다루고 있다.
④ 노인의 어려움을 역차별의 사례로 보기 어렵다.
⑤ B와 D는 사회 주류 집단에 대한 우대 사례를 다루고 있는 작품에 해당하지 않는다.

답 ①

핵심 예제 03 모평 기출

다음 자료에 대한 옳은 설명만을 ㅣ보기ㅣ에서 고른 것은?

> 표는 갑국의 A 기업에서 시행한 성차별 개선 조치의 효과를 보여 줍니다. 하지만 표에 나타나 있는 것처럼 조치 시행 후에도 (가) 라는 사실은 여전히 A 기업 내 성차별이 남아 있음을 보여 준다고 생각합니다.

구분	조치 시행 전		조치 시행 후	
	남성	여성	남성	여성
신입 사원 월 평균 임금(달러)	3,000	2,500	3,300	3,000
신입 사원 중 남녀 비율(%)	60	40	40	60
임원 중 남녀 비율(%)	75	25	60	40

┌ 보기 ┐
ㄱ. 성차별 개선 조치 시행 후 남녀 신입 사원의 월 평균 임금 격차는 60% 감소하였다.
ㄴ. 성차별 개선 조치 시행 전후 신입 사원 수가 같다면, 여성 신입 사원 수는 조치 시행 후 50% 증가하였다.
ㄷ. 남성 임원 대 여성 임원의 비는 성차별 개선 조치 시행 전 3 : 1에서 조치 시행 후 3 : 2로 변화하였다.
ㄹ. (가)에는 '남성 신입 사원의 월 평균 임금이 여성 신입 사원의 월 평균 임금보다 30% 높다.'가 들어갈 수 있다.

① ㄱ, ㄴ   ② ㄱ, ㄷ   ③ ㄴ, ㄷ   ④ ㄴ, ㄹ   ⑤ ㄷ, ㄹ

Tip

표 분석 문항 중 자료 자체의 분석 요소기 적은 문항의 경우 제시된 보기를 하나씩 대입하여 옳고 그름을 판단해야 한다.

풀이

ㄱ. 임금 격차는 조치 시행 전 500달러에서 조치 시행 후 300달러로 변화하였다. 격차의 감소 규모는 200달러로 백분위로 나타내면 40% 감소하였다.
ㄴ. 조치 시행 전후 신입 사원 수를 100명이라 가정한다면 조치 시행 전 여성 신입 사원은 40명, 조치 시행 후 여성 신입 사원은 60명으로 조치 시행에 따라 여성 신입 사원 수가 50% 증가하였다.
ㄷ. 전체 임원의 수를 100명이라 가정할 경우 조치 시행 전에는 남성 임원이 75명, 여성 임원이 25명으로 남녀의 비는 3 : 1이다. 조치 시행 이후에는 남성 임원이 60명, 여성 임원이 40명으로 남녀의 비는 3 : 2이다.
ㄹ. 남성 신입 사원의 월 평균 임금은 3,300달러, 여성 신입 사원의 월 평균 임금은 3,000달러로 남성 신입 사원의 월 평균 임금은 여성 신입 사원의 월 평균 임금에 비해 10% 많다.

답 ③

핵심 예제 04 모평 기출

다음 (가)~(다)의 일반적인 특징에 대한 옳은 설명만을 ㅣ보기ㅣ에서 고른 것은? (단, (가)~(다)는 각각 공공 부조, 사회 보험, 사회 서비스 중 하나이다.)

> 1~3번 사례를 우리나라 사회 보장 제도 유형에 적용하면, 1번 사례는 (가) 에, 2번 사례는 (나) 에, 3번 사례는 (다) 에 해당합니다.

번호	사례
1	소득 인정액이 선정 기준액 이하인 65세 이상 노인은 생활 안정을 위하여 매월 일정 금액을 받을 수 있음.
2	거동이 불편해 혼자 힘으로 일상생활을 하기 어려운 노인은 바우처 지원액을 사용해 식사 도움, 목욕 보조, 청소, 세탁 등에 대한 방문 돌봄을 받을 수 있음.
3	고령이나 노인성 질병 등으로 인해 일상생활을 수행하기 어려운 노인은 신체 활동 또는 가사 활동 지원 등의 장기 요양 급여를 받을 수 있음.

┌ 보기 ┐
ㄱ. (가)는 사전 예방적 성격이 강하다.
ㄴ. (가)는 (다)보다 소득 재분배 효과가 크다.
ㄷ. (다)는 (가)와 달리 정부가 비용 전액을 부담한다.
ㄹ. (다)는 (나)와 달리 금전적 지원을 원칙으로 한다.

① ㄱ, ㄴ   ② ㄱ, ㄷ   ③ ㄴ, ㄷ   ④ ㄴ, ㄹ   ⑤ ㄷ, ㄹ

Tip

(가)는 공공 부조, (나)는 사회 서비스, (다)는 사회 보험이다.

풀이

ㄴ. 공공 부조는 전액 재정으로 충당하기에 수혜자가 비용을 부담하는 사회 보험에 비해 소득 재분배 효과가 크다.
ㄹ. 사회 서비스는 비금전적 지원을 원칙으로 한다.

답 ④

응용 04-1

표에 대한 옳은 설명만을 ㅣ보기ㅣ에서 고르시오. (단, A와 B는 각각 공공 부조와 사회 보험 중 하나이다.)

구분	A	B
공통점	㉠	
차이점	㉡	수혜자의 비용 부담 없음

┌ 보기 ┐
ㄱ. A는 상호 부조의 성격을 가진다.
ㄴ. B는 강제 가입의 원칙이 적용된다.
ㄷ. ㉠에는 '금전적 지원을 원칙으로 한다'가 들어갈 수 있다.
ㄹ. ㉡에는 '사후 처방적 성격이 강하다'가 들어갈 수 있다.

핵심 예제 **05**

모평 기출

표는 질문을 통해 사회 변동 이론 A, B를 구분한 것이다. 이에 대한 설명으로 옳은 것은? (단, A와 B는 각각 진화론, 순환론 중 하나이다.)

질문	A	B
사회가 퇴보할 수 있다고 보는가?	예	아니요
(가)	예	예
(나)	아니요	예

① A는 단기적 사회 변동보다는 장기적 사회 변동을 설명하는 데 유용하다.
② B는 사회 변동의 방향이 사회마다 다르다고 본다.
③ A는 B와 달리 사회가 단순한 형태에서 복잡한 형태로 변화한다고 본다.
④ (가)에는 '사회 변동에 작용하는 인간의 자율성을 강조하는가?'가 들어갈 수 있다.
⑤ (나)에는 '사회가 주기적으로 동일한 과정을 반복하며 변동한다고 보는가?'가 들어갈 수 있다.

Tip

사회가 퇴보할 수 있다고 보는 A는 순환론, 그렇지 않다고 보는 B는 진화론이다.

풀이

순환론이 전제하는 순환 과정은 오랜 시간에 걸쳐 일어나는 것이기 때문에 단기적 사회 변동보다는 장기적 사회 변동을 설명하기 적합하다.   답 ①

응용 **05**-1

그림은 사회 변동 이론 (가), (나)를 나타낸다. 이에 대한 옳은 설명만을 |보기|에서 고르시오.

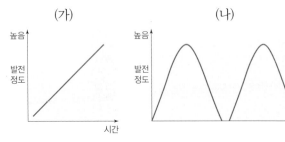

┌ 보기 ┐
ㄱ. (가)는 사회 변동을 진보와 발전으로 이해한다.
ㄴ. (가)는 운명론적 관점으로 사회 변동을 바라본다.
ㄷ. (나)는 단기적 사회 변동을 설명하기 어렵다.
ㄹ. (나)는 사회 변동이 일정한 방향으로 나타난다고 본다.

핵심 예제 **06**

수능 기출

(가)~(다)에 대한 설명으로 가장 적절한 것은?

(가) ◇◇ 환경 보호 단체 회원들은 해양 오염물을 줄이기 위해 매달 배를 타고 바다로 나가서 플라스틱 쓰레기 수거 작업 및 해양 생태 보호 캠페인 활동을 하였다.

(나) △△ 프로 구단이 감독 인사를 단행했다는 소식을 경기 중에 들은 일부 열혈 관중들이 불합리한 인사 결정 방식에 항의하며 경기 직후에 돌발적으로 시위를 벌였다.

(다) ○○ 단체는 왕정과 신분 제도를 폐지하고 선거를 통해 민주 정부를 수립하고자 대다수 국민의 지지를 바탕으로 지속적으로 시위를 전개하였다.

① (가)에는 사회 구조 전체를 근본적으로 바꾸고자 하는 사회 운동이 나타난다.
② (나)에는 일부 집단의 이익을 추구하는 사회 운동이 나타난다.
③ (다)에는 급격한 사회 변화에 대항하기 위한 사회 운동이 나타난다.
④ (가), (다)에는 (나)와 달리 체계적인 조직을 바탕으로 집단의 이념을 실현하려는 사회 운동이 나타난다.
⑤ (나), (다)에는 (가)와 달리 사회의 불합리한 제도를 개선하고자 하는 사회 운동이 나타난다.

Tip

(가)와 (다)는 체계적인 조직을 바탕으로 집단의 이념을 실현하려는 다수의 행동이 나타나 있으며, 이러한 다수의 행동을 사회 운동이라 한다.

풀이

① (가)는 제도 내에서의 변화를 도모하는 사회 운동이다.
② (나)는 돌발적 시위라는 점에서 사회 운동으로 보기 어렵다.
③ (다)는 변화를 추구하는 사회 운동이다.
④ (가)에는 환경 보호를 실현하려는 사회 운동, (다)에는 민주주의를 실현하려는 사회 운동이 나타나 있다.
⑤ (나)는 사회의 불합리한 사회 제도를 개선하려는 사회 운동이 아니다.   답 ④

핵심 예제 07 · 모평 기출

다음 자료에 대한 분석으로 옳은 것은?

> 표는 A지역의 인구 구성 비율을 나타낸 것이다. 2000년에 비해 2020년 A지역의 총인구는 20% 증가하였다. A지역의 노령화 지수는 2000년에 60, 2020년에 125였다. 단, 음영 처리된 부분은 주어진 자료와 단서를 통해 알 수 있다.

(단위: %)

구분	2000년	2020년
0~14세 인구(유소년 인구)		20
15~64세 인구(부양 인구)		
65세 이상 인구(노인 인구)	15	

* 노령화 지수=(65세 이상 인구 / 0~14세 인구)×100
** 유소년 부양비=(0~14세 이상 인구 / 15~64세 인구)×100
*** 노인 부양비=(65세 이상 인구 / 15~64세 인구)×100
**** 총부양비={(0~14세 인구+65세 이상 인구) / 15~64세 인구}×100

① 2020년에 노인 인구는 유소년 인구의 2배 이상이다.
② 2000년에 비해 2020년의 부양 인구는 감소하였다.
③ 2000년 유소년 부양비와 2020년 노인 부양비는 동일하다.
④ 2000년에 비해 2020년의 노인 인구는 10% 증가하였고, 유소년 인구는 5% 감소하였다.
⑤ 2000년에 비해 2020년의 유소년 부양비는 감소하였고, 노인 부양비와 총부양비는 모두 증가하였다.

Tip

노령화 지수가 2000년에 60, 2020년에 125이므로 이를 노령화 지수의 공식에 대입하면 2000년과 2020년의 연령별 인구 비율을 다음 표와 같이 나타낼 수 있다.

구분	2000년	2020년
0~14세 인구	25%	20%
15~64세 인구	60%	55%
65세 이상 인구	15%	25%

풀이

유소년 부양비 및 노인 부양비, 총부양비를 계산하면 다음 표와 같으며, 2000년에 비해 2020년의 유소년 부양비는 감소하였고, 노인 부양비와 총부양비는 모두 증가하였음을 알 수 있다.

구분	2000년	2020년
유소년 부양비	$\frac{25}{60}\times100$	$\frac{20}{55}\times100$
노인 부양비	$\frac{15}{60}\times100$	$\frac{25}{55}\times100$
총부양비	$\frac{40}{60}\times100$	$\frac{45}{55}\times100$

답 ⑤

핵심 예제 08 · 모평 기출

그림은 질문을 통해 A, B를 구분한 것이다. 이에 대한 설명으로 옳은 것은? (단, A, B는 각각 산업 사회, 정보 사회 중 하나이다.)

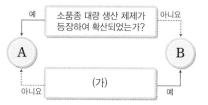

① A는 B보다 사회의 다원화 정도가 낮다.
② A는 B보다 가정과 일터의 분리 정도가 낮다.
③ B는 A보다 비대면 접촉 정도가 낮다.
④ B는 A보다 의사 결정의 분권화 정도가 낮다.
⑤ (가)에는 '정보 생산자와 소비자의 경계가 명확한가?'가 들어갈 수 있다.

Tip

소품종 대량 생산 체제가 등장하여 확산된 시기는 산업 사회이다. 따라서 A는 산업 사회, B는 정보 사회이다.

풀이

① 정보 사회는 다양한 직업의 등장으로 인하여 산업 사회에 비해 사회의 다원화 정도가 높다.
② 정보 사회는 재택근무로 인하여 산업 사회에 비해 가정과 일터의 분리 정도가 낮다.
③ 정보 사회는 산업 사회보다 비대면 접촉 정도가 높다.
④ 정보 사회는 탈관료제가 일반적으로 나타나며, 이로 인해 관료제 중심의 산업 사회에 비해 의사 결정의 분권화 정도가 높다.
⑤ 정보 사회는 양방향 소통이 가능한 미디어가 확대됨에 따라 정보 생산자와 소비자 간의 경계가 산업 사회에 비해 불명확하다.

답 ①

응용 08-1

다음에서 ㉠에 적절한 내용만을 ┃보기┃에서 고르시오. (단, A, B는 각각 산업 사회, 정보 사회 중 하나이다.)

> • A는 B에 비해 비대면 접촉의 비중이 높다.
> • B는 A에 비해 (㉠)이/가 높다.

┌ 보기 ┐
ㄱ. 직업의 동질성 정도
ㄴ. 사회의 다원화 정도
ㄷ. 가정과 일터의 분리 정도
ㄹ. 지식 부가가치 산업 비중

필수 체크 전략 ②

4강_다양한 사회 불평등 현상
~ 현대의 사회 변동

1 그림은 빈곤의 유형 A, B를 구분한 것이다. 이에 대한 설명으로 옳은 것은? (단, A와 B는 각각 절대적 빈곤과 상대적 빈곤 중 하나이다.)

인간의 생존에 필요한 최소한의 자원이 결핍된 상태로 정의됩니까? — 예 → Ⓐ

아니요 ↓   아니요 ↑

Ⓑ ← 예 — (가)

① A는 소득 수준이 높은 국가에서는 나타나지 않는다.
② B는 빈곤 상태에 있다고 주관적으로 인식하는 개념이다.
③ A는 B와 달리 객관화된 기준에 따라 분류된다.
④ B는 A와 달리 해당 사회의 소득 분포를 고려하여 파악한다.
⑤ (가)에는 '상대적 박탈감을 초래하는 요인인가?'가 들어갈 수 있다.

Tip

우리나라에서 [ ]은 가구 소득이 최저 생계비에 미치지 못하는 가구를 의미한다. 🔑 절대적 빈곤

2 다음 교사의 질문에 대한 답변으로 가장 적절한 것은?

교사: 다음 두 사례를 종합하여 파악할 수 있는 사회적 소수자의 특징에 대해 이야기해 볼까요?

• 남성 우위 문화가 지배적인 A국에서 살던 갑은 여성 우위 문화가 지배적인 B국으로 이주하였다. 그 결과 갑은 남성으로서 누리던 우월한 지위를 상실하고 사회적 불이익을 받게 되었다.
• C지역의 다수 민족 출신인 을은 D지역으로 이주하면서 소수 민족에 속하게 되었다. D지역에 널리 퍼져 있는 소수 민족 차별의 사회적 관행으로 인해 을은 자신의 민족 언어와 문화를 포기해야 할 지경에 이르렀다.

① 사회적 소수자는 수적으로 열세인 집단입니다.
② 사회적 소수자는 후천적 요인에 의해 결정됩니다.
③ 사회적 소수자를 구분하는 기준은 상대적입니다.
④ 사회적 소수자는 권력의 우위에 있는 집단입니다.
⑤ 사회적 소수자는 다른 집단을 차별하는 집단입니다.

Tip

사회적 소수자는 신체적 또는 문화적 특징으로 인해 불평등한 처우를 받는 사람들로 수적으로 반드시 [ ]를 의미하는 것은 아니다. 🔑 소수

3 표는 A국과 B국의 성별 임금 격차를 나타낸다. 이에 대한 옳은 설명만을 ㅣ보기ㅣ에서 고른 것은?

구분	2010년	2020년
A국	40	30
B국	30	20

* 2010년 A국 40의 수치는 남성 근로자의 평균 임금이 100달러일 때 여성 근로자의 평균 임금은 그보다 40% 작은 60달러임을 의미한다.

ㅣ보기ㅣ
ㄱ. 2010년과 2020년 모두 여성 근로자의 평균 임금은 A국이 B국보다 낮다.
ㄴ. A국과 B국 모두 2010년에 비해 2020년에 성별 상대적 임금 격차가 감소하였다.
ㄷ. 2020년에 A국과 B국의 여성 근로자의 평균 임금이 같다면, 남성 근로자의 평균 임금은 A국이 B국보다 낮다.
ㄹ. 2010년과 2020년 A국에서 여성 근로자의 평균 임금이 같다면, 남성 근로자의 평균 임금은 2010년에 비해 2020년에 감소하였다.

① ㄱ, ㄴ ② ㄱ, ㄷ ③ ㄴ, ㄷ ④ ㄴ, ㄹ ⑤ ㄷ, ㄹ

Tip

제시된 수치가 클수록 남성 근로자의 평균 임금과 여성 근로자의 평균 임금의 차이가 [ ]. 🔑 커진다

4 그림에 대한 옳은 설명만을 ㅣ보기ㅣ에서 고른 것은? (단, A, B는 공공 부조, 사회 보험 중 하나이다.)

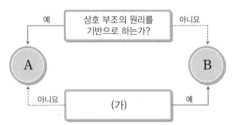

ㅣ보기ㅣ
ㄱ. A는 강제 가입을 원칙으로 한다.
ㄴ. B는 능력에 따라 비용을 부담한다.
ㄷ. A는 B와 달리 사전 예방적 성격이 강하다.
ㄹ. (가)에는 '금전적 지원을 원칙으로 하는가?'가 들어갈 수 있다.

① ㄱ, ㄴ ② ㄱ, ㄷ ③ ㄴ, ㄷ ④ ㄴ, ㄹ ⑤ ㄷ, ㄹ

Tip

사전 예방적 성격이 강한 사회 보장 제도는 [ ]이다. 🔑 사회 보험

5

그림은 A~C 지역별 인구 중 (가), (나)의 수급자 비율을 나타낸다. 이에 대한 옳은 설명만을 ⌐보기⌐에서 고른 것은? (단, (가)와 (나)는 사회 보험과 공공 부조 중 하나로, (가)는 (나)에 비해 사후 처방적 성격이 강하다.)

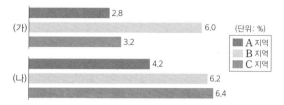

보기
ㄱ. 강제 가입 원칙이 적용되는 제도의 경우 B지역 수급자 비율은 6.0%이다.
ㄴ. 상호 부조의 원리가 적용되는 제도의 경우 수급자 수는 C지역이 가장 많다.
ㄷ. 능력에 따라 비용을 부담하는 제도의 경우 수급자 비율이 가장 높은 지역의 수급자 비율은 6.0%를 초과한다.
ㄹ. A~C 지역의 인구가 같다면 선별적 복지의 성격이 강한 제도의 경우 B지역 수급자 수가 A지역과 C지역 수급자 수의 합과 같다.

① ㄱ, ㄴ ② ㄱ, ㄷ ③ ㄴ, ㄷ ④ ㄴ, ㄹ ⑤ ㄷ, ㄹ

Tip
사후 처방적 성격이 강한 사회 보험 제도는 [   ]이다.
圖 공공 부조

6

표는 사회 변동에 대한 관점 A, B를 구분한 것이다. 이에 대한 설명으로 옳은 것은? (단, A와 B는 각각 진화론과 순환론 중 하나이다.)

구분	A	B
사회가 퇴보하거나 소멸할 수 있다고 보는가?	예	아니요
(가)	아니요	예

① A는 서구 사회가 진보된 사회임을 전제한다.
② B는 사회 변동이 항상 발전을 의미하지 않는다고 본다.
③ A는 사회 변동 방향에 대한 예측이 용이하다.
④ B는 운명론적 관점으로 사회 변동을 설명한다.
⑤ (가)에는 '사회 변동은 일정한 방향을 가지고 있는가?'가 들어갈 수 있다.

Tip
[   ]은 서구 중심적 사고라는 비판을 받는다.
圖 진화론

7

그림은 A, B의 일반적 특징을 비교한 것이다. 이에 대한 옳은 설명만을 ⌐보기⌐에서 고른 것은? (단, A와 B는 각각 산업 사회와 정보 사회 중 하나이다.)

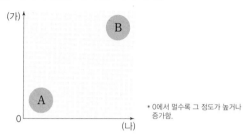
* 0에서 멀수록 그 정도가 높거나 증가함.

보기
ㄱ. A가 산업 사회라면, (가)는 정보 확산의 속도이다.
ㄴ. B가 정보 사회라면, (나)는 대면 접촉의 비중이다.
ㄷ. (가)가 사회의 다원화 정도라면, A는 B에 비해 구성원 간 익명성이 낮다.
ㄹ. (나)가 일터와 가정의 결합 정도라면, B는 A에 비해 관료제 조직의 비중이 높다.

① ㄱ, ㄴ ② ㄱ, ㄷ ③ ㄴ, ㄷ ④ ㄴ, ㄹ ⑤ ㄷ, ㄹ

Tip
정보 사회와 산업 사회 중 직업의 동질성이 높은 사회는 [   ]이다.
圖 산업 사회

8

표는 갑국의 인구 관련 지표를 나타낸다. 이에 대한 옳은 설명만을 ⌐보기⌐에서 고른 것은? (단, 15~64세 인구는 변화가 없다.)

구분	T년	T+10년	T+20년
노년 부양비	10	20	30
유소년 부양비	30	20	10

* 노년 부양비=(65세 이상 인구 / 15~64세 인구)×100
* 유소년 부양비=(0~14세 인구 / 15~64세 인구)×100

보기
ㄱ. 유소년 인구는 지속적으로 감소하고 있다.
ㄴ. 65세 이상 인구는 T+20년이 T년의 3배이다.
ㄷ. T년에 비해 T+10년 전체 인구는 증가하였다.
ㄹ. 0~14세 인구 대비 65세 이상 인구의 비는 T년보다 T+20년이 작다.

① ㄱ, ㄴ ② ㄱ, ㄷ ③ ㄴ, ㄷ ④ ㄴ, ㄹ ⑤ ㄷ, ㄹ

Tip
15~64세 인구를 100명이라 가정하면 65세 이상 인구는 T년에 ❶ [   ]에서 T+20년에 ❷ [   ]이다.
圖 ❶ 10명 ❷ 30명

누구나 합격 전략

1 교사의 질문에 대한 옳은 답변만을 | 보기 |에서 고른 것은? (단, A와 B는 각각 계급론, 계층론 중 하나이다.)

교사: A가 생산 수단의 소유 여부를 기준으로 사회 계층화를 설명한다면, (가)와 (나)에 들어갈 수 있는 질문을 적어볼까요?

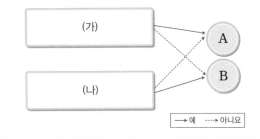

→ 예 ┄┄▸ 아니요

| 보기 |
ㄱ. (가): 동일 계급 내의 연대 의식을 강조하는가?
ㄴ. (가): 지위 불일치 현상을 설명하기 용이한가?
ㄷ. (나): 계층 간의 위계가 연속적이라고 보는가?
ㄹ. (나): 경제적 불평등이 다른 모든 불평등을 결정한다고 보는가?

① ㄱ, ㄴ ② ㄱ, ㄷ ③ ㄴ, ㄷ ④ ㄴ, ㄹ ⑤ ㄷ, ㄹ

2 표는 사회 계층화 현상을 이해하는 관점 A, B를 구분한 것이다. 이에 대한 설명으로 옳은 것은? (단, A와 B는 각각 기능론과 갈등론 중 하나이다.)

항목	A	B
사회 불평등 현상은 불가피한 현상이다.	예	아니요
기능적 중요도에 대한 정의는 지배층이 결정한다.	아니요	예
(가)	예	아니요

① A는 희소가치가 개인의 능력과 무관하게 배분된다고 본다.
② A는 자원의 분배 기준이 지배 집단의 입장을 대변한다고 본다.
③ B는 차등 분배가 개인의 성취동기를 자극한다고 본다.
④ B는 개인의 능력에 따라 희소 자원이 분배된다고 본다.
⑤ (가)에는 '사회 불평등이 사회 발전에 기여한다고 본다.'가 들어갈 수 있다.

3 표는 갑국~병국의 계층별 구성 비율을 나타낸다. 이에 대한 옳은 분석만을 | 보기 |에서 고른 것은?

(단위: %)

구분	갑국	을국	병국
A 계층	10	20	40
B 계층	30	60	10
C 계층	60	20	50

* 갑국~병국의 인구수는 같다.
* A~C 계층은 각각 상층, 중층, 하층 중 하나이다.
* 갑국의 계층 구조는 피라미드형 계층 구조이다.

| 보기 |
ㄱ. 병국의 계층 구조는 다이아몬드형이다.
ㄴ. 사회 통합의 필요성은 갑국보다 을국이 크다.
ㄷ. 사회 양극화는 을국보다 병국에서 심각하게 나타난다.
ㄹ. 하층 대비 상층 인구의 비는 갑국~병국 중 을국이 가장 높다.

① ㄱ, ㄴ   ② ㄱ, ㄷ   ③ ㄴ, ㄷ
④ ㄴ, ㄹ   ⑤ ㄷ, ㄹ

4 다음 자료에 대한 설명으로 옳은 것은?

사회 이동은 이동 원인에 따라 A와 B 유형으로 구분되고, 이동 방향에 따라 C와 D 유형으로 구분된다. 백정의 아들로 태어나 백정의 신분을 물려받은 후 신분제 폐지로 평민이 된 갑이 경험한 사회 이동은 A와 C이다.

① A는 수직 이동이다.
② B는 구조적 이동이다.
③ C는 세대 내 이동이다.
④ D는 세대 간 이동이다.
⑤ 평범한 회사원에서 CEO가 된 사례는 B와 C에 해당한다.

5 표는 빈곤 개념 A, B를 구분한 것이다. 이에 대한 설명으로 옳은 것은? (단, A와 B는 각각 절대적 빈곤, 상대적 빈곤 중 하나이다.)

구분	A	B
공통점	(가)	
차이점	사회의 일반적인 수준보다 사회적 희소가치를 상대적으로 적게 소유한 상태	(나)

① A는 절대적 빈곤이다.

② 우리나라에서 B의 기준은 중위 소득의 50%이다.

③ A와 달리 B는 주관적으로 느끼는 빈곤 상태이다.

④ (가)에는 '우리나라에서는 객관적 지표에 의해 구분'이 들어갈 수 있다.

⑤ (나)에는 '상대적 박탈감의 형성을 초래'가 들어갈 수 있다.

7 표는 질문에 따라 사회 변동 이론 A, B를 구분한 것이다. 이에 대한 옳은 설명만을 l 보기 l에서 고른 것은? (단, A와 B는 각각 진화론과 순환론 중 하나이다.)

구분	A	B
사회가 단순한 사회에서 복잡한 형태로 발전한다고 보는가?	예	아니요
(가)	아니요	예

┌ 보기 ┐

ㄱ. A는 사회 변동을 발전으로 바라본다.

ㄴ. B는 서구 중심적이라는 비판을 받는다.

ㄷ. A는 B에 비해 미래 사회 변동에 대한 대응이 용이하다.

ㄹ. (가)에는 '사회 변동이 일정한 방향을 가지고 있다고 보는가?'가 들어갈 수 있다.

① ㄱ, ㄴ   ② ㄱ, ㄷ   ③ ㄴ, ㄷ

④ ㄴ, ㄹ   ⑤ ㄷ, ㄹ

6 다음 자료에 대한 설명으로 옳은 것은? (단, A와 B는 각각 공공 부조와 사회 보험 중 하나이다.)

사회 보장 제도 A와 B는 모두 [㉠]이라는 점에서 공통점을 가진다. 그렇지만 A는 [㉡]이라는 특징을 가진 반면, B는 전액 재정으로 소요되는 비용을 부담한다는 점에서 차이점이 있다.

① A는 사후 처방적 성격이 강하다.

② B는 강제 가입을 원칙으로 한다.

③ A와 달리 B는 선별적 복지 이념에 부합한다.

④ ㉠에는 '비금전적 지원을 원칙으로 함'이 들어갈 수 있다.

⑤ ㉡에는 '수혜 정도에 따라 비용 부담'이 들어갈 수 있다.

8 다음 자료에 대한 옳은 설명만을 l 보기 l에서 고른 것은? (단, A와 B는 각각 정보 사회와 산업 사회 중 하나이다.)

A는 B에 비해 직업의 분화 정도는 높은 반면, 면대면 접촉의 비중은 낮게 나타난다. [㉠]의 경우 B가 A에 비해 높게 나타난다.

┌ 보기 ┐

ㄱ. A는 산업 사회, B는 정보 사회이다.

ㄴ. A는 B에 비해 가정과 일터의 통합 정도가 낮다.

ㄷ. B는 A에 비해 구성원 간의 익명성이 낮다.

ㄹ. ㉠에는 '정보 확산의 시공간적 제약'이 들어갈 수 있다.

① ㄱ, ㄴ   ② ㄱ, ㄷ   ③ ㄴ, ㄷ

④ ㄴ, ㄹ   ⑤ ㄷ, ㄹ

01 다음 대화에 대한 옳은 설명만을 ┃보기┃에서 고른 것은? (단, A와 B는 계급론, 계층론 중 하나이다.) 계급론, 계층론

┃보기┃
ㄱ. A는 동일 계층 구성원 간의 연대 의식을 강조한다.
ㄴ. B는 생산 수단의 소유 여부가 계층의 결정 요인이라고 본다.
ㄷ. ㉠에는 '사회 불평등 현상의 원인으로 경제적 요인을 고려한다.'가 들어갈 수 있다.
ㄹ. ㉡은 '병'이다.

① ㄱ, ㄴ ② ㄱ, ㄷ ③ ㄴ, ㄷ ④ ㄴ, ㄹ ⑤ ㄷ, ㄹ

02 표는 갑~무의 계층을 위신, 재산, 권력의 측면에서 나타낸 것이다. 이에 대한 옳은 분석만을 ┃보기┃에서 고른 것은? 계급론, 계층론

구분		위신			구분		권력		
		상층	중층	하층			상층	중층	하층
재산	상층	갑	을		재산	상층	갑		
	중층		병	정		중층	을	병	
	하층			무		하층		정	무

┃보기┃
ㄱ. 표는 계급론의 입장에서 계층을 나타낸다.
ㄴ. 지위 불일치 상태에 있는 사람은 을과 정이다.
ㄷ. 갑은 경제적 요인이 다른 사회 계층을 결정한 사례이다.
ㄹ. 병은 권력 측면의 계층과 재산 측면의 계층이 일치한다.

① ㄱ, ㄴ ② ㄱ, ㄷ ③ ㄴ, ㄷ ④ ㄴ, ㄹ ⑤ ㄷ, ㄹ

03 다음 대화에 대한 옳은 설명만을 ┃보기┃에서 고른 것은? 계급론, 계층론

┃보기┃
ㄱ. A는 동일 계층 구성원 간의 귀속 의식을 강조한다.
ㄴ. B는 지위 불일치 현상을 설명하기 용이하다.
ㄷ. ㉠에는 '사회 계층을 상층, 중층, 하층으로 구분한다.'가 들어갈 수 있다.
ㄹ. ㉡에는 '사회 계층을 지배와 피지배 관계로 설명한다.'가 들어갈 수 있다.

① ㄱ, ㄴ ② ㄱ, ㄷ ③ ㄴ, ㄷ ④ ㄴ, ㄹ ⑤ ㄷ, ㄹ

04 그림에서 사회 불평등 현상을 바라보는 갑, 을의 관점에 대한 옳은 설명만을 ┃보기┃에서 고른 것은? 기능론, 갈등론

┃보기┃
ㄱ. 갑의 관점은 사회 불평등의 불가피함을 강조한다.
ㄴ. 을의 관점은 균등 분배가 성취동기를 저하시킨다고 본다.
ㄷ. 갑의 관점은 을의 관점과 달리 희소가치의 분배 기준이 사회적 합의의 결과라고 본다.
ㄹ. 을의 관점은 갑의 관점과 달리 능력과 노력에 따라 희소가치가 분배된다고 본다.

① ㄱ, ㄴ ② ㄱ, ㄷ ③ ㄴ, ㄷ ④ ㄴ, ㄹ ⑤ ㄷ, ㄹ

05 다음 대화에 나타난 사회 불평등 현상을 바라보는 관점에 대한 옳은 설명만을 | 보기 |에서 고른 것은?

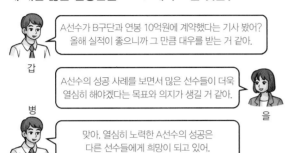

갑: A선수가 B구단과 연봉 10억원에 계약했다는 기사 봤어? 올해 실적이 좋으니까 그 만큼 대우를 받는 거 같아.

을: A선수의 성공 사례를 보면서 많은 선수들이 더욱 열심히 해야겠다는 목표와 의지가 생길 거 같아.

병: 맞아. 열심히 노력한 A선수의 성공은 다른 선수들에게 희망이 되고 있어.

┌ 보기 ┐
ㄱ. 사회 불평등 현상의 긍정적 기능을 중시한다.
ㄴ. 사회 불평등 현상이 보편적이지만 불가피하지는 않다고 본다.
ㄷ. 차등적 보상 체계가 구성원의 성취동기를 자극한다고 본다.
ㄹ. 사회적 희소가치의 분배 기준이 사회 전체적 합의에 반한다고 본다.

① ㄱ, ㄴ ② ㄱ, ㄷ ③ ㄴ, ㄷ ④ ㄴ, ㄹ ⑤ ㄷ, ㄹ

06 빈칸에 들어갈 적절한 내용만을 | 보기 |에서 고른 것은?

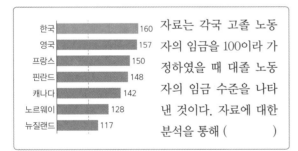

한국	160
영국	157
프랑스	150
핀란드	148
캐나다	142
노르웨이	128
뉴질랜드	117

자료는 각국 고졸 노동자의 임금을 100이라 가정하였을 때 대졸 노동자의 임금 수준을 나타낸 것이다. 자료에 대한 분석을 통해 (   )

┌ 보기 ┐
ㄱ. 대졸자의 임금 규모가 한국이 가장 큼을 알 수 있다.
ㄴ. 학력에 따른 임금 격차는 한국이 가장 큼을 알 수 있다.
ㄷ. 제시된 모든 나라에서 대졸 노동자에 비해 고졸 노동자의 임금 규모가 많음을 알 수 있다.
ㄹ. 제시된 나라에서 대졸 노동자의 임금이 같다면, 고졸 노동자의 임금은 한국이 가장 작을 것이라 추론할 수 있다.

① ㄱ, ㄴ ② ㄱ, ㄷ ③ ㄴ, ㄷ ④ ㄴ, ㄹ ⑤ ㄷ, ㄹ

07 그림에서 교사의 질문에 대한 응답으로 옳은 것은? (단, 모든 부모의 자녀는 1명이다.)

> 그림은 갑국의 부모 세대와 자녀 세대의 계층 구성 비율을 나타냅니다. 이에 대해 설명해 볼까요?

(단위: %)

구분		부모			계
		상층	중층	하층	
자녀	상층	7	7	2	16
	중층	4	27	5	36
	하층	2	17	29	48
계		13	51	36	100

① 세대 간 이동하지 않은 자녀보다 이동한 자녀가 많습니다.
② 세대 간 상승 이동한 자녀보다 세대 간 하강 이동한 자녀가 많습니다.
③ 부모 세대에 비해 자녀 세대에서 사회 통합의 필요성이 낮아졌습니다.
④ 부모 세대는 피라미드형, 자녀 세대는 다이아몬드형 계층 구조에 해당합니다.
⑤ 자녀 세대 계층 중 부모 세대와 계층이 일치하는 사람의 비율은 상층이 가장 높습니다.

08 빈곤 유형 A, B에 대한 설명으로 옳은 것은? (단, A와 B는 각각 절대적 빈곤과 상대적 빈곤 중 하나이다.)

- [A]는 인간이 기본적인 건강 및 체력을 유지하는 데 곤란한 상태로 대부분의 나라에서는 가구 소득이 ㉠최저 생계비 수준에 미치지 못하는 가구를 빈곤 가구로 파악한다.
- [B]는 한 사회의 일반적인 생활 수준에 미치지 못하는 경제적 결핍 상태로 대부분의 나라에서는 ㉡중위 소득의 일정 비율에 미달하는 가구를 빈곤 가구로 파악한다.

① A는 상대적 빈곤이다.
② B는 개발 도상국에서만 나타나는 빈곤이다.
③ A는 B와 달리 심리적 요인이 반영된 빈곤 개념이다.
④ ㉠이 ㉡보다 높으면, 상대적 빈곤 가구는 모두 절대적 빈곤 가구이다.
⑤ ㉠이 ㉡보다 낮으면, 절대적 빈곤 가구보다 상대적 빈곤 가구가 작다.

빈곤

09 그림은 갑국 뉴스의 한 장면이다. 갑국 상황에 대한 설명으로 옳은 것은? (단, 갑국의 모든 가구 구성원 수는 동일하며, 갑국의 빈곤 가구 기준은 우리나라와 동일하다.)

> 2021년 절대적 빈곤 가구의 비율은 전년 대비 0.7%p 증가한 10.9%, 상대적 빈곤 가구의 비율은 전년 대비 0.8%p 증가한 9.8%를 기록하였습니다. 한편, 2021년 총가구수는 전년 대비 0.8% 증가하였습니다.

① 2020년 대비 2021년 소득 불평등이 완화되었다.

② 상대적 빈곤 가구 수는 2020년과 2021년이 같다.

③ 절대적 빈곤 가구 수는 2020년보다 2021년이 작다.

④ 2020년 절대적 빈곤 가구는 모두 상대적 빈곤 가구에 해당한다.

⑤ 2021년 가구 소득이 최저 생계비 미만인 가구는 가구 소득이 중위 소득 50% 미만인 가구보다 많다.

사회 보장 제도

10 밑줄 친 ㉠, ㉡이 속한 사회 보장 제도 유형의 일반적 특징에 대한 옳은 설명만을 I 보기 I에서 고른 것은?

> 한눈에 보는 복지 정보 　장애인 복지 🔍
>
> **중증 장애인의 생활 안정을 돕습니다.**
> 소득 인정액이 기준 소득 이하인 중증 장애인에게 급여를 제공하여 생활 안정을 돕는 ㉠장애인 연금 제도가 있습니다.
>
> **장애인의 보조 기구 구입을 지원합니다.**
> ㉡국민 건강 보험에 가입된 장애인이 특정 보조 기구를 구매할 경우 비용의 90%를 보험 공단에서 부담하는 제도가 있습니다.

┌ 보기 ┐
ㄱ. ㉠이 속한 유형은 상호 부조의 원리를 바탕으로 한다.

ㄴ. ㉠이 속한 유형은 전액 정부의 재정으로 비용을 충당한다.

ㄷ. ㉡이 속한 유형은 수혜자의 수혜 정도에 따라 비용을 부담한다.

ㄹ. ㉠이 속한 유형은 사후 처방적, ㉡이 속한 유형은 사전 예방적 성격이 강하다.

① ㄱ, ㄴ ② ㄱ, ㄷ ③ ㄴ, ㄷ ④ ㄴ, ㄹ ⑤ ㄷ, ㄹ

사회 보장 제도

11 다음에 나타난 사회 보장 제도의 일반적 특징에 대한 설명으로 옳은 것은?

> 2022-134호
> ○○고등학교　　**가정통신문**　　
>
> **교육 급여 수급자 선정 기준이 변경되었습니다.**
>
> 새 기초 생활 보장 제도의 시행으로 교육 급여 수급자 선정 기준이 최저 생계비에서 중위 소득 50%로 변경되었습니다.
>
> 1. 가구원 수에 따른 교육 급여 지급 기준액이 모든 가구에서 이전보다 상향 조정되었습니다. (예를 들어, 4인 가구의 경우 기준액이 2015년 최저 생계비인 167만 원에서 2015년 중위 소득 50%인 211만 원으로 높아졌습니다.)

① 사전 예방적 성격을 가진다.

② 강제 가입의 원칙이 적용된다.

③ 수혜 정도에 따라 비용을 부담한다.

④ 상호 부조의 원리를 바탕으로 한다.

⑤ 선별적 복지 이념을 바탕으로 한다.

사회 보장 제도

12 다음에서 소개하고 있는 사회 보장 제도에 대한 옳은 설명만을 I 보기 I에서 고른 것은?

> **A제도 안내**
> • **사업 목적**: 갑작스러운 위기 상황으로 생계 유지가 곤란한 시민에게 생계·의료·주거 지원 등 필요한 복지 서비스를 신속하게 지원하여 위기 상황에서 벗어날 수 있도록 돕는 제도입니다.
> • **사업 대상**
> – 갑작스런 위기 상황으로 생계 유지가 곤란한 가구(주소득자의 사망, 가출, 행방 불명, 구금 시설 수용 등으로 소득을 상실한 경우, 중한 질병 또는 부상을 당한 경우 등)
> – 소득: 최저 생계비 150% 이하
> – 재산: 금융 재산 300만 원 이하
> … 중략 …

┌ 보기 ┐
ㄱ. 최저 생활 보장을 위한 공공 부조 정책이다.

ㄴ. 상대적 빈곤 가구의 상대적 박탈감 해소를 추구한다.

ㄷ. 정부 재정으로 제도 시행에 소요되는 비용을 부담한다.

ㄹ. 상호 부조를 통한 사회 통합의 실현을 목적으로 한다.

① ㄱ, ㄴ ② ㄱ, ㄷ ③ ㄴ, ㄷ ④ ㄴ, ㄹ ⑤ ㄷ, ㄹ

13 그림의 빈칸에 들어갈 적절한 내용만을 보기에서 고른 것은? (단, 갑국 총인구는 변화가 없다.)

〈수행 평가〉

이름:○○○

표는 갑국의 인구 관련 지표이다. 2010년과 비교하여 2020년 갑국 인구 지표의 특징을 다음 빈칸에 서술하시오.

• _____

구분	2010년	2020년
총 인구 중 65세 이상 인구의 비율 (%)	10	12
노령화 지수	50	120

* 노령화 지수=(65세 이상 인구 / 0~14세 인구)×100

┌ 보기 ┐
ㄱ. 0~14세 인구가 증가하였다.
ㄴ. 15~64세 인구가 증가하였다.
ㄷ. 총인구 대비 0~14세 인구의 비는 하락하였다.
ㄹ. 15~64세 인구 대비 65세 이상 인구의 비는 상승하였다.

① ㄱ, ㄴ ② ㄱ, ㄷ ③ ㄴ, ㄷ
④ ㄴ, ㄹ ⑤ ㄷ, ㄹ

14 그림은 A, B의 특징을 비교한 것이다. 이에 대한 옳은 설명만을 보기에서 고른 것은? (단, A와 B는 각각 정보 사회, 산업 사회 중 하나이다.)

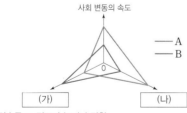

* 0에서 멀수록 그 정도가 높거나 강함.

┌ 보기 ┐
ㄱ. A는 B에 비해 면대면 접촉 비중이 높다.
ㄴ. B는 A에 비해 구성원 간 익명성이 높다.
ㄷ. (가)에는 '직업의 동질성'이 들어갈 수 있다.
ㄹ. (나)에는 '가정과 일터의 결합 정도'가 들어갈 수 있다.

① ㄱ, ㄴ ② ㄱ, ㄷ ③ ㄴ, ㄷ
④ ㄴ, ㄹ ⑤ ㄷ, ㄹ

15 다음 그림을 통해 공통적으로 추론할 수 있는 정보 사회의 문제점으로 가장 적절한 것은?

① 세대 간의 갈등이 심화된다.
② IT 기기 중독 현상이 확대된다.
③ 경제적 불평등이 확대 재생산된다.
④ 비대면 접촉 확대로 인간 소외가 심화된다.
⑤ 정보에의 접근 활용 능력의 격차가 확대된다.

16 그림은 정보 사회가 진행되는 양상을 나타낸다. 이에 대한 옳은 설명만을 보기에서 고른 것은?

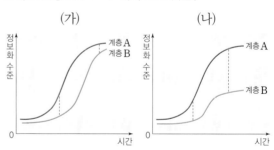

┌ 보기 ┐
ㄱ. (가)를 예상하는 사람들은 정보 사회가 진행되면서 정보 격차가 완화될 것이라고 본다.
ㄴ. (가)를 예상하는 사람들은 정보 사회가 진행되면서 사회 양극화가 심화될 것이라고 본다.
ㄷ. (나)를 예상하는 사람들은 정보 사회가 진행되면서 모래시계형 계층 구조가 나타날 것이고 본다.
ㄹ. (나)를 예상하는 사람들은 정보 사회가 진행되면서 기술 발전으로 정보 기기의 보급이 확대될 것이라고 본다.

① ㄱ, ㄴ ② ㄱ, ㄷ ③ ㄴ, ㄷ ④ ㄴ, ㄹ ⑤ ㄷ, ㄹ

후편 마무리 전략

문화의 이해

하위문화와 대중문화, 문화 변동

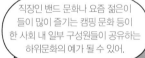

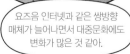

계급론, 계층론

(가), (나)를 보고 사회 계층화 현상을 설명하는 이론의 측면에서 이야기해 볼까요?

(가)는 생산 수단을 소유한 자본가와 그렇지 않은 노동자로 구분하고 있다는 점에서 계급론에 해당합니다.

(나)는 지위, 권력, 계급과 같이 여러 측면에서 계층을 구분하고 있다는 점에서 계층론에 해당합니다.

(나)와 달리 (가)는 자본가, 노동자로 계층을 구분한다는 점에서 불연속적이고 이분법적이라는 특징이 있습니다.

(가)와 달리 (나)는 지위, 권력, 계급상의 지위가 서로 다를 수 있기 때문에 지위 불일치 현상을 설명하기 용이합니다.

진화론, 순환론

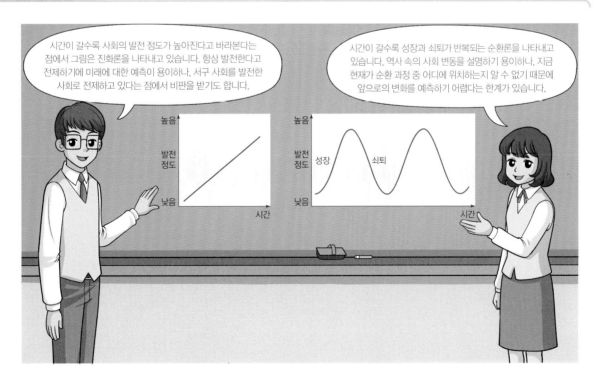

시간이 갈수록 사회의 발전 정도가 높아진다고 바라본다는 점에서 그림은 진화론을 나타내고 있습니다. 항상 발전한다고 전제하기에 미래에 대한 예측이 용이하나, 서구 사회를 발전한 사회로 전제하고 있다는 점에서 비판을 받기도 합니다.

시간이 갈수록 성장과 쇠퇴가 반복되는 순환론을 나타내고 있습니다. 역사 속의 사회 변동을 설명하기 용이하나, 지금 현재가 순환 과정 중 어디에 위치하는지 알 수 없기 때문에 앞으로의 변화를 예측하기 어렵다는 한계가 있습니다.

신유형·신경향 전략

01 문화의 의미와 속성

밑줄 친 ㉠~㉫에 대한 설명으로 옳은 것은?

> ㉠쌀밥은 우리나라 사람들에게 주식으로 여겨진다. 그런데 최근 ㉡'즉석 밥'이 새롭게 출시되면서 우리나라의 ㉢음식 문화도 바뀌고 있다. 즉석 밥은 ㉣여성의 경제 활동 참여와 1인 가구 등과 같은 다양한 요인이 복합적으로 영향을 미치면서 개발되었다. 간편한 조리가 장점인 즉석 밥은 여행객이나 해외 유학생들에게도 꾸준한 인기를 얻고 있다. 특히 최근에는 즉석 밥 관련된 ㉤기술이 더 발달되면서 ㉥잡곡 등을 활용한 다양한 형태로도 출시되어 큰 인기를 얻고 있다.

① ㉠은 문화를 통해 시간의 흐름에 따라 그 형태와 내용이 변화함을 보여준다.

② ㉡은 ㉤과 달리 물질문화에 해당한다.

③ ㉢에서의 '문화'는 좁은 의미의 문화이다.

④ ㉣에는 문화의 전체성이 부각되어 있다.

⑤ ㉥은 사회 구성원 간 원활한 상호 작용의 토대가 됨을 보여준다.

Tip

문화의 ❶〔 　 〕을 통해 사회 구성원은 사고와 행동의 동질성을 형성하여 타인의 행동을 예측할 수 있으며, 문화의 ❷〔 　 〕을 통해 문화는 고정된 것이 아니라 시간이 흐르면서 그 형태나 내용, 의미가 변화하는 생활 양식임을 알 수 있다.

閏 ❶ 공유성 ❷ 변동성

02 문화 변동의 요인과 양상

(가), (나)에 나타난 문화 변동에 대한 설명으로 옳은 것은?

> (가) 옥수수가 주식인 갑국은 을국에서 제작한 인터넷 방송을 통해 옥수수를 이용한 다양한 조리 방법을 접하게 되었다. 이에 갑국에서는 기존의 삶은 옥수수와 더불어 옥수수빵, 옥수수 빙수 등과 같은 옥수수를 이용한 다양한 옥수수 요리가 확산되었다.
>
> (나) 을국의 패션 디자이너들은 무거운 짐을 넣은 튼튼한 소재의 비닐을 보게 되었다. 아이디어를 얻은 을국 패션 디자이너들은 세계 최초로 비닐을 활용한 옷을 만들었고, 을국 사람들에게 많은 관심을 받으며 판매되고 있다.

① (가)에서는 간접 전파에 의한 문화 변동이 나타났다.

② (나)에서는 문화 변동의 결과 자극 전파가 나타났다.

③ (가)에서는 (나)와 달리 내재적 요인에 의해 문화가 변동되었다.

④ (나)에서는 (가)와 달리 기존에 없던 새로운 문화 요소가 만들어졌다.

⑤ (가), (나)에서는 모두 자발적 문화 접변이 나타났다.

Tip

문화 변동의 ❶〔 　 〕 요인이란 한 사회 내부에서 새롭게 등장하여 그 사회의 문화 체제에 변동을 초래하는 요인이다. 또한 ❷〔 　 〕 전파는 문화 요소를 제공하는 사회와 그것을 수용하는 사회 구성원 간의 직접적인 접촉이 아니라 매개체를 통해 간접적으로 문화 요소가 전달되어 정착되는 현상이다.

閏 ❶ 내재적 ❷ 간접

03 계급론, 계층론

사회 불평등 현상을 설명하는 이론 A, B의 입장을 고려하여 자신에게 주어진 질문에 대한 응답을 모두 옳게 한 학생은?

> 돈, 기계, 원료 등과 같은 생산 수단의 소유 여부를 기준으로 사회 불평등 현상을 설명하는 이론은 A이다. 반면, 사회 불평등의 층위가 여러 가지 차원에서 발생한다고 주장하며 현대 사회에서 나타나는 다양한 차원의 불평등을 근거로 제시하는 이론은 B이다.

학생	질문	A의 입장	B의 입장
갑	구성원 간 연속적인 서열 관계가 나타난다고 보는가?	×	×
을	수직 이동이 극히 제한적으로 나타난다고 보는가?	×	○
병	정치적 불평등이 경제적 불평등에 종속된다고 보는가?	○	×
정	동일 계층 범주에 속하는 사람들 간의 연대 의식이 뚜렷하다고 보는가?	○	○
무	경제적 요인에 의해 사회 불평등이 발생한다고 보는가?	×	○

(○: 예, ×: 아니요)

① 갑 ② 을 ③ 병
④ 정 ⑤ 무

Tip

사회 불평등 현상을 생산 수단의 소유 여부를 기준으로 설명하는 이론은 **❶** , 다양한 차원의 불평등을 근거로 제시하는 이론은 **❷** 이다.

답 ❶ 계급론 ❷ 계층론

04 사회 보장 제도

그림은 교사가 제시한 수업 자료이다. 이에 대한 학생들의 분석으로 옳은 내용만을 ┃보기┃에서 고른 것은?

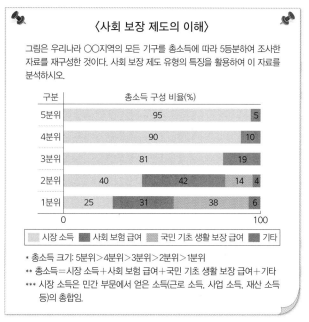

〈사회 보장 제도의 이해〉

그림은 우리나라 ○○지역의 모든 가구를 총소득에 따라 5등분하여 조사한 자료를 재구성한 것이다. 사회 보장 제도 유형의 특징을 활용하여 이 자료를 분석하시오.

구분	총소득 구성 비율(%)
5분위	95 / 5
4분위	90 / 10
3분위	81 / 19
2분위	40 / 42 / 14 / 4
1분위	25 / 31 / 38 / 6

▢ 시장 소득 ▪ 사회 보험 급여 ▢ 국민 기초 생활 보장 급여 ▪ 기타

* 총소득 크기: 5분위＞4분위＞3분위＞2분위＞1분위
** 총소득＝시장 소득＋사회 보험 급여＋국민 기초 생활 보장 급여＋기타
*** 시장 소득은 민간 부문에서 얻은 소득(근로 소득, 사업 소득, 재산 소득 등)의 총합임.

┃보기┃
ㄱ. 사후 처방적 성격이 강한 사회 보장 제도에 의한 급여는 모든 분위의 가구에 제공됩니다.
ㄴ. 1분위에서는 상호 부조의 성격이 강한 사회 보장 제도에 의한 급여가 총소득에서 차지하는 비율이 가장 높습니다.
ㄷ. 강제 가입을 원칙으로 하는 사회 보장 제도에 의한 급여가 총소득에서 차지하는 비율은 2분위가 1분위보다 높습니다.
ㄹ. 총소득 중 정부의 재정으로 비용을 충당하는 사회 보장 제도에 의한 급여의 비율이 가장 높은 분위는 1분위입니다.

① ㄱ, ㄴ ② ㄱ, ㄷ ③ ㄴ, ㄷ
④ ㄴ, ㄹ ⑤ ㄷ, ㄹ

Tip

강제 가입을 원칙으로 하는 사회 보장 제도는 **❶** 이고, 정부의 재정으로 충당하는 사회 보장 제도는 **❷** 이다.

답 ❶ 사회 보험 ❷ 공공 부조

05 문화 이해의 태도

다음은 문화 이해 태도 A~C에 대한 수행 평가 및 교사의 채점 결과이다. 이에 대한 옳은 설명만을 ⌐ 보기 ⌐에서 있는 대로 고른 것은? (단, A~C는 각각 문화 사대주의, 문화 상대주의, 자문화 중심주의 중 하나이다.)

[수행 평가 과제]

학생	과제 내용
갑	A와 구분되는 B의 특징 3가지 서술하기
을	B와 구분되는 C의 특징 3가지 서술하기
병	C와 구분되는 A의 특징 3가지 서술하기

[각 학생의 서술 및 교사의 채점 결과]

학생	서술 내용	점수
갑	1. 문화를 이해가 아닌 평가의 대상으로 본다. 2. 자기 문화의 주체성 형성에 도움이 된다. 3. 국수주의로 변질될 수 있다는 비판을 받는다.	2점
을	1. 문화의 다양성 확보에 유리하다. 2. 문화를 해당 사회의 맥락에서 이해한다. 3. 모든 문화가 동등한 가치를 지닌다고 본다.	3점
병	1. 자문화의 고유성을 상실할 우려가 높다. 2. 문화 제국주의로 변질될 가능성이 높다. 3. (가)	1점

* 교사는 각 서술 내용별로 채점하고, 서술 하나가 맞을 때마다 1점씩 부여함.

⌐ 보기 ⌐

ㄱ. A는 문화 사대주의, B는 자문화 중심주의, C는 문화 상대주의이다.

ㄴ. (가)에는 '다른 문화의 수용에 적극적이다.'가 들어갈 수 없다.

ㄷ. A는 자문화를 다른 사회에 이식하는 것을 당연시한다.

ㄹ. B는 자기 문화가 우월하다는 믿음을 바탕으로 타문화를 판단한다.

① ㄱ, ㄴ   ② ㄱ, ㄷ   ③ ㄷ, ㄹ

④ ㄱ, ㄴ, ㄹ   ⑤ ㄴ, ㄷ, ㄹ

Tip

문화를 이해가 아닌 평가의 대상으로 보는 것은 ❶[　　　]와 ❷[　　　]이다.

🔖 ❶ 자문화 중심주의 ❷ 문화 사대주의

06 하위문화

A~C에 대한 설명으로 옳은 것은? (단, A~C는 각각 반문화, 주류 문화, 하위문화 중 하나이다.)

- '기존 문화에 저항하는 특징을 보이는 문화인가?'라는 질문을 통해 A와 C를 구분할 수 있다.
- '한 사회 내에서 일부 구성원만 공유하는 문화인가?'라는 질문을 통해 B와 C를 구분할 수 없다.
- [　　　　(가)　　　　]라는 질문을 통해 A와 B를 구분할 수 없다.

① A는 반문화, B는 하위문화, C는 주류 문화이다.

② 모든 B는 C에 해당한다.

③ B는 C와 달리 전체 사회에 문화 다양성을 제공한다.

④ B와 C의 총합은 A이다.

⑤ (가)에는 '해당 문화에 속하는 것을 구분하는 기준은 상대적인가?'가 들어갈 수 있다.

Tip

한 사회의 구성원 대부분이 공유하는 문화를 ❶[　　　]라고 하고, ❷[　　　]의 합이 곧 주류 문화인 것은 아니다.

🔖 ❶ 주류 문화 ❷ 하위문화

07 정보 사회의 특징

교사의 질문에 대한 옳은 설명만을 ┃보기┃에서 고른 것은?

교사: A와 B는 각각 산업 사회와 정보 사회 중 하나이며, 두 사회를 사회 조직의 관료제화 정도에 따라 비교하면 다음 그림과 같이 나타낼 수 있습니다.
다음 표는 A와 B의 특징의 정도를 그림으로 나타낸 것으로 (가), (나)에 들어갈 수 있는 특징에 대해 설명해 볼까요?

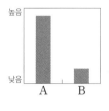

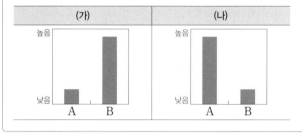

┌ 보기 ┐
ㄱ. (가)에는 가정과 일터의 결합 정도가 들어갈 수 있습니다.
ㄴ. (가)에는 사회적 관계를 맺는 공간적 제약의 정도가 들어갈 수 있습니다.
ㄷ. (나)에는 정보 생산자와 소비자 간의 경계가 들어갈 수 있습니다.
ㄹ. (나)에는 다품종 소량 생산 방식의 비중 정도가 들어갈 수 있습니다.

① ㄱ, ㄴ ② ㄱ, ㄷ ③ ㄴ, ㄷ
④ ㄴ, ㄹ ⑤ ㄷ, ㄹ

Tip

산업 사회와 정보 사회 중 사회 조직의 관료제화 정도가 높은 사회는 ❶ [   ] 이다.

🔑 ❶ 산업 사회

08 사회 변동 이론

표는 사회 변동 이론 A, B 관련 질문에 대한 학생들의 응답 및 채점 결과를 나타낸다. 이에 대한 옳은 설명만을 ┃보기┃에서 고른 것은? (단, A와 B는 각각 진화론과 순환론이다.)

질문	답변	
	갑	을
A는 사회가 단순한 형태에서 복잡한 형태로 발전한다고 보는가?	예	아니요
B는 흥망성쇠를 거듭한 국가의 사례를 설명하기에 적합한가?	아니요	예
B는 A와 달리 사회 변동이 일정한 방향성을 가지고 있다고 보는가?	예	㉠
(가)	아니요	예
점수	3점	2점

* 교사는 각 질문별로 채점하고, 답변 하나가 맞을 때마다 1점씩 부여함.

┌ 보기 ┐
ㄱ. A는 B에 비해 사회 변동에 대한 역동적 대응이 용이하다는 평가를 받는다.
ㄴ. B는 A와 달리 사회 변동에 작용하는 인간의 자율성을 과소평가한다는 비판을 받는다.
ㄷ. ㉠은 '예'이다.
ㄹ. (가)에는 'A는 서구 제국주의 역사를 정당화하는 수단으로 악용될 수 있다는 비판을 받는가?'가 들어갈 수 있다.

① ㄱ, ㄴ ② ㄱ, ㄷ ③ ㄴ, ㄷ
④ ㄴ, ㄹ ⑤ ㄷ, ㄹ

Tip

사회가 단순한 형태에서 복잡한 형태로 발전한다고 보는 것은 ❶ [   ] 이고, 흥망성쇠를 거듭한 국가의 사례를 설명하기에 적합한 것은 ❷ [   ] 이다.

🔑 ❶ 진화론 ❷ 순환론

1강_문화의 이해

01

그림은 질문을 통해 A, B를 구분한 것이다. 이에 대한 옳은 설명만을 |보기|에서 고른 것은? (단, A와 B는 각각 넓은 의미의 문화와 좁은 의미의 문화 중 하나이다.)

| 보기 |
ㄱ. A는 생활 양식의 총체를 의미한다.
ㄴ. B는 평가적 의미를 내포한다.
ㄷ. A의 또 다른 사례로 '문화인'을 들 수 있다.
ㄹ. (가)에는 '정신적, 예술적으로 높은 수준에 도달한 것으로 인식하는가?'가 들어갈 수 없다.

① ㄱ, ㄴ   ② ㄱ, ㄷ   ③ ㄴ, ㄷ
④ ㄴ, ㄹ   ⑤ ㄷ, ㄹ

02

다음은 문화의 의미에 대한 갑, 을의 대화이다. 이에 대한 옳은 설명만을 |보기|에서 고른 것은?

| 보기 |
ㄱ. 갑은 문화를 문명과 동일한 의미로 본다.
ㄴ. 갑은 문화에 평가적 의미가 내포되어 있다고 본다.
ㄷ. 인간의 모든 행동은 을이 말하는 문화에 포함된다.
ㄹ. 을이 말하는 문화는 좁은 의미의 문화에 해당한다.

① ㄱ, ㄴ   ② ㄱ, ㄷ   ③ ㄴ, ㄷ
④ ㄴ, ㄹ   ⑤ ㄷ, ㄹ

03

다음 글에서 부각되는 문화의 속성에 대한 진술로 가장 적절한 것은?

> 최근 전염병이 장기화되면서 재택근무를 하는 사람이 늘어나며 업무 문화에도 변화가 생겼다. 특히 집에서 머무르며 일하는 시간이 늘어나면서 재택근무용 가구 판매, 음식 배달 사업, 온라인 회의 플랫폼 개발 등이 함께 영향을 받고 있다.

① 선천적이기보다는 후천적으로 습득된다.
② 새로운 문화 요소가 추가되면서 전승된다.
③ 특정 상황에서 상대방의 행동 방식을 예측하게 한다.
④ 하나의 전체 속에서 다른 것들과 관련을 맺으며 존재한다.
⑤ 새로운 특성이 추가되거나 기존의 특성이 소멸되기도 한다.

04

(가), (나)에 나타난 문화 이해의 관점에 대한 옳은 설명만을 |보기|에서 고른 것은?

> (가) 섬나라인 A국의 각 섬에서 나타나는 각기 다른 특징을 보이는 장례 형태를 공통점과 차이점을 바탕으로 연구하였다.
> (나) 사람이 죽으면 수목장을 하는 B 부족의 장례 문화를 그들의 종교 제도, 경제 제도, 가족 제도 등 다양한 요인들과 관련지어 연구하였다.

| 보기 |
ㄱ. (가)의 관점은 문화에 대한 편협하고 왜곡된 이해를 방지하는 데 기여한다.
ㄴ. (나)의 관점은 문화 요소 간의 연관성을 강조한다.
ㄷ. (가)의 관점은 (나)의 관점과 달리 자기 문화를 객관적으로 이해하는 데 유용하다.
ㄹ. (가), (나)의 관점은 모두 다른 문화를 거울삼아 자기 문화를 파악하는 데 유용하다.

① ㄱ, ㄴ   ② ㄱ, ㄷ   ③ ㄴ, ㄷ
④ ㄴ, ㄹ   ⑤ ㄷ, ㄹ

∴ 1등급 킬러

05 다음과 같이 A~C를 구분할 때, 이에 대한 질문에 모두 옳게 응답한 학생은? (단, A~C는 각각 문화 사대주의, 문화 상대주의, 자문화 중심주의 중 하나이다.)

'문화를 우열 평가의 대상으로 간주하는가?'라는 질문으로 B와 C를 구분할 수 없다. 그리고 '자기 문화의 정체성을 상실할 우려가 큰 가?'라는 질문으로 A와 B를 구분할 수 있다.

질문＼학생	갑	을	병	정	무
A는 C와 달리 각 사회의 문화가 동등한 가치를 지닌다고 보는가?	○	○	×	○	×
B는 A와 달리 타문화의 장점을 객관적으로 인식하는 데 기여하는가?	○	×	○	×	×
B는 C와 달리 외부 문화의 수용에 적극적인가?	×	○	○	×	○
C는 A와 달리 문화의 다양성 보존에 기여하는가?	×	×	×	○	×

(○: 예, ×: 아니요)

① 갑 ② 을 ③ 병
④ 정 ⑤ 무

06 갑, 을의 문화 이해 태도에 대한 옳은 설명만을 |보기|에서 고른 것은?

• 갑은 외국의 시골로 여행을 갔다가 강에서 빨래를 하고, 그 옆에서는 목욕을 하는 한 부족의 모습을 보고 자국의 시골 문화에 비해 현저히 뒤떨어지는 문화라고 생각하였다.
• 을은 외국인 친구 병으로부터 그 나라에서 만들어진 만화책을 접하게 된 후, 만화의 기술이나 내용에 감동을 받으며 무조건 병이 사는 나라의 만화 기술을 수용해야 한다고 주장하였다.

｜보기｜
ㄱ. 갑의 태도는 자문화의 정체성을 상실할 우려가 있다는 비판을 받는다.
ㄴ. 갑의 태도는 국수주의로 변질될 수 있다는 비판을 받는다.
ㄷ. 을의 태도는 외부 문화의 수용에 적극적이다.
ㄹ. 을의 태도는 갑의 태도와 달리 문화를 우열 평가의 대상으로 간주한다.

① ㄱ, ㄴ ② ㄱ, ㄷ ③ ㄴ, ㄷ
④ ㄴ, ㄹ ⑤ ㄷ, ㄹ

07 다음 대화에 대한 설명으로 옳은 것은? (단, A~C는 각각 자문화 중심주의, 문화 사대주의, 문화 상대주의 중 하나이다.)

교사: 지난 시간에 배운 A, B, C에 대해 발표해 볼까요?
갑: A, C는 B와 달리 문화 간에 우열이 존재한다고 봅니다.
을: 외국 브랜드에 대한 맹목적인 선호 문화는 A에 해당합니다.
병: 국수주의를 초래할 가능성이 높은 것은 C에 해당합니다.
정: _____(가)_____
교사: 모두 옳게 발표하였습니다.

① A는 자문화 중심주의, B는 문화 상대주의, C는 문화 사대주의이다.
② A는 집단 구성원의 결속력을 높이는 데 기여한다.
③ B는 문화의 다양성 확보에 불리하다.
④ C는 문화 제국주의로 변질될 수 있다는 비판을 받는다.
⑤ (가)에는 'B는 A, C와 달리 타문화를 그 문화 향유자의 입장에서 이해하고자 합니다.'가 들어갈 수 없다.

08 문화 이해의 태도 (가)~(다)에 대한 옳은 설명만을 |보기|에서 있는 대로 고른 것은?

（가）와 （나）는 문화 간 우열이 존재한다는 점에선 유사하지만 （가）는 다른 사회의 문화에 대해 배타적 태도를 취할 가능성이 높다. 한편 （다）는 모든 문화가 동등한 가치를 지닌다고 본다.

｜보기｜
ㄱ. (가)는 자문화 중심주의, (나)는 문화 사대주의, (다)는 문화 상대주의이다.
ㄴ. (가)는 국수주의를 초래할 우려가 있다.
ㄷ. (나)는 (가)와 달리 문화를 평가의 대상으로 본다.
ㄹ. (다)는 문화 다양성 유지에 기여한다.

① ㄱ, ㄴ ② ㄱ, ㄷ ③ ㄷ, ㄹ
④ ㄱ, ㄴ, ㄹ ⑤ ㄴ, ㄷ, ㄹ

2강_하위문화와 대중문화 ~ 문화 변동

09 A~C에 대한 설명으로 옳은 것은? (단, A~C는 각각 반문화, 주류 문화, 반문화의 성격이 없는 하위문화 중 하나이다.)

> A는 한 사회 구성원들이 전반적으로 공유하는 문화를 의미한다. 그런데 한 사회 안에서도 세대, 취미, 종교 등에 따라 특정 집단 구성원들이 그들만의 독특한 문화를 형성하기도 하는데 이를 B라고 한다. 그리고 B의 한 유형 중에서도 지배적인 문화에 정면으로 반대하고 충돌할 만한 생활 양식을 공유하는 C가 있다. C의 대표적인 예로 범죄 문화를 들 수 있다.

① 모든 B는 C에 해당한다.
② C는 B와 달리 전체 사회에 문화 다양성을 제공한다.
③ C는 사회 변화에 따라 A가 될 수 없다.
④ A는 B, C와 달리 시대와 사회에 따라 상대적으로 규정된다.
⑤ B와 C 문화의 총합은 A로 설명할 수 없다.

10 그림은 질문을 통해 문화의 유형 A, B를 구분한 것이다. 이에 대한 옳은 설명만을 ⌐보기⌐에서 고른 것은? (단, A, B는 각각 주류 문화와 하위문화 중 하나이다.)

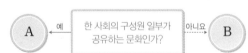

⌐ 보기 ⌐
ㄱ. B는 A의 총합으로 설명할 수 없다.
ㄴ. A에는 B의 문화 요소가 존재하지 않는다.
ㄷ. 모든 반문화는 A에 속한다.
ㄹ. A는 B와 달리 전체 사회의 문화적 다양성 제공에 기여한다.

① ㄱ, ㄴ   ② ㄱ, ㄷ   ③ ㄴ, ㄷ
④ ㄴ, ㄹ   ⑤ ㄷ, ㄹ

11 다음 글을 통해 추론할 수 있는 내용으로 옳은 것은?

> 우리는 가끔씩 신문 기사나 뉴스를 볼 때 동일한 사건에 대해 다른 제목을 쓰거나 다른 시각으로 기사의 내용이 이루어져 있는 것을 볼 때가 있다. 언론사의 의도나 가치에 따라 보도의 내용이 달라질 수 있기 때문에 우리도 대중 매체가 전달하는 내용을 무조건으로 받아들이는 태도를 지양해야 한다.

① 대중의 정치적 무관심을 초래한다.
② 상업주의로 인해 선정적 문화를 확산시킨다.
③ 개인에 의한 문화 창조의 가능성을 약화시킨다.
④ 정보의 대량 유통으로 개인의 사생활을 침해한다.
⑤ 왜곡된 정보의 제공으로 대중에게 편견을 갖게 한다.

12 그림은 질문에 대해 '예'로 응답하는 문화 변동 요인을 원 안에 묶어 놓은 것이다. A~D에 대한 설명으로 옳은 것은? (단, A~D는 각각 발견, 발명, 직접 전파, 자극 전파 중 하나이다.)

※※ 1등급 킬러

① A는 발명, B는 직접 전파, C는 자극 전파, D는 발견이다.
② A는 외재적 요인에 의한 문화 변동 요인이다.
③ B는 사회 구성원들 간의 직접적인 접촉 과정에서 발생한다.
④ C의 사례로 '교역을 통해 전파된 향신료'를 들 수 있다.
⑤ C, D는 A, B와 달리 강제적 문화 접변의 요인이다.

13 그림은 질문을 통해 문화 변동의 요인 및 양상 A~C를 구분한 것이다. 이에 대한 옳은 설명만을 ㅣ보기ㅣ에서 있는 대로 고른 것은? (단 A~C는 자극 전파, 문화 동화, 문화 융합 중 하나이다.)

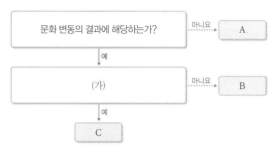

┌ 보기 ┐
ㄱ. A는 문화 변동의 외재적 요인에 해당한다.
ㄴ. B가 문화 동화라면, (가)에는 '문화 변동 과정에서 자기 문화의 정체성을 상실하였는가?'가 들어갈 수 있다.
ㄷ. C가 문화 융합이라면, A와 C는 모두 문화 변동 과정에서 새로운 문화 요소가 생겨난다.
ㄹ. (가)에 '문화의 다양성 증대에 기여하는가?'가 들어간다면, C는 B와 달리 다른 문화로부터 아이디어를 얻어 새로운 문화를 만들어 낸 것에 해당한다.

① ㄱ, ㄴ　　② ㄱ, ㄷ　　③ ㄴ, ㄹ
④ ㄱ, ㄷ, ㄹ　　⑤ ㄴ, ㄷ, ㄹ

14 다음 A국에 나타난 문화 변동에 대한 분석으로 옳은 설명만을 ㅣ보기ㅣ에서 고른 것은?

A국은 오랜 시간 동안 자국의 전통 옷을 입으며 생활하였다. 하지만 개화기를 통해 교역을 하며 다른 나라의 현대식 정장을 접하게 되었고, 기존 전통 의복과 현대식 정장을 접목한 새로운 스타일의 옷을 만들어 일상 생활 속에서도 남녀노소 누구나 입는 의복 문화를 만들어냈다.

┌ 보기 ┐
ㄱ. A국에서는 간접 전파가 나타났다.
ㄴ. A국에서는 문화 융합이 나타났다.
ㄷ. A국에서는 내재적 요인에 의한 문화 변동이 나타났다.
ㄹ. A국에서는 문화 변동 이후 기존 문화 요소의 정체성이 남아있다.

① ㄱ, ㄴ　② ㄱ, ㄷ　③ ㄴ, ㄷ　④ ㄴ, ㄹ　⑤ ㄷ, ㄹ

15 ☆ 1등급 킬러
다음 자료는 문화 변동의 양상 A, B의 공통점과 차이점을 나타낸 것이다. (가)~(다)에 들어갈 수 있는 내용으로 옳은 것은? (단, A, B는 각각 문화 공존과 문화 융합 중 하나이다.)

• A: 우리나라에서 양력과 음력에 따른 날짜를 함께 사용하는 것
• B: 한국의 온돌 문화와 서양의 침대 문화가 결합되어 새로운 온돌 침대가 만들어진 것

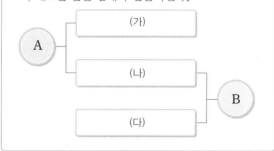

① (가)– 외재적 요인에 의한 결과이다.
② (가)– 자발적 문화 접변을 통해서만 나타난다.
③ (나)– 기존 문화 요소의 정체성이 유지된다.
④ (다)– 전통문화 요소가 외래문화 요소로 대체되며 나타난다.
⑤ (다)– 한 사회 내의 문화 요소로부터 아이디어를 얻으며 나타난다.

16 다음에 나타난 문화 변동의 문제점으로 옳은 것은?

최근 무인 항공기인 드론이 대중화되면서 일반인들이 이 드론을 사용하는 모습을 많이 볼 수 있다. 하지만 높은 곳에서 촬영을 하는 드론의 경우 사생활 침해에 대한 문제가 따르기 일쑤이다. 아직까지 드론 촬영에 대한 관련 법규가 제대로 마련되어 있지 않아 이를 악용한 사생활 침해 사례가 많이 발생하고 있다.

① 물질문화의 발명으로 인해 세대 간 갈등이 증가했다.
② 물질문화의 질적 저하로 인해 문화의 획일화가 나타났다.
③ 대중문화의 확산으로 인해 문화의 상업화가 심화되었다.
④ 문화 요소 간 변동 속도 차이로 인해 부조화 현상이 나타났다.
⑤ 정보 통신 기술 발달로 인해 하위문화가 주류 문화로 변화되었다.

3강_사회 불평등 현상의 이해~사회 이동과 사회 계층 구조

:: 1등급 킬러

01 그림은 질문 (가)~(다)에 따라 사회 불평등 현상을 설명하는 이론 A, B를 구분한 것이다. 이에 대한 설명으로 옳은 것은? (단, A, B는 각각 계급론, 계층론 중 하나이다.)

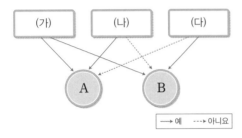

① A가 계급론이면, (가)에는 '지위 불일치 현상을 설명하기 적합한가?'가 들어갈 수 있다.

② B가 계층론이면, (다)에는 '동일 계층 구성원 간의 연대 의식을 강조하는가?'가 들어갈 수 있다.

③ (가)에는 '사회 불평등 현상의 원인으로 경제적 요인을 고려하는가?'가 들어갈 수 있다.

④ (나)가 '사회 불평등 현상을 다원론적 관점으로 보는가?'이면, A는 계급론이다.

⑤ (다)가 '생산 수단의 소유 여부에 따라 계급을 구분하는가?'이면, B는 계층론이다.

02 제시문에 나타난 관점에 부합하는 주장만을 l보기l에서 고른 것은?

> 의사가 육체적 노동자보다 많은 소득을 얻는 것은 사회적으로 더 중요한 역할을 담당하고 있기 때문이다. 만약 육체 노동자가 의사보다 많은 소득을 얻는다면 아무도 의사가 되지 않을 것이며 그 피해는 사회 구성원 모두에게 미치게 된다.

ㄱ보기ㄱ
ㄱ. 직업별 중요도는 지배 집단에 의해 규정된다.
ㄴ. 차등 분배는 사회적 효율성 증대에 기여한다.
ㄷ. 사회적 희소가치의 분배 기준은 합의의 결과이다.
ㄹ. 소득은 개인의 능력보다 가정 배경에 의해 결정된다.

① ㄱ, ㄴ　　② ㄱ, ㄷ　　③ ㄴ, ㄷ
④ ㄴ, ㄹ　　⑤ ㄷ, ㄹ

03 표는 사회 불평등 현상을 설명하는 개념 A, B를 질문에 따라 구분한 것이다. 이에 대한 옳은 설명만을 l보기l에서 고른 것은?

질문	개념	
	A	B
생산 수단 소유 여부가 사회 불평등 구조를 결정하는가?	예	아니요
(가)	아니요	예
(나)	예	아니요

ㄱ보기ㄱ
ㄱ. A는 B와 달리 위계를 구분할 때 경제적 요인을 고려한다.
ㄴ. B는 A와 달리 지위 불일치 현상을 설명하기 용이하다.
ㄷ. (가)에는 '다차원적 요인으로 사회 불평등을 설명하는가?'가 들어갈 수 있다.
ㄹ. (나)에는 '사회 불평등을 연속적인 서열 상태로 파악하는가?'가 들어갈 수 있다.

① ㄱ, ㄴ　　② ㄱ, ㄷ　　③ ㄴ, ㄷ
④ ㄴ, ㄹ　　⑤ ㄷ, ㄹ

:: 1등급 킬러

04 표는 사회 불평등 현상을 바라보는 관점 (가), (나)를 질문에 따라 구분한 것이다. 이에 대한 옳은 설명만을 l보기l에서 고른 것은?

질문	답변	
	(가)	(나)
차등적인 보상이 사회 유지를 위해 필요하다고 보는가?	아니요	예
사회적 희소가치의 배분이 불공정하다고 보는가?	예	아니요
A	예	아니요

ㄱ보기ㄱ
ㄱ. (가)는 균등 분배가 성취동기를 저하시킨다고 본다.
ㄴ. (나)는 사회 불평등 현상을 불가피하다고 본다.
ㄷ. (가)와 (나) 모두 사회 불평등 현상을 보편적 현상이라 본다.
ㄹ. A에는 '사회적 희소가치의 배분 기준이 사회적 합의의 결과라고 보는가?'가 들어갈 수 있다.

① ㄱ, ㄴ　　② ㄱ, ㄷ　　③ ㄴ, ㄷ
④ ㄴ, ㄹ　　⑤ ㄷ, ㄹ

05 다음 그림에 나타난 관점에 부합하는 주장만을 ⌐보기⌐에서 고른 것은?

⌐ 보기 ⌐
ㄱ. 희소가치는 개인의 사회적 기여 정도와 무관하게 분배된다.
ㄴ. 희소가치를 균등하게 분배할수록 사회적 효율성이 낮아진다.
ㄷ. 부모의 계층과 자녀의 사회적 성공 가능성 간에는 정(+)의 관계가 있다.
ㄹ. 개인의 성취동기와 희소가치의 차등 분배 수준 사이에는 정(+)의 관계가 있다.

① ㄱ, ㄴ   ② ㄱ, ㄷ   ③ ㄴ, ㄷ
④ ㄴ, ㄹ   ⑤ ㄷ, ㄹ

06 표는 부모 세대와 자녀 세대의 계층을 비교한 것이다. 이에 대한 옳은 설명만을 ⌐보기⌐에서 고른 것은?

** 1등급 킬러

(단위: %)

구분		부모 세대			계
		상층	중층	하층	
자녀 세대	상층	10	5	10	25
	중층	0	30	20	50
	하층	0	5	20	25
계		10	40	50	100

⌐ 보기 ⌐
ㄱ. 부모 세대의 계층 구조는 다이아몬드형이다.
ㄴ. 부모 세대에 비해 자녀 세대의 계층 구조가 사회 통합에 유리하다.
ㄷ. 부모 세대는 폐쇄적 계층 구조, 자녀 세대는 개방적 계층 구조이다.
ㄹ. 부모 세대에서 자녀 세대로 계층이 대물림된 경우는 전체의 과반이다.

① ㄱ, ㄴ   ② ㄱ, ㄷ   ③ ㄴ, ㄷ
④ ㄴ, ㄹ   ⑤ ㄷ, ㄹ

4강_다양한 사회 불평등 현상 ~ 현대 사회의 변동

07 표는 빈곤의 유형 A, B를 질문에 따라 구분한 것이다. 이에 대한 설명으로 옳은 것은? (단, A와 B는 각각 절대적 빈곤, 상대적 빈곤 중 하나이다.)

질문　　　　　　　　　　　　　　유형	A	B
인간의 기본적 욕구 충족 및 최소한의 생활 유지에 필요한 자원이 결핍된 상태라고 정의되는가?	아니요	예
(가)	예	아니요

① A는 선진국에서는 나타나지 않는다.
② 우리나라에서 B의 기준은 중위 소득의 50%이다.
③ A는 B와 달리 상대적 박탈감의 원인이다.
④ A, B에 해당하는 가구는 모두 객관화된 기준에 의해 분류된다.
⑤ (가)에는 '개인이 체감하는 빈곤 상태를 의미합니까?'가 들어갈 수 있다.

08 다음 자료에 대한 옳은 설명만을 ⌐보기⌐에서 고른 것은? (단, A와 B는 각각 절대적 빈곤, 상대적 빈곤 중 하나이다.)

A는 인간이 최소한의 생활을 유지하기 어려운 상태로서, 주로 자원이나 소득이 부족한 상태를 의미한다. 우리나라에서는 A를 측정하기 위한 기준선으로 [(가)] 을/를 활용한다. B는 개인이 다른 사람에 비해 자원이나 소득이 결핍되어 사회 구성원 다수가 누리는 생활을 영위하지 못하는 상태를 의미한다. 우리나라에서는 B를 측정하기 위한 기준선으로 [(나)] 을/를 활용한다.

⌐ 보기 ⌐
ㄱ. A와 달리 B는 선진국에서는 나타나지 않는다.
ㄴ. B와 달리 A는 객관화된 기준에 의해 규정된다.
ㄷ. (가)는 최저 생계비, (나)는 중위 소득의 50%이다.
ㄹ. 우리나라에서 A에 해당하는 가구가 B에 해당하는 가구보다 많다면 최저 생계비가 중위 소득의 50%보다 높을 것이다.

① ㄱ, ㄴ   ② ㄱ, ㄷ   ③ ㄴ, ㄷ
④ ㄴ, ㄹ   ⑤ ㄷ, ㄹ

09 다음 자료에 대한 옳은 설명만을 ⌐보기⌐에서 고른 것은?

_{* 1등급 킬러}

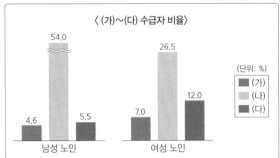

〈(가)~(다) 수급자 비율〉

(가) 국가가 가구 소득 인정액이 기준액 이하인 가구의 기초 생활을 보장하기 위해 급여를 지급하고, 자활을 지원하는 제도

(나) 가입자와 고용주 등이 분담해서 마련한 기금을 통해 노령, 장애 등에 대한 연금 급여를 지급하여 생활 안정을 도모하는 제도

(다) 노인성 질병 등으로 인해 일상생활을 혼자서 수행하기 어려운 사람들에게 장기 요양 급여를 지급하는 제도

┌ 보기 ┐
ㄱ. (가)는 (나)와 달리 사전 예방적 성격을 지닌다.
ㄴ. (다)는 (가)와 달리 소득 수준에 따라 비용을 부담한다.
ㄷ. (가)~(다) 중 금전적 지원을 원칙으로 하는 제도의 수급자 비율은 남성과 여성에서 모두 10%를 초과한다.
ㄹ. (가)~(다) 중 정부의 재정으로 비용을 전액 충당하는 제도의 수급자 비율은 남성 노인보다 여성 노인이 높다.

① ㄱ, ㄴ   ② ㄱ, ㄷ   ③ ㄴ, ㄷ
④ ㄴ, ㄹ   ⑤ ㄷ, ㄹ

10 자료에 대한 설명으로 옳은 것은? (단, A~C는 각각 사회 보험, 공공 부조, 사회 서비스 중 하나이다.)

68세인 갑, 을, 병은 각각 자신에게 맞는 사회 보장 제도에 대한 정보를 관련 홈페이지에서 찾아보았다.
• 갑이 찾은 제도는 A의 하나로서, 일상생활을 혼자서 수행하기 어려운 사람을 지원하여 건강 증진 및 생활 안정을 도모한다. 재원은 가입자가 납부하는 보험료, 국가와 지방 자치 단체 부담금으로 조달한다.
• 을이 찾은 제도는 B의 하나로서, 생활이 어려운 사람에게 안정적인 소득 기반을 제공하고 생활 안정을 지원한다. 소득 인정액이 보건복지부 장관이 매년 결정·고시하는 선정 기준액 이하인 65세 이상의 자에 한하여 차등 지급한다.
• 병이 찾은 제도는 C의 하나로서, 식사, 세면, 옷 갈아입기, 구강 관리, 화장실 이용, 외출, 목욕 등의 신변 활동을 지원한다. 또한 취사, 생활 필수품 구매, 청소, 세탁 등 일상생활을 지원한다.

① A는 사후 처방적 성격이 강하다.
② B는 수혜 정도에 따라 비용을 부담한다.
③ C는 강제 가입의 원칙이 적용된다.
④ A는 B와 달리 소득 재분배 효과가 나타난다.
⑤ B는 C와 달리 금전적 지원을 원칙으로 한다.

11 표는 A, B 사회의 일반적인 특징을 정리한 것이다. 이에 대한 설명으로 옳은 것은? (단, A와 B는 각각 정보 사회, 산업 사회 중 하나이다.)

A 사회	B 사회
직장인 갑은 출근하지 않고 집에서 컴퓨터로 회사의 업무를 본다. 인터넷을 통해 직장 동료 및 협력 업체와 협의하며, 팀장 또는 CEO에게 직접 보고를 하는 등 다양한 업무를 처리한다.	직장인 을은 매일 아침 9시부터 오후 6시까지 자동차 제조 공장에서 일을 한다. 출근 후 업무 지시를 받아 하루 종일 컨베이어 벨트에 실려 오는 자동차에 타이어를 장착하는 일을 수행한다.

① A는 B에 비해 정보 확산의 속도가 느리다.
② A는 B에 비해 가정과 일터의 결합 정도가 낮다.
③ A는 B에 비해 다품종 소량 생산의 비중이 높다.
④ B는 A에 비해 구성원 간 비대면 접촉의 정도가 높다.
⑤ B는 A에 비해 지식 산업을 통한 부가가치 창출이 유리하다.

12 표는 사회 변동을 바라보는 관점 A, B를 질문 (가)~(다) ^{** 1등급 킬러}
로 구분한 것이다. 이에 대한 옳은 설명만을 ㅣ보기ㅣ에서
고른 것은? (단, A와 B는 각각 진화론과 순환론 중 하나
이다.)

관점＼질문	(가)	(나)	(다)
A	아니요	예	예
B	예	아니요	예

ㅣ보기ㅣ
ㄱ. A가 진화론이면, (가)에는 '모든 사회가 일정한
　　방향으로 발전한다고 보는가?'가 들어갈 수 있다.
ㄴ. B가 순환론이면, (나)에는 '서구 제국주의 역사
　　를 정당화하는 수단으로 악용되는가?'가 들어갈
　　수 있다.
ㄷ. (가)가 '사회 변동을 운명론적 관점으로 바라보
　　는가?'라면, (나)에는 '사회 변동을 발전으로 인
　　식하는가?'가 들어갈 수 있다.
ㄹ. (다)에는 '사회 변동이 주기적으로 동일한 과정
　　이 반복된다고 보는가?'가 들어갈 수 있다.

① ㄱ, ㄴ ② ㄱ, ㄷ ③ ㄴ, ㄷ ④ ㄴ, ㄹ ⑤ ㄷ, ㄹ

13 그림은 A와 B의 일반적 특징을 비교한 것이다. 이에 대
한 옳은 설명만을 ㅣ보기ㅣ에서 고른 것은? (단, A와 B는
각각 정보 사회와 산업 사회 중 하나이다.)

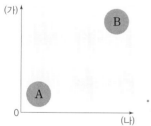

* 0에서 멀수록 그 정도가 높거나 증가함.

ㅣ보기ㅣ
ㄱ. A가 정보 사회라면, (가)에는 '사회 변동의 속도'
　　가 들어갈 수 있다.
ㄴ. B가 산업 사회라면, (나)에는 '직업의 동질성'이
　　들어갈 수 있다.
ㄷ. (가)가 '사회의 다원화 정도'라면, A는 B에 비해
　　가정과 일터의 분리 정도가 높다.
ㄹ. (나)가 '관료제 조직의 비중'이라면, B는 A에 비
　　해 전자 상거래 비중이 높다.

① ㄱ, ㄴ ② ㄱ, ㄷ ③ ㄴ, ㄷ ④ ㄴ, ㄹ ⑤ ㄷ, ㄹ

14 (가), (나)에 나타난 사회 운동에 대한 옳은 설명만을
ㅣ보기ㅣ에서 고른 것은?

(가) 정부는 국민의 헌법 개정 요구를 무시했고, 대
　　학생을 고문하여 죽음에 이르게 한 사건까지 은
　　폐하려 했다. 이에 민주 헌법 쟁취 국민 운동
　　본부를 중심으로 독재 정권에 반대하는 6월 민
　　주 항쟁이 일어났다. 결국 정부는 대통령 직선
　　제 요구를 수용하였고, 헌법이 개정되었다.
(나) 국내 외환 보유고가 바닥나자 사회 일각에서 개
　　인이 보유한 금을 모아 국가 부채를 갚자는 주
　　장이 제기되었다. 이에 방송사와 금융 기관이
　　협조하고 다수 국민들이 참여하는 금 모으기 운
　　동이 일어났다. 이렇게 모인 금은 외환 위기를
　　극복하는 데 도움이 되었다.

ㅣ보기ㅣ
ㄱ. (가)에는 뚜렷한 목표를 가진 다수의 행동이 나
　　타난다.
ㄴ. (나)에는 급격한 사회 변화에 대항하는 사회 운
　　동이 나타난다.
ㄷ. (가)와 (나)에는 모두 체계적인 조직을 바탕으로
　　한 사회 운동이 나타난다.
ㄹ. (가)와 달리 (나)에는 사회 구조 전체를 근본적으
　　로 바꾸고자 하는 사회 운동이 나타난다.

① ㄱ, ㄴ ② ㄱ, ㄷ ③ ㄴ, ㄷ ④ ㄴ, ㄹ ⑤ ㄷ, ㄹ

15 (가), (나)에 대한 옳은 설명만을 ㅣ보기ㅣ에서 고른 것은?

(가) 지하철 ○○역에서는 갑작스러운 지하철 운행
　　중단으로 승객들이 환불을 요구하고 있다.
(나) □□ 시민 단체는 청소년 노동권 보호를 위한
　　입법을 촉구하는 서명 운동을 전국적으로 진행
　　하고 있다.

ㅣ보기ㅣ
ㄱ. (가)는 사회 운동에 해당한다.
ㄴ. (가)는 사회 구조의 근본적 변화를 도모한다.
ㄷ. (나)는 달성하고자 하는 목표가 뚜렷하다.
ㄹ. (나)는 체계적 조직을 바탕으로 이루어지고 있다.

① ㄱ, ㄴ ② ㄱ, ㄷ ③ ㄴ, ㄷ ④ ㄴ, ㄹ ⑤ ㄷ, ㄹ

memo

수능 기초 Final Course 교재

수능 **포기자**를 위한 단 하나의 대책

10일 격파 시리즈

초단기 수능 기초
어렵게만 느껴졌던 수능은 BYE~
핵심 개념&유형만 쏙쏙 담아
10일 안에 수능 기초 다지기!

수능 빈출 유형 정복
수능에 자주 출제되는 문제를
집중 연습하여 실력을 점검하고
빠르게 수능 빈출 유형 마스터!

실전 감각 익히기
모의고사 형식의 수능 실전 문제로
단기간에 시험 감각을 익혀
실제 수능에서두 자신감 UP!

수능 기초, 쉽게 접근하고 빠르게 끝내자!

국어: 고1~3 / 문학, 독서

수학: 고2~3 / 수학Ⅰ, 수학Ⅱ

영어: 고1~3 / 듣기, 독해

사회: 고2~3 / 한국사(고2), 한국지리, 생활과 윤리, 사회문화

과학: 고1~3 / 물리학Ⅰ, 화학Ⅰ, 생명과학Ⅰ, 지구과학Ⅰ

book.chunjae.co.kr

교재 내용 문의 ·················· 교재 홈페이지 ▶ 고등 ▶ 교재상담

교재 내용 외 문의 ·················· 교재 홈페이지 ▶ 고객센터 ▶ 1:1문의

발간 후 발견되는 오류 ············· 교재 홈페이지 ▶ 고등 ▶ 학습지원 ▶ 학습자료실

수능공략 필승학습!
단기간에 끝장내자!

실전에 강한
수능전략

BOOK 3

정답과 해설

사탐영역 사회·문화

천재교육

수능전략

사·회·탐·구·영·역

사회·문화

BOOK 3

정답과 해설

WEEK 1
I. 사회·문화 현상의 탐구

DAY 1 개념 돌파 전략 ① | 8~11쪽

[1강] 사회·문화 현상의 이해 ~ 사회·문화 현상의 연구 방법

01 보편성 **02** 가치 함축성 **03** 기능론 **04** 거시적 관점 **05** 상징적 상호 작용론 **06** 계량화 **07** 질적 연구 **08** 연구 설계

[2강] 자료 수집 방법 ~ 사회·문화 현상의 탐구 태도와 연구 윤리

01 질문지법 **02** 종속 **03** 신뢰 관계 **04** 참여 관찰법 **05** 2차 자료 **06** 개방적 태도 **07** 자료 수집 및 분석, 가설 설정, 결론 도출 **08** 동의

DAY 1 개념 돌파 전략 ② | 12~13쪽

1 ⑤ **2** ② **3** ③ **4** ⑤ **5** ②

1 자연 현상과 사회·문화 현상의 특징

제시된 ㉠, ㉢은 자연 현상, ㉡, ㉣은 사회·문화 현상이다.

⑤ 자연 현상은 사회·문화 현상과 달리 규범의 지배를 받지 않는다. 즉 존재 법칙의 지배를 받는 현상이다.

오답 피하기 ① 자연 현상은 사회·문화 현상과 달리 존재 법칙의 지배를 받는다.

② 사회·문화 현상은 자연 현상과 달리 가치 함축적이다.

③ 자연 현상은 사회·문화 현상에 비해 인과 관계가 분명하다.

④ 사회·문화 현상은 자연 현상과 달리 보편성과 특수성이 공존한다.

2 사회·문화 현상을 바라보는 관점

A는 사회의 다양한 현상이 사고 능력을 가진 행위 주체, 즉 인간의 상호 작용이 복잡하게 얽혀 유형화된 형태로 구성되어 있다고 보므로 상징적 상호 작용론이며, B는 사회의 모든 요소들이 잠재적으로 그 사회의 해체와 변화에 기여한다고 보므로 갈등론이다. 마지막으로 C는 사회 체계가 균형을 이루고 있다고 전제하므로 기능론이다.

② 갈등론은 사회 각 부분 간의 복잡한 관계를 지나치게 지배와 피지배의 관계로만 단순화하여 접근한다는 비판을 받는다.

오답 피하기 ① 상징적 상호 작용론은 사회 구조가 개인에게 미치는 영향력을 간과한다는 비판을 받지만, 그렇다고 해서 사회 규범의 존재를 부정하는 것은 아니다.

③ 사회 발전에 중요한 기능을 하는 요인으로 변동을 중시하는 것은 갈등론이다.

④ 기능론과 갈등론 모두 사회적 희소가치를 배분하는 일정한 기준의 존재를 인정한다.

⑤ 갈등론은 사회에 변화의 원동력이 내재되어 있다고 본다.

더 알아보기 | 사회 유기체설

사회를 생물 유기체에 비유하여 사회의 작동 원리를 설명하는 이론이다. 사회 유기체설에 따르면 심장, 폐, 뇌 등과 같이 동물의 각 부위가 각각의 기능을 가지고 상호 의존하면서 동물의 생존에 기여하듯이, 사회 또한 각 부분이 각각의 기능을 수행하면서 사회 전체의 유지와 존속에 기여한다.

3 사회·문화 현상의 연구 방법

제시된 연구는 양적 연구이다.

선택지 바로 보기

① 또래 관계 활동을 독립 변인으로 설정하였다. (×)

→ 스마트폰 사용 시간을 독립 변인으로, 또래 관계 활동의 활발한 정도를 종속 변인으로 설정하였다.

② 자료 분석 결과 두 변인 간에 부(−)의 관계가 나타났다. (×)

→ 두 변인 간에 정(+)의 관계를 설정한 가설이 기각되었다고 해서 자료 분석 결과 두 변인 간에 부(−)의 관계가 나타났다고 단정할 수 없다. 두 변인 간에 아무 관련이 없는 결과가 나타났을 수도 있다.

③ 조작적으로 정의한 개념을 활용하여 자료를 수집하였다. (○)

→ 스마트폰 사용 시간을 하루 평균 시간으로 측정한 것, 또래 관계 활동을 친구들과 함께 학습 또는 놀이 활동을 하는 시간으로 측정한 것은 조작적 정의를 바탕으로 한 것이다.

④ 방법론적 이원론을 바탕으로 하는 연구 방법을 활용하였다. (×)

→ 방법론적 일원론을 바탕으로 하는 양적 연구 방법을 활용하였다.

⑤ 일반화의 정립이 아닌 개별 사례에 대한 심층적 이해를 추구하였다. (×)

→ 양적 연구는 두 변인 간의 관계를 파악하여 그 결과를 일반화하는 것을 목적으로 한다.

4 자료 수집 방법

그림은 질문 (가)를 통해 질문지법, 면접법, 참여 관찰법을 분류하고 있는데, 세 가지 방법 중 두 가지가 (가)에 '예'라고 답하고 있다. 따라서 (가)에는 제시된 세 가지 방법 중 두 가지 방법이 '예'라고 답할 수 있는 질문이 들어가야 한다.

⑤ 질적 자료 수집을 위해 주로 활용되는 방법은 면접법과 참여 관찰법이다. 질문지법은 주로 양적 자료 수집을 위해 활용된다.

오답 피하기 ① 세 가지 자료 수집 방법은 모두 현실 세계에 존재하는 경험적인 자료를 수집하는 방법이다.

② 질문지법도 연구 대상자의 주관적인 의견을 조사할 수 있다. 따라서 질문지법은 C가 될 수 없다.

③ (가)가 '자료 수집을 위해 언어에 의존하는가?'라면 A, B는 각각 질문지법과 면접법 중 하나이고, C는 참여 관찰법이다. 참여 관찰법은 주로 질적 연구에 활용되며, 변인과 변인 간의 관계 파악을 위한 양적 연구에 주로 활용되는 것은 질문지법이다.

④ 모든 연구 대상자에게 동일한 질문을 제시하는 표준화된 자료 수집 방법은 질문지법이다. 면접법과 참여 관찰법은 표준화된 자료 수집 방법이 아니다.

5 사회 · 문화 현상의 연구 윤리

제시문에서 갑은 기존 연구 결과를 그대로 활용하면서 출처를 밝히지 않았다.

② 연구자는 자기 자신의 연구 결과나 다른 연구자의 연구물을 새로운 연구에 활용하는 경우 그 출처를 정확하게 밝혀야 하며, 출처를 밝히지 않은 것은 연구 결과를 표절하는 비윤리적인 행위이다.

오답 피하기 ① 연구자가 연구 결과를 조작, 위조하였는지 여부는 알 수 없다.

③ 연구자는 연구 과정에서 공동 연구에 참여한 동료들을 존중해야 한다. 제시문과는 관계없다.

④ 연구자가 사회적 이익을 창출하도록 노력하는 것은 연구 결과의 활용과 관련된 윤리 원칙이다. 제시문의 내용과는 관계없다.

⑤ 제시문과는 관계없다.

DAY 2 필수 체크 전략 ①

14~17쪽

04-1 ②   07-1 ㄱ, ㄷ   07-2 ①

04-1 사회 · 문화 현상을 이해하는 관점

A는 사회가 구성원의 자율적 합의에 의해 구성되고 본래는 균형 상태에 있다고 보므로 기능론이며, B는 사회가 개인 간 상호 작용의 결과로 구성된다고 보므로 상징적 상호 작용론이다. 마지막으로 C는 권력을 가진 주류 집단이 그렇지 않은 사람들에게 자신들의 이해관계에 맞는 것을 강제한다고 보므로 갈등론이다.

② 상징적 상호 작용론은 개인이 만들어 낸 생활 세계가 개인 간 상호 작용의 결과로 나타난 것이라고 본다.

오답 피하기 ① 서로 다른 집단 간의 갈등과 대립을 강조하는 관점은 갈등론이다.

③ 사회가 원래는 균형의 상태이며 근본적으로 균형 상태를 회복하려는 속성인 항상성을 가진다고 보는 관점은 기능론이다.

④ 기능론과 갈등론은 거시적 관점, 상징적 상호 작용론은 미시적 관점으로 분류된다.

⑤ 상징적 상호 작용론은 사회가 지닌 강제적 성격보다 개인의 능동적 선택에 의해 사회 · 문화 현상이 나타난다고 본다.

더 알아보기 거시적 관점과 미시적 관점

• 거시적 관점: 사회 · 문화 현상을 이해할 때 사회 구조나 제도 등 개개인의 행위를 초월한 사회 체계에 초점을 맞추는 관점으로 기능론과 갈등론이 이에 해당한다.

• 미시적 관점: 일상생활에서 이루어지는 개인 간의 상호 작용이나 개개인의 주관적인 세계에 초점을 맞추는 관점으로 상징적 상호 작용이 이에 해당한다.

07-1 사회 · 문화 현상의 연구 방법

(가)는 '장애인 관련 TV 프로그램 시청'이라는 변인과 '장애인에 대한 태도'라는 변인 간의 관계를 밝히는 것을 목적으로 하는 양적 연구이다. (나)는 태보 방과후 건강 캠프 참가에 대한 연구 대상의 주관적 경험과 의미를 심층적으로 이해하고자 하는 질적 연구이다.

선택지 바로 보기

ㄱ. A는 사회 · 문화 현상이 자연 현상과 본질적으로 동일하다는 입장을 바탕으로 한다. (○)

→ 양적 연구는 사회 · 문화 현상이 자연 현상과 본질적으로 동일한 특성을 지니고 있으므로 자연 현상의 연구 방법을 사회 · 문화 현상을 연구하는 데 사용할 수 있다는 방법론적 일원론을 바탕으로 한다.

ㄴ. B는 사회 · 문화 현상을 연구 대상이 아닌 연구자의 관점에서 이해하고자 한다. (×)

→ 질적 연구는 사회 · 문화 현상에 연구 대상이 부여하는 주관적 의미를 이해하고자 한다. 즉 연구자가 아닌 연구 대상의 관점에서 사회 · 문화 현상을 이해하고자 한다.

ㄷ. B는 A에 비해 연구자의 주관적 가치가 개입될 가능성이 높다. (○)

→ 질적 연구는 양적 연구에 비해 연구자의 주관적 가치 개입의 우려가 크다는 비판을 받는다.

ㄹ. B와 달리 A를 통해서는 연구 대상의 주관적 의식을 파악하는 것은 불가능하다. (×)

→ 양적 연구에서도 질문지 등을 통해 연구 대상의 주관적 의식을 계량화하여 파악할 수 있다.

07-2 사회 · 문화 현상의 연구 방법

A는 질적 연구, B는 양적 연구에 해당한다.

① 질적 연구는 자연 현상과 사회 · 문화 현상의 연구 방법이 서로 다르다는 방법론적 이원론을 바탕으로 한다.

오답 피하기 ② 사회 · 문화 현상에 대한 심층적 이해를 추구하는 것은 질적 연구이다.

③ 양적 연구는 사회 · 문화 현상에 대한 객관적 연구 가능성을 긍정한다.

④ 질적 연구보다 양적 연구에서 개념의 조작적 정의가 중요하다.

⑤ 변수와 변수 간의 관계 파악을 목적으로 하는 연구 방법은 양적 연구이다.

1 ⑤	2 ①	3 ②	4 ②	5 ③
6 ⑤	7 ①	8 ⑤		

1 자연 현상과 사회·문화 현상의 특징

(가)는 인간의 의지와 무관하게 일어난다는 점에서 자연 현상이며, (나)는 인간의 의지에 의해 일어난다는 점에서 사회·문화 현상이다. ⑤ 자연 현상은 존재 법칙, 사회·문화 현상은 당위 법칙의 지배를 받는다.

오답 피하기 ① 자연 현상은 몰가치적이고, 사회·문화 현상은 가치 함축적이다.

② 자연 현상은 필연성의 원리가, 사회·문화 현상은 확률성의 원리가 적용된다.

③ 사회·문화 현상은 자연 현상에 비해 특수성이 강하다.

④ 자연 현상과 사회·문화 현상 모두 경험적 자료로 연구할 수 있다.

2 자연 현상과 사회·문화 현상의 특징

㉠은 자연 현상이고, ㉡, ㉢, ㉣은 사회·문화 현상이다.

① 자연 현상은 존재 법칙, 사회·문화 현상은 당위 법칙이 적용된다.

오답 피하기 ② 자연 현상은 보편성을 갖고, 사회·문화 현상은 보편성과 특수성이 공존한다.

③ ㉢과 ㉣은 모두 가치 함축성을 가진다.

④ 자연 현상과 사회·문화 현상 모두 일반화 도출이 가능하다.

⑤ 자연 현상은 필연성과 확실성의 원리, 사회·문화 현상은 개연성과 확률의 원리가 적용된다.

더 알아보기 개연성과 필연성

- 개연성: 어떤 현상의 영향으로 다른 현상이 발생할 가능성이 있지만 반드시 발생한다고 단정할 수 없는 성질을 의미한다.
- 필연성: 특정 원인에 따라 특정 결과가 반드시 발생하는 성질을 의미한다.

3 사회·문화 현상을 바라보는 관점

제시문에서는 사회 각 부분 간 상호 의존성과 균형을 강조하고 있다. 따라서 제시문에 나타난 사회·문화 현상을 바라보는 관점은 기능론이다.

ㄱ. 기능론은 사회 유기체설에 기초하여 사회의 본질과 작동 원리를 설명한다.

ㄷ. 기능론은 사회 각 집단 간에 상호 의존적인 관계가 있음을 강조한다.

오답 피하기 ㄴ. 사회 구조에 대한 개인의 자율성을 강조하는 관점은 상징적 상호 작용론이다.

ㄹ. 사회 제도가 사회 불평등 구조의 재생산을 위한 수단이라고 보는 관점은 갈등론이다.

4 사회·문화 현상을 바라보는 관점

A는 상징적 상호 작용론, B는 기능론이다.

ㄱ. 상징적 상호 작용론은 사회·문화 현상을 만드는 개별 행위 주체의 동기와 행위 과정에 대한 이해를 중시하는 미시적 관점으로, 개인이 구성해 내는 주관적 생활 세계를 중시한다.

ㄷ. 기능론은 사회 각 부분이 상호 의존적인 관련성을 맺으며 사회 전체의 존속과 통합에 기여한다고 본다.

오답 피하기 ㄴ. 기능론은 사회 각 집단 간의 이익이 양립할 수 있다고 본다.

ㄹ. 기능론은 사회가 사회 구성원의 합의에 의해 통합된다고 본다. 사회가 강제에 의해 통합된다고 보는 관점은 갈등론이다.

5 사회·문화 현상을 바라보는 관점

사회 체계에 초점을 맞추어 사회·문화 현상을 이해하는 관점은 거시적 관점인 기능론과 갈등론이다. 따라서 ㄹ은 두 개의 관점에서 '예'라고 응답한 (다)에만 들어갈 수 있으므로 A, C는 각각 기능론과 갈등론 중 하나이며, B는 상징적 상호 작용론이 된다. 인간은 상황 정의에 기초하여 행동한다고 보는 관점은 상징적 상호 작용론이므로, ㄴ만 (가)에 들어갈 수 있다. 사회가 본질적으로 균형을 지향한다고 보는 관점은 기능론이고, 계급 간 갈등이 사회 변동의 원동력이라고 보는 관점은 갈등론이므로 ㄱ, ㄷ은 모두 (나)에 들어갈 수 있다.

6 사회·문화 현상을 바라보는 관점

상징적 상호 작용론은 인간이 대상에 부여하는 의미에 따라 대상의 본질이 결정된다고 본다. 그리고 인간은 스스로 대상에 부여한 의미에 기초하여 주관적인 신념과 가치에 따라 행동한다고 본다. 즉 제시된 관점은 상징적 상호 작용론이다.

ㄷ. 상징적 상호 작용론은 일상생활에서 나타나는 개인 간의 상호 작용이나 개개인의 주관적인 세계에 초점을 맞추는 미시적 관점이다.

ㄹ. 상징적 상호 작용론은 인간이 자신이 처한 상황에 대한 해석, 즉 상황 정의에 기초하여 행동한다고 본다.

오답 피하기 ㄱ. 사회를 유기체로 간주하는 관점은 기능론이다.

ㄴ. 미시적 관점인 상징적 상호 작용론은 개인의 행위가 사회 구조나 제도의 영향에 의해 나타날 수 있음을 간과한다는 비판을 받는다.

7 양적 연구

제시된 연구는 실험법을 활용한 양적 연구이다.

① 양적 연구는 방법론적 일원론에 입각한 연구이다.

오답 피하기 ② 실험을 통해 연구자가 직접 자료를 수집하므로 1차 자료를 수집하고 분석한 것이다.

③ 자아 존중감은 추상적인 개념이므로 측정하기 위해서는 조작적 정의가 필요하다.

④ 양적 연구이므로 법칙 발견을 목적으로 하고 있다.

⑤ 실험법은 가장 엄격한 통제가 가해지는 자료 수집 방법이다.

구분	사전 검사	독립 변인(X)처치 여부	사후 검사
실험 집단	Y1	처치함	Y3
통제 집단	Y2	처치 안 함	Y4

• 독립 변인(X)과 종속 변인(Y)의 관계가 분명하게 드러나도록 가설을 설정한다.
• 연구 대상자를 실험 집단과 통제 집단으로 분류한다.
• 실험 집단과 통제 집단을 대상으로 사전 검사를 실시하여 종속 변인을 측정 (Y1, Y2)한다.
• 실험 집단에 독립 변인(X)을 처치하고, 통제 집단에는 독립 변인을 처치하지 않는다. 이 밖의 모든 측면에서는 두 집단이 동일하도록 조건을 통제한다.
• 독립 변인(X) 처치를 마친 다음 실험 집단과 통제 집단을 대상으로 사후 검사를 실시하여 종속 변인을 측정(Y3, Y4)한다.
• 적절한 통계 방법을 이용하여 두 집단의 변화를 비교해서 독립 변인(X) 처치 효과를 검증한다.

8 질적 연구

사회·문화 현상은 사람들이 주관적으로 부여한 의미에 의해 구성되기 때문에 상황 맥락 속에서 이해되어야 한다는 입장을 따르는 연구 방법은 질적 연구이다.

ㄷ. 질적 연구는 사회·문화 현상에 대한 행위자의 주관적인 의미 해석에 주안점을 둔다.

ㄹ. 질적 연구는 연구자의 감정 이입적 이해와 직관적 통찰을 통한 자료 수집과 자료 해석을 강조한다.

오답 피하기 ㄱ. 사회·문화 현상에 대한 계량화와 통계 분석을 통해 사회·문화 현상에 내재한 규칙성을 발견함으로써 일반화나 법칙을 정립하고자 하는 것은 양적 연구이다.

ㄴ. 계량화된 자료를 통계적으로 분석하여 변인 간의 관계를 밝히는 것을 목적으로 하는 것은 양적 연구이다.

더 알아보기 질적 연구의 특징

• 아무런 조작을 가하지 않은 상황에서 발생하는 현상을 연구 대상으로 삼는다.
• 관찰자가 아닌 행위자의 관점에서 의미를 추출하여 사회·문화 현상을 이해하고자 한다.
• 어떤 상황이나 현상은 전체적인 맥락 속에서만 의미를 갖는다고 보고, 상황이나 현상을 맥락 속에서 이해하고자 한다.
• 사회·문화 현상의 독특성, 다면성, 역동성을 있는 그대로 파악하기 위하여 참여 관찰이나 면접을 통한 자료 수집뿐만 아니라 현상을 이해하는 데 도움이 될 만한 자료는 모두 수집한다.

DAY 3 필수 체크 전략 ① | 20~23쪽

> **05**-1 ㄴ, ㄹ   **05**-2 ㄱ, ㄷ   **06**-1 ①

05-1 질문지법

노인 환자들의 휠체어 사용 실태와 만족도를 다수(1,000명)의 조사 대상으로부터 수집하여 통계적 분석을 한다는 내용을 통해 질문지법을 사용한 연구임을 알 수 있다.

ㄴ. 질문지법은 분석 기준이 명확하고 통계 처리가 용이하여 집단 간 특성을 비교하는 데 적합하다.

ㄹ. 질문지법은 구조화되고 정형화된 도구인 질문지를 사용하여 자료를 수집한다.

오답 피하기 ㄱ. 질문지법은 시간과 비용 측면에서 효율적이라는 장점을 가지고 있다.

ㄷ. 질문지법은 주로 양적 자료 수집을 위해 사용된다.

05-2 실험법

제시된 연구는 '광고 활용 교육'이라는 변인이 '창의성'이라는 변인에 미치는 영향을 파악하고자 하였다. 이를 위해 연구 대상을 두 집단으로 나누고, 이 중 한 집단에만 실험 처치를 하였다.

ㄱ. 제시된 연구는 연구 대상에게 독립 변인을 처치하고 이로 인해 나타나는 종속 변인의 변화를 파악하는 자료 수집 방법인 실험법을 사용하였다.

ㄴ. 독립 변인 처치가 이루어진 ○○고등학교 1~3학년 학생 30명은 실험 집단, 독립 변인 처치가 이루어지지 않은 □□고등학교 1~3학년 학생 30명은 통제 집단이다.

오답 피하기 ㄴ. 광고 활용 교육이 독립 변인, 창의성이 종속 변인이다.

ㄹ. 실험 대상이 된 고등학교 1~3학년 학생 60명 모두 표본이다.

06-1 사회·문화 현상의 탐구 태도

첫 번째 자료에서는 적극적인 탐구 태도를, 두 번째 자료에서는 연구 과정에 대해 끊임없이 반성하는 태도를 요구하고 있다. 이러한 태도는 성찰적 태도에 해당한다.

오답 피하기 ② 객관적 태도는 사회·문화 현상의 정확한 인식을 위해 선입견이나 주관을 최대한 배제하고 제3의 눈으로 바라보는 태도이다.

③ 개방적 태도는 자신의 주장과 다른 주장이 존재할 수 있음을 인정하고 여러 가지 가능성이 동시에 공존할 수 있다는 사실을 존중하는 태도이다.

④ 상대주의적 태도는 사회·문화 현상의 특수성과 각각의 고유한 가치를 인정하고 맥락을 고려하여 이해하려는 태도이다.

⑤ 조화를 추구하는 태도는 사회적 논쟁이 발생하거나 가치가 대립할 때 자신의 견해와 상대방의 입장을 고려하여 조화를 이루려는 태도이다.

BOOK 1

1 ④	**2** ④	**3** ④	**4** ①	**5** ③
6 ②	**7** ①			

1 자료 수집 방법

갑은 문헌 연구법, 을은 질문지법, 병은 면접법을 통해 자료를 수집하였다.

④ 질문지법과 면접법은 언어적 상호 작용이 필수적인 자료 수집 방법이다.

오답 피하기 ① 연구자가 연구 대상자의 일원으로 직접 참여하는 것은 참여 관찰법이다.

② 을이 수집한 도서관 이용 만족도는 양적 자료이다.

③ 면접법은 시공간의 제약을 크게 받는다.

⑤ 자료 수집 상황에 대한 통제 수준이 높은 것은 질문지법이다.

2 질문지 작성 시 유의 사항

ㄴ. 두 번째 질문에서 '정기적으로'라는 표현은 단위 기간이 없기 때문에 응답자에 따라 일주일, 한 달 등 다양한 기간으로 해석할 우려가 있다.

ㄹ. 세 번째 문항에서 소설을 좋아하는 학생의 경우 소설과 문학 중 어느 항목에 응답해야 할지 혼란을 줄 수 있다.

오답 피하기 ㄱ. 고등학생 대상 설문 조사이므로 지나치게 어려운 표현을 사용하고 있는 질문은 없다.

ㄷ. 응답지는 응답자의 모든 응답 내용을 포괄할 수 있도록 제시되어 있다. 만약 3번 문항에서 ⑤의 기타가 없다면 응답 내용을 포괄할 수 없는 문항이 된다.

더 알아보기 질문지 작성 시 유의 사항

1. 질문은 모호하지 않아야 한다. 즉, 간결하고 명료하여 조사 대상자들이 똑같은 의미로 해석할 수 있어야 한다.
2. 유도 질문은 바람직하지 않다. 즉, 질문 내용에 조사자의 주관적 가치나 이해 관계가 개입되어서는 안 된다. 조사 대상자의 판단을 특정 방향으로 유도할 의도로 편파적인 설명을 제시하며 질문을 하는 것, 조사 대상자가 거부할 수 없는 극단적인 용어를 활용하는 것 등은 대표적인 유도 질문이다.
3. 하나의 질문에는 묻고자 하는 정보를 하나만 담아야 한다. 하나의 질문을 통해 두 개 이상의 정보를 물을 경우 응답자에게 혼란을 초래할 수 있다.
4. 질문의 응답 항목 간에는 배타성이 있어야 한다. 즉, 조사 대상자가 혼란에 빠지지 않도록 응답 항목 간 의미의 중복이 발생하지 않도록 해야 한다.
5. 질문의 응답 항목은 포괄성을 갖춰야 한다. 즉, 조사 대상자가 질문에서 제시된 응답 항목 중에서 하나를 선택할 수 있도록 해야 한다.

3 자료 수집 방법

주로 질적 연구에서 사용되는 자료 수집 방법은 면접법과 참여 관찰법이고, 자료 수집 과정에서 언어적 상호 작용에 의존하는 자료 수집 방법은 면접법과 질문지법이며, 소수를 대상으로 활용되는 자료 수집 방법은 면접법이다. 따라서 A는 참여 관찰법, B는 질문지법이다.

④ 질문지법은 참여 관찰법과 달리 구조화된 도구인 질문지를 사용하여 자료를 수집한다.

오답 피하기 ① 참여 관찰법은 자료의 실제성을 확보하는 데 유리하다.

② 실험 처치를 통해 나타나는 변화를 파악하는 자료 수집 방법은 실험법이다.

③ 조사 대상자와 대면하면서 질문하여 얻은 응답에 의존하는 자료 수집 방법은 면접법이다.

⑤ 질문지법은 자료 수집 과정에서 조사자가 유연성을 발휘하기 어렵다.

4 자료 수집 방법

계량화된 자료를 수집하기에 용이한 자료 수집 방법은 질문지법이다. 따라서 A와 C 중 하나는 질문지법이다. 자료 수집 과정에서 질문에 대한 연구 대상자의 응답이 필수 요건인 자료 수집 방법은 질문지법과 면접법이다. 따라서 A는 질문지법, B는 면접법, C는 참여 관찰법이다.

ㄱ. 질문지법은 조사 대상자에게 동일한 질문과 응답 항목을 제시한다는 점에서 면접법이나 참여 관찰법에 비해 구조화된 자료 수집 방법에 해당한다.

ㄴ. 면접법은 참여 관찰법에 비해 자료 수집 상황에 대한 통제 수준이 높다.

오답 피하기 ㄷ. 참여 관찰법은 조사 대상자의 일상생활에서 심층적인 자료를 수집하는 데 용이하다.

ㄹ. 양적 연구에 주로 사용되는 질문지법은 면접법이나 참여 관찰법에 비해 연구 결과를 일반화하기가 상대적으로 유리하다.

5 사회 · 문화 현상의 탐구 태도

제시문에서 공통적으로 강조하고 있는 사회 · 문화 현상의 탐구 태도는 각 사회에서 사회 · 문화 현상이 발생한 맥락이나 배경을 존중해야 한다는 상대주의적 태도이다.

③ 상대주의적 태도는 사회 · 문화 현상에 담긴 사회적 · 문화적 특수성을 인정하는 태도이다.

오답 피하기 ① 사회 · 문화 현상에 내재된 사실과 가치를 엄격히 분리해야 하는 문제는 가치 중립의 태도이다.

② 자신의 연구가 연구 절차나 방법을 제대로 지키고 있는지 성찰해야 하는 태도는 성찰적 태도이다.

④ 사회 · 문화 현상의 탐구가 인간을 대상으로 하므로 엄격한 윤리성을 준수해야 한다는 태도가 제시문에 강조되어 있지는 않다.

⑤ 경험적 검증을 통해 증명되기 전까지는 사회 · 문화 현상의 연구 내용을 잠정적인 결론으로만 간주해야 하는 태도는 개방적 태도이다.

6 연구 윤리

연구 참여 여부는 연구 대상의 자발적 동의에 기초하여 이루어져야 한다. 불가피한 경우가 아니면 연구 대상의 자발적 참여를 보장하기 위해 사전에 연구의 목적과 과정 등을 연구 대상에게 고지해야 한다.

② 갑은 연구 대상인 배심원에게 의사 결정 과정에 대한 녹음 사실을 알리지 않음으로써 연구 대상의 자발적 참여를 보장하지 않았다.

오답 피하기 ① 연구자는 사실과 가치를 엄격히 구분하는 객관적 태도를 지녀야 하지만, 갑이 이를 위반하였다고 할 수 없다.

③ 연구자는 연구 결과가 사회에 미치는 영향력을 간과해서는 안 되지만, 갑이 이를 위반하였다고 할 수 없다.

④ 연구자가 의도한 결론을 도출하기 위하여 자료를 왜곡해서는 안 되지만, 갑이 이를 위반하였다고 할 수 없다.

⑤ 갑은 자신의 주관적 가치가 개입된 연구 주제를 선정하였다. 하지만 연구 주제를 선정할 때 연구자의 주관적 가치가 개입되는 것은 허용되므로 연구 윤리에 위배되지 않는다.

7 연구 윤리

갑은 자료 분석 결과가 자신의 가설을 뒷받침하지 않자 상층의 범죄율을 낮추기 위한 자료를 추가하였다. 이는 자료 조작 행위로서 연구 윤리에 위반된다.

오답 피하기 ②, ③, ④, ⑤ 제시된 사례와는 거리가 먼 내용이다.

누구나 합격 전략 | 26~27쪽

1 ④	**2** ③	**3** ④	**4** ⑤
5 ③	**6** ②	**7** ③	**8** ①

1 자연 현상과 사회·문화 현상의 특징

㉠, ㉣은 자연 현상, ㉡, ㉢은 사회·문화 현상이다.

④ 사회·문화 현상은 보편성만 나타나는 자연 현상과 달리 보편성과 특수성이 공존한다.

오답 피하기 ① 존재 법칙을 따르는 것은 자연 현상이다.

② ㉡, ㉢ 모두 확률의 원리를 따르는 사회·문화 현상이다.

③ 자연 현상과 사회·문화은 현상은 모두 경험적 자료를 통해 연구할 수 있다.

⑤ 자연 현상은 몰가치적, 사회·문화 현상은 가치 함축적이다.

더 알아보기 인과 관계

앞의 사실과 뒤의 사실이 원인과 결과의 관계에 있는 것을 말한다. 자연 현상은 특정 원인에 따라 반드시 그에 상응하는 결과가 예외 없이 발생하기 때문에 인과 관계가 명확하다고 말하지만, 사회·문화 현상은 인과 관계가 나타나기는 하나 예외가 존재하기 때문에 인과 관계가 명확하다고 말하지 않는다.

---

2 사회·문화 현상의 연구 방법

제시된 자료에서 A는 양적 연구, B는 질적 연구이다.

BOOK 1

선택지 바로 보기

① A는 방법론적 이원론에 기초한다. (×)
→ 양적 연구는 방법론적 일원론에 기초한다.

② B는 사회·문화 현상에 내재한 규칙성을 발견하고자 한다. (×)
→ 사회·문화 현상에 내재한 규칙성을 발견하고자 하는 연구 방법은 양적 연구이다.

③ A는 B에 비해 일반화에 유리하다. (○)
→ 양적 연구는 질적 연구에 비해 특정 대상을 상대로 연구한 결과를 유사한 대상에게 확대·적용하기에 유리하다.

④ 하나의 연구 주제에 대해 A, B를 함께 활용할 수는 없다. (×)
→ 하나의 주제라도 양적 연구와 질적 연구를 함께 사용하여 상호 보완을 할 수 있다.

⑤ B는 A에 비해 사회·문화 현상이 발생하는 상황 맥락을 경시한다. (×)
→ 질적 연구는 사회·문화 현상이 발생하는 상황 맥락을 중시한다.

---

3 기능론과 갈등론

사회는 유기적 통합 체계로, 각 부분들이 상호 의존적 관계를 이룬다고 보는 A는 기능론, 사회는 희소가치를 둘러싼 대립과 갈등의 장으로, 집단 간 지배-피지배 관계를 이룬다고 보는 B는 갈등론이다.

ㄴ. 집단 간 대립과 갈등을 사회 변동의 원동력으로 보는 것은 갈등론이다.

ㄹ. 기능론과 갈등론은 둘 다 사회 구조나 제도 등 사회 체계에 초점을 맞추는 거시적 관점에 해당하므로, '사회 구성원의 구조화된 행위를 설명하기 용이하다.'는 (가)에 적절하다.

오답 피하기 ㄱ. 사회 규범에 지배 집단의 이익만이 반영되어 있다고 보는 것은 갈등론이다.

ㄷ. 사회화가 현재의 불평등한 구조를 정당화하는 수단에 불과하다고 보는 것은 갈등론이다.

---

4 사회·문화 현상의 연구 방법

(다)에는 양적 연구와 질적 연구의 공통점이 들어가야 한다.

⑤ 양적 연구 방법과 질적 연구 방법 모두 인간이 실제로 접하고 관찰하여 수집한 경험적인 자료에 기초하여 연구를 진행한다는 점에서 공통점을 갖는다.

오답 피하기 ① 연구자의 직관적 통찰과 감정 이입적 이해를 중시하는 것은 질적 연구 방법이다.

② 양적 연구 방법은 방법론적 일원론을 바탕으로 한다.

③ 개념의 조작적 정의를 통한 측정과 계량화를 중시하는 것은 양적 연구 방법이다.

④ 질적 연구 방법은 사회·문화 현상에 내재한 주관적 의미에 대한 심층적 이해를 추구한다.

---

5 자료 수집 방법

ㄴ. 갑이 중앙 선거 관리 위원회에서 수집한 자료를 분석한 자료는 2차 자료, 면접을 통해 수집한 자료는 1차 자료에 해당한다.

ㄷ. 연령대와 대통령 선거에서의 투표율 간의 관계를 파악하기 위한 연구는 양적 연구, 20대의 투표율이 낮은 이유에 대한 연구는 질적 연구에 해당한다.

오답 피하기 ㄱ. 문헌 연구법과 면접법을 차례로 활용하였다.

ㄹ. 면접법을 활용한 자료 수집은 가설 검증과 별개로 질적 연구를 수행하기 위한 것이다.

6 자료 수집 방법

제시된 표를 통해 A는 면접법, B는 질문지법, C는 실험법임을 알 수 있다.

자료 분석

구분	A	B	C
주로 질적 자료의 수집 (→ 면접법)을 위해 활용되는가?	예	아니요	아니요
윤리적 문제(→ 실험법)가 발생할 가능성이 높은가?	아니요	아니요	예
(가)	㉠	㉡	㉢

② (가)가 '문맹자를 대상으로 자료를 수집하기 어려운가?'이면, ㉠은 '아니요', ㉡은 '예', ㉢은 '아니요'이다.

오답 피하기 ① (가)가 '경험적 자료를 수집할 수 있는가?'이면, ㉠, ㉡, ㉢ 모두 '예'이다.

③ (가)가 '일반화 도출이 목적인 연구에서 주로 사용되는가?'이면, ㉠은 '아니요', ㉡은 '예', ㉢은 '예'이다.

④ (가)가 '연구자와 응답자 간의 정서적 교감을 중시하는가?'이면, ㉠은 '예', ㉡은 '아니요', ㉢은 '아니요'이다.

⑤ (가)가 '인위적으로 통제된 상황에서 독립 변인의 효과를 측정하는가?'이면, ㉠은 '아니요', ㉡은 '아니요', ㉢은 '예'이다.

7 사회·문화 현상의 탐구 태도

대화에서 을은 갑에게 아무리 유명한 학자의 주장이라고 해도 경험적 근거를 통해 검증되기 전까지는 하나의 가설로 여겨야 한다고 말하고 있다. 이는 개방적 태도를 의미한다.

③ 개방적 태도는 자신의 주장과 다른 주장이 존재할 수 있음을 인정하고, 자신의 주장에 대한 다른 사람의 비판을 허용하는 태도를 의미한다.

오답 피하기 ① 주관적인 가치관을 배제하고 탐구하는 태도는 객관적 태도이다.

② 해당 사회나 집단의 입장에서 현상을 탐구하는 태도는 상대주의적 태도이다.

④ 현상의 이면에 존재하는 원리를 능동적으로 탐구하는 태도는 성찰적 태도이다.

⑤ 연구 절차나 연구 윤리 등을 제대로 지켰는지 되짚어 보는 태도는 성찰적 태도이다.

8 연구 윤리

① 갑은 자료 분석 결과와 다른 결론을 내렸으므로 자료 분석 결과를 왜곡하였으며, 자료 분석 결과를 알리지 않고 숨겼으므로 자료 분석 결과를 은폐하였다.

오답 피하기 ② 갑의 연구 주제는 공익을 해치는 주제라고 볼 수 없다.

③ 갑이 정해진 결론을 정당화하기 위한 자료만을 수집했다고 단정할 수 있는 근거는 없다.

④ 갑이 자신의 이익을 위해 연구 결과를 실제보다 과장한 것은 아니다.

⑤ 갑은 결론 도출 및 연구 결과의 발표 과정에서 자신의 이해관계를 개입시켰다.

창의·융합·코딩 전략 | 28~31쪽

01 ③ **02** ④ **03** ④ **04** ⑤ **05** ① **06** ④
07 ② **08** ④ **09** ⑤ **10** ②

01 자연 현상과 사회·문화 현상의 특징

제시된 자료에서 ㉠, ㉢은 자연 현상, ㉡, ㉣은 사회·문화 현상이다.

③ 자연 현상은 존재 법칙, 사회·문화 현상은 당위 법칙의 지배를 받는다. 따라서 ㉠, ㉢은 '예', ㉡, ㉣은 '아니요'의 답을 한다.

오답 피하기 ① 사회·문화 현상과 달리 자연 현상은 몰가치적인 현상이므로, ㉠, ㉢은 '예', ㉡, ㉣은 '아니요'의 답을 한다.

② 자연 현상과 달리 사회·문화 현상은 가치 판단이 가능하므로, ㉠, ㉢은 '아니요', ㉡, ㉣은 '예'의 답을 한다.

④ 자연 현상과 사회·문화 현상은 모두 계량화가 가능하므로, ㉠~㉣ 모두 '아니요'의 답을 한다.

⑤ 사회·문화 현상에 비해 자연 현상은 통제된 실험과 예측이 용이하므로, ㉠, ㉢은 '예', ㉡, ㉣은 '아니요'의 답을 한다.

02 자연 현상과 사회·문화 현상의 특징

제시된 자료에서 ㉠, ㉡과 같은 현상은 자연 현상이고, ㉢과 같은 현상은 사회·문화 현상이다.

ㄱ. 을, 병의 발표 내용이 옳기 때문에 틀린 한 명은 갑이다.

ㄴ. 자연 현상과 사회·문화 현상 모두 계량화가 가능하므로 '계량화할 수 있습니까?'는 두 현상을 구분하기에 적절치 않은 질문이다. 갑의 말이 틀린 진술이어야 하므로 해당 질문은 (가)에 들어갈 수 있다.

ㄷ. 하나의 원인에 하나의 결과가 대응하는 것은 사회·문화 현상과 달리 인과 법칙으로 설명되는 자연 현상의 특징이다. 갑의 말이 틀린 진술이어야 하므로 해당 질문은 (가)에 들어갈 수 없다.

오답 피하기 ㄹ. 병의 말은 사회·문화 현상이 자연 현상과 달리 보편성과 특수성을 함께 갖는다는 의미이다.

03 사회·문화 현상을 바라보는 관점

제시된 자료에서 A는 갈등론, B는 상징적 상호 작용론, C는 기능론이다.

④ 기능론은 갈등론과 달리 사회 질서가 사회 전체적으로 합의된 가치를 기반으로 형성되었다고 본다.

오답 피하기 ① 상징적 상호 작용론은 개인의 상황 정의가 반드시 그가 속한 사회 구조에 의해 결정되는 것은 아니라고 본다.

② 사회 집단 간 이익이 양립 불가능하다고 보는 것은 갈등론이다.

③ 갈등론과 기능론 모두 개인의 행위를 초월한 사회 체계의 영향력을 중시한다.

⑤ 사회 구조의 특성을 통해 개인의 행위를 설명할 수 있다고 보는 것은 거시적 관점(기능론, 갈등론)이다.

04 사회·문화 현상을 바라보는 관점

'거시적 관점인가?'라는 질문으로 B, C를 구분할 수 없으므로 B, C는 각각 기능론, 갈등론 중 하나이고, 결과적으로 A는 상징적 상호 작용론이다. '사회 문제를 병리적 현상으로 보는가?'라는 질문으로 A, C를 구분할 수 있다고 하였으므로 C는 기능론이고, 남은 B는 갈등론이다.

⑤ 기능론은 사회 규범과 같이 사회 유지에 필요한 핵심 가치에 대해서는 사회적 합의가 존재한다고 본다.

오답 피하기 ① 사회 구성 요소들이 맺고 있는 상호 의존적인 관계를 강조하는 관점은 기능론이다.

② 인간의 자율성과 능동성을 강조하는 관점은 상징적 상호 작용론이다.

③ 기능론, 갈등론 모두 사회 체계에 초점을 맞추어 사회·문화 현상을 이해한다.

④ 사회·문화 현상이 갖는 주관적 의미를 중시하는 관점은 상징적 상호 작용론이다.

더 알아보기 거시적 관점과 미시적 관점

• 거시적 관점: 사회 구성원의 행위가 그들이 속한 사회 구조적 특성으로부터 강한 영향을 받는다고 본다. 따라서 사회·문화 현상을 분석할 때, 분석의 대상을 사회 구조나 사회 제도 등 개개인의 행위를 초월한 사회 체계에 둔다.

• 미시적 관점: 인간이 자율성을 갖고 사회·문화 현상을 구성해 가는 주체라고 본다. 따라서 사회·문화 현상을 분석할 때, 분석의 대상을 구성원인 개인 간의 상호 작용이나 개개인의 주관적인 세계에 둔다.

05 사회·문화 현상의 연구 방법

A는 연구 대상과 신뢰 형성을 바탕으로 심층적 이해를 추구하여 현상을 최대한 있는 그대로의 맥락 속에서 파악하는 질적 연구이다. B는 연구 대상의 일반적 경향성을 확률의 원리를 적용하여 파악하고자 하는 양적 연구이다.

선택지 바로 보기

ㄱ. A는 사회·문화 현상의 주관적 측면을 심층적으로 이해하고자 한다. (○)
　→ 사회·문화 현상의 주관적 측면을 심층적으로 이해하고자 하는 것은 질적 연구의 목적이다.

ㄴ. B는 자연 과학적 연구 방법을 활용하여 연구 결과를 일반화하고자 한다. (○)
　→ 자연 과학적 연구 방법을 활용하여 연구 결과를 일반화하고자 하는 것은 양적 연구이다.

ㄷ. A는 B와 달리 객관적이고 계량화된 자료를 통해 법칙을 발견하는 것을 목적으로 한다. (×)
　→ 객관적이고 계량화된 자료를 통해 법칙을 발견하는 것을 목적으로 하는 것은 양적 연구이다.

ㄹ. B는 A와 달리 경험적 자료를 바탕으로 연구를 진행한다. (×)
　→ 질적 연구와 양적 연구 모두 경험적 자료를 바탕으로 연구를 진행한다.

06 자료 수집 방법

질문지법과 실험법은 양적 연구에서 주로 활용되는 자료 수집 방법이고, 면접법은 질적 연구에서 주로 활용되는 자료 수집 방법이다.

④ (가)가 '주로 양적 자료를 수집하는 방법인가?'이고 (나)가 '세 가지 방법 중 가장 표준화된 방법인가?'라면, A는 면접법, B는 실험법, C는 질문지법이다. 실험법은 다른 방법들에 비해 자료 수집 상황에 대한 통제 정도가 더 크다.

오답 피하기 ① (가)가 '언어에 의존하는 방법인가?'라면, A는 실험법이다. 질문지법, 면접법, 실험법 중 연구자의 주관적 해석 가능성이 높은 것은 면접법이다.

② (가)가 '주로 양적 자료를 수집하는 방법인가?'라면, A는 면접법이다. 질문지법, 면접법, 실험법 중 변인 간의 관계 파악에 용이한 방법은 질문지법과 실험법이다.

③ (가)가 '언어에 의존하는 방법인가?'이고 (나)가 '주로 양적 자료를 수집하는 방법인가?'라면, A는 실험법, B는 면접법, C는 질문지법이다. 면접법은 심층적 자료 수집에 용이하다.

⑤ '경험적인 자료를 수집하는 방법인가?'라는 질문에 대해 세 가지 자료 수집 방법이 모두 '예'로 응답하게 되므로, 해당 질문은 세 가지 자료 수집 방법을 구분하는 질문으로 적절하지 않다.

더 알아보기 경험적인 자료

'경험적'의 반대말은 '선험적'이다. 선험이라는 것은 경험 이전에 선천적으로 가지고 있거나 인식 가능한 것을 의미한다. 따라서 경험적 자료라는 것은 실제로 보고 듣거나 몸으로 겪으면서 참, 거짓을 판별할 수 있는 자료를 말한다. 주의할 점은 양적 연구뿐만 아니라 질적 연구에서 사용하는 자료 역시 경험적인 자료에 해당한다는 것이다.

07 양적 연구의 사례

제시문에서 갑은 고등학생의 아침 식사가 학업에 미치는 영향을 연구하기 위해 가설을 설정한 후 연구 대상자에게 독립 변인을 처치한 후 그로 인해 나타나는 종속 변인의 변화를 파악하였으므로 제시문에서 나타나는 자료 수집 방법은 실험법이다.

ㄱ. ⊙은 인과 관계의 원인으로 작용하고, ⓒ은 ⊙의 영향을 받아 변화하므로 ⊙은 독립 변인, ⓒ은 종속 변인에 해당한다.

ㄷ. ⓔ은 처치가 가해지는 집단이고, ⑩은 처치가 가해지지 않은 집단이므로 ⓔ은 실험 집단, ⑩은 통제 집단에 해당한다.

오답 피하기 ㄴ. 연구자 갑의 모집단은 고등학생 전체이다.

ㄹ. ⑩은 ○○ 고등학교 2학년 학생 100명을 대상으로 이루어졌으므로 모집단인 고등학생 전체에게 일반화하기는 어렵다.

08 양적 연구의 사례

제시된 사례는 변수와 변수 간의 관계를 밝히고 있기 때문에 양적 연구 사례에 해당한다.

ㄱ. 동아리 활동 만족도와 학교생활 만족도는 유의미한 상관관계가 없는 것으로 나타나 가설이 기각되었고, 교우 관계 만족도가 클수록 학교생활 만족도는 큰 것으로 나타나 가설이 수용되었다. 이를 통해 가설이 검증되었음을 알 수 있다.

ㄴ. 독립 변수는 교우 관계 만족도와 동아리 활동 만족도 2개가 설정되었다. 이에 비해 종속 변수는 학교생활 만족도 1개가 설정되었다.

ㄹ. 교우 관계 만족도, 동아리 활동 만족도, 학교생활 만족도를 측정하기 위해 개념의 조작적 정의가 행해졌을 것이다.

오답 피하기 ㄷ. 제시된 사례는 실험법에 해당하지 않으므로 틀린 진술이다. 실험 집단의 선정은 실험법을 전제로 한다.

> **더 알아보기** 독립 변인과 종속 변인
>
> 독립 변인은 다른 변인에 영향을 주는 변인이고, 종속 변인은 독립 변인의 영향을 받아 변하는 변인을 말한다. 가설은 독립 변인이 종속 변인에 미치는 영향을 파악하는 진술로 구성된다.

09 사회 · 문화 현상의 탐구 태도

제시된 연구에 따르면 서남아시아가 건조 기후인 관계로 돼지를 기르는 것이 적합하지 않았고 돼지고기 식용이 공동체의 결속을 해치는 결과를 가져와, 종교 지도자들이 돼지고기 먹는 것을 금지하였다. 즉 서남아시아에서 돼지고기가 금기 식품이 된 이유를 그 지역의 기후와 사회적 상황에서 찾고 있다.

⑤ 사회 · 문화 현상은 그것이 발생한 맥락이나 배경 속에서 의미를 가지므로, 연구자는 해당 사회와 문화의 특수성을 감안하여 사회 · 문화 현상을 인식하고 탐구해야 한다. 이와 같은 자세를 상대주의적 태도라고 한다.

오답 피하기 ① 자신의 연구 결과에 대한 비판을 허용하는 것은 개방적 태도에 해당한다.

② 서로 다른 특징을 갖는 사실과 가치를 엄격히 분리하여 연구하지 않을 경우, 연구의 객관성이 훼손될 수 있고 끊임없이 논쟁에 휘말려 혼란을 초래할 수 있다. 그러나 제시된 사례에 부각된 사회 · 문화 현상의 탐구 태도가 아니다.

③ 자신의 이해관계를 배제하고 제3자의 입장에서 탐구를 진행하는 것은 객관적 태도에 해당한다.

10 연구 윤리

② '연구 대상 7명을 A~G로 표시하고, 연구 결과를 이해하는 데 필요한 정보 이외에는 그 어떤 것도 기재하지 않았다.'라는 내용을 통해 연구 대상의 익명성을 보장하였음을 알 수 있다.

오답 피하기 ① 2차 자료를 조사했다는 내용을 자료에서 찾을 수 없다.

③ 연구 대상의 자발적 참여를 보장했다는 내용을 자료에서 찾을 수 없다.

④ 양적 자료를 수집하였다는 내용을 자료에서 찾을 수 없다.

⑤ 원하는 결과가 나오도록 자료를 누락한 것이 아니라 연구 보고서에 불필요한 정보를 기재하지 않았다.

Book 1

WEEK 2
Ⅱ. 개인과 사회 구조

DAY 1 개념 돌파 전략 ① | 34~37쪽

[3강] 개인과 사회의 관계를 바라보는 관점 ~ 인간의 사회화

01 사회 실재론 **02** 사회 명목론 **03** 예기 사회화 **04** 상징적 상호 작용론 **05** 2차적, 공식적 **06** 성취 **07** 역할 행동 **08** 역할

[4강] 사회 집단과 사회 조직 ~ 일탈 행동

01 2차 집단 **02** 비공식 조직 **03** 관료제 **04** 수평적 **05** 낙인 이론

DAY 1 개념 돌파 전략 ② | 38~39쪽

1 ⑤   **2** ④   **3** ①   **4** ⑤   **5** ④

1 사회 실재론, 사회 명목론

A는 사회 실재론, B는 사회 명목론이다.

⑤ (가)에는 사회 실재론을 묻는 질문이 들어가야 하기 때문에 '사회를 독자적인 존재로 인식하는가?'가 적합하다.

오답 피하기 ① 개인의 이익 총합이 공익과 같다고 보는 관점은 사회 명목론이다.

② 사회 유기체설은 사회 실재론과 관련이 있다.

③ 개인의 능동성을 강조하는 관점은 사회 명목론이다.

④ 사회를 개인을 위한 수단으로 인식하는 관점은 사회 명목론이다.

2 사회화 기관

가족은 1차적 사회화 기관이면서 비공식적 사회화 기관, 학교는 2차적 사회화 기관이면서 공식적 사회화 기관, 회사는 2차적 사회화 기관이면서 비공식적 사회화 기관, 또래 집단은 1차적 사회화 기관이면서 비공식적 사회화 기관이다.

ㄴ. 2차적 사회화 기관은 학교와 회사 2개이다.

ㄹ. 비공식적 사회화 기관은 가족, 회사, 또래 집단 3개이다.

오답 피하기 ㄱ. 1차적 사회화 기관은 가족, 또래 집단 2개이다.

ㄷ. 공식적 사회화 기관은 학교 1개이다.

더 알아보기 공식적 사회화 기관

학교와 같이 사회가 필요로 하는 구성원을 체계적으로 양성하기 위해 설립한 기관을 말한다. 경제적 이익 등과 같이 다른 목적을 달성하기 위한 상호 작용 과정에서 사회화가 이루어지기도 하는 비공식적 사회화 기관과 달리 공식적 사회화 기관은 사회화 자체를 목적으로 하는 상호 작용이 중심이 된다.

---

3 지위

㉠, ㉢은 귀속 지위, ㉡, ㉣은 성취 지위이다.

오답 피하기 ㄷ. 아내는 결혼을 해야만 얻을 수 있는 성취 지위이다.

ㄹ. 후천적 노력에 의해 얻게 된 지위는 성취 지위이다.

4 사회 집단과 사회 조직

이익 사회와 이익 집단은 다른 개념이다.

⑤ 가족은 사회 집단이지만 사회 조직이라고 볼 수 없다.

오답 피하기 ① 회사와 시민 단체는 모두 공식 조직이다.

② 시민 단체와 사내 축구 모임은 모두 이익 사회이다.

③ 사내 축구 모임과 노동조합은 모두 자발적 결사체이다.

④ 노동조합은 2차 집단, 가족은 1차 집단이다.

5 일탈 이론

제시문과 관련된 일탈 행동에 대한 이론은 일탈 행동을 이미 하고 있던 후배와의 교제를 통해 일탈에 대한 긍정적인 가치관을 내면화했다는 부분을 근거로 차별 교제 이론임을 알 수 있다.

④ 차별 교제 이론에서는 일탈 행동에 대한 해결 방안으로 정상적인 집단과의 교류를 지속적으로 할 것을 주문하고 있다.

오답 피하기 ① 일탈 행동을 규정하는 객관적인 기준이 없다고 보는 이론은 낙인 이론이다.

② 일탈 행동을 야기하는 사회 구조적인 측면에 주목하는 이론은 아노미 이론이다.

③ 일탈 행동 자체보다는 그에 대한 사회적 반응에 주목하는 이론은 낙인 이론이다.

⑤ 문화적 목표와 제도적 수간 간의 괴리를 일탈 행동의 원인으로 보는 이론은 머튼의 아노미 이론이다.

DAY 2 필수 체크 전략 ① | 40~43쪽

01-1 ㄱ, ㄹ   **02**-1 ㄱ, ㄷ   **03**-1 ①   **04**-1 ㄱ, ㄹ
05-1 ㄴ, ㄷ, ㄹ   **06**-1 ④   **07**-1 ㄱ, ㄹ   **08**-1 ㄷ, ㄹ

01-1 사회 명목론

사회 계약설은 시민들의 계약에 의해 국가가 형성되었다고 보는 이론으로 사회 명목론의 근거가 되는 가장 대표적인 이론이다.

ㄱ. 사회 명목론에서는 사회를 구성하는 실질적인 요소인 개인의 능동성을 강조한다.

BOOK 1

정답과 해설 **11**

ㄹ. 사회 명목론에서는 사회는 개인들의 합과 같은 의미이기 때문에 사회를 구성하고 있는 개인들의 특성에 의해 사회의 특성이 결정된다고 본다.

오답 피하기 ㄴ. 사회가 개인보다 우월한 존재라는 주장은 사회 실재론의 입장이다.

ㄷ. 사회 실재론에서는 개인의 외부에 실존하는 사회의 영향력을 강조하기 때문에 개인은 사회를 떠나서 존재할 수 없다고 주장한다.

02-1 사회 실재론

사회가 살아 있는 유기체와 같다는 내용은 사회 유기체설의 주장이다. 사회 유기체설은 사회 실재론을 뒷받침하는 대표적인 이론이다. 또한 개인들이 실존하는 사회의 영향력을 받을 수밖에 없다는 부분에서 사회 실재론의 주장임을 알 수 있다.

선택지 바로 보기

ㄱ. 사익보다 공익을 우선시한다. (○)
→ 사회 실재론에서는 개인보다 사회 전체적인 부분을 강조하기 때문에 사익보다 공익을 더 강조한다.

ㄴ. 극단적인 개인주의로 빠질 우려가 있다. (×)
→ 극단적인 개인주의로 빠질 우려가 있는 이론은 사회 명목론이다. 오히려 사회 실재론은 전체주의로 빠질 우려가 있는 이론이다.

ㄷ. 사회는 개인들의 합으로 환원할 수 없다. (○)
→ 환원은 같은 가치를 맞바꾼다는 의미인데 사회 실재론에서는 사회가 개인들의 총합보다 큰 개념이기 때문에 환원할 수 없다고 본다. 사회를 개인들의 합으로 환원할 수 있다고 보는 것은 사회 명목론의 주장이다.

ㄹ. 사회는 개인의 이익을 실현시켜 주는 수단이다. (×)
→ 사회 명목론에서는 사회는 개인들의 총합에 이름을 붙인 허상이라고 주장하기 때문에 사회는 개인의 이익을 위한 하나의 수단이라고 본다.

03-1 사회 실재론, 사회 명목론

A는 사회 실재론, B는 사회 명목론이다.
① 사회 실재론에서 사회는 독자적인 특성을 지니고 있는 존재로 인식된다.

오답 피하기 ② 사회 유기체설은 사회 실재론과 관련이 있는 사상이다.
③ 사회 구조의 문제를 개인의 탓으로 생각하는 것은 사회 명목론의 입장이다.
④ 사회 실재론은 개인이 사회에 미치는 영향력을 간과하는 경향이 있다.
⑤ 사회가 개인의 외부에 실재한다고 보는 관점은 사회 실재론이다.

04-1 사회 명목론

ㄱ. 사회 명목론에서 사회는 개인들의 계약에 의해 만들어진다고 본다.
ㄹ. 사회 명목론에서 하나의 집합체(사회)는 부분(개인)들이 합쳐진

것에 이름을 붙인 것에 불과하다고 본다.

오답 피하기 ㄴ. 문제 해결을 위한 제도 개선에 주목하는 것은 사회 실재론의 입장이다.

ㄷ. 사회 실재론에서는 개인의 외부에 실존하는 사회의 영향력 때문에 개인의 생각은 사회적 분위기에 의해 결정된다고 주장한다.

05-1 성취 지위

장남은 귀속 지위, 아내는 성취 지위, 부모는 성취 지위, 할아버지는 성취 지위이다. 아내의 경우, 결혼이라는 것을 하기 위해 개인적인 노력이 있어야 하기 때문에 성취 지위이다. 또한 할아버지 역시 결혼을 한 후, 자녀를 출산 또는 입양하여 부모가 되어야 하고 그 자녀가 또 자녀를 출산하거나 입양하여 3대를 이루어야 하기 때문에 성취 지위이다.

오답 피하기 ㄱ. 장남은 첫 번째로 태어난 아들을 의미하기 때문에 태어나면서부터 얻게 된 귀속 지위이다.

더 알아보기 성취 지위

지위에 대한 선택지 중 아내, 남편, 아버지, 어머니, 할아버지, 할머니 등 결혼을 한 후 자녀가 있어야만 얻을 수 있는 지위들이 자주 등장한다. 이런 지위들은 모두 성취 지위이며 남자, 여자, 딸, 아들과는 다른 성격의 지위인 것이다.
비슷한 개념으로 초등학생~대학생 역시 단순히 나이를 먹었기 때문에 얻는 지위가 아니라 학교에 다닐 수 있는 능력과 다니기 위한 노력을 해야만 얻을 수 있는 지위이기 때문에 성취 지위라고 이해해야 한다.

06-1 지위와 역할

역할 갈등에는 개인이 가진 두 가지 이상의 지위에서 서로 다른 역할들이 요구됨으로써 발생하는 역할 갈등과 개인이 가진 하나의 지위에서 상반된 역할들이 요구됨으로써 발생하는 역할 갈등이 있다.

선택지 바로 보기

① 고등학생은 귀속 지위이다. (×)
→ 고등학생은 일정한 연령에 도달해야 하는 조건이 있지만 고등학교에 다닐 수 있는 능력과 다니기 위한 노력이 필요하기 때문에 성취 지위이다.

② 하나의 지위에 대해 하나의 역할만 기대된다. (×)
→ 하나의 지위에 대해 서로 상반된 역할이 기대되는 역할 갈등이 발생하기도 한다.

③ 지위가 같으면 역할 행동도 모두 같게 나타난다. (×)
→ 역할 행동은 개인의 가치관 차이에 따라 서로 다르게 나타난다.

④ 한 사람에게 여러 가지 지위가 동시에 주어질 수 있다. (○)
→ 한 사람에게 딸, 동생, 고등학생 등 여러 가지 지위가 동시에 주어진다.

⑤ 어느 대학교에 지원할지 고민하는 것은 고등학생의 역할 갈등이다. (×)
→ 어느 대학교에 지원할지 고민하는 것은 단순한 심리적 갈등 상태만 나타낸다. 역할들이 충돌하여 나타나는 심리적 갈등인 역할 갈등은 아니다.

역할 갈등은 크게 두 가지로 생각할 수 있다. 먼저 한 개인이 가지고 있는 하나의 지위에 대해 상반된 역할이 요구될 때 오는 갈등인 '역할 긴장'이다. 역할 긴장의 사례로는 교사라는 지위에 대해 자상한 교사와 엄격한 교사의 역할이 동시에 요구되는 경우가 있다. 한편 '역할 모순'은 한 개인이 가지고 있는 여러 가지의 지위에 대한 역할들 간의 충돌을 의미한다. 역할 모순의 사례로는 여동생이 사고를 당해 크게 다쳐서 위급한 상태로 병원에 입원했다는 연락을 받은 걸그룹 멤버가 언니의 입장에서 병원으로 달려갈지, 걸그룹 멤버로서 무대에 올라가서 노래를 불러야 할지 때문에 갈등을 겪는 경우가 있다.

07-1 1차적 사회화 기관

1차적 사회화 기관은 기본적인 내용의 사회화를 담당하는 기관이고, 2차적 사회화 기관은 보다 전문적이고 깊이 있는 내용의 사회화를 담당하는 사회화 기관이다.

ㄱ, ㄹ. 가족과 또래 집단은 1차적 사회화 기관이다.

오답 피하기 ㄴ, ㄷ. 학교와 회사는 2차적 사회화 기관이다.

08-1 공식적 사회화 기관

공식적 사회화 기관은 사회화를 목적으로 설립된 기관이고, 비공식적 사회화 기관은 다른 목적으로 설립되었지만 부수적으로 사회화를 담당하게 된 기관을 의미한다.

ㄷ, ㄹ. 대학교와 고등학교는 학생들의 사회화를 목적으로 설립된 공식적 사회화 기관이다.

오답 피하기 ㄱ, ㄴ. 군대와 회사는 각각 국방과 이윤 추구라는 다른 목적으로 설립된 비공식적 사회화 기관이다.

DAY 2 필수 체크 전략 ②

44~45쪽

| 1 ① | 2 ① | 3 ⑤ | 4 ③ | 5 ④ |
| 6 ④ | 7 ② | | | |

1 사회 실재론, 사회 명목론

갑은 사회 실재론의 입장에서, 을은 사회 명목론의 입장에서 감독의 역할을 이야기하고 있다.

① 개인의 행동이 사회에 의해 구속된다는 것은 사회 실재론의 입장이다.

오답 피하기 ② 사회를 개인의 외부에 실재하는 것으로 보는 것은 사회 실재론의 입장이다.

③ 개인의 이익을 총합한 개념이 공익이라는 것은 사회 명목론의 입장이다. 사회 실재론에서는 공익이 사익의 총합보다 크다고 본다.

④ 사회 문제를 해결할 때 (개인적 차원의) 의식 개혁보다 (사회적 차원의) 제도 개혁을 중시하는 것은 사회 실재론의 입장이다.

⑤ 사회는 개인의 속성으로 환원될 수 없다고 보는 것은 사회 실재론의 입장이다.

2 사회 실재론, 사회 명목론

(가)는 사회의 구속성이 개인의 능동성보다 우선한다고 보기 때문에 사회 실재론이고, (나)는 사회 명목론이다. A에는 사회 명목론인지를 묻는 질문이, B에는 사회 실재론인지를 묻는 질문이 들어가야 한다.

① 사회는 개인의 외부에 독자적으로 실재하는 개념이라고 보는 것은 사회 실재론의 입장이다.

오답 피하기 ② 사회가 개인의 행동을 강제한다고 보는 것은 사회 실재론의 입장이다.

③ 개인의 발전이 사회의 발전이라고 보는 것은 사회 명목론의 입장이다.

④ '사회 문제의 해결책으로 사회의 제도 개선을 중시하는가?'는 사회 실재론인지를 묻는 질문으로 적합하다.

⑤ '사회는 개인들의 집합체에 이름을 붙인 것인가?'는 사회 명목론인지를 묻는 질문으로 적합하다.

3 사회 명목론, 사회 실재론

갑은 사회 명목론의 입장에서, 을은 사회 실재론의 입장에서 도덕을 설명하고 있다.

ㄷ. 개인의 자율성을 중시하는 것은 사회 명목론의 입장이다.

ㄹ. 사회의 특성은 개인들의 특성으로 환원할 수 없다는 것은 사회 실재론의 입장이다.

오답 피하기 ㄱ. 개인들은 사회에 의해 구조화된 행동을 한다고 보는 것은 사회 실재론의 입장이다.

ㄴ. 개인의 능동성이 사회의 구속성보다 우선한다고 보는 것은 사회 명목론의 입장이다.

4 지위와 역할, 사회화 기관

성취 지위는 개인의 노력과 능력에 의해 후천적으로 획득하는 지위이다. 비공식적 사회화 기관은 사회화가 아닌 다른 목적으로 설립되었으나 부수적으로 사회화를 담당하는 기관이다.

선택지 바로 보기

ㄱ. ⓐ은 갑의 역할 갈등에 해당한다. (×)
→ 역할 간 충돌이 아니라 한 개인으로서 어떤 선택을 할지를 고민하고 있는 상황이다.

ㄴ. ⊙, ⓔ은 모두 성취 지위이다. (○)
→ 배구 선수와 출연자 모두 후천적으로 얻게 된 성취 지위이다.

ㄷ. ⓒ, ⓓ은 모두 비공식적 사회화 기관이다. (○)
→ 배구팀은 배구 경기를 통해 팬들에게 즐거움을 선사하는 것을 목적으로, 방송사는 정보 전달을 목적으로 설립된 기관이다.

ㄹ. ⓔ은 ⊙으로서의 갑의 역할 행동에 대한 보상이다. (×)
→ 구독자 수가 지속적으로 늘고 있는 것은 배구 선수가 아닌 인터넷 개인 방송 크리에이터로서의 역할 행동에 대한 보상이다.

5 사회화, 지위, 사회 집단

예기 사회화란 미래에 속하기를 기대하거나 속하게 될 집단이나 지위에 요구하는 지식, 기능, 가치 및 규범을 미리 습득하는 과정이다.

선택지 바로 보기

① ㉠은 갑의 내집단이다. (×)
→ ○○ 고등학교는 갑이 아니라 자녀인 을의 소속 집단이다. 그렇기 때문에 갑이 ○○ 고등학교에 소속감을 가질 수 없다.

② ㉠은 을의 소속 집단이면서 비공식적 사회화 기관이다. (×)
→ ○○ 고등학교는 을의 소속 집단이지만 공식적 사회화 기관이다.

③ ㉡은 학생들의 역할에 대한 보상이다. (×)
→ 장학금 지급은 학생 모두에게 주는 것이 아니라 공부를 열심히 하여 좋은 성적을 거둔 학생들을 대상으로 주는 역할 행동에 대한 보상이다.

④ ㉢은 예기 사회화이다. (○)
→ 신입생 오리엔테이션은 입학식 전에 진행된다는 내용을 근거로 아직 ○○ 고등학교에 정식으로 입학하지 않은 예비 고등학생들에게 하는 예기 사회화이다.

⑤ ㉢은 ㉣과 달리 성취 지위이다. (×)
→ 학생회장과 학생 부장 선생님은 모두 성취 지위이다.

더 알아보기 예기 사회화

예기 사회화는 개인이 현재 속해 있지 않지만 미래에 속하기를 바라거나 속하게 될 집단, 현재는 갖고 있지 않으나 미래에 갖기를 바라거나 갖게 될 직업 및 지위를 전제로 한다. 이러한 예기 사회화는 미래의 집단이나 직업, 지위에서 요구되는 행동 방식을 미리 경험함으로써 개인이 새로운 집단이나 직업, 지위에 순조롭게 적응하는 데 기여한다.

---

6 사회화, 사회화 기관, 지위와 역할

역할 갈등이란 개인에게 요구되는 서로 다른 역할들이 충돌하여 나타나는 심리적 갈등이다. 공식적 사회화 기관은 사회화를 주목적으로 설립된 기관, 2차적 사회화 기관은 전문적인 지식, 기능을 심화하는 사회화를 담당하는 기관이다.

선택지 바로 보기

ㄱ. ㉡은 갑~정의 재사회화이다. (×)
→ 대입 설명회는 대학교 입시에 대한 전반적인 정보를 알려 주는 행사이기 때문에 재사회화라고 볼 수 없다.

ㄴ. ㉣은 병의 역할 갈등이 아니다. (○)
→ 입시 전형 중 어떤 것을 선택할지를 고민하는 것이기 때문에 역할 갈등이라고 볼 수 없다.

ㄷ. ㉠은 ㉢과 달리 2차적 사회화 기관이자 공식적 사회화 기관이다. (×)
→ 대학교와 학생 자치회 모두 2차적 사회화 기관이자 공식적 사회화 기관이다.

ㄹ. ㉢은 ㉥과 달리 귀속 지위이다. (○)
→ 누나는 먼저 딸로 태어난 다음 남동생이 태어나면서 자연스럽게 얻게 된 귀속 지위이다.

7 사회화를 바라보는 관점

갑은 갈등론적 관점에서, 을은 기능론적 관점에서 사회화를 바라보고 있다.

② 사회화의 내용이 사회 전체적으로 합의된 것이라고 보는 것은 기능론의 입장이다.

오답 피하기 ① 타인의 반응을 내면화하는 과정에서 사회화가 진행된다고 보는 것은 상징적 상호 작용론의 입장이다.
③ 사회화 과정에서 개인의 능동성을 강조하는 것은 상징적 상호 작용론의 입장이다.
④ 사회 구조가 개인의 사회화에 미치는 영향력을 중시한다고 보는 것은 기능론과 갈등론의 공통적인 입장이다.
⑤ 갑과 을은 모두 거시적 관점에서 사회화를 바라보고 있다.

DAY 3 필수 체크 전략 ①　　46~49쪽

01-1 ㄱ, ㄷ	02-1 ㄴ, ㄷ	03-1 ㄱ, ㄹ	04-1 ㄱ, ㄴ
05-1 ㄱ, ㄴ	05-2 ④	06-1 ㄱ, ㄷ	06-2 ㄱ, ㄷ

01-1 공동 사회

구성원의 본질 의지에 따라 자연 발생적으로 결합한 집단은 공동 사회이다.

ㄱ, ㄷ. 가족과 친족은 공동 사회이다.

오답 피하기 ㄴ, ㄹ. 정당과 학교는 이익 사회이다. 이익 사회는 구성원의 선택 의지에 따라 인위적으로 형성된 집단을 말한다.

02-1 사회 조직

공식적인 목적 달성을 위해 합리적인 기준에 따라 의도적으로 형성된 조직은 사회 조직(또는 공식 조직)이다.

ㄴ, ㄷ. 사회 조직은 방송국과 노동조합이다.

오답 피하기 ㄱ, ㄹ. 가족과 또래 집단은 사회 집단이지만 사회 조직은 아니다.

03-1 관료제의 특징

명시적 규범과 절차에 따라 대규모 조직을 관리·운영하는 조직 체계는 관료제에 대한 설명이다.

오답 피하기 능력에 따른 보상과 수평적 조직 체계는 탈관료제 조직의 특징이다. 관료제 조직은 경력에 따른 보상(연공서열주의)과 위계질서를 바탕으로 수직적 조직 체계를 특징으로 한다.

04-1 탈관료제의 등장 배경

탈관료제 조직은 탈산업·정보화 사회의 등장으로 인해 발생하였다. 산업 사회에 적합한 조직 운영 체계였던 관료제 조직의 역기능을 극복하기 위해 등장하였다.

05-1 낙인 이론, 아노미 이론

(가)는 낙인 이론, (나)는 머튼의 아노미 이론, (다)는 뒤르켐의 아노미 이론이다.

ㄱ. 일탈을 규정하는 객관적 기준이 없다고 보는 것은 낙인 이론의 입장이다.

ㄴ. 목표와 수단 간의 괴리로 인해 일탈 행동이 발생한다고 보는 것은 머튼의 아노미 이론의 입장이다.

오답 피하기 ㄷ. 일탈 행동보다 그에 대한 사회적 반응을 중시하는 것은 낙인 이론의 입장이다.

ㄹ. 기능론적 관점에서 일탈 행동을 보는 것은 아노미 이론(뒤르켐, 머튼)이다.

더 알아보기 일탈을 규정하는 객관적 기준

기능론적 관점을 바탕으로 한 뒤르켐과 머튼의 아노미 이론, 갈등론적 관점을 바탕으로 한 갈등 이론, 미시적 관점을 바탕으로 한 차별 교제 이론에서는 객관적인 기준에 의해 일정한 행동이 일탈이라고 규정된다고 본다. 하지만 낙인 이론의 경우 일탈에 대한 객관적인 기준이 없이 어떤 사람의 행위에 대해 주변에서 그 행위를 일탈이라고 규정하면 이러한 주변의 부정적인 인식을 내면화하면서 2차적 일탈을 반복한다고 주장한다.

05-2 낙인 이론, 차별 교제 이론, 머튼의 아노미 이론

갑은 낙인 이론, 을은 차별 교제 이론, 병은 머튼의 아노미 이론을 토대로 일탈의 원인을 설명하고 있다.

④ 일탈 행동을 규정하는 객관적인 기준이 없다고 보는 것은 낙인 이론의 입장이다.

오답 피하기 ① 아노미로 인해 일탈 행동이 발생한다고 보는 것은 머튼의 아노미 이론의 입장이다.

② 급격한 사회 변동이 일탈 행동의 원인이라고 보는 것은 뒤르켐의 아노미 이론의 입장이다.

③ 일탈 행동이 학습의 결과라고 보는 것은 차별 교제 이론의 입장이다.

⑤ 거시적인 관점에서 일탈 행동을 보는 것은 머튼의 아노미 이론이다.

06-1 차별 교제 이론, 뒤르켐의 아노미 이론, 낙인 이론

갑은 차별 교제 이론, 을은 뒤르켐의 아노미 이론, 병은 낙인 이론의 관점에서 일탈 행동의 원인을 설명하고 있다.

ㄱ. 일탈 집단과의 교제가 일탈 행동의 원인이라고 보는 것은 차별 교제 이론의 입장이다.

ㄷ. 2차적 일탈에 주목하는 것은 낙인 이론의 입장이다.

오답 피하기 ㄴ. 문화적 목표를 달성할 수 있는 제도적 수단이 부족해서 일탈이 발생했다고 보는 것은 머튼의 아노미 이론의 입장이다.

ㄹ. 차별 교제 이론과 낙인 이론은 모두 미시적 관점에서 일탈 행동을 보고 있다.

06-2 낙인 이론, 차별 교제 이론

(가)는 낙인 이론, (나)는 차별 교제 이론이다.

ㄱ. 일탈 행동의 해결 방안으로 일탈 행동에 대한 규정을 신중하게 하는 것을 제안하는 입장은 낙인 이론의 주장이다.

ㄷ. 일탈 행동을 규정하는 합의된 기준이 없다고 보는 것은 낙인 이론의 입장이다.

오답 피하기 ㄴ. 문화적 목표를 달성할 수 있는 제도적 수단의 마련이 필요하다고 보는 것은 머튼의 아노미 이론의 입장이다.

ㄹ. 낙인 이론과 차별 교제 이론은 모두 미시적 관점에서 일탈 행동을 보고 있다.

DAY 3 필수 체크 전략 ②　　50~51쪽

| 1 ③ | 2 ⑤ | 3 ① | 4 ⑤ | 5 ⑤ |
| 6 ③ | 7 ⑤ | 8 ② | | |

1 사회 집단

(가)는 내집단, (나)는 외집단, (다)는 공동 사회, (라)는 이익 사회, (마)는 2차 집단, (바)는 1차 집단이다.

오답 피하기 ① 소속 집단이라고 해서 무조건 다 내집단이라고 볼 수 없다. 소속 집단은 실제 소속 여부를, 내집단은 소속감을 기준으로 하기 때문이다.

② 준거 집단이란 자신의 행동이나 가치 판단의 기준으로 삼는 집단을 말한다.

④ 2차 집단에 해당하는 사회 집단이 모두 공동 사회가 될 수 없다. 오히려 공동 사회는 1차 집단과 더 유사한 부분을 가지고 있다.

⑤ 공식적 수단에 의한 통제는 1차 집단보다 2차 집단에서 더 일반적이다.

더 알아보기 내집단과 준거 집단

일반적으로 개인에게 내집단이 준거 집단이 되는 경향이 있다. 하지만 내집단이 반드시 준거 집단이 되는 것은 아니다. 개인이 내집단의 발전을 위해 외부에 존재하는 집단을 준거 집단으로 삼는 경우, 내집단과 준거 집단은 일치하지 않는다.

2 사회 집단

자발적 결사체는 공통의 관심사나 목표를 가진 사람들이 자발적으로 결성한 사회 집단으로 친목 집단, 이익 집단, 시민 단체 등이 있다.

① ㉠은 공식 조직이자 이익 사회이다. (×)
→ 회사 내 축구 동호회는 이익 사회이면서 비공식 조직이다.

② ㉡은 ㉢과 달리 비공식 조직이다. (×)
→ 시민 단체는 공식 조직, ○○ 고등학교 동문회 테니스회는 공식 조직인 동문회 안에서 형성된 비공식 조직이다.

③ ㉣은 ㉠과 달리 수단적이고 간접적인 접촉을 하는 집단이다. (×)
→ 가족은 1차 집단이다. 수단적이고 간접적인 접촉을 하는 집단은 2차 집단이다.

④ ㉤은 ㉣과 달리 구성원들의 본질 의지에 따라 결합한 집단이다. (×)
→ 종친회는 친족이라는 공동 사회를 바탕으로 구성된 이익 사회이다.

⑤ ㉠, ㉡, ㉢은 모두 자발적 결사체이다. (○)
→ 동호회, 시민 단체, 테니스회는 모두 자발적 결사체이다.

3 자발적 결사체

A는 시민 단체, B는 이익 집단, C는 친목 단체이다.
ㄱ. 특정 집단만의 이익을 대변하는 이익 집단의 활동은 종종 공익과 충돌하기도 한다.
ㄴ. 조기 축구회는 대표적인 친목 단체의 사례이다.

오답 피하기 ㄷ. 자발적 결사체는 모두 가입과 탈퇴가 자유롭다.
ㄹ. 공식 조직 내에서 형성되는 것은 비공식 조직이다.

4 관료제, 탈관료제

A는 관료제 조직, B는 탈관료제 조직이다.
⑤ 관료제와 탈관료제 모두 효율성을 추구하기 위해 등장한 조직 운영 체계이다.

오답 피하기 ① 정보화와 탈산업 사회로의 진입으로 인해 등장한 조직 유형은 탈관료제 조직이다.
② 소품종 대량 생산 체제는 관료제가 더 적합하다. 탈관료제 조직은 다품종 소량 생산 체제에 더 적합하다.
③ 구성원의 창의력은 관료제보다 탈관료제에서 더 중시한다.
④ 목적 전치 현상은 관료제 조직에서 나타날 수 있는 역기능 중 하나이다.

더 알아보기 관료제와 탈관료제의 특징

• 관료제: 권한과 책임에 따른 위계 서열화, 업무의 전문화 및 세분화, 규약과 절차에 따른 업무 수행, 경력에 따른 보상과 신분 보장, 지위 획득의 공평한 기회 보장 등
• 탈관료제: 수평적 조직 체계, 유연한 조직 구조, 능력·업적 및 성과에 따른 보상 체계 등

5 관료제, 탈관료제

A는 탈관료제, B는 관료제이다.
ㄷ. 업무 담당자의 재량권은 탈관료제가 관료제보다 높다.

ㄹ. 중간 관리층의 비중은 관료제가 탈관료제보다 높다.

오답 피하기 ㄱ. 관료제와 탈관료제 모두 효율성을 추구하기 위해 등장하였다.
ㄴ. 관료제는 수직적 인간관계, 탈관료제는 수평적 인간관계를 더 중시한다.

6 낙인 이론, 차별 교제 이론

(가)는 낙인 이론, (나)는 차별 교제 이론이다.
ㄴ. 일탈 행동의 해결 방안으로 정상적인 사회 집단과의 교류를 주장하는 것은 차별 교제 이론의 입장이다.
ㄷ. 2차적 일탈에 초점을 맞추는 것은 낙인 이론의 특징이다.

오답 피하기 ㄱ. 일탈 행동이 학습의 결과임을 강조하는 것은 차별 교제 이론의 입장이다.
ㄹ. 낙인 이론과 차별 교제 이론은 모두 미시적 관점에서 일탈 행동을 이해하고 있다.

7 아노미 이론

갑은 머튼의 아노미 이론, 을은 뒤르켐의 아노미 이론을 바탕으로 일탈 행동의 원인에 대해 말하고 있다.
⑤ 아노미 이론은 기능론적 관점을 바탕으로 일탈 행동에 대해 설명하는 이론이다.

오답 피하기 ① 일탈을 규정하는 객관적 기준이 없다고 보는 것은 낙인 이론의 입장이다.
② 차별적인 제재가 일탈 행동의 원인이라고 보는 것은 낙인 이론의 입장이다.
③ 일탈 행동의 해결 방안으로 사회적 합의를 주장하는 것은 뒤르켐의 아노미 이론의 입장이다.
④ 2차적 일탈에 주목하는 것은 낙인 이론의 특징이다.

8 낙인 이론, 아노미 이론

A는 낙인 이론, B는 머튼의 아노미 이론, C는 뒤르켐의 아노미 이론이다.
② 아노미 이론에서는 일탈을 규정하는 객관적 기준이 있다고 본다. 일탈을 규정하는 객관적 기준이 없다고 보는 것은 낙인 이론의 입장이다.

오답 피하기 ① 거시적인 관점에서 일탈 행동을 바라보는 이론은 아노미 이론이다. 낙인 이론은 미시적 관점에서 일탈 행동을 바라보고 있다.
③ 일탈 행동자와의 교류를 일탈의 원인으로 보는 것은 차별 교제 이론의 입장이다.
④, ⑤ 사회 규범의 통제력 회복을 일탈의 해결 방안으로 제시하는 것은 뒤르켐의 아노미 이론의 입장이다.

| 1 ③ | 2 ② | 3 ④ | 4 ⑤ |
| 5 ② | 6 ③ | 7 ① | 8 ⑤ |

1 사회 실재론

제시문의 내용은 사회 실재론의 입장에서 공익과 사익을 설명하고 있다.

③ 사회 실재론에서는 사회가 개인의 외부에 독자적으로 작동하는 존재라고 한다.

오답 피하기 ① 개인의 자율성을 강조하는 것은 사회 명목론의 입장이다.

② 개인의 속성에 의해 사회의 속성이 결정된다는 것은 사회 명목론의 입장이다.

④ 개인들이 옳다고 생각하는 것이 사회 규범이라고 보는 것은 사회 명목론의 입장이다.

⑤ 사회 명목론에서는 사회 문제 발생 시 제도적인 측면보다 개인적인 의식의 개혁을 주장한다.

더 알아보기 뒤르켐의 사회적 사실과 사회 실재론

뒤르켐은 사회적 사실이 개인의 외부에 실재하면서 개인의 의식과 행동을 강제한다고 보았다. 사회가 개인의 외부에 실재하고, 개인으로 환원될 수 없는 고유한 특성을 가지고 있으며, 개인의 삶을 구속한다고 보는 관점을 사회 실재론이라고 한다.

2 지위와 역할, 사회화 기관

귀속 지위는 개인의 노력, 능력에 따라 상관없이 선천적 · 자연적으로 갖게 되는 지위이며, 성취 지위는 개인의 노력과 능력에 의해 후천적으로 획득하는 지위이다. 공식적 사회화 기관이란 사회화를 주 목적으로 설립된 기관을 말한다.

선택지 바로 보기

ㄱ. ㉠은 ㉣과 달리 귀속 지위이다. (○)
→ 상남은 첫 번째로 태어난 아들이기 때문에 귀속 지위지만, 교사는 개인적인 노력에 의해 후천적으로 얻게 되는 성취 지위이다.

ㄴ. ㉡은 갑의 역할에 대한 보상이다. (×)
→ 학업 우수상 수상은 역할 행동에 대한 보상이다.

ㄷ. ㉢과 ㉤은 모두 공식적 사회화 기관이다. (○)
→ 대학교와 고등학교는 모두 학생들의 사회화를 목적으로 설립된 공식적 사회화 기관이다.

ㄹ. ㉥은 갑이 경험하고 있는 역할 갈등이다. (×)
→ 사회와 음악 중 어떤 과목을 가르칠지 고민하는 상황이다.

더 알아보기 역할과 역할 행동

역할이 지위에 따라 집단이나 사회가 규정하는 행동 방식이라면, 역할 행동은 개인이 자신의 역할에 대해 해석하고 평가하여 실천하는 방식이라고 할 수 있다.

3 사회화 기관

A는 1차적 사회화 기관이면서 비공식적 사회화 기관, B는 2차적 사회화 기관이면서 공식적 사회화 기관, C는 2차적 사회화 기관이면서 비공식적 사회화 기관이다.

④ ◎◎ 고등학교는 B, ☆☆ 방송사는 C, ◇◇ 일보는 C, 가족은 A의 사례이다.

4 사회 명목론

제시문의 내용은 사회 명목론의 입장에서 사회의 형성을 설명하고 있다.

⑤ 사회 명목론에서는 개인들 간 상호 작용의 결과 다양한 사회 형태가 만들어질 수 있다고 본다.

오답 피하기 ① 사회가 발전해야 개인도 발전할 수 있다고 보는 것은 사회 실재론의 입장이다.

② 사회에 대한 개인의 불가항력성을 강조하는 것은 사회 실재론의 입장이다.

③ 사회의 구속성이 개인의 능동성보다 우선한다고 보는 것은 사회 실재론의 입장이다.

④ 사회 실재론에서는 사회가 개인의 행동을 구속하는 힘을 가지고 있다고 본다.

5 사회 집단

A는 공동 사회, B는 이익 사회, C는 2차 집단, D는 1차 집단이다. ㉠에는 이익 사회의 특징, ㉡에는 2차 집단의 특징이 들어가야 한다.

② 형식적 · 수단적 접촉은 2차 집단의 특징이다.

오답 피하기 ① 본질 의지를 바탕으로 형성된 집단은 공동 사회이다.

③ 이해관계를 중심으로 구성원 간 관계가 형성되는 사회 집단은 이익 사회이다.

④ 2차 집단에서는 주로 공식적인 수단을 통한 통제가 이루어진다.

⑤ 가족은 공동 사회이면서 1차 집단의 대표적인 사례이다.

6 사회 집단 및 사회 조직

A는 공동 사회, B는 이익 사회, C는 공식 조직, D는 비공식 조직이다.

③ 노동조합은 이익 사회이면서 공식 조직이다.

오답 피하기 ① B는 이익 집단보다 넓은 개념인 이익 사회이다.

② 모든 공식 조직은 모두 이익 사회에 해당한다.

④ 고등학교는 이익 사회이면서 공식 조직이다.

⑤ 고등학교 학급 자치회는 공식 조직의 사례이다.

7 관료제, 탈관료제

A는 관료제, B는 탈관료제이다. ㉠은 '예', ㉡은 '아니요'이다.

오답 피하기 ③ 다품종 소량 생산 방식에 적합한 조직 운영 원리는 탈관료제이다.

④ 연공서열에 따른 보상을 강조하는 것은 관료제의 특징이다.

⑤ 중간 관리층의 비중은 관료제가 탈관료제보다 높다.

8 차별 교제 이론, 낙인 이론, 뒤르켐의 아노미 이론
(가)는 차별 교제 이론, (나)는 낙인 이론, (다)는 뒤르켐의 아노미 이론이다.
⑤ 2차적 일탈 발생 과정에 주목하는 것은 낙인 이론의 입장이다.
오답 피하기 ① 일탈을 규정하는 객관적인 기준이 없다고 보는 것은 낙인 이론의 입장이다.
② 낙인 이론에서는 해결 방안으로 신중한 낙인을 제시한다.
④ 사회 구조적인 측면에서 일탈 행동을 보는 것은 거시적 관점을 바탕으로 한 아노미 이론이다. 차별 교제 이론과 낙인 이론은 미시적 관점에서 일탈 행동을 본다.

더 알아보기 1차적 일탈과 2차적 일탈

개인이 호기심이나 실수 등으로 인해 최초로 저지른 일탈 행동을 1차적 일탈이라고 하고, 낙인으로 인해 반복적으로 저지르는 일탈 행동을 2차적 일탈 행동이라고 한다.

창의·융합·코딩 전략 | 54~57쪽

01 ①	02 ③	03 ②	04 ①	05 ⑤	06 ②
07 ①	08 ③	09 ⑤	10 ②		

01 사회 실재론, 사회 명목론
갑은 사회 실재론, 을은 사회 명목론의 입장에서 명문 학교가 되기 위해 필요한 부분들을 이야기하고 있다.
① 사회의 발전이 곧 개인의 발전이라고 보는 것은 사회 실재론의 입장이다.
오답 피하기 ② 사회가 개인의 외부에 실제로 존재한다고 보는 것은 사회 실재론의 입장이다.
③ 개인의 능동적인 측면을 더 강조하는 것은 사회 명목론의 입장이다.
④ 거시적인 관점에서 개인과 사회의 관계를 보는 것은 사회 실재론이다.
⑤ 사회를 개인들의 총합으로 환원하여 설명할 수 없다고 보는 것은 사회 실재론의 입장이다.

02 개인과 사회의 관계를 보는 관점
갑은 사회 명목론, 을은 사회 실재론의 입장에서 이촌향도 현상과 대도시화 등 도시의 구성 과정에서 나타나는 다양한 현상들을 이야기하고 있다.
③ 개인의 자율적인 의지를 바탕으로 사회가 형성된다고 보는 것은 사회 명목론의 입장이다.
오답 피하기 ① 개인들이 사회 속에서만 존재의 의미를 갖는다고 보는 것은 사회 실재론의 입장이다.

② 개인들의 이익을 모두 합친 것이 공익이라고 보는 것은 사회 명목론의 입장이다.
④ 사회는 개인들의 총합으로 환원할 수 있다고 보는 것은 사회 명목론이다.
⑤ 개인의 외부에서 개인의 사고와 행위를 구속하는 실존하는 사회가 존재한다고 보는 것은 사회 실재론의 입장이다.

03 개인과 사회의 관계를 보는 관점
갑은 사회 실재론, 을은 사회 명목론의 입장에서 군사들을 지휘하고 있다.
ㄱ. 사회 실재론에서는 사회 문제 발생 시 구조적인 측면에서 해결책을 찾아보고자 한다.
ㄷ. 사회 실재론은 전체를 위해 개인의 희생을 강요할 수 있다는 비판을 받을 수 있다.
오답 피하기 ㄴ. 사회 명목론은 개인의 주관성을 중시한다. 개인의 주관성을 간과한다는 비판은 사회 실재론에 대한 비판에 해당한다.
ㄹ. 전체주의로 빠질 위험성이 높은 관점은 사회 실재론이다.

04 사회화를 바라보는 기능론적 관점과 갈등론적 관점
갑은 기능론적 관점에서, 을은 갈등론적 관점에서 사회화를 바라보고 있다.
ㄱ. 사회화를 통해 사회 통합을 도모할 수 있다는 것은 기능론적 관점의 입장이다.
ㄴ. 사회화의 내용이 특정(=지배) 집단의 합의에 의해 결정되었다고 보는 것은 갈등론적 관점의 입장이다.
오답 피하기 ㄷ. 기능론과 갈등론 모두 거시적인 관점이다.
ㄹ. 타인과의 상호 작용을 통해 사회화가 진행된다고 보는 것은 상징적 상호 작용론적 관점의 입장이다.

더 알아보기 사회화에 대한 관점

• 기능론: 사회화가 사회 전체의 필요에 따라 구성원들로 하여금 동일한 문화를 공유하게 하고, 문화를 세대 간 전승함으로써 사회의 유지 및 통합, 존속에 기여한다고 본다.
• 갈등론: 사회화가 지배 집단에 유리한 가치 및 규범을 전수하고 피지배 집단에 순종하는 태도를 갖게 함으로써 지배 집단의 기득권 유지 수단으로 작용한다고 본다.
• 상징적 상호 작용론: 사회화가 갖는 객관적인 의미를 규정하기보다 사회화가 이루어지는 과정과 그것이 개인에게 갖는 의미를 강조한다.

---

05 자발적 결사체, 공식 조직, 비공식 조직
A는 자발적 결사체, B는 공식 조직, C는 비공식 조직이다.
⑤ 과업 중심의 사회 조직인 노동조합과 시민 단체는 자발적 결사체이면서 공식 조직의 대표적인 사례이다.
오답 피하기 ① 구성원의 지위와 역할이 명확한 것은 공식 조직이다.
② 가입과 탈퇴가 비교적 자유로운 것은 자발적 결사체이다.
③ B는 공식 조직이다.

더 알아보기 노동조합과 시민 단체

자발적 결사체인 노동조합(이익 집단)과 시민 단체는 각각 노동자들의 이익과 공익을 추구한다는 점에서 차이가 있지만, 각자의 목적을 달성하기 위해 공식적인 형태를 갖추고 과업 중심의 조직이라는 점에서 공식 조직이라는 공통점을 가지고 있다. 노동조합과 시민 단체는 공식 조직이면서 자발적 결사체의 사례로 시험에 자주 출제되는 개념인 만큼 반드시 기억하자.

06 사회화 기관

㉠은 2차적 사회화 기관이자 공식적 사회화 기관, ㉡은 2차적 사회화 기관이자 비공식적 사회화 기관, ㉢은 2차적 사회화 기관이자 비공식적 사회화 기관, ㉣은 1차적 사회화 기관이자 비공식적 사회화 기관이다.

ㄱ. 국자감은 사회화를 목적(공식적 사회화 기관)으로 전문적인 수준의 사회화(2차적 사회화 기관)를 담당하는 사회화 기관이지만, 삼별초는 비공식적 사회화 기관이라고 볼 수 있다.

ㄷ. 부석사는 우리나라의 대표적인 사찰 중 하나로 2차적 사회화 기관이면서 비공식적 사회화 기관이지만, 가족은 1차적 사회화 기관이면서 비공식적 사회화 기관이다.

오답 피하기 ㄴ. 삼별초는 대몽 항쟁을 위한 군대, 부석사는 사찰로 두 집단 모두 비공식적 사회화 기관이자 2차적 사회화 기관이라고 볼 수 있다.

ㄹ. 사회화를 목적으로 설립된 사회화 기관은 국자감 하나이다.

07 뒤르켐의 아노미 이론

일탈 이론 A는 뒤르켐의 아노미 이론이다. (가)에는 뒤르켐의 아노미 이론에 대한 진술이 들어가야 한다.

① 뒤르켐의 아노미 이론은 기능론적 관점에서 일탈 행동을 바라보고 있다.

오답 피하기 ② 차별적 교제를 일탈 행동의 원인으로 보는 것은 차별 교제 이론의 입장이다.

③ 차별적 제재로 인해 일탈 행동이 초래된다고 보는 것은 낙인 이론의 입장이다.

④ 목표와 수단의 괴리를 일탈 행동의 원인으로 보는 것은 머튼의 아노미 이론의 입장이다.

⑤ 일탈 행동을 규정하는 객관적 기준이 존재하지 않는다고 보는 것은 낙인 이론의 입장이다.

08 사회 집단

내집단은 자신이 속해 있으면서 강한 소속감과 공동체 의식을 느끼는 집단이다.

선택지 바로 보기

① 갑의 소속 집단은 모두 준거 집단에 해당한다. (×)

→ 갑은 ◇◇고등학교로 어쩔 수 없이 전근을 가게 되었다.

② ㉠은 갑의 소속 집단이자 이익 사회이다. (×)

→ ㅁㅁ팀은 이익 사회이지만 갑의 소속 집단은 아니다.

③ ㉡은 갑의 소속 집단이면서 내집단이다. (○)

→ 갑은 △△서포터즈에 가입하여 현재까지 왕성한 활동을 하고 있다는 부분에서 소속 집단이면서 내집단 의식까지 가지고 있음을 확인할 수 있다.

④ ㉢, ㉣은 모두 갑에게 내집단에 해당한다. (×)

→ ☆☆팀은 갑에게 내집단이 아니라 외집단에 가깝다.

⑤ ㉤은 갑에게 준거 집단이자 외집단에 해당한다. (×)

→ 교내 교사 축구 동호회 회원이기 때문에 외집단이라고 볼 수 없다.

09 사회 집단

A는 이익 사회, B는 자발적 결사체, C는 비공식 조직이다.

ㄷ. ☆☆팀과 ◇◇ 고등학교는 모두 자발적 결사체가 아닌 공식 조직이기 때문에 A에만 해당한다.

ㄹ. 학교 내 축구 동호회는 ㅁㅁ팀, △△ 서포터즈, ☆☆팀, ◇◇ 고등학교와 달리 비공식 조직이기 때문에 이익 사회, 자발적 결사체, 비공식 조직 모두에 해당한다.

오답 피하기 ㄱ. ㅁㅁ팀은 이익 사회, △△ 서포터즈는 이익 사회, 자발적 결사체에 모두 해당한다.

ㄴ. △△ 서포터즈는 비공식 조직이 아니라 자발적 결사체이기 때문에 B에만 해당한다.

10 관료제, 탈관료제

자료 분석

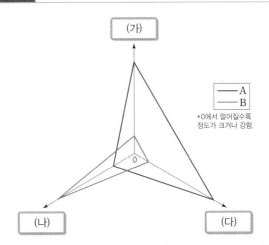

그래프의 모든 항목이 빈칸으로 출제될 경우, 선택지마다 주어지는 조건에 맞게 A와 B가 바뀔 수 있음을 기억해야 한다. 예를 들어, (가)에 '능력에 따른 보상'이 들어가면 A는 탈관료제, B는 관료제가 된다. 그러나 (가)에 '중간 관리층의 비중'이 들어가면 A는 관료제, B는 탈관료제가 된다.

선택지 바로 보기

ㄱ. (가)가 '능력에 따른 보상'이라면, (나)는 '중간 관리층의 역할 비중'이 적절하다. (○)

→ (가)가 '능력에 따른 보상'이라면, A는 탈관료제, B는 관료제이다. (나)에는 관료제 조직의 특징이 들어갈 수 있다.

ㄴ. '효율적인 과업 수행의 지향'은 (가), (다)에는 들어갈 수 있지만 (나)에는 들어갈 수 없다. (×)

→ 관료제와 탈관료제 조직 모두 효율성을 추구하기 때문에 '효율적인 과업 수행의 지향'은 (가)~(다) 어디에도 적합하지 않다.

ㄷ. (나)가 '수직적 조직 체계'라면, A는 B에 비해 정보화 사회에 적합한 조직 운영 원리이다. (○)

→ (나)가 '수직적 조직 체계'라면, A는 탈관료제, B는 관료제이다. 정보화 사회에 더 적합한 조직 운영 원리는 탈관료제이다.

ㄹ. (다)가 '업무의 세분화와 전문화'라면, A는 B보다 다품종 소량 생산 방식에 적합하다. (×)

→ (다)가 '업무의 세분화와 전문화'라면 A는 관료제, B는 탈관료제이다. 다품종 소량 생산 방식은 정보화 사회의 특징으로 탈관료제에 더 적합하다.

더 알아보기 관료제의 역기능

• 규약과 절차를 지나치게 강조할 경우 목적 전치 현상이 발생할 수 있다.
• 구성원들이 각자의 단편적인 업무만을 반복적으로 수행하고 자율성과 창의성을 발휘할 수 없어 인간 소외가 발생할 수 있다.
• 경직된 조직 구조가 형성될 경우 외부 환경의 변화에 유연하게 대처하기가 곤란하다.
• 연공서열에 따른 보상과 신분 보장이 지나치게 강조될 경우 무사안일주의가 발생할 수 있다.

전편 마무리 전략

신유형·신경향 전략 | 60~63쪽

| 01 ② | 02 ④ | 03 ③ | 04 ② | 05 ③ |
| 06 ③ | 07 ① | 08 ③ | | |

01 자연 현상과 사회·문화 현상의 특징

카드 뒷면에 적힌 내용이 A, B 또는 B, C일 때 2점, A, C일 때 1점이라는 조건을 통해 A, C는 각각 서로 다른 하나의 현상에만 해당하는 특징이고, B는 자연 현상과 사회·문화 현상의 공통된 특징임을 알 수 있다.

② 자연 현상과 사회·문화 현상 모두 과학적 연구의 대상이 된다.

오답 피하기 ① A는 자연 현상 또는 사회·문화 현상 중 어느 한 현상에만 해당하는 특징이어야 하는데, 보편성이 나타나는 것은 자연 현상과 사회·문화 현상의 공통된 특징이므로 A에 해당할 수 없다.

③ A, B에 해당하는 현상은 자연 현상일 수도 있지만 사회·문화 현상일 수도 있다. 따라서 당위 법칙으로 설명된다고 단정할 수 없다.

④ A가 자연 현상의 일반적인 특징일 경우 C는 사회·문화 현상의 일반적인 특징이 되지만, 반대로 A가 사회·문화 현상의 일반적인 특징일 경우 C는 자연 현상의 일반적인 특징이 된다.

⑤ A와 C일 때는 1점을 받게 되는데 '가치 함축적이다.', '개연성으로 설명된다.'는 모두 사회·문화 현상의 일반적인 특징이므로 2점을 받게 된다.

02 사회·문화 현상을 바라보는 관점

제시된 자료에서 갑은 학교에서의 교육을 통해 개인의 자아실현 및 사회 발전이 가능하다고 보므로 기능론이며, 을은 개인의 사회 경제적 지위의 결정 과정에서 학교 교육보다 출신 배경의 영향이 더 크게 작용한다고 보므로 갈등론이다. 반면 병은 학생들이 학교의 교육 과정에 대해 나름의 의미를 부여하고 해석한다고 보므로 상징적 상호 작용론이다.

④ 기능론은 점진적으로 나타나는 사회 변동을 설명하기 용이하며, 갈등론은 급격하게 나타나는 사회 변동을 설명하기 용이하다.

오답 피하기 ① "학생들은 주어진 학교의 교육 과정을 능동적으로 받아들인다."는 상징적 상호 작용론의 입장에 부합하는 진술이므로, 해당 내용은 (가)에 들어갈 수 없다.

② 사회 변동이 불공정한 자원 배분으로 인한 갈등 때문에 나타난다고 보는 관점은 갈등론이다.

③ 상징적 상호 작용론은 개인의 상황 정의가 사회 체계에 의해 결정되는 것이 아니라 개인의 주체적인 자유 의지에 의해 결정된다고 본다.

⑤ 학교의 교육 과정에 사회의 지배적인 가치가 반영되어 있다고 보는 관점은 기능론이다.

03 지위와 역할

귀속 지위는 개인의 노력, 능력에 상관없이 선천적·자연적으로 갖게 되는 지위이다. 역할 행동은 자신에게 주어진 역할을 실제로 수행하는 구체적인 행동을 말한다.

선택지 바로 보기

ㄱ. ⊙은 갑의 역할 갈등이다. (×)
→ 고아인 을을 보며 느낀 애틋함은 역할 갈등이라고 볼 수 없다.

ㄴ. ⓒ, ⓔ은 귀속 지위이다. (○)
→ 아들과 장남은 모두 귀속 지위이다.

ㄷ. ⓓ, ⓑ은 을의 역할 행동이다. (○)
→ 병사들을 인솔하여 적군을 공격한 것은 편장군으로서의 역할 행동이다.

ㄹ. ⓔ은 ⓐ과 달리 을의 역할에 대한 보상이다. (×)
→ 보상은 역할 행동에 대한 반응이다.

04 사회 집단, 사회 조직

자발적 결사체는 공통의 관심사나 목표를 가진 사람들이 자발적으로 결성한 집단으로 친목 집단, 이익 집단, 시민 단체 등이 있다.

선택지 바로 보기

① 월요일에는 공식적 사회화 기관에서의 일정이 있다. (×)
→ 정당은 비공식적 사회화 기관이다.

② 수요일에는 자발적 결사체에서의 일정이 있다. (○)
→ 환경 단체는 공식 조직이면서 자발적 결사체이다.

③ 금요일에는 비공식 조직에서의 일정이 있다. (×)
→ ◇◇시 축구 협회는 공식 조직이다.

④ 화요일에는 목요일과 달리 공식 조직이면서 자발적 결사체에서의 일정이 있다. (×)
→ 총동문회와 노동조합 모두 공식 조직이면서 자발적 결사체이다.

⑤ 월요일부터 금요일 중에는 이익 사회에서의 일정이 없다. (×)
→ 수요일에만 공동 사회(가족)에서의 일정이 있고 월, 화, 목, 금 모두 이익 사회에서의 일정이 있다.

05 자료 수집 방법

제시된 자료에서 을의 발표는 옳은 내용이므로 A, C는 각각 면접법과 질문지법 중 하나이며, B는 실험법, D는 참여 관찰법이다. 병의 발표는 실험법에 대한 진술이므로 맞는 내용이므로, (가)는 병이다. 따라서 갑의 발표는 틀린 내용이며, 정의 발표 또한 틀린 내용이다. 그런데 정은 면접법에 대해 진술했는데 이 내용이 틀린 것이므로, A는 면접법이 아니다. 따라서 A는 질문지법, C는 면접법이다.

③ 실험법은 자연스러운 상황에서 실시되는 참여 관찰법과 달리 자료 수집 상황에 대한 엄격한 통제를 바탕으로 한다.

오답 피하기 ① 자료 수집 도구의 구조화 정도는 참여 관찰법이 가장 낮다.

② 질문지법은 면접법에 비해 자료의 실제성을 확보하는 데 불리하다.

④ 변인 간의 관계를 밝히는 연구, 즉 양적 연구에 주로 활용되는 자료 수집 방법은 질문지법과 실험법이다.

⑤ (가)는 병이며, 병은 질문지법과 면접법을 사용하여 자료를 수집하였다.

06 양적 연구의 사례

제시된 자료에서 갑은 양적 연구를 수행하였으며, 투입 예산 규모는 독립 변인, 학교생활 만족도는 종속 변인이다.

선택지 바로 보기

① ⊙은 갑의 가설 검증을 위한 1차 자료의 활용에 해당한다. (×)
→ ⊙은 갑의 가설 검증을 위한 2차 자료의 활용에 해당한다.

② ⓔ에서 ⓒ과 ⓓ 간 부(−)의 관계가 나타났다. (×)
→ 자료 분석 결과 가설과 다른 결론을 내렸다고 해서 ⓒ과 ⓓ 간 부(−)의 관계가 나타났는지는 단정할 수 없다.

③ ⓑ은 ⓔ로부터 귀납적으로 도출되었다. (○)
→ 갑은 개별 사례로부터 결론을 도출하는 귀납적 방법에 의해 자료 분석 결과 두 변인 간의 관계에 대해 가설과 다른 결론을 내렸다.

④ 독립 변인과 달리 종속 변인에 대한 조작적 정의가 이루어졌다. (×)
→ 제시된 자료만으로는 독립 변인과 종속 변인에 대한 조작적 정의가 이루어졌는지 여부를 파악할 수 없다.

⑤ 갑이 사용한 연구 방법은 연구자의 관점이 아닌 연구 대상의 관점에서 현상을 이해하고자 한다. (×)
→ 갑이 사용한 연구 방법은 양적 연구 방법이다. 연구자의 관점이 아닌 연구 대상의 관점에서 현상을 이해하고자 하는 것은 질적 연구 방법이다.

07 관료제, 탈관료제

갑이 소속되어 있는 회사는 관료제 조직, 을이 소속되어 있는 회사는 탈관료제 조직이다.

① 목적 전치 현상은 관료제 조직에서 발생할 수 있는 역기능 중 하나이다.

오답 피하기 ② 탈관료제 조직이 능력에 따른 보상을 하는 것은 맞다. 하지만 인간 소외 현상은 정해진 규정에 따른 업무 처리로 인해 구성원들의 창의성과 자율성이 무시당하는 관료제 조직의 역기능 중 하나이다.

③ 구성원의 창의력을 증진시키는 데 유리한 구조는 탈관료제 조직이다.

④ 규약과 절차에 따른 업무 수행 정도가 더 강한 조직은 관료제 조직이다.

⑤ 다품종 소량 생산은 관료제보다 탈관료제 조직에 더 적합한 생산 방식이다.

08 차별 교제 이론

시나리오에 소개되고 있는 일탈 이론은 차별 교제 이론이다.

ㄴ. 차별 교제 이론은 미시적인 관점에서 일탈 행동의 원인을 바라본다.

ㄷ. 차별 교제 이론은 일탈에 대한 해결 방안으로 정상적인 집단과의 교류를 제시한다.

오답 피하기 ㄱ. 차별적 제재로 인해 일탈 행동이 발생한다고 보는 것은 낙인 이론의 입장이다.

ㄹ. 문화적 목표와 제도적 수단 간의 괴리 때문에 일탈 행동이 발생한다고 보는 것은 머튼의 아노미 이론의 입장이다.

더 알아보기 차별 교제 이론

- 일탈 행동은 타인과의 상호 작용 과정을 통해 일탈 행동의 기술을 습득하고, 일탈 행동을 정당화하는 동기나 가치관을 내면화함으로써 학습된다.
- 일탈 행동을 일삼는 사람이나 집단과 자주 접촉하는 개인이 일탈 행위자가 될 가능성이 높다.
- 일탈 행동을 줄이려면 일탈자와의 접촉을 차단하고, 정상적인 행동을 학습할 수 있는 환경을 제공해야 한다.

01 ⑤   02 ③   03 ③   04 ②   05 ⑤   06 ②   07 ③   08 ③   09 ②   10 ④   11 ⑤   12 ⑤

01 자연 현상과 사회 · 문화 현상

다음 자료에 대한 설명으로 옳은 것은?

〈자료1〉은 〈자료2〉의 밑줄 친 ㉠~㉢과 같은 현상이 제시된 특징을 갖는 경우 '1', 그렇지 않은 경우 '0'을 표시하고자 작성한 것이다.

〈자료1〉

구분	㉠	㉡	㉢	계
존재 법칙으로 설명된다.	0	0	1	A
개연성으로 설명된다.	1	1	0	B
(가)				C
계	D	E	F	G

〈자료2〉　▶ 사회 · 문화 현상

㉠○○ 부족 사람들은 사람이 죽으면 저세상에서 새로운 삶이 시작된다고 믿는다. 그래서 장례식 때 ㉡고인이 사용하던 물품을 함께 매장한다. 매장하기 힘든 물품은 불에 태우는데, 이는 그 물품이 ㉢불에 타 재가 됨으로써 고인의 혼과 함께 저세상으로 날아갈 수 있다고 믿기 때문이다.
　▶ 사회 · 문화 현상　▶ 자연 현상

① A와 B의 합은 2이다.
② (가)에 '경험적인 연구의 대상이 된다.'가 들어가면 G는 4이다.
③ (가)에 '보편성과 특수성을 함께 갖는다.'가 들어가면 C, E, F의 합은 6이다.
④ G가 5라면 (가)에 '규칙성이 엄격하게 적용된다.'가 들어갈 수 있다.
⑤ C와 D의 합이 F와 같다면 (가)에 '가치 함축성을 갖는다.'는 들어갈 수 없다.

출제 의도 파악하기

자료에 나타난 현상을 자연 현상과 사회 · 문화 현상으로 분류하고, 각각의 현상이 갖는 특징을 비교할 수 있다.

> **문제 해결 Point 쏙쏙** ★★
> • 자연 현상 → 몰가치성
> • 사회 · 문화 현상 → 가치 함축성

선택지 바로 알기

① A와 B의 합은 2이다.
└ 존재 법칙으로 설명되는 것은 자연 현상이고, 개연성으로 설명되는 것은 사회 · 문화 현상이다. 따라서 A는 1, B는 2가 되므로 A와 B의 합은 3이다.

② (가)에 '경험적인 연구의 대상이 된다.'가 들어가면 G는 4이다.
└ 자연 현상과 사회 · 문화 현상은 모두 경험적인 연구의 대상이다. 이에 따라 C가 3이 되므로 G는 6이다.

③ (가)에 '보편성과 특수성을 함께 갖는다.'가 들어가면 C, E, F의 합은 6이다.
└ 보편성과 특수성을 함께 갖는 것은 사회 · 문화 현상이므로 C는 2, E는 2, F는 1이 되어 C, E, F의 합은 5이다.

④ G가 5라면 (가)에 '규칙성이 엄격하게 적용된다.'가 들어갈 수 있다.
└ 규칙성이 엄격하게 적용되는 것은 자연 현상의 특징이므로 G는 4가 된다.

⑤ C와 D의 합이 F와 같다면 (가)에 '가치 함축성을 갖는다.'는 들어갈 수 없다.
└ (가)에 자연 현상의 특징에만 해당하거나 또는 사회 · 문화 현상과 자연 현상 모두에 해당하지 않는 특징이 들어가야 C와 D의 합이 F와 같아진다. 따라서 (가)에 사회 · 문화 현상에 해당하는 특징이 들어가서는 안 된다.

다음 자료에 대한 옳은 설명만을 ㅣ보기ㅣ에서 있는 대로 고른 것은?

표는 질문 (가)~(다)에 대해 사회·문화 현상을 보는 관점 A의 응답 내용을 정리한 것이다. 각 질문에 대해 '예' 또는 '아니요'로 응답하게 되며, A는 기능론, 갈등론, 상징적 상호 작용론 중 하나이다.

질문 내용	응답 내용
(가)	
(나)	
(다)	㉠
(가)~(다)에 대해 '예'로 응답한 횟수	2회

ㅣ보기ㅣ

ㄱ. A가 기능론, ㉠이 '예'라면, (가)에 '거시적 관점인가?', (나)에 '사회 규범에 대한 사회적 합의가 존재한다고 보는가?'가 들어갈 수 있다.

ㄴ. (가)가 '거시적 관점인가?'이고, (나)가 '개인의 상황 정의를 중시하는가?'이면, ㉠은 '예'이다.

ㄷ. (가)가 '사회 구성 요소들의 상호 의존성을 중시하는가?'이고, (나)가 '갈등이 사회에 내재한다고 보는가?'이면, A는 인간을 자율적이고 능동적인 주체로 보는 관점이다.

ㄹ. (가)가 '사회를 유기체로 간주하는가?'이고, (나)가 '사회 문제를 병리적 현상으로 보는가?'이면, (다)에 '사회는 본질적으로 안정보다 변동을 지향하는가?'가 들어갈 수 있다.

① ㄱ, ㄷ ② ㄱ, ㄹ ③ ㄴ, ㄹ
④ ㄱ, ㄴ, ㄷ ⑤ ㄴ, ㄷ, ㄹ

출제 의도 파악하기

사회·문화 현상을 바라보는 각 관점의 특징을 파악한다.

문제 해결 Point 쏙쏙 ★★

• 거시적 관점 → 기능론, 갈등론
• 미시적 관점 → 상징적 상호 작용론

선택지 바로 알기

ㄱ. A가 기능론, ㉠이 '예'라면, (가)에 '거시적 관점인가?', (나)에 '사회 규범에 대한 사회적 합의가 존재한다고 보는가?'가 들어갈 수 있다.

ㄴ '거시적 관점인가?', '사회 규범에 대한 사회적 합의가 존재한다고 보는가?'라는 두 개의 질문에 대해 기능론은 모두 '예'라고 응답한다. 이렇게 되면 '예'로 응답한 횟수가 3회가 되어 주어진 조건에 부합하지 않게 된다.

ㄴ. (가)가 '거시적 관점인가?'이고, (나)가 '개인의 상황 정의를 중시하는가?'이면, ㉠은 '예'이다.

ㄴ '거시적 관점인가?'라는 질문에 대해 기능론과 갈등론이 '예'로 응답하고, '개인의 상황 정의를 중시하는가?'라는 질문에 대해서는 상징적 상호 작용론만 '예'로 응답한다. 즉, 두 개의 질문을 종합했을 때 기능론, 갈등론, 상징적 상호 작용론 모두 각 1회씩 '예'로 응답한 상황이다. 따라서 (다)에 대한 응답 내용 ㉠이 '예'가 되어야 2개라는 응답 횟수 결과에 부합할 수 있다.

ㄷ. (가)가 '사회 구성 요소들의 상호 의존성을 중시하는가?'이고, (나)가 '갈등이 사회에 내재한다고 보는가?'이면, A는 인간을 자율적이고 능동적인 주체로 보는 관점이다.

ㄴ '사회 구성 요소들의 상호 의존성을 중시하는가?'라는 질문에 대해서는 기능론만 '예'로 응답하고, '갈등이 사회에 내재한다고 보는가?'라는 질문에 대해서는 갈등론만 '예'로 응답한다. A가 만약 상징적 상호 작용론이라면 앞선 두 질문에 대해 모두 '아니요'로 응답해야 하므로 응답 횟수 결과에 부합할 수 없다.

ㄹ. (가)가 '사회를 유기체로 간주하는가?'이고, (나)가 '사회 문제를 병리적 현상으로 보는가?'이면, (다)에 '사회는 본질적으로 안정보다 변동을 지향하는가?'가 들어갈 수 있다.

ㄴ '사회를 유기체로 간주하는가?', '사회 문제를 병리적 현상으로 보는가?'라는 두 개의 질문에 대해 기능론만 모두 '예'라고 응답한다. 그리고 A가 갈등론 또는 상징적 상호 작용론일 경우 마지막 질문에 대해 '예'로 응답하더라도 응답 횟수 결과에 부합할 수 없다. 따라서 A는 기능론이다. 기능론은 사회가 본질적으로 균형과 안정을 지향한다고 보므로 (다)에 '사회는 본질적으로 안정보다 변동을 지향하는가?'라는 질문이 들어가면 '아니요'로 응답하게 되며, 응답 횟수 결과에도 부합한다.

다음 글에 나타난 사회·문화 현상을 바라보는 관점에 대한 설명으로 옳은 것은?

> 언어 습득 과정에서 인간은 언어의 뜻뿐만 아니라 그 언어가 가리키는 행동의 의미를 배우게 된다. 예를 들어, 부모로부터 '안 돼'라는 말이 사용되는 상황에서 자신이 저지른 특정 행동이 다른 사람들로부터 비난받는 행동이라는 것을 스스로 깨닫게 된다. 이렇게 인간은 능동적인 해석 과정을 통해 사회 규범을 마음속으로 받아들인다. ▶ 상징적 상호 작용론

① 개인의 행위에 미치는 사회 구조의 영향력을 중시한다.
② 사회 규범이 지배 집단의 합의를 통해 형성된다고 본다.
③ 사회·문화 현상의 의미는 구성원의 해석에 따라 달라진다고 본다.
④ 사회가 구성 요소 간의 상호 의존적 관계를 통해 안정을 이룬다고 본다.
⑤ 사회 제도는 현재의 불평등한 사회 구조를 정당화하는 수단이라고 본다.

출제 의도 파악하기

제시문에 나타난 사회·문화 현상을 바라보는 관점을 파악하고 해당 관점의 주요 입장을 이해한다.

문제 해결 Point 쏙쏙 ★★

상징적 상호 작용론은 사회 질서가 객관적으로 존재하는 것이 아니라 사회 구성원 상호 간의 개념 정의와 교환에 의해 만들어지는 것이라고 보며, 사회·문화 현상의 의미는 그것이 발생하는 상황과 행위 주체의 해석에 따라 달라진다고 본다.

선택지 바로 알기

① 개인의 행위에 미치는 사회 구조의 영향력을 중시한다.
└ 거시적 관점으로 기능론과 갈등론이 이에 해당한다.
② 사회 규범이 지배 집단의 합의를 통해 형성된다고 본다.
└ 갈등론의 관점이다.
④ 사회가 구성 요소 간의 상호 의존적 관계를 통해 안정을 이룬다고 본다.
└ 기능론의 관점이다.
⑤ 사회 제도는 현재의 불평등한 사회 구조를 정당화하는 수단이라고 본다.
└ 갈등론의 관점이다.

사회·문화 현상의 연구 방법 (가), (나)에 대한 옳은 설명만을 | 보기 |에서 고른 것은?

> • (가)가 적용된 연구 사례의 목적: 영유아를 보육하는 교사들이 가지고 있는 직업 및 영유아들과의 상호 작용 방식을 심층적으로 이해하고자 한다. ▶ 질적 연구
> • (나)가 적용된 연구 사례의 목적: 고등학교에서 이루어지고 있는 학생 자치 활동에 영향을 주는 주요 변수의 영향력과 학생 자치 활동에 대한 만족도를 계량화된 수치로 조사하여 학생 자치 활동의 만족도에 미치는 주요 변수의 영향력을 측정하고자 한다. ▶ 양적 연구

| 보기 |
ㄱ. (가)는 방법론적 이원론에 근거하고 있다.
ㄴ. (나)는 연구 대상자와의 공감적 유대 형성을 중시한다.
ㄷ. (가)는 (나)와 달리 연구 대상자들의 행동 선택에 대한 동기나 의미 부여에 주목한다.
ㄹ. (나)는 (가)와 달리 경험적 자료를 바탕으로 결론을 도출한다.

① ㄱ, ㄴ ② ㄱ, ㄷ ③ ㄴ, ㄷ ④ ㄴ, ㄹ ⑤ ㄷ, ㄹ

출제 의도 파악하기

사회·문화 현상을 연구하는 양적 연구 방법과 질적 연구 방법의 차이점을 파악한다.

문제 해결 Point 쏙쏙 ★★

(가)는 연구 대상자의 생각과 상호 작용 방식을 심층적으로 이해하고자 하므로 질적 연구이며, (나)는 연구 주제에 대한 계량화된 자료를 수집하고 변수 간의 관계를 측정하고자 하므로 양적 연구이다.

선택지 바로 알기

ㄴ. (나)는 연구 대상자와의 공감적 유대 형성을 중시한다.
└ 연구 대상자와의 공감적 유대 형성을 중시하는 것은 질적 연구이다.
ㄹ. (나)는 (가)와 달리 경험적 자료를 바탕으로 결론을 도출한다.
└ 양적 연구와 질적 연구 모두 경험적 자료를 수집하여 결론을 도출한다.

다음 연구에 대한 옳은 설명만을 | 보기 |에서 고른 것은?

> 갑은 저소득층이면서도 양호한 건강을 유지하고 있는 남성 노인 5명, 여성 노인 5명을 선정해 매주 1시간씩 3개월간 면담을 진행하였다. 갑은 노인들에게 그들이 육체적, 정신적 건강을 유지하는 데 중요한 역할을 하는 다양한 요인들을 물어보고 그 요인을 심층적으로 이해하고자 하였다. 연구 결과 저소득층 남성 노인과 여성 노인 모두 건강을 유지하는 데 중요한 요인으로 규칙적인 운동과 긍정적인 심리적 태도를 꼽았다. → 질적 연구

| 보기 |

ㄱ. 변인과 변인 간의 상관관계를 파악하는 것을 목적으로 한다.
ㄴ. 구체적 사례에 대한 계량적 분석을 바탕으로 결론을 도출한다.
ㄷ. 상황 맥락 속에서 사회·문화 현상이 갖는 의미를 이해하고자 한다.
ㄹ. 연구자의 직관적 통찰과 감정 이입적 이해를 바탕으로 결론을 도출한다.

① ㄱ, ㄴ　② ㄱ, ㄷ　③ ㄴ, ㄷ　④ ㄴ, ㄹ　⑤ ㄷ, ㄹ

출제 의도 파악하기
자료에 제시된 연구 사례를 통해 질적 연구의 특징을 파악한다.

문제 해결 Point 쏙쏙 ★★
제시된 사례의 연구는 저소득 노인 10인이 어떻게 건강을 유지하는지를 장기간에 걸친 면담을 통해 이해하는 질적 연구이다.

선택지 바로 알기

ㄱ. 변인과 변인 간의 상관관계를 파악하는 것을 목적으로 한다.
　ㄴ 변인 간의 상관관계를 파악하는 것은 양적 연구이다.
ㄴ. 구체적 사례에 대한 계량적 분석을 바탕으로 결론을 도출한다.
　ㄴ 계량적 분석은 주로 양적 연구에서 사용되는 자료 분석 방법이다.

용어 +
• 감정 이입적 이해: 연구자가 연구 대상자의 상황과 맥락 속으로 들어가 그들의 입장이 되어 그들의 행위가 갖는 의미를 해석하는 방법

다음 글에서 강조된 연구 방법의 일반적인 특징에 대한 옳은 설명만을 | 보기 |에서 고른 것은?

> 사회·문화 현상은 인간의 의식과 의지를 바탕으로 일어나며, 인간의 행위에는 주어진 환경과 조건, 그리고 자신의 행위에 대한 해석과 의미가 담겨 있기 때문에, 자연 과학적 방법과는 다른 방법으로 탐구해야 한다. 자연 현상은 외부로부터만 관찰이 가능하며 또 설명될 수 있는 반면, 인간 활동의 세계는 그 내부로부터 이해되어야 하기 때문이다. → 질적 연구

| 보기 |

ㄱ. 방법론적 이원론에 기초한다.
ㄴ. 귀납적 추론보다 연역적 추론을 중시한다.
ㄷ. 직관적 통찰과 감정 이입적 이해를 중시한다.
ㄹ. 수량화된 자료를 분석하여 가설의 진위 여부를 검증한다.

① ㄱ, ㄴ　　② ㄱ, ㄷ　　③ ㄴ, ㄷ
④ ㄴ, ㄹ　　⑤ ㄷ, ㄹ

출제 의도 파악하기
양적 연구과 질적 연구를 구분하고, 일반적 특징을 이해한다.

문제 해결 Point 쏙쏙 ★★
• 방법론적 이원론 → 질적 연구
• 직관적 통찰, 감정 이입적 이해 → 질적 연구

선택지 바로 알기

ㄱ. 방법론적 이원론에 기초한다.
　ㄴ 질적 연구는 자연 현상과 사회·문화 현상이 본질적으로 다르다는 방법론적 이원론에 기초한다.
ㄴ. 귀납적 추론보다 연역적 추론을 중시한다.
　ㄴ 주로 연역적 추론을 중시하는 것은 양적 연구이다.
ㄷ. 직관적 통찰과 감정 이입적 이해를 중시한다.
　ㄴ 질적 연구에서는 직관적 통찰과 감정 이입적 이해를 통해 연구 대상자의 주관적 의도와 동기를 파악하고자 한다.
ㄹ. 수량화된 자료를 분석하여 가설의 진위 여부를 검증한다.
　ㄴ 수량화된 자료를 분석하여 가설을 검증하고자 하는 것은 일반적으로 양적 연구이다.

다음 연구에 대한 옳은 설명만을 | 보기 |에서 있는 대로 고른 것은?

> 본 연구의 목적은 집단 음악 치료 프로그램이 지적 장애 취업 준비생의 사회적 기술과 대인 관계 태도에 미치는 효과를 알아보는 데 있다. ㉠지적 장애 2급 판정을 받은 20명의 지적 장애 취업 준비생을 10명씩 두 집단으로 나누어 한 집단에게만 집단 음악치료 프로그램을 총 13회에 걸쳐 실시하였다. ㉡실험 처치 이전 검사에서는 두 집단의 차이가 거의 없었지만, ㉢실험 처치 이후 검사에서는 ㉣집단 음악 치료 프로그램을 제공받은 집단의 점수가 유의미하게 높아졌고, 그렇지 않은 집단의 점수는 크게 변화하지 않은 것으로 나타나 가설을 수용하였다. **→ 양적 연구(방법론적 일원론)**
>
> (주석) ㉠ 위 → 모집단 / ㉡ 위 → 사전 검사 / ㉢ 위 → 사후 검사

> | 보기 |
>
> ㄱ. ㉠은 모집단, ㉣은 실험 집단이다.
> ㄴ. ㉡, ㉢에서는 사회적 기술과 대인 관계 태도 검사가 이루어졌을 것이다.
> ㄷ. 방법론적 일원론을 기초로 한 연구 방법을 사용하였다.
> ㄹ. 독립 변인 값을 지속적으로 높여 감에 따라 나타나는 종속 변인의 변화를 파악하고자 하였다.

① ㄱ, ㄷ   ② ㄱ, ㄹ   ③ ㄴ, ㄷ
④ ㄱ, ㄴ, ㄹ   ⑤ ㄴ, ㄷ, ㄹ

출제 의도 파악하기

자료에 제시된 연구 사례를 분석한다.

> **문제 해결 Point 쏙쏙** ★★
> • 방법론적 일원론 → 양적 연구
> • 방법론적 이원론 → 질적 연구

선택지 바로 알기

ㄱ. ㉠은 모집단, ㉣은 실험 집단이다.
   └ 지적 장애 취업 준비생 전체가 모집단이고, ㉠은 실험을 위한 집단이다.

ㄴ. ㉡, ㉢에서는 사회적 기술과 대인 관계 태도 검사가 이루어졌을 것이다.
   └ ㉡은 사전 검사, ㉢은 사후 검사이다. 사전 검사와 사후 검사는 종속 변인 값을 측정하는 검사이다. 제시된 연구에서 종속 변인은 사회적 기술과 대인 관계 태도이다.

ㄷ. 방법론적 일원론을 기초로 한 연구 방법을 사용하였다.
   └ 제시된 연구는 방법론적 일원론을 기초로 한 연구 방법인 양적 연구 방법을 사용하였다.

ㄹ. 독립 변인 값을 지속적으로 높여 감에 따라 나타나는 종속 변인의 변화를 파악하고자 하였다.
   └ 집단 음악 치료 프로그램의 효과를 알아보기 위한 연구로, 독립 변인 값을 지속적으로 높이지 않았다.

용어 +

• 모집단과 표본: 사회 조사에서 조사 대상이 되는 전체를 모집단이라고 하고, 모집단 중에서 실제 조사를 위해 선택된 집단을 표본이라고 한다.

개념 +

실험법에는 최소한 두 개 이상의 변인이 있다. 연구자가 임의로 변화시키고 조작하는 변인을 독립 변인이라 하고, 이 독립 변인의 영향을 받아 변화하는 변인을 종속 변인이라고 한다. 예를 들어, 교수 방법이 학생들의 성취도에 미지는 효과에 관한 실험 연구에서 '교수 방법'은 독립 변인이고, '학업 성취도'는 종속 변인이다. 실험을 할 때는 독립 변인을 조작하면서 아울러 독립 변인 이외에 실험 결과에 영향을 줄 수 있는 기타의 모든 조건을 통제해야 한다.

다음 자료에 대한 설명으로 옳은 것은?

아래 그림은 자료 수집 방법 A~C의 일반적인 특징을 비교한 것이다. 예를 들어, ⓒ은 C와 달리 A, B에만 공통된 일반적인 특징이다. 한편 아래 표는 ㉠~㉣에 들어갈 수 있는 일반적인 특징을 정리한 것이다. 단, A~C는 각각 질문지법, 면접법, 실험법 중 하나이다.

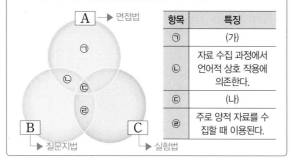

항목	특징
㉠	(가)
㉡	자료 수집 과정에서 언어적 상호 작용에 의존한다.
㉢	(나)
㉣	주로 양적 자료를 수집할 때 이용된다.

① B보다 A는 응답 내용에 있어서 연구 대상자의 자유가 작다.

② A와 달리 B는 조사자와 조사 대상자 간 신뢰 관계가 중요하다.

③ B는 A, C보다 표준화, 구조화된 도구를 사용하는 정도가 높다.

④ (가)에 '방법론적 일원론에 입각한 연구에서 주로 활용된다.'가 들어갈 수 있다.

⑤ (나)에 '2차 자료를 수집하는 방법이다.'가 들어갈 수 있다.

출제 의도 파악하기

자료에 나타난 자료 수집 방법이 무엇인지 파악하고, 각 자료 수집 방법의 특징을 비교할 수 있다.

문제 해결 Point 쏙쏙 ★★

• 자료 수집 과정에서 언어적 상호 작용에 의존하는 방법 → 질문지법, 면접법

• 주로 양적 자료를 수집할 때 이용되는 방법 → 질문지법, 실험법

선택지 바로 알기

① B보다 A는 응답 내용에 있어서 연구 대상자의 자유가 작다.

└ 면접법은 질문지법에 비해 응답 내용에 있어서 연구 대상자의 자유가 크다.

② A와 달리 B는 조사자와 조사 대상자 간 신뢰 관계가 중요하다.

└ 면접법, 질문지법, 실험법 중 조사자와 조사 대상자 간 신뢰 관계가 가장 중요한 자료 수집 방법은 면접법이다.

③ B는 A, C보다 표준화, 구조화된 도구를 사용하는 정도가 높다.

└ 제시된 자료 수집 방법 중 표준화, 구조화된 도구를 사용하는 정도가 가장 높은 것은 질문지법이다.

④ (가)에 '방법론적 일원론에 입각한 연구에서 주로 활용된다.'가 들어갈 수 있다.

└ (가)에는 면접법에만 해당하는 특징이 들어가야 한다. 면접법은 방법론적 이원론에 입각한 연구 즉, 질적 연구에서 주로 활용된다.

⑤ (나)에 '2차 자료를 수집하는 방법이다.'가 들어갈 수 있다.

└ (나)에는 면접법, 질문지법, 실험법 모두에 해당하는 특징이 들어가야 한다. 세 가지 자료 수집 방법 모두 1차 자료를 수집하는 방법이다. 따라서 (나)에 '2차 자료를 수집하는 방법이다.'는 들어갈 수 없다.

용어 +

• 1차 자료와 2차 자료: 연구자가 활용하는 자료 중 연구자가 해당 연구를 위해 자신이 직접 수집하여 최초로 분석한 자료를 1차 자료라고 하고, 다른 연구에서 이미 수집되고 분석된 자료를 2차 자료라고 한다.

• 구조화: 각각의 부분이 서로 관련되어 일정한 체계를 갖추거나 조직화하는 것을 말한다.

• 표준화: 일정한 기준에 따라 통일시키는 것을 말하는데, 질문지법은 모든 조사 대상자에게 동일한 질문지를 제공한다. 즉 질문지가 표준화되어 있다.

다음 자료에 대한 설명으로 옳은 것은?

〈수행 평가지〉

[문제] 자료 수집 방법 A~C의 특징을 비교하여 서술하시오. (단, A~C는 각각 면접법, 질문지법, 참여 관찰법 중 하나이다.) (옳은 진술 한 가지당 2점씩 총 4점)

[학생 답안] ▶ 참여 관찰법
• A는 B, C에 비해 자료의 실제성을 확보하기에 용이하다.
• B는 A, C에 비해 양적 연구에서 활용하기에 적합하다.
▶ 질문지법

[교사의 평가]
질문지법의 특징은 잘 이해하고 있으나, 참여 관찰법의 특징은 다른 자료 수집 방법의 특징으로 잘못 이해하고 있으므로 2점 부여함.
▶ A는 면접법, B는 질문지법, C는 참여 관찰법

① A는 B와 달리 연구 대상자의 주관적 인식을 조사할 수 있다.
② '연구자의 주관적 해석 가능성이 큰가?'라는 질문으로 A와 B를 구분할 수 있다.
③ A는 B, C에 비해 구조화 · 표준화된 자료 수집 방법이다.
④ A, B는 C에 비해 자료 수집 상황에 대한 통제 정도가 낮다.
⑤ C는 A, B와 달리 자료 수집 과정에서 언어적 상호 작용이 필수적이다.

출제 의도 파악하기

각 자료 수집 방법의 특징을 비교할 수 있다.

문제 해결 Point 쏙쏙 ★★
• 면접법은 질문지법과 달리 연구자의 주관적 해석 가능성이 크다.

선택지 바로 알기

① A는 B와 달리 연구 대상자의 주관적 인식을 조사할 수 있다.
  └ 면접법, 질문지법 모두 연구 대상자의 주관적 인식을 조사할 수 있다.
③ A는 B, C에 비해 구조화 · 표준화된 자료 수집 방법이다.
  └ 가장 구조화 · 표준화된 자료 수집 방법은 질문지법이다.
④ A, B는 C에 비해 자료 수집 상황에 대한 통제 정도가 낮다.
  └ 질문지법, 면접법은 참여 관찰법에 비해 자료 수집 상황에 대한 통제 정도가 높다.
⑤ C는 A, B와 달리 자료 수집 과정에서 언어적 상호 작용이 필수적이다.
  └ 자료 수집 과정에서 언어적 상호 작용이 필수적인 자료 수집 방법은 질문지법과 면접법이다.

다음은 어느 연구 과정을 순서와 관계없이 나열한 것이다. 이에 대한 설명으로 옳은 것은?

(가) 교실 수업에서 교사와 학생이 경험하는 갈등 양상을 연구하기로 하였다. → 연구 주제 선정
(나) 학생의 흥미와 학습 내용을 의미 있게 연결시키는 것이 필요하다는 연구 결론을 내렸다. → 결론 도출
(다) 연구자가 교생이 되어 A 중학교 1개교와 B 고등학교 1개교를 선정하여 교실 수업을 살펴보기로 하였다. ▶ 연구 설계
(라) 학교에 가서 수업이 전개되는 과정을 노트에 기록하고 귀가 후에 기억 재생을 통해 필요한 자료를 보완하였다. ⟩ 자료 수집
(마) 학생들은 수업을 통해 경험하는 교과 내용을 재미가 없을 뿐 아니라 의미가 있는 것으로 받아들이지 않는 경우가 많았다. → 자료 해석

① 방법론적 일원론에 입각한 연구이다.
② (가)→(마)→(다)→(라)→(나)의 순으로 연구가 진행되었다.
③ (다)로 미루어 연구자는 실제성 있는 자료를 수집하지 못하였다.
④ (마)에서는 연구자의 감정 이입적 이해가 요구된다.
⑤ (가)에서는 (다)와 달리 연구자의 가치 개입이 불가피하다.

출제 의도 파악하기

자료에 나타난 연구 사례를 통해 각 단계에서의 특징을 파악한다.

문제 해결 Point 쏙쏙 ★★
• 연구 주제 선정, 가설 설정, 연구 설계 → 가치 개입 가능
• 자료 수집 및 분석, 가설 검증, 결론 도출 → 가치 중립 필요

선택지 바로 알기

① 방법론적 일원론에 입각한 연구이다.
  └ 참여 관찰을 통한 질적 자료의 수집으로 미루어, 질적 연구에 해당한다. 즉, 방법론적 이원론에 입각한 연구이다.
② (가)→(마)→(다)→(라)→(나)의 순으로 연구가 진행되었다.
  └ 연구는 (가)→(다)→(라)→(마)→(나)의 순으로 진행되었나.
③ (다)로 미루어 연구자는 실제성 있는 자료를 수집하지 못하였다.
  └ 참여 관찰을 통해 자료를 수집한 것으로, 실제성 있는 자료를 수집하였다.
④ (마)에서는 연구자의 감정 이입적 이해가 요구된다.
  └ 질적 연구의 자료 해석 과정에서는 연구자의 감정 이입적 이해가 요구된다.
⑤ (가)에서는 (다)와 달리 연구자의 가치 개입이 불가피하다.
  └ (가), (다) 모두에서 연구자의 가치 개입이 불가피하다.

BOOK 1

11 양적 연구의 사례

자료는 갑이 수행한 연구의 주요 절차를 순서대로 나열한 것이다. 밑줄 친 ㉠~㉦에 대한 설명으로 옳은 것은?

> • ㉠ 복지 예산이 많은 광역 자치 단체일수록 ㉡ 주민의 행복도가 높을 것이라는 가설을 설정하였다. → 가설 설정 단계
> • ㉢ 자신이 1년 전에 쓴 논문에 수록된 자료를 활용하여 광역 자치 단체별 복지 예산 규모를 파악하고, 광역 자치 단체별로 무작위로 100명씩 선정하여 ㉣ 10점 만점으로 행복도를 묻는 조사를 실시하였다. → 연구 설계 및 자료 수집 단계
> • ㉤ 수집한 자료를 분석한 결과 광역 자치 단체의 복지 예산 규모와 주민의 행복도 간의 관계가 가설에서 설정했던 관계와 일치하지 않아 ㉥ 두 변인 간의 관계에 대하여 가설과 다른 결론을 내렸다. → 자료 분석 및 가설 검증 단계
> • ㉦ 지방 자치 단체가 주민의 행복도를 높이기 위해서는 비경제적인 접근 방식에 관심을 가져야 한다는 주장을 하였다.
> → 대안 제시 단계

① 갑의 가설에서 ㉠은 독립 변인, ㉡은 종속 변인이다.
② ㉢은 2차 자료의 활용에 해당하지 않는다.
③ ㉣은 종속 변인을 조작적으로 정의하기 위한 조사이다.
④ ㉥을 통해 볼 때 자료 분석 결과 독립 변인과 종속 변인 간에 부(−)의 관계가 나타났다.
⑤ ㉥은 ㉤으로부터 귀납적으로, ㉦은 ㉥으로부터 연역적으로 도출되었다.

출제 의도 파악하기

제시된 양적 연구의 사례를 통해 양적 연구의 절차 및 각 단계에서의 특징을 파악한다.

문제 해결 Point 쏙쏙

• **연역적 연구:** 대전제인 이론이나 가설을 연구의 출발점으로 하여 개별적이고 구체적인 사실들을 수집하고 분석하여 새로운 이론이나 법칙을 발견하는 연구
• **귀납적 연구:** 개별적이고 구체적인 사실을들 수집하고 분석하여 개별 사실들을 설명할 수 있는 공통적인 결론을 도출하는 연구

선택지 바로 알기

① 갑의 가설에서 ㉠은 독립 변인, ㉡은 종속 변인이다.
 ↳ 갑의 가설에서 독립 변인은 광역 자치 단체별 복지 예산 규모이다. 독립 변인은 성별, 가구별 소득 등과 같이 두 개 이상의 서로 다른 특성이나 값을 갖는 것으로 표현되어야 한다.
② ㉢은 2차 자료의 활용에 해당하지 않는다.
 ↳ 자신이 과거에 수행했던 연구에서 분석한 자료를 새로운 연구에 활용하는 경우 그 자료는 2차 자료에 해당한다.
③ ㉣은 종속 변인을 조작적으로 정의하기 위한 조사이다.
 ↳ 종속 변인에 대한 조작적 정의를 바탕으로 자료를 수집하기 위한 조사이다.
④ ㉥을 통해 볼 때 자료 분석 결과 독립 변인과 종속 변인 간에 부(−)의 관계가 나타났다.
 ↳ 독립 변인과 종속 변인 간에 반드시 부(−)의 관계가 나타났다고 단정할 수 없다. 두 변인 간에 아무 관련이 없다는 분석 결과가 나왔을 수도 있다.
⑤ ㉥은 ㉤으로부터 귀납적으로, ㉦은 ㉥으로부터 연역적으로 도출되었다.
 ↳ ㉥에 나타난 결론은 ㉤에 나타난 구체적이고 개별적인 사실들에 대한 분석을 통해 귀납적으로 도출된 것이다. 이와 달리 ㉦에 나타난 주장은 ㉥에 나타난 갑이 내린 변인과 변인 간의 관계를 대전제로 하여 연역적으로 추론된 것이다.

연구 윤리 측면에서 갑과 을에 대한 평가로 옳은 것은?

> • 갑은 학교 현장에서 나타나는 관리자와 일반 교사들 간의 갈등 이해를 위한 연구를 진행하였다. 갑은 연구를 위해 방문한 학교에서 연구 주제를 '교무실 문화의 이해'라고 두리뭉실하게 소개하여 거부감을 줄인 후 교원들의 동의를 얻어 관찰 및 면접 등을 실시하였다. 연구가 끝난 후 갑은 실제 연구 주제를 해당 교원들에게 알리는 절차를 생략하고 연구 논문을 공표하였다.
>
> • 을은 폭주족들에게서 나타나는 일탈적 가치의 학습 과정에 대한 연구를 진행하였다. 하지만 외부인에 대한 배타성과 경계가 심한 폭주족의 특성상 자발적 동의를 얻는 방식으로의 연구는 어렵다고 판단하였고, 이에 을은 자신을 폭주족으로 위장한 채 폭주족에 접근하여 필요한 정보를 수집하였다. 연구 종료 후 을은 연구 대상자들에게 자신이 연구자였다는 점과 연구 주제를 알리지 않고 연구 결과를 언론을 통해 발표하였다.

① 갑은 연구 과정에서 경험적인 자료를 활용하지 않았다.
② 을이 연구 결과를 발표한 것은 연구 결과의 일반화 단계에 해당한다.
③ 갑은 을과 달리 의도했던 결론을 얻기 위해 자료를 임의로 조작하였다.
④ 을은 갑과 달리 연구에 대한 정확한 정보를 연구 대상자에게 제공하지 않았다.
⑤ 갑, 을 모두 연구 윤리의 준수보다 연구 결과의 정확성 확보를 중시하였다.

출제 의도 파악하기

자료에 나타난 연구 사례에서 윤리적 원칙에 어긋나는 내용을 파악한다.

> **문제 해결 Point 쏙쏙** ★★
> 사회·문화 현상의 탐구와 연구 윤리 → 연구 대상자, 연구 과정, 연구 결과의 공표에 있어 윤리 원칙을 지켜야 함

선택지 바로 알기

① 갑은 연구 과정에서 경험적인 자료를 활용하지 않았다.
  ↳ 관찰 및 면접은 경험적인 자료의 수집에 해당한다.
② 을이 연구 결과를 발표한 것은 연구 결과의 일반화 단계에 해당한다.
  ↳ 연구 결과의 발표와 연구 결과의 일반화는 관련이 없다.
③ 갑은 을과 달리 의도했던 결론을 얻기 위해 자료를 임의로 조작하였다.
  ↳ 갑과 을이 자료 조작 행위를 했는지는 알 수 없다.
④ 을은 갑과 달리 연구에 대한 정확한 정보를 연구 대상자에게 제공하지 않았다.
  ↳ 갑과 을은 모두 연구에 대한 정확한 정보를 연구 대상자에게 제공하지 않았다.
⑤ 갑, 을 모두 연구 윤리의 준수보다 연구 결과의 정확성 확보를 중시하였다.
  ↳ 갑은 연구 주제를 구체적으로 소개할 경우 연구 대상자들의 솔직한 반응을 확인하기 어려울 것 같아 다소 추상적으로 연구 주제를 소개했고, 을은 자신의 신분을 속이고 연구 대상자에게 접근하여 필요한 정보를 수집하였다.

개념 +

연구자는 연구 대상자에게 연구 목적과 과정을 알리고 동의를 얻어야 한다. 연구 목적을 알려 주는 것이 연구 결과에 크게 영향을 미치는 경우에는 불가피하게 연구가 끝난 후, 연구 결과를 발표하기 전에 양해를 구해야 한다.

01 ② 　 02 ④ 　 03 ③ 　 04 ② 　 05 ④ 　 06 ① 　 07 ③ 　 08 ④ 　 09 ④ 　 10 ⑤ 　 11 ⑤ 　 12 ④

01 개인과 사회의 관계를 보는 관점

그림은 개인과 사회의 관계를 보는 관점 A, B를 나타낸 것이다. 이에 대한 옳은 설명만을 | 보기 |에서 있는 대로 고른 것은?

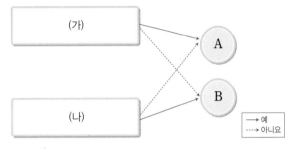

→ 예
┄┄▶ 아니요

┌ 보기 ┐

ㄱ. (가)에 '사회는 개인의 총합에 불과한가?'가 들어가면, A는 사회 명목론이고, B는 사회 실재론이다.

ㄴ. (나)에 '사회는 개인으로 환원될 수 없는 고유한 성격을 지니는가?'가 들어가면, A는 사회 실재론이고, B는 사회 명목론이다.

ㄷ. A가 전체를 위한 개인의 희생을 정당화하고 조장할 우려가 있는 관점이라면, (나)에는 '사회는 개인들의 집합체에 붙여진 이름에 불과한가?'가 들어갈 수 있다.

ㄹ. B가 개인의 행위에 대해 사회 구조나 사회 제도가 미치는 영향력을 간과하는 관점이라면, (가)에는 '사회 전체의 이익보다 개인의 이익이나 권리 보장을 중시하는가?'가 들어갈 수 있다.

① ㄱ, ㄴ 　　 ② ㄱ, ㄷ 　　 ③ ㄴ, ㄷ
④ ㄱ, ㄴ, ㄹ 　　 ⑤ ㄴ, ㄷ, ㄹ

출제 의도 파악하기

(가)와 (나)에 어떤 질문이 들어가는지에 따라 A와 B가 각각 사회 실재론과 사회 명목론 중에서 어떤 관점이 되는지를 찾아낼 수 있어야 한다.

문제 해결 Point 쏙쏙 ★★

• 사회 〉 개인들의 합 → 사회 실재론
• 사회 = 개인들의 합 → 사회 명목론

선택지 바로 알기

ㄱ. (가)에 '사회는 개인의 총합에 불과한가?'가 들어가면, A는 사회 명목론이고, B는 사회 실재론이다.

　　└ 사회가 개인의 총합과 같다고 보는 것은 사회 명목론의 입장이다.

ㄴ. (나)에 '사회는 개인으로 환원될 수 없는 고유한 성격을 지니는가?'가 들어가면, A는 사회 실재론이고, B는 사회 명목론이다.

　　└ 사회는 개인으로 환원될 수 없는 고유한 성격을 지니고 있다는 것은 사회 실재론의 입장이다.

ㄷ. A가 전체를 위한 개인의 희생을 정당화하고 조장할 우려가 있는 관점이라면, (나)에는 '사회는 개인들의 집합체에 붙여진 이름에 불과한가?'가 들어갈 수 있다.

　　└ 전체를 위한 개인의 희생을 정당화하고 조장할 우려가 있는 관점은 사회 실재론이다. 사회는 개인들의 집합체에 붙여진 이름에 불과하다는 것은 사회 명목론의 입장이다.

ㄹ. B가 개인의 행위에 대해 사회 구조나 사회 제도가 미치는 영향력을 간과하는 관점이라면, (가)에는 '사회 전체의 이익보다 개인의 이익이나 권리 보장을 중시하는가?'가 들어갈 수 있다.

　　└ 개인의 행위에 대해 사회 구조나 사회 제도가 미치는 영향력을 간과하는 것은 사회 명목론의 입장이다. 사회 전체의 이익보다 개인의 이익이나 권리 보장을 중시하는 것은 사회 명목론의 입장이다.

다음 자료에 대한 설명으로 옳은 것은?

> 사회화 기관 A~D는 분류 기준 (가), (나)에 따라 다음과 같이 구분된다.
> - (가)에 따라 A와 B로 구분할 수 있으며, A의 사례로는 가족을 들 수 있다.
> - (나)에 따라 C와 D로 구분할 수 있으며, C의 사례로는 직업 훈련소를 들 수 있다.

① (가)가 '사회화의 내용'이면, A는 공식적 사회화 기관이다.
② (가)가 '기관의 설립 목적'이면, B는 비공식적 사회화 기관이다.
③ (나)가 '사회화의 내용'이면, C의 사례로는 직업 훈련소 외에 가족도 들 수 있다.
④ (나)가 '기관의 설립 목적'이면, D의 사례로는 대중 매체를 들 수 있다.
⑤ (나)가 '기관의 설립 목적'이면, C와 D는 모두 이익 사회에 포함된다.

출제 의도 파악하기

사회화 기관을 분류 기준에 따라 분류하고, 각각의 사례에는 어떤 사회화 기관들이 해당되는지를 이해한다.

문제 해결 Point 쏙쏙 ★★
- 사회화의 내용 기준 → 1차적 사회화 기관, 2차적 사회화 기관
- 설립 목적 기준 → 공식적 사회화 기관, 비공식적 사회화 기관

선택지 바로 알기

① (가)가 '사회화의 내용'이면, A는 공식적 사회화 기관이다.
 ↳ 가족은 1차적 사회화 기관의 대표적인 사례이다.
② (가)가 '기관의 설립 목적'이면, B는 비공식적 사회화 기관이다.
 ↳ 가족은 비공식적 사회화 기관의 대표적인 사례이다.
③ (나)가 '사회화의 내용'이면, C의 사례로는 직업 훈련소 외에 가족도 들 수 있다.
 ↳ 직업 훈련소는 2차적 사회화 기관이고, 가족은 1차적 사회화 기관이다.
④ (나)가 '기관의 설립 목적'이면, D의 사례로는 대중 매체를 들 수 있다.
 ↳ 직업 훈련소는 공식적 사회화 기관이고, 대중 매체는 비공식적 사회화 기관이다.
⑤ (나)가 '기관의 설립 목적'이면, C와 D는 모두 이익 사회에 포함된다.
 ↳ 비공식적 사회화 기관 중 가족과 또래 집단 같은 사회화 기관들은 공동 사회에 포함된다.

개인과 사회의 관계를 바라보는 다음의 관점에 부합하는 진술로 옳은 것은?

> 서로 다른 특성의 개인 A, B, C가 집단을 이루면, A, B, C의 개별적 속성과는 전혀 별개의 집단만의 고유한 특성이 생긴다. 세 사람 사이에 지배와 피지배와 같은 힘의 관계가 나타나거나 차등적인 지위 구조가 생기기도 하며, 서로 대립하고 갈등하거나 또는 서로 좋아하고 끌리기도 한다. 또한 시간이 지나면서 세 사람 사이의 관계와 상호 작용을 규제하는 규범이나 구조가 생성되고, 그것을 변경 또는 지속시키려는 알력이나 협동 관계가 만들어진다. 이러한 현상들은 집단을 구성하는 세 사람의 개별적인 속성과는 별개의 집단만의 고유한 것들이 표출된 것이다. → 사회 실재론

① 개인들은 자유 의지에 따라 행동한다.
② 사회는 개인 속성의 총합과 같은 속성을 갖는다.
③ 사회는 개인보다 우위에 있는 독자적인 존재이다.
④ 개인은 사회에 대해 독립적이고 자율적인 존재이다.
⑤ 사회는 개인의 목표를 실현시켜 주는 수단에 불과하다.

출제 의도 파악하기

개인의 특성을 모두 합한 것과 사회의 특성이 같으면 사회 명목론, 사회만의 고유한 특성이 있다고 하면 사회 실재론이라는 내용을 이해한다.

문제 해결 Point 쏙쏙 ★★
- 사회 〉 개인들의 합 → 사회 실재론
- 사회 = 개인들의 합 → 사회 명목론

선택지 바로 알기

① 개인들은 자유 의지에 따라 행동한다.
 ↳ 사회 명목론의 입장이다.
② 사회는 개인 속성의 총합과 같은 속성을 갖는다.
 ↳ 사회 명목론의 입장이다.
③ 사회는 개인보다 우위에 있는 독자적인 존재이다.
 ↳ 사회 실재론의 입장이다.
④ 개인은 사회에 대해 독립적이고 자율적인 존재이다.
 ↳ 사회 명목론의 입장이다.
⑤ 사회는 개인의 목표를 실현시켜 주는 수단에 불과하다.
 ↳ 사회 명목론의 입장이다.

BOOK 1

사회화를 보는 관점 (가), (나)에 대한 설명으로 옳은 것은?

(가)	학교 교육은 사회에서 필요로 하는 인재를 공정하게 선발하는 데 기여하지 못하며 학교 교육의 내용은 기득권 집단의 필요에 부응하는 것으로 가득차 있다. 학교 교육은 학생들이 미래에 차지할 경제적 위치를 반영한 차별적 사회화를 위한 도구일 뿐이다. → 갈등론
(나)	학교 교육을 통해 개인은 사회적 생활에 필요한 행동 양식과 가치관, 규범 및 지식 등을 습득함으로써 사회에 적응하고 통합할 수 있다. 만약 누군가가 학교 교육을 받지 못한 상태라면 사회화가 원만하게 진행되지 못해 사회 통합에 부정적 영향을 끼치게 된다. → 기능론

① (가)는 사회화의 내용이 사회 구성원 간 합의에 따라 조직된 것이라고 본다.

② (나)는 사회화되지 않은 개인은 부적응과 소외를 경험하게 된다고 본다.

③ (가)는 (나)와 달리 사회화에 작용하는 사회 구조의 영향력을 중시한다고 본다.

④ (가)는 (나)와 달리 사회화를 통해 개인들의 행동이 원만하게 조정되고 통합된다고 본다.

⑤ (나)는 (가)와 달리 사회화는 개인이 타인과의 상호 작용을 통해 자아를 형성하는 과정이라고 본다.

출제 의도 파악하기

제시문에서 주장하는 내용이 기능론, 갈등론, 상징적 상호 작용론 중 어떤 관점을 바탕으로 하는 것인지를 이해한다.

문제 해결 Point 쏙쏙 ★★
• 사회화의 내용은 사회적 합의에 따른 것 → 기능론
• 사회화의 내용은 특정 집단의 합의를 바탕으로 결정된 것 → 갈등론
• 사회화는 타인들의 반응에 따라 어떻게 행동하는 것이 바람직한지를 내면화하는 과정 → 상징적 상호 작용론

선택지 바로 알기

① (가)는 사회화의 내용이 사회 구성원 간 합의에 따라 조직된 것이라고 본다.
  ↳ 기능론적 관점의 입장이다.

③ (가)는 (나)와 달리 사회화에 작용하는 사회 구조의 영향력을 중시한다고 본다.
  ↳ 기능론과 갈등론 모두 거시적 관점이다.

④ (가)는 (나)와 달리 사회화를 통해 개인들의 행동이 원만하게 조정되고 통합된다고 본다.
  ↳ 기능론적 관점의 입장이다.

⑤ (나)는 (가)와 달리 사회화는 개인이 타인과의 상호 작용을 통해 자아를 형성하는 과정이라고 본다.
  ↳ 상징적 상호 작용론적 관점의 입장이다.

밑줄 친 ㉠~㉺에 대한 옳은 설명만을 | 보기 |에서 고른 것은?

㉠◎◎ 고등학교를 졸업한 갑은 현재 ㉡◯◯ 방송국의 드라마에 전속 출연하며 열심히 자신의 이름을 알리고 있다. ㉢영화배우인 아버지와 가수 출신의 ㉣어머니로부터 많은 조언을 받으며 성장한 갑은 ㉤아이돌 그룹 ☆☆☆의 멤버로 활동했으며 노래는 물론 연기력까지 겸비하고 있었기에 본인이 출연하는 드라마의 OST를 직접 부르기도 하였고 안정적인 연기력을 바탕으로 ㉻신인상을 수상하기도 하였다.

┌ 보기 ┐
ㄱ. ㉠은 ㉡과 마찬가지로 공식적 사회화 기관에 해당한다.
ㄴ. ㉢은 ㉣과 마찬가지로 성취 지위에 해당한다.
ㄷ. ㉤은 ㉠, ㉡과 달리 사회 집단에 속하지 않는다.
ㄹ. ㉻은 갑의 역할 행동에 대한 보상이다.

① ㄱ, ㄴ　　　② ㄱ, ㄷ　　　③ ㄴ, ㄷ
④ ㄴ, ㄹ　　　⑤ ㄷ, ㄹ

출제 의도 파악하기

밑줄 친 개념들의 속성을 다양한 측면에서 이해한다.

문제 해결 Point 쏙쏙 ★★
• 선천적으로 갖고 태어난 지위 → 귀속 지위
• 후천적 노력으로 얻게 된 지위 → 성취 지위
• 보상과 제재 → 역할 행동에 대한 반응

선택지 바로 알기

ㄱ. ㉠은 ㉡과 마찬가지로 공식적 사회화 기관에 해당한다.
  ↳ 방송국은 비공식적 사회화 기관이다.

ㄷ. ㉤은 ㉠, ㉡과 달리 사회 집단에 속하지 않는다.
  ↳ 아이돌 그룹도 멤버들끼리 소속감을 가지고 지속적인 상호 작용을 하기 때문에 사회 집단이다.

ㄹ. ㉻은 갑의 역할 행동에 대한 보상이다.
  ↳ 신인상은 배우로서 갑의 역할 행동에 대한 보상이다.

밑줄 친 ⊙~◎에 대한 설명으로 옳은 것은?

> 농촌에서 가난한 농부의 ⊙장남으로 태어난 갑은 어려운 환경 가운데 남들보다 몇 배의 노력으로 ⓛ검정고시를 통해 ©고등학교를 마쳤고, 2년 만에 법무부 ②사법 시험에 합격했다. 사법 연수원 수료 후 ㅁㅁ지역 △△ 법원의 ⊕판사로 임용된 그는 20년 후 ⊗☆☆ 정당 공천을 받아 국회 의원에 당선되었고 그 이후, 2021년 상반기 ◎올해의 시민 단체상을 수상한 ◇◇시민 단체의 대표로 활동하고 있다.

→ 귀속 지위

→ 성취 지위

① ⊙은 ⊕과 달리 귀속 지위이다.
② ⓛ은 ②과 달리 역할 행동이다.
③ ©은 ⊕과 달리 이익 사회이다.
④ ⊗은 ©과 달리 2차적 사회화 기관이다.
⑤ ◎은 ⊕으로서 역할 행동에 대한 보상이다.

출제 의도 파악하기

밑줄 친 개념들의 속성을 다양한 측면에서 이해한다.

문제 해결 Point 쏙쏙 ★★
- 선천적으로 갖고 태어난 지위 → 귀속 지위
- 후천적 노력으로 얻게 된 지위 → 성취 지위
- 보상과 제재 → 역할 행동에 대한 반응

선택지 바로 알기

② ⓛ은 ②과 달리 역할 행동이다.
　└ 검정고시 자체는 역할 행동이 아니다. 검정고시에 응시하는 것이 역할 행동이다.
③ ©은 ⊕과 달리 이익 사회이다.
　└ 고등학교와 법원은 모두 공식 조직 즉, 이익 사회이다.
④ ⊗은 ©과 달리 2차적 사회화 기관이다.
　└ 정당과 고등학교 모두 전문적인 사회화를 담당하는 2차적 사회화 기관이다.
⑤ ◎은 ⊕으로서 역할 행동에 대한 보상이다.
　└ 올해의 시민 단체상은 갑이 판사로서 수상한 것이 아니라 ◇◇시민 단체가 받은 상이다.

그림은 사회 집단의 유형 A~C의 상호 관계를 나타낸 것이다. 이에 대한 옳은 설명만을 | 보기 |에서 있는 대로 고른 것은? (단, A~C는 각각 공식 조직, 비공식 조직, 자발적 결사체 중 하나이다.)

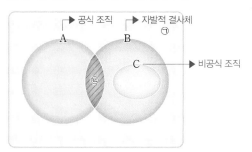

| 보기 |
ㄱ. 학교는 ⊙에 해당한다.
ㄴ. ⓛ에 해당하는 사회 집단은 모두 이익 사회이다.
ㄷ. C의 구성원은 모두 A에 소속되어 있다.
ㄹ. A~B는 모두 구성원들의 본질 의지를 바탕으로 형성된 사회 집단이다.

① ㄱ, ㄴ　　② ㄱ, ㄷ　　③ ㄴ, ㄷ
④ ㄱ, ㄴ, ㄹ　　⑤ ㄴ, ㄷ, ㄹ

출제 의도 파악하기

공식 조직, 비공식 조직, 자발적 결사체 간 개념들의 관계를 이해한다.

문제 해결 Point 쏙쏙 ★★
- 공식 조직 중에는 자발적 결사체인 집단과 자발적 결사체가 아닌 집단이 있다.
- 모든 비공식 조직은 모두 자발적 결사체이다.

선택지 바로 알기

ㄱ. 학교는 ⊙에 해당한다.
　└ 학교는 공식 조직이지만 자발적 결사체는 아니기 때문에 ⓛ은 제외한 A에 해당한다.
ㄴ. ⓛ에 해당하는 사회 집단은 모두 이익 사회이다.
　└ 공식 조직이면서 자발적 결사체인 사회 집단은 모두 이익 사회이다.
ㄷ. C의 구성원은 모두 A에 소속되어 있다.
　└ 비공식 조직의 구성원은 반드시 공식 조직에 소속되어 있어야만 한다.
ㄹ. A~B는 모두 구성원들의 본질 의지를 바탕으로 형성된 사회 집단이다.
　└ 구성원의 본질 의지를 바탕으로 형성된 사회 집단은 공동 사회이다. 공식 조직은 이익 사회이다.

밑줄 친 ⊙~◎에 대한 옳은 설명만을│보기│에서 고른 것은?

> ⊙○○고등학교의 ⓒ교사로 근무하고 있는 갑은 올해도 어김없이 ⓒ학생 생활부에서 @학생 자치회와 학교 폭력 업무를 담당하게 되었다. 요즘 @갑은 학생 자치회의 실질적인 운영과 지원에 대해 늘 고민하고 있으며 @학교 폭력 예방 교육과 생활 지도 업무로 인해 교사 을과 함께 야근이 잦다. 그래서 △아내와 자녀들에게 늘 미안한 마음이 앞선다. 그래서 주말이면 가족과 함께 가입한 ◎□□ 시민 단체에서 봉사 활동을 하면서 즐거운 시간을 보내고 있다.

│보기│

ㄱ. ⊙과 ◎은 공식 조직, ⓒ과 @은 비공식 조직이다.

ㄴ. ⓒ과 △은 모두 개인의 의지나 노력에 의해 얻게 되는 성취 지위이다.

ㄷ. @은 갑이 경험하고 있는 역할 갈등이 아니며, @은 갑의 ⓒ이라는 지위에 따른 역할에 해당한다.

ㄹ. ⊙에 비해 ◎은 가입과 탈퇴가 비교적 더 자유로우며, 구성원들의 조직 활동에 대한 신념과 열의가 높다.

① ㄱ, ㄴ   ② ㄱ, ㄷ   ③ ㄴ, ㄷ
④ ㄴ, ㄹ   ⑤ ㄷ, ㄹ

출제 의도 파악하기

밑줄 친 개념들의 속성을 다양한 측면에서 이해한다.

문제 해결 Point 쏙쏙 ⭐⭐

• 자발적 결사체는 가입과 탈퇴가 자유롭고 조직 활동에 대한 구성원들의 신념과 열의가 높다.

• 비공식 조직의 구성원들은 모두 공식 조직의 구성원이다.

선택지 바로 알기

ㄱ. ⊙과 ◎은 공식 조직, ⓒ과 @은 비공식 조직이다.

⌐ 학생 생활부와 학생 자치회는 공식 조직인 고등학교의 부서이기 때문에 공식 조직이다.

ㄷ. @은 갑이 경험하고 있는 역할 갈등이 아니며, @은 갑의 ⓒ이라는 지위에 따른 역할에 해당한다.

⌐ 야근은 교사라는 지위에 따른 역할 행동이다.

ㄹ. ⊙에 비해 ◎은 가입과 탈퇴가 비교적 더 자유로우며, 구성원들의 조직 활동에 대한 신념과 열의가 높다.

⌐ 고등학교는 자발적 결사체가 아니지만 시민 단체는 자발적 결사체이기 때문에 가입과 탈퇴가 비교적 더 자유로우며, 구성원들의 조직 활동에 대한 신념과 열의가 높다.

표는 사회 조직 유형 A, B의 일반적인 특징을 비교한 것이다. 이에 대한 설명으로 옳은 것은? (단, A, B는 각각 관료제와 탈관료제 중 하나이다.)

구분	A ▶관료제	B ▶탈관료제
업무 수행의 표준화	높음	낮음
(가)	낮음	높음
(나)	낮음	높음
(다)	높음	낮음

① A는 B와 달리 조직 운영의 효율성을 추구한다.

② B는 A와 달리 공식적인 통제 방식을 사용한다.

③ (가)에는 '중간 관리층의 역할 비중 정도'가 적절하다.

④ (나)에는 '조직 운영의 유연성'이 적절하다.

⑤ (다)에는 '의사 결정의 분산 정도'가 적절하다.

출제 의도 파악하기

관료제와 탈관료제 조직의 특징을 이해한다.

문제 해결 Point 쏙쏙 ⭐⭐

• 업무 수행의 표준화 강함 → 관료제

• 업무 수행의 표준화 약함 → 탈관료제

선택지 바로 알기

① A는 B와 달리 조직 운영의 효율성을 추구한다.

⌐ 관료제와 탈관료제 모두 조직 운영의 효율성을 추구한다.

② B는 A와 달리 공식적인 통제 방식을 사용한다.

⌐ 관료제와 탈관료제 모두 공식 조직이기 때문에 공식적인 통제 방식을 사용한다.

③ (가)에는 '중간 관리층의 역할 비중 정도'가 적절하다.

⌐ 중간 관리층의 역할 비중 정도는 관료제가 탈관료제에 비해 높다.

④ (나)에는 '조직 운영의 유연성'이 적절하다.

⌐ 조직 운영의 유연성은 탈관료제가 관료제보다 높다.

⑤ (다)에는 '의사 결정의 분산 정도'가 적절하다.

⌐ 의사 결정의 분산 정도는 탈관료제가 관료제보다 높다.

밑줄 친 ⊙~㉣에 대한 설명으로 옳은 것은?

> 우리나라의 여러 도시에 대해 조사한 결과를 발표해 볼까요?

> 저는 세종특별자치시에 대해 조사했습니다. 세종특별자치시는 정부 세종 청사가 위치한 행정 중심 복합 도시로 우리나라에 있는 유일한 특별자치시입니다. 정부 세종 청사 14동에는 대한민국 교육을 책임지는 ⊙교육부가 있습니다. 특히 세종특별자치시는 전국 광역 자치 단체 중 유일하게 ⓛ교도소와 같은 교정 시설이 없다는 것이 특징입니다.

갑

> 저는 강원도 홍천군을 조사했습니다. 홍천군은 우리나라 시·군 가운데 면적이 가장 넓다는 특징을 가지고 있습니다. 또한 ⓒ제11 기계화 보병 사단 등 우리나라 육군의 예하 부대들이 주둔하고 있는 지역이기도 합니다.

을

> 저는 경기도 수원시를 조사했습니다. 수원시는 경기도 도청 소재지로 전국 기초 자치 단체 중에서 가장 인구가 많은 도시이며 세계 문화유산인 수원 화성이 있는 도시입니다. 특히 수원에는 ㉣○○전자의 본사가 자리 잡고 있어서 지역 경제에 큰 영향을 미치고 있습니다.

병

① ⊙은 ⓛ과 달리 구성원들의 선택적 의지를 바탕으로 형성된 집단이다.
② ⓛ은 ⓒ과 달리 결합 자체를 목적으로 한다.
③ ⓒ은 ㉣에 비해 가입과 탈퇴가 자유롭다.
④ ㉣은 ⊙~ⓒ과 달리 자발적 결사체이다.
⑤ ⊙~㉣은 모두 이익 사회이다.

출제 의도 파악하기
사회 집단과 사회 조직의 의미를 알고, 그 특징을 구분할 수 있다.

> **문제 해결 Point 쏙쏙** ★★
> ⊙~㉣은 모두 이익 사회, 2차 집단, 공식 조직이며 자발적 결사체는 아니다.

선택지 바로 알기

① ⊙은 ⓛ과 달리 구성원들의 선택적 의지를 바탕으로 형성된 집단이다.
  ㄴ, ⊙, ⓛ 모두 구성원들의 선택적 의지를 바탕으로 형성된 이익 사회이다.
② ⓛ은 ⓒ과 달리 결합 자체를 목적으로 한다.
  ㄴ, 결합 자체를 목적으로 하는 사회 집단은 공동 사회이다. ⓛ, ⓒ은 모두 이익 사회이다.
③ ⓒ은 ㉣에 비해 가입과 탈퇴가 자유롭다.
  ㄴ, 가입과 탈퇴가 자유로운 사회 집단은 자발적 결사체이다. ⓒ, ㉣은 모두 자발적 결사체가 아닌 사회 집단이다.
④ ㉣은 ⊙~ⓒ과 달리 자발적 결사체이다.
  ㄴ, ⊙~㉣은 모두 자발적 결사체가 아니다.
⑤ ⊙~㉣은 모두 이익 사회이다.
  ㄴ, ⊙~㉣은 모두 선택적 의지를 바탕으로 구성된 이익 사회이다.

용어 ＋

• 본질 의지와 선택 의지: 본질 의지는 인간의 자연적이고 본능적인 욕구에 기초한 의지로서 타인과의 공감 욕구, 소속 및 애정 욕구 등을 말한다. 이와 달리 선택 의지는 인간이 특정 목적을 달성하기 위해 적절한 수단을 활용하고자 하는 의지로서 경제적 이익이나 정치적 이익, 자아실현 등을 효과적으로 달성하고자 하는 의지를 말한다.

BOOK 1

다음 글에서 비유하고 있는 사회 조직 유형 A, B의 일반적인 특징으로 옳은 것은? (단, A, B는 각각 관료제와 탈관료제 중 하나이다.)

일반적으로 A는 장기에 비유하기도 한다. 장기판의 말들이 첫 포진과 가는 길이 정해져 있는 것처럼 A의 구성원들의 역할과 위치도 규약과 절차에 의해 엄격하게 적용된다는 것이다. 또한 장기판의 말들의 의미를 말 자체에서 찾기는 어렵다. 각 말들은 오로지 임금(궁)을 지키고 상대방을 제압하기 위한 수단에 불과한 것이다. 특히 장기판의 말들은 궁을 정점으로 해서 졸까지 수직 계층화되어 있다는 것도 A와 유사한 점이다. ➡ A는 관료제

그에 비해 B는 바둑에 비유한다. 바둑에도 규칙이 존재하지만 처음부터 각 돌들의 위치가 정해진다거나 길이 정해져 있지 않아서 자율권과 재량권이 비교적 많이 보장되어 있는 B와 유사한 점이 많기 때문이다. 특히 바둑에서는 돌 하나하나가 의미가 있어서 모든 돌이 수평적인 관계라는 것도 B와 유사한 점으로 비유되는 것이다. ➡ B는 탈관료제

① A는 B와 달리 공식적인 조직 운영 원리가 존재한다.
② A는 B에 비해 중간 관리층의 비중이 약한 편이다.
③ B는 A와 달리 인간 소외 현상이 발생한다.
④ B는 A에 비해 목적 전치 현상이 발생할 우려가 크다.
⑤ A와 B는 모두 조직을 효율적으로 운영하는 것을 목적으로 한다.

출제 의도 파악하기

관료제와 탈관료제 조직의 특징을 이해한다.

> **문제 해결 Point 쏙쏙** ★★
> 관료제는 산업 사회에, 탈관료제는 정보 사회에 더 효율적인 조직 유형이다.

선택지 바로 알기

① A는 B와 달리 공식적인 조직 운영 원리가 존재한다.
 ┗ 관료제와 탈관료제 모두 공식 조직의 운영 원리이다.
② A는 B에 비해 중간 관리층의 비중이 약한 편이다.
 ┗ 관료제는 탈관료제에 비해 중간 관리층의 비중이 크다.
③ B는 A와 달리 인간 소외 현상이 발생한다.
 ┗ 인간 소외 현상은 관료제 조직에서 발생할 우려가 큰 역기능 중 하나이다.
④ B는 A에 비해 목적 전치 현상이 발생할 우려가 크다.
 ┗ 목적 전치 현상은 관료제 조직에서 발생할 우려가 큰 역기능 중 하나이다.
⑤ A와 B는 모두 조직을 효율적으로 운영하는 것을 목적으로 한다.
 ┗ 관료제와 탈관료제 모두 조직을 효율적으로 운영하는 것을 목적으로 한다.

용어 +

• 목적 전치: 목적과 수단의 가치가 뒤바뀌는 현상을 말한다.
• 인간 소외: 인간이 자신이 만든 제도나 사물을 통제하지 못하고 오히려 통제 당하는 현상을 말한다. 관료제에서는 인간이 조직과 업무의 주체가 되지 못하고, 조직의 부속품이나 수단으로 전락하는 인간 소외가 발생할 우려가 있다.

대화에 나타난 갑~병의 일탈 행동 이론에 대한 설명으로 옳은 것은?

A가 초등학생 시절 장난으로 했던 수박 서리에 대해 주변 사람들이 A를 '도둑놈'이라고 규정하며 멀리하였고, A는 이를 내면화하면서 부정적인 자아가 형성되었습니다. 결국 A는 이러한 과정의 결과 반복적으로 범죄를 저지르는 사람이 된 것입니다.

▶ 낙인 이론

A는 중학생 때 유행하던 가방을 사기 위해 각종 아르바이트를 하였지만 돈은 계속해서 부족했고, 결국 합법적인 수단을 찾지 못한 나머지 절도를 비롯한 각종 범죄 수법도 배웠습니다.

▶ 머튼의 아노미 이론

고등학생인 A가 범죄를 저지르게 된 이유가 무엇이라고 생각하십니까?

A는 비행을 일삼는 친구들을 만나게 되면서 청소년 비행 및 범죄에 대한 우호적인 가치관을 형성하게 되었고, 새로운 범죄 수법도 배웠습니다. 이로 인해 결국 더 큰 범죄를 저지르게 된 것입니다.

▶ 차별 교제 이론

갑   을   병

① 갑은 일탈 행동의 해결책으로 사회 규범의 통제력 회복을 강조한다.
② 을은 일탈 행동이 타인과의 상호 작용을 통해 학습된다고 본다.
③ 병은 일탈 행동의 발생 원인으로 지배적 규범의 부재를 강조한다.
④ 갑과 달리 을은 거시적 관점에서 일탈 행동을 설명한다.
⑤ 을과 달리 병은 일탈 행동에 대한 객관적 기준이 존재하지 않는다고 본다.

출제 의도 파악하기
일탈 행동에 대한 여러 이론들의 특징들을 이해한다.

> **문제 해결 Point 쏙쏙** ★★
> 갑은 낙인 이론, 을은 머튼의 아노미 이론, 병은 차별 교제 이론을 바탕으로 A가 범죄를 저지르게 된 이유를 분석하고 있다.

선택지 바로 알기
① 갑은 일탈 행동의 해결책으로 사회 규범의 통제력 회복을 강조한다.
  ㄴ 사회 규범의 통제력 회복을 강조하는 것은 뒤르켐의 아노미 이론의 입장이다.
② 을은 일탈 행동이 타인과의 상호 작용을 통해 학습된다고 본다.
  ㄴ 타인과의 상호 작용을 통해 일탈 행동을 학습한다는 것은 차별 교제 이론의 입장이다.
③ 병은 일탈 행동의 발생 원인으로 지배적 규범의 부재를 강조한다.
  ㄴ 지배적 규범의 부재로 인해 일탈 행동이 발생한다는 것은 뒤르켐의 아노미 이론의 입장이다.
④ 갑과 달리 을은 거시적 관점에서 일탈 행동을 설명한다.
  ㄴ 머튼의 아노미 이론은 거시적 관점, 낙인 이론과 차별 교제 이론은 미시적 관점에서 일탈 행동을 설명한다.
⑤ 을과 달리 병은 일탈 행동에 대한 객관적 기준이 존재하지 않는다고 본다.
  ㄴ 일탈 행동에 대한 객관적 기준이 존재하지 않는다고 보는 것은 낙인 이론의 입장이다.

용어 +
• 아노미: 무규범 상태나 규범 공백 상태이다. 가치관의 혼란 상태를 가리키는 말로, 뒤르켐은 급속한 사회 변동이, 머튼은 문화적 목표와 제도적 수단 간의 괴리가 아노미를 유발한다고 보았다.

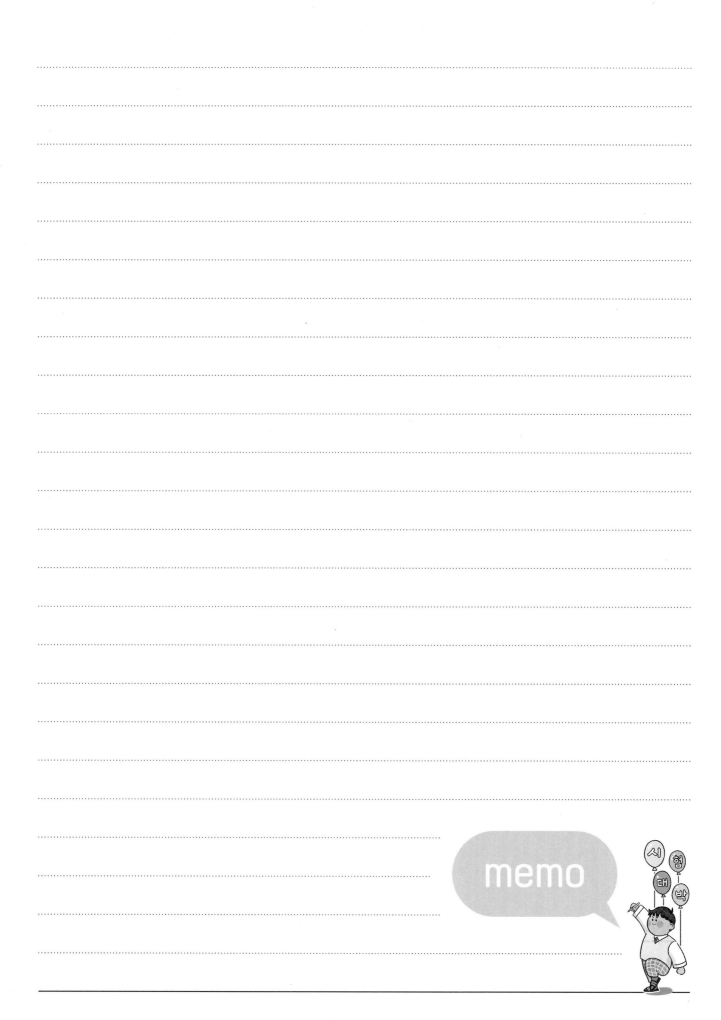

memo

수능전략

사·회·탐·구·영·역

사회·문화

BOOK 3

정답과 해설

DAY 1 개념 돌파 전략 ①
8~11쪽

[1강] 문화의 이해

01 넓은 **02** 공유성 **03** 축적성 **04** 총체론적 관점 **05** 자문화 중심주의 **06** 평가, 문화 절대주의 **07** 우열

[2강] 하위문화와 대중문화~문화 변동

01 하위문화 **02** 하위문화 **03** 대중문화 **04** 비판적 **05** 발명 **06** 자극 전파 **07** 문화 동화(문화 대체) **08** 문화 지체

DAY 1 개념 돌파 전략 ②
12~13쪽

1 ② **2** ⑤ **3** ③ **4** ⑤ **5** ①

1 문화의 의미

좁은 의미의 문화란 고상하거나 세련된 것, 예술적인 것 등을 의미하고, 넓은 의미의 문화란 한 사회 구성원들이 공유하는 행동 양식의 총체를 의미한다.

② '문화인'에서의 '문화'는 좁은 의미의 문화, '청소년 문화'에서의 '문화'는 넓은 의미의 문화이다.

오답 피하기 ① '지역 문화'는 생활 양식의 총체로서 넓은 의미의 문화이다.

③ '문화 상품권'에서의 '문화'는 좁은 의미의 문화에 해당한다.

④ 문화를 정신적, 예술적으로 높은 수준에 도달한 것으로 인식하는 것은 좁은 의미의 문화이다.

⑤ 좁은 의미의 문화는 문화를 이해가 아닌 우열을 가릴 수 있는 평가의 대상으로 본다.

2 문화의 속성

제시문에서 공통적으로 부각되어 있는 문화의 속성은 공유성이다. 공유성은 한 사회의 구성원 다수가 공통적으로 가지고 있는 생활 양식을 의미한다.

⑤ 문화의 공유성은 상대방의 행동을 예측 가능하게 하고 이에 대응하여 사회 질서 유지에 기여할 수 있게 해 준다.

오답 피하기 ① 시간이 흐르면서 그 형태나 내용이 달라지는 것은 문화의 변동성이다.

② 부분들이 모여 전체로서 하나의 체계를 이루는 것은 문화의 전체성(총체성)이다.

③ 세대 간 전승을 통해 새로운 문화 요소가 추가되는 것은 문화의 축적성이다.

④ 타고나는 것이 아니라 후천적으로 습득된다는 것은 문화의 학습성이다.

3 문화 이해의 태도

문화 간에 우열이 존재한다고 보는 것은 자문화 중심주의와 문화 사대주의이고, 타문화의 수용에 적극적인 것은 문화 사대주의이다. 따라서 A는 문화 사대주의, B는 자문화 중심주의, C는 문화 상대주의이다.

선택지 바로 보기

① A는 자문화를 다른 사회에 이식하는 것을 당연시한다. (×)
→ 자문화를 다른 사회에 이식하는 것을 당연시 여기는 것은 자문화 중심주의이다.

② B는 문화 제국주의로 변질될 가능성이 낮다. (×)
→ 자문화 중심주의의 경우 자기 문화만을 가장 우수하다고 여기기 때문에 문화 제국주의로 변질될 가능성이 높다.

③ C는 문화의 다양성을 보존하는 데 기여한다. (○)
→ 문화 상대주의는 문화를 평가가 아닌 이해의 대상으로 보기 때문에 문화의 다양성을 보존하는 데 기여한다.

④ A는 B와 달리 특정 기준을 바탕으로 타문화를 평가한다. (×)
→ 특정 기준을 바탕으로 타문화를 평가하는 것은 문화 절대주의로서 자문화 중심주의와 문화 사대주의이다.

⑤ B, C는 모두 문화가 고유한 가치를 지닌다고 전제한다. (×)
→ 문화가 고유한 가치를 지닌다고 전제하는 것은 문화 상대주의이다.

4 하위문화의 이해

⑤ 전체 사회의 범주를 어떻게 규정하느냐에 따라 하위문화의 범주가 상대적으로 결정되며, 시대와 사회에 따라 반문화에 대한 규정도 달라진다.

오답 피하기 ① A는 주류 문화, B는 하위문화, C는 반문화이다.

② 주류 문화는 모든 하위문화의 총합으로 구성된다고 볼 수 없다.

③ 반문화는 하위문화의 한 유형이므로 모든 반문화가 하위문화에 해당한다.

④ 주류 문화, 하위문화, 반문화는 모두 전체 사회에 문화 다양성을 제공한다.

더 알아보기 주류 문화와 하위문화의 관계

주류 문화란 한 사회의 구성원 대부분이 공유하고 있는 문화를 의미한다. 하지만 하위문화의 합이 주류 문화는 아니다. 다시 말해, 주류 문화는 다양한 하위문화들을 통틀어서 일컫는 것이 아니다.

5 문화 변동의 요인과 양상

ㄱ. 교역을 통해 매운 향신료가 전해진 것은 직접 전파의 사례이다.

ㄴ. 그 결과 A국에서 전통 향신료와 매운 향신료를 모두 사용하는 것은 문화 병존(공존)의 사례이다.

오답 피하기 ㄷ. B국에서 문화 융합이 나타난 여부는 제시문을 통해 알 수 없다.

ㄹ. A국은 B국과 교역을 통해 향신료를 접했으므로 자발적 문화 접변이 나타난 것으로 볼 수 있다.

DAY 2 필수 체크 전략 ①

14~17쪽

03-1 ②   04-1 ㄴ, ㄹ

03-1 문화의 속성

제시된 자료에서 공통적으로 부각된 문화의 속성은 공유성이다. 문화의 공유성은 한 사회의 구성원 다수가 공통적으로 가지고 있는 생활 양식이다.

선택지 바로 보기

① 선천적이기보다는 후천적으로 습득된다. (×)
→ 선천적이기보다는 후천적으로 습득되는 것은 학습성에 대한 내용이다.

② 상대방의 행동을 예측하고, 대응할 수 있게 한다. (○)
→ 상대방의 행동을 예측하고, 대응할 수 있게 하는 것은 공유성에 대한 내용이다.

③ 새로운 특성이 추가되거나 기존의 특성이 소멸되기도 한다. (×)
→ 새로운 특성이 추가되거나 기존의 특성이 소멸되기도 하는 것은 변동성에 대한 내용이다.

④ 한 부분의 변동이 다른 부분에 영향을 주어 변동을 일으킨다. (×)
→ 한 부분의 변동이 다른 부분에 영향을 주어 변동을 일으키는 것은 문화의 전체성(총체성)에 대한 내용이다.

⑤ 각 문화 요소들이 서로 연결되어 하나의 전체로서 존재한다. (×)
→ 각 문화 요소들이 서로 연결되어 하나의 전체로서 존재하는 것은 문화의 전체성(총체성)에 대한 내용이다.

04-1 문화의 속성

문화의 속성 중 문화의 전체성(총체성)이란 문화가 여러 구성 요소들이 상호 유기적으로 결합된 하나로서의 총체이므로 부분이 아닌 전체로서 의미를 갖는 생활 양식임을 말한다.

오답 피하기 ㄱ. 새로운 문화 요소가 추가되면서 전승되는 것은 문화의 축적성이다.

ㄷ. 특정 상황에서 상대방의 행동을 예측하게 하는 것은 문화의 공유성이다.

DAY 2 필수 체크 전략 ②

18~19쪽

| 1 ② | 2 ① | 3 ② | 4 ④ | 5 ⑤ |
| 6 ③ | 7 ② | 8 ① | | |

1 문화의 의미

인간의 모든 행동을 문화라고 할 수 없다. 인간의 행동 중 유전적 요인에 의한 행동, 개인적인 습관이나 버릇, 본능적인 행동 등은 문화에 해당하지 않는다. 자료에서 B와 C는 한 사회의 집단 구성원이 공유하거나 공통적으로 갖고 있는 생활 양식으로서 문화에 해당한다.

오답 피하기 A는 문화가 아닌 본능적인 행동이다. D는 인간이 공유하는 공통적인 생활 양식으로 볼 수 없다.

2 문화의 의미와 속성

㉠에 부각되어 있는 문화의 속성은 문화의 공유성, ㉢은 문화의 변동성, ㉣은 문화의 전체성(총체성)이다.

ㄱ. 문화의 공유성은 사회 구성원의 사고와 행동의 동질성을 형성하여 타인의 행동을 예측하고 이해할 수 있게 해 줌으로써 원활한 사회적 상호 작용을 가능하게 한다.

ㄴ. 음식 문화는 넓은 의미의 문화이다.

오답 피하기 ㄷ. 문화가 세대 간 전승 과정에서 더욱 풍부해짐을 보여 주는 것은 문화의 축적성이다.

ㄹ. 문화가 후천적으로 습득된다는 것을 보여 주는 것은 문화의 학습성이다.

3 문화의 속성

(가)와 (나)에서 공통적으로 부각된 문화의 속성은 문화의 공유성이다. 문화의 공유성은 한 사회의 구성원 다수가 공통적으로 가지고 있는 생활 양식이다.

선택지 바로 보기

ㄱ. 구성원의 사고와 행동을 구속한다. (○)
→ 문화의 공유성을 통해 사회 구성원의 사고와 행동의 동질성이 형성되고 구성원의 사고와 행동을 구속한다.

ㄴ. 시간이 흐르면서 그 형태나 내용이 달라진다. (×)
→ 시간이 흐르면서 그 형태나 내용이 달라지는 것은 문화의 변동성이다.

ㄷ. 서로 다른 문화 체계를 구분하는 기준이 된다. (○)
→ 문화의 공유성은 구성원 다수가 공통적으로 가지고 있는 생활 양식이기 때문에 서로 다른 문화 체계를 구분하는 기준이 된다.

ㄹ. 부분들이 모여 전체로서 하나의 체계를 이룬다. (×)
→ 부분들이 모여 전체로서 하나의 체계를 이루는 것은 문화의 전체성(총체성)이다.

4 문화의 속성

제시문에서 부각된 문화의 속성은 문화의 전체성이다. 문화의 전체성은 문화가 여러 구성 요소들이 상호 유기적으로 결합된 하나로서

BOOK 2

의 총체임을 강조한다.

오답 피하기 ① 선천적이기보다는 후천적으로 습득되는 것은 문화의 학습성이다.

② 새로운 문화 요소가 추가되면서 전승되는 것은 문화의 축적성이다.

③ 고정된 것이 아니라 지속적으로 변화한다고 보는 것은 문화의 변동성이다.

⑤ 새로운 특성이 추가되거나 기존의 특성이 소멸되기도 하는 것은 문화의 변동성이다.

더 알아보기 문화의 전체성(총체성)

문화의 전체성의 경우 문화를 부분이 아닌 전체로서 의미를 갖는 생활 양식으로 보기 때문에 한 사회의 문화 요소 간 상호 연관성으로 인해 한 부분의 변동이 다른 부분의 연쇄적인 변동을 초래한다고 본다.

5 문화를 바라보는 관점

제시문에 나타난 문화를 바라보는 관점은 문화의 보편성과 특수성을 강조하는 비교론적 관점이다.

오답 피하기 ① 비교론적 관점은 다른 문화를 거울삼아 자기 문화를 파악하는 데 용이하다.

② 문화에 대한 편협하고 왜곡된 이해를 방지하는 데 기여하는 것은 총체론적 관점이다.

③ 해당 문화를 향유하는 사회 구성원의 관점에서 문화의 의미를 파악하는 것은 상대론적 관점이다.

④ 문화가 부분이 아닌 전체로서의 의미를 갖는 생활 양식임을 중시하는 것은 총체론적 관점이다.

6 문화 이해의 태도

자료에서 서로 다른 문화 간에 우열이 존재한다고 보는 B와 C는 각각 자문화 중심주의 또는 문화 사대주의 중 하나이며 자기 문화가 가장 우월하다고 보는 것은 자문화 중심주의이므로 A는 문화 상대주의, B는 자문화 중심주의, C는 문화 사대주의이다.

선택지 바로 보기

① A는 서로 다른 가치를 지닌 문화가 공존해야 함을 부정한다. (×)
   → 문화 상대주의는 서로 다른 가치를 지닌 문화가 공존해야 함을 강조한다.

② B는 각 사회의 맥락을 고려하여 문화를 이해해야 한다고 본다. (×)
   → 각 사회의 맥락을 고려하여 문화를 이해해야 한다고 보는 것은 문화 상대주의이다.

③ C는 타문화의 수용에 대하여 긍정적이다. (○)
   → 문화 사대주의는 자기 문화보다 타문화가 우수하다고 여기므로 타문화의 수용에 대하여 긍정적이다.

④ B는 C와 달리 국수주의로 흐를 가능성이 낮다. (×)
   → 자문화 중심주의는 국수주의로 흐를 가능성이 높다.

⑤ (가)에는 '문화의 다양성 보존에 기여하는가?'가 들어갈 수 있다. (×)
   → (가)에는 문화 사대주의에만 해당하는 질문이 들어가야 한다. 문화의 다양성 보존에 기여하는 것은 문화 상대주의이다.

7 문화 이해의 태도

자료에서 질문에 따라 대답을 할 때 을의 경우 문화 절대주의의 입장에서 일관되게 응답한 학생이다.

자료 분석

질문 \ 학생	갑	을	병	정	무
문화를 특정 기준에 의해 평가하는가?	×	○	○	○	×
국수주의적 태도로 인해 문화의 다양성을 거부하는가?	○	○	×	×	○
문화의 다양성 보존에 기여하는가?	×	×	○	○	○
환경과 맥락을 고려한 문화 이해를 강조하는가?	×	×	○	×	×

(○: 예, ×: 아니요)

제시된 자료의 첫 번째 질문에서 문화를 특정 기준에 의해 평가하는 것은 자문화 중심주의와 문화 사대주의가 해당한다. 두 번째 질문에서 국수주의적 태도로 인해 문화의 다양성을 거부하는 것은 자문화 중심주의이다. 세 번째 질문에서 문화의 다양성 보존에 기여하는 것은 문화 상대주의이다. 네 번째 질문에서 환경과 맥락을 고려한 문화 이해를 강조하는 것은 문화 상대주의이다.

8 문화 이해의 태도

갑은 자문화 중심주의, 을은 문화 사대주의, 병은 문화 상대주의 태도를 보이고 있다.

① 자문화 중심주의는 국수주의에 빠져 국제적 고립을 초래할 수 있다.

오답 피하기 ② 문화 사대주의는 문화를 이해가 아닌 평가의 대상으로 본다.

③ 병의 태도는 문화 상대주의의 입장을 보여 주고 있다.

④ 문화 간에 우열이 있다는 점을 인정하는 것은 자문화 중심주의와 문화 사대주의이다.

⑤ 문화 상대주의는 문화의 다양성 보존에 기여한다.

DAY
3 필수 체크 전략 ① | 20~23쪽

02-1 ㄱ, ㄴ
04-1 (가)-A, (나)-B, (다)-C, (라)-D

02-1 하위문화의 유형

제시문에서 한 사회 내에서 일부 구성원들만 공유하는 문화로 A와 B를 구분할 수 없다고 했으므로 C는 주류 문화이다. 또한 한 사회의 지배적인 문화를 거부하거나 저항하는 문화는 반문화이므로 B는 반문화, A는 하위문화이다.

오답피하기 ㄷ. 하위문화의 총합을 주류 문화라고 볼 수 없다. 반문화도 하위문화의 하나의 유형이므로 모든 하위문화와 반문화의 총합이 주류 문화라는 것은 성립하지 않는다.

04-1 문화 변동의 요인
제시된 자료에서 B, D를 통해 기존에 없었던 문화 요소가 창조된다고 했으므로 B와 D는 각각 발명 또는 자극 전파 중 하나이다. 또한 C, D가 외재적 요인에 의한 문화 변동이라고 했으므로 D는 자극 전파로 확정되면서 B는 발명, A는 발견, C는 간접 전파로 정리할 수 있다. A는 발견, B는 발명, C는 간접 전파, D가 자극 전파이다. (가)는 발견, (나)는 발명, (다)는 간접 전파, (라)는 자극 전파이다.

---

1 ③	2 ②	3 ③	4 ②	5 ③
6 ④	7 ②	8 ③		

1 하위문화의 유형
제시문에서 '한 사회 내에서 일부 구성원만 공유하는 문화인가?'라는 질문으로 A와 B를 구분할 수 없으므로 C는 주류 문화이다. 또한 '미국의 히피 문화가 사례에 해당되는가?'라는 질문으로 B와 C를 구분할 수 있다고 했으므로 B는 반문화, 따라서 A는 하위문화이다.

오답피하기 ① 모든 반문화가 하위문화에 해당한다.
② 모든 하위문화의 총합을 주류 문화라고 볼 수 없다.
④ 하위문화나 반문화 모두 시대에 따라 상대적으로 규정된다.
⑤ 주류 문화, 하위문화, 반문화는 모두 문화의 다양성에 기여한다.

2 하위문화의 유형
제시문에서 A 문화는 반문화, B 문화는 세대 문화를 나타낸다. A 문화와 B 문화는 모두 하위문화의 유형에 해당한다.

오답피하기 ① 반문화와 세대 문화 모두 하위문화의 유형이므로 전체 사회에 문화 다양성을 제공한다.
③ 반문화나 세대 문화 모두 하위문화의 유형이므로 이 문화에 속하는 것을 구분하는 기준은 상대적이다.
④ 반문화는 한 사회의 지배적인 문화에 저항하거나 대립하는 문화이므로 사회 통합에 기여한다고 보기 힘들다.
⑤ 하위문화의 총합이 주류 문화라고 볼 수 없다.

3 대중문화를 수용하는 태도
제시문에서 개인 인터넷 방송을 하는 사람이 증가하면서 잘못된 정보가 전달되는 경우가 많아지고, 따라서 인터넷 방송을 접하는 사람들이 이러한 매체가 전하는 내용을 비판적으로, 또한 선별적으로 수용해야 함을 강조하고 있다.

오답피하기 ①, ②, ④, ⑤ 제시문을 통해 파악할 수 없다.

더 알아보기 대중문화를 수용하는 바람직한 자세

– 대중문화의 경우 긍정적인 측면과 부정적인 측면이 모두 있으므로 대중이 이를 비판적으로 인식하고 수용해야 한다.
– 대중문화의 지나친 상업성을 경계해야 하며, 소비자의 경우 수동적으로 머무르지 않고 올바른 대중문화 형성을 위해 적극적인 생산자 역할도 수행해야 한다.

4 문화 변동의 요인
자료에서 '문화 변동의 외재적 요인인가?'라는 질문에 대해 B와 D가 '예'이므로 B, D는 각각 직접 전파와 자극 전파 중 하나이다. 또한 '기존에 없었던 문화 요소가 창조된 것인가?'라는 질문에 대해 A와 D가 '예'이므로 A는 발명, B는 직접 전파, C는 발견, D는 자극 전파이다.

선택지 바로 보기

ㄱ. A의 사례로 ○○국에서 최초로 인쇄 기술을 만들어 낸 것을 들 수 있다. (○)
　→ 발명은 한 사회 내에서 없었던 문화 요소를 만들어 내는 것이므로 ○○국에서 최초로 인쇄 기술을 만든 것은 발명에 해당한다.
ㄴ. B는 매개체에 의해 문화 요소가 전달되는 것을 의미한다. (×)
　→ 매개체에 의해 문화 요소가 전달되는 것은 간접 전파이다.
ㄷ. C의 사례로 전기의 발견을 들 수 있다. (○)
　→ 발견은 한 사회 내에서 기존에 있었던 문화 요소를 찾아내는 것으로서 전기는 발견의 사례에 해당한다.
ㄹ. D는 A와 달리 한 사회의 문화적 다양성에 기여한다. (×)
　→ 발명과 자극 전파 모두 기존에 없었던 문화 요소가 창조된 것이므로 한 사회의 문화적 다양성에 기여한다.

5 문화 변동의 요인
제시된 자료에서 갑이 A는 B, C와 달리 내재적 요인에 해당한다고 했으므로 A는 발견이다. 또한 을이 B는 A, C와 달리 새로운 문화 요소를 만들어 낸 것에 해당한다고 했으므로 B는 자극 전파이다. 이에 대해 교사가 모두 옳게 발표했다고 했으므로 A는 발견, B는 자극 전파, C는 간접 전파이다.

오답피하기 ② 다른 사회와의 접촉을 통한 문화 변동 요인은 외재적 요인에 해당하는 내용이다.
④ 사람들 간의 접촉을 통한 문화 변동 요인은 직접 전파이다.
⑤ A, B, C가 자발적으로 이루어지는 문화 변동 요인임은 제시문을 통해 알 수 없다.

BOOK 2

6 문화 접변의 결과

자료에서 A는 한 사회의 문화 요소가 다른 사회의 문화 체계에 흡수되는 것이라고 했으므로 A는 문화 동화이고, B의 사례를 통해 제3의 문화 요소가 만들어지는 B는 문화 융합임을 알 수 있다.

선택지 바로 보기

ㄱ. A를 통해 기존 문화 요소의 정체성은 유지된다. (×)
→ 문화 동화가 나타나면 기존의 문화 요소는 새로운 문화 체계 속에서 흡수되므로 기존 문화 요소의 정체성은 상실된다.

ㄴ. B는 A와 달리 문화 다양성의 유지에 기여한다. (○)
→ 문화 다양성의 유지에 기여하는 것은 새로운 문화 요소가 만들어지는 문화 융합이다.

ㄷ. (가)에는 '서로 다른 사회의 문화 요소가 한 사회 문화 체계 속에 나란히 존재함'이 적절하다. (×)
→ (가)에는 문화 융합의 의미가 들어가야 한다. 서로 다른 사회의 문화 요소가 한 사회 문화 체계 속에 나란히 존재하는 것은 문화 공존이다.

ㄹ. (나)에는 '인디언들의 문화가 백인들에 의해 사라짐'이 적절하다. (○)
→ (나)에는 문화 동화의 사례가 들어가야 한다. 인디언들의 문화가 백인들에 의해 사라진 것은 문화 동화의 사례에 해당한다.

7 문화 접변의 결과

A는 문화 융합, B는 문화 공존, C는 문화 동화이다.
② 문화 융합은 외래문화와 기존의 문화가 결합하여 새로운 성격을 가진 제3의 문화가 나타나는 현상이다.

자료 분석

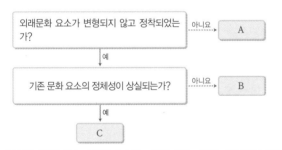

자료에서 '외래문화 요소가 변형되지 않고 정착되었는가'라는 질문에서 이에 해당하는 B, C는 문화 공존 또는 문화 동화 중 하나이며, A는 문화 융합으로 확정된다. 또한 '기존 문화 요소의 정체성이 상실되는가'라는 질문에 대해 '예'에 해당하는 C는 문화 동화, '아니요'에 해당하는 B는 문화 공존이다.

오답 피하기 ③ 문화 공존은 문화 동화에 비해 문화의 다양성 보존에 유리하다.
④ 문화 공존, 문화 동화, 문화 융합은 모두 외재적 요인에 의한 변동 결과이다.
⑤ 문화 공존, 문화 동화, 문화 융합이 모두 자발적 문화 접변에 의해서만 이루어진다고 장담할 수 없다.

8 문화 지체 현상

제시문에서는 배달 앱을 통해 음식을 시켜 먹는 문화가 증가하는데 의도적으로 이러한 앱을 통해 악성 댓글을 다는 문제를 지적하고 있다. 이는 문화 지체 현상이며 문화 지체 현상이란 물질문화의 빠른 변동 속도를 비물질문화의 변동 속도가 뒤따르지 못하여 발생하는 문화 요소 간의 부조화 현상을 의미한다.

오답 피하기 ①, ②, ④, ⑤ 제시문을 통해 파악할 수 없다.

누구나 합격 전략 | 26~27쪽

1 ⑤　　　2 공유성　　　3 갑: 비교론적 관점, 을: 총체론적 관점　　　4 ⑤　　　5 ⑤　　　6 대중 매체가 제공하는 정보를 능동적으로 선별하고 비판적으로 수용하는 자세가 필요하다.　　　7 ④　　　8 ②

1 문화의 의미와 속성

제시문에서 ㉠을 통해 문화의 공유성을 파악할 수 있고, ㉡에서 '토속 신앙 문화'는 넓은 의미의 문화에 해당한다. ㉢을 통해 문화의 전체성을 파악할 수 있고, ㉣을 통해 문화의 변동성을 파악할 수 있다.

오답 피하기 ㄴ. '문화인'에서의 문화는 좁은 의미의 문화에 해당한다.

2 문화의 속성

제시된 두 개의 사례에서 A 부족들이 사냥해 온 짐승을 남성이 먼저 먹고 이를 단백질 보충을 위한 행위로 당연시하고, 외국인들이 우리나라 식사 예절을 이해하는 데 어려움을 겪는 것은 모두 문화의 공유성을 보여주는 사례이다. 문화의 공유성이란 한 사회의 구성원 다수가 공통적으로 가지고 있는 생활 양식으로 사회 구성원의 사고와 행동의 동질성을 형성하게 한다.

3 문화를 바라보는 관점

제시문에서 베트남 관련 연구 주제에 대해 갑은 베트남 국민과 한국 국민의 성향의 공통점과 차이점을 기준으로 연구한다고 했으므로 비교론적 관점을 보이고 있다. 반면, 을은 베트남의 오토바이 문화에 대하여 이 문화가 생기게 된 다양한 사회적 맥락을 바탕으로 연구한다고 했으므로 이는 총체론적 관점을 바탕으로 하고 있음을 알 수 있다.

더 알아보기 총체론적 관점과 비교론적 관점의 의의

총체론적 관점을 통해 문화 현상을 부분적인 측면에서 바라봄으로써 편협하고 왜곡된 이해가 초래되는 것을 방지하는 데 기여할 수 있다. 또한 비교론적 관점을 통해 자기 문화를 보다 객관적이고 명료하게 이해할 수 있다.

4 문화 이해의 태도

자료에서 문화를 평가가 아닌 이해의 대상으로 보는 A는 문화 상대주의이므로 B, C는 각각 자문화 중심주의 또는 문화 사대주의 중 하나이다.

선택지 바로 보기

① A는 B, C와 달리 문화의 다양성을 발전 수준의 차이로 본다. (×)
→ 문화의 다양성을 발전 수준의 차이로 보는 것은 문화 절대주의의 입장인 자문화 중심주의와 문화 사대주의이다.

② B가 타문화 수용에 적극적이라면, C는 A와 달리 자문화의 정체성을 상실할 우려가 높다. (×)
→ 타문화 수용에 적극적이라면, B는 문화 사대주의이다. 자문화의 정체성을 상실할 우려가 높은 것은 문화 사대주의에 대한 내용이다.

③ C가 자문화 중심주의라면, (가)에는 '문화 제국주의로 변질될 가능성이 있는가?'가 적절하다. (×)
→ C가 자문화 중심주의라면, (가)에는 문화 사대주의에 대한 내용이 들어가야 한다. 문화 제국주의로 변질될 가능성이 있는 것은 자문화 중심주의이다.

④ (가)가 '국수주의로 흐를 가능성이 높은가?'라면, B는 모든 문화가 고유한 가치를 지닌다고 본다. (×)
→ 국수주의로 흐를 가능성이 높은 B는 자문화 중심주의이다. 모든 문화가 고유한 가치를 지닌다고 보는 것은 문화 상대주의이다.

⑤ (가)가 '문화적 주체성을 상실할 가능성이 높은가?'라면, C는 자기 문화의 관점으로 타문화를 이해해야 한다고 본다. (○)
→ 문화적 주체성을 상실할 가능성이 높은 것은 문화 사대주의이므로 B는 문화 사대주의이고, C는 자문화 중심주의이다. 자문화 중심주의는 자기 문화의 관점으로 타문화를 이해해야 한다고 본다.

더 알아보기 문화 제국주의

문화 제국주의는 주로 강대국이 주변의 약소국들을 문화적으로 지배하는 것을 의미한다. 문화 제국주의 경향을 가진 강대국들은 세계를 대상으로 자국 문화의 우월함을 드러내거나 문화 산업을 통해 경제적·문화적 지배력을 행사하고자 한다.

5 하위문화의 유형

제시문에서 A 문화는 세대 문화, B 문화는 반문화를 나타낸다.
⑤ 주류 문화의 범주를 어떻게 규정하느냐에 따라 하위문화가 상대적으로 규정된다.

오답 피하기 ① 반문화적 성격을 띠는 것은 B 문화이다.
② 하위문화는 모두 전체 사회에 문화적 다양성을 제공한다.
③ 하위문화는 모두 해당 집단 구성원들의 소속감을 강화시킨다.
④ 하위문화의 총합을 주류 문화라고 할 수 없다.

6 대중문화 수용을 위한 바람직한 자세

제시문에서 뉴미디어가 이윤을 추구하는 기업에 의해 운영되면서

이 플랫폼이 정보의 소비자를 대상으로 해당 플랫폼에서 제공하는 정보를 최대한 많이 소비하도록 유도한다는 점을 강조하고 있다. 더불어 이 과정에서 정보의 소비자인 대중들 역시 본인의 관심사에만 따른 정보를 소비하게 되므로 다양한 관점으로 매체를 접하지 못할 수 있는 부분을 우려하고 있다. 이를 통해 대중문화를 수용할 때 대중 매체가 제공하는 정보를 능동적으로 선별하고 비판적으로 수용하는 것이 중요함을 알 수 있다.

7 문화 변동의 요인과 양상

첫 번째 사례의 A국에서 황토를 이용하여 황토 벽돌을 만든 것은 발명의 사례이다. 그리고 이 원리에서 아이디어를 얻어 황토 찜질방을 만든 것은 2차 발명의 사례이다. 두 번째 사례의 B국에서 이웃 국가의 식민지 생활로 인해 고유의 의복이 이웃 국가의 옷으로 대체된 것은 문화 동화의 사례이다.

오답 피하기 ㄱ. A국에서는 내재적 요인에 의한 문화 변동이 나타났다. 자극 전파는 외재적 요인에 의한 문화 변동이다.
ㄷ. B국에서는 문화 동화 현상이 나타났다.

8 문화 변동의 양상

자료에서 기존 문화 요소의 정체성이 남아 있는 A, B는 각각 문화 융합 또는 문화 공존이므로 C는 문화 동화이다. 또한 새로운 문화가 형성된 것은 문화 융합에만 해당하므로 A는 문화 융합, B는 문화 공존이다.

선택지 바로 보기

ㄱ. A는 문화 융합, B는 문화 공존, C는 문화 동화이다. (○)
→ 자료의 질문에 대한 대답을 분석하면 A는 문화 융합, B는 문화 공존, C는 문화 동화이다.

ㄴ. A는 B, C와 달리 외재적 요인에 의한 문화 변동이다. (×)
→ 문화 공존, 문화 동화, 문화 융합은 모두 외재적 요인에 의한 문화 변동이다.

ㄷ. B의 사례로 한 나라에서 고유 언어와 외래 언어를 공용어로 사용하는 것을 들 수 있다. (○)
→ 한 나라에서 고유 언어와 외래 언어를 공용어로 동시에 사용하는 것은 문화 공존의 사례이다.

ㄹ. B는 A, C와 달리 강제적 문화 접변에 의해 나타난다. (×)
→ 문화 공존, 문화 동화, 문화 융합이 강제적 문화 접변에 의한 결과인지의 여부는 알 수 없다.

| 1 ⑤ | 2 ⑤ | 3 ① | 4 ⑤ | 5 ② | 6 ⑤ |
| 7 ② | 8 ② | 9 ④ | 10 ⑤ | 11 ① | |

01 문화의 의미와 속성

ㄷ. ㉢에는 문화의 변동성이 부각되어 있음을 알 수 있다.

ㄹ. ㉣을 통해 문화의 전체성을 파악할 수 있다.

오답 피하기 ㄱ. '김장 문화'에서의 '문화'는 생활 양식의 총체로서 넓은 의미의 문화에 해당한다.

ㄴ. ㉡을 통해 문화의 공유성을 파악할 수 있다. 문화가 새로운 문화 요소가 추가되어 점점 더 풍부해진다는 것을 보여 주는 것은 문화의 축적성이다.

02 문화의 의미와 속성

제시문에서 '의복 문화'는 넓은 의미의 문화에 해당한다. ㉡을 통해 문화의 속성 중 문화의 공유성을 파악할 수 있고, ㉢에는 문화의 보편성이 나타나 있음을 알 수 있다. 마지막으로 ㉣을 통해 문화의 전체성을 파악할 수 있다.

오답 피하기 ㄱ. '의복 문화'에서의 '문화'는 생활 양식의 총체로서 넓은 의미의 문화에 해당한다.

ㄴ. 문화가 고정되어 있지 않고 변화하는 것임을 보여 주는 것은 문화의 변동성이다.

더 알아보기 문화의 보편성과 특수성

문화의 보편성은 어느 사회에나 문화 현상은 존재하며, 모든 사회의 문화에 공통적으로 나타나는 문화 요소가 존재함을 의미한다. 문화의 특수성은 자연적 조건이나 역사적 배경 등의 차이로 인해 다른 사회와 구분되는 고유한 형태를 보이는 특징을 의미한다.

03 문화를 바라보는 관점

제시문에서 팬데믹 시대에서 나타나고 있는 소비 문화에 대해 갑은 비교론적 관점을, 을은 총체론적 관점을 바탕으로 연구 계획을 세웠음을 알 수 있다.

오답 피하기 ㄷ. 사회적 맥락을 고려하여 문화를 이해하는 데 기여하는 것은 문화를 바라보는 상대론적 관점이다.

ㄹ. 자문화의 객관적인 이해에 기여하는 것은 문화를 바라보는 비교론적 관점이다.

선택지 바로 보기

ㄱ. 갑의 관점은 문화 간의 보편성과 특수성을 파악하고자 한다. (○)

→ 비교론적 관점은 각 문화가 지니는 공통점과 차이점을 바탕으로 문화 간의 보편성과 특수성을 파악하고자 한다.

ㄴ. 을의 관점은 특정 문화 요소를 그 사회의 전체적인 맥락에서 이해하는 데 유용하다. (○)

→ 총체론적 관점은 문화의 각 구성 요소가 상호 유기적인 관계를 맺으면서 하나로서의 전체를 이루고 있다고 본다.

ㄷ. 갑의 관점은 을의 관점과 달리 사회적 맥락을 고려하여 문화를 이해하는 데 기여한다. (×)

→ 문화가 그것이 발생한 사회의 역사적·사회적 맥락 속에서 의미와 가치를 지닌다고 보는 것은 상대론적 관점이다.

ㄹ. 을의 관점은 갑의 관점과 달리 자문화의 객관적인 이해에 기여한다. (×)

→ 서로 다른 문화를 비교하면서 자기 문화를 보다 객관적이고 명료하게 이해할 수 있다고 보는 것은 비교론적 관점이다.

04 문화 이해의 태도

제시문에서 갑의 문화 이해의 태도는 각 문화가 해당 사회의 맥락에서 갖는 고유한 의미에 초점을 두는 문화 상대주의 태도이다.

오답 피하기 ㄴ. 자문화의 정체성 보존에 유리한 태도는 자문화 중심주의이다.

05 문화 이해의 태도

제시문에서 살아있는 황소의 뿔에 불을 붙이는 축제에 대해 갑은 자문화 중심주의, 을은 문화 상대주의 태도임을 파악할 수 있다.

② 자문화 중심주의는 국수주의에 빠져 국제적 고립을 초래할 우려가 있다.

오답 피하기 ① 자문화 중심주의는 문화의 우열을 평가하는 기준이 존재한다고 본다.

③ 자기 문화의 관점으로 타문화를 이해해야 한다고 보는 것은 자문화 중심주의이다.

④ 문화 상대주의는 문화의 다양성을 보존하는 데 유리하다.

⑤ 모든 문화가 가치를 지닌다고 전제하는 것은 문화 상대주의이다.

06 하위문화의 유형

A 문화는 지역 문화, B 문화는 반문화를 나타낸다.

선택지 바로 보기

① A 문화는 B 문화와 달리 전체 사회에 문화 다양성을 제공한다. (×)

→ 지역 문화와 반문화는 모두 하위문화로서 전체 사회에 문화 다양성을 제공한다.

② A 문화를 향유하는 구성원은 주류 문화를 향유하지 않는다. (×)

→ 지역 문화인 하위문화를 향유하는 구성원도 주류 문화를 향유한다.

③ B 문화는 A 문화와 달리 사회에 따라 상대적으로 규정된다. (×)

→ 지역 문화와 반문화는 모두 하위문화로서 이러한 하위문화에 대한 규정은 시대나 사회에 따라 상대적으로 규정된다.

④ A 문화와 B 문화의 총합은 주류 문화이다. (×)

→ 지역 문화와 반문화의 총합을 주류 문화라고 볼 수 없다.

⑤ 사회가 다원화되고 복잡해질수록 A, B 문화는 다양해진다. (○)

→ 사회가 다원화되고 복잡해질수록 일부 구성원들이 공유하는 하위문화는 점점 더 다양해진다.

07 대중문화와 대중 매체

제시문에서는 쌍방향 매체를 통한 대중문화를 접하는 과정에서 나타나는 대중문화의 역기능에 대해 소개하고 있다.

오답 피하기 ① 쌍방향 매체는 정보 생산자와 소비자 간 경계를 모호하게 한다.

③, ④, ⑤ 제시문을 통해 파악할 수 없다.

08 문화 변동

첫 번째 제시문에서 갑국이 TV라는 매개체를 통해 다른 나라의 문화를 접하게 된 것은 간접 전파의 사례이고, 두 번째 제시문에서 을국이 무역을 통해 B국의 향신료를 접하고 여기에 아이디어를 얻어 다양한 양념 가루를 만들게 된 것은 자극 전파의 사례이다.

오답 피하기 ㄴ. 갑국에서 기존의 문화 요소에 새로운 문화 요소가 더해져 만들어진 문화 융합이 나타났는지 여부는 알 수 없다.

ㄹ. 을국이 무역을 통해 B국의 문화 요소를 접하게 된 것은 강제적 문화 접변이 아닌 자발적 문화 접변의 사례이다.

더 알아보기 자극 전파와 문화 융합의 차이점

자극 전파는 타문화에서 아이디어를 얻어 기존에 없었던 새로운 문화 요소가 만들어지는 현상인 데 비해, 문화 융합은 외래문화와 기존의 문화가 결합되어 새로운 문화가 형성되는 현상이라는 점에서 차이가 있다.

09 문화 변동

제시문 (가)에는 기존의 한옥이라는 문화 요소에 서양식 카페가 더해져서 탄생한 문화 융합 사례로서 한옥 카페가 소개되어 있다. 제시문 (나)에는 개화기를 통해 서구식의 의복과 한복이 함께 공존하는 문화 공존의 사례가 나타나 있다.

오답 피하기 ㄱ. (가)에서 간접 전파에 의한 문화 변동은 나타나 있지 않다. 간접 전파는 문화 요소를 제공하는 사회와 수용하는 사회 간에 매개체를 통해 간접적으로 문화 요소가 전달되는 현상이다.

ㄷ. (나)에서는 교역을 통한 문화 공존이 이루어졌으므로 자발적 문화 접변에 의한 문화 변동을 유추할 수 있다.

10 문화 지체 현상

신문 기사 내용을 통해 물질문화인 인터넷 방송은 빠른 속도로 변하는데 이에 대한 규제, 즉 비물질문화의 변동 속도는 따라오지 못하고 있음을 알 수 있다.

오답 피하기 ①, ②, ③, ④ 제시문을 통해 파악할 수 없다.

더 알아보기 문화 지체와 기술 지체

문화 지체 현상이란 물질문화의 빠른 변동 속도를 비물질문화의 변동 속도가 뒤따르지 못하여 나타나는 문화 요소 간의 부조화 현상이다. 반면, 기술 지체는 문화 지체와 반대로 비물질문화의 변화에 물질적 문화 변동이 따라가지 못하는 현상을 말한다. 예를 들어 환경 오염 문제에 대한 경각심은 높아졌지만, 환경 오염 문제를 해결할 기술이 발달하지 못하는 상태가 기술 지체에 해당된다.

11 문화 변동

자료에서 (나)와 (라)는 각각 새로운 문화 요소를 창조하는 요인이라고 했으므로 (나)는 발명, (라)는 자극 전파이다. 그러므로 (가)는 발견, (다)는 간접 전파이다. 문화 접변의 결과 갑국의 경우 변동 전 문화 요소와 을국에서 전파된 문화 요소가 함께 공존하므로 문화 공존이 나타났고, 을국의 경우 자극 전파를 통해 추가된 문화 요소와 기존의 문화 요소가 더해져 새로운 제3의 문화 요소가 만들어졌으므로 문화 융합이 나타났다고 볼 수 있다.

오답 피하기 ㄷ. 갑국과 을국이 모두 문화 접변을 경험하였지만 자발적 또는 강제적 여부는 알 수 없다.

ㄹ. 갑국은 문화 공존, 을국은 문화 융합을 경험했으므로 갑국과 을국 모두 문화 변동 후 자기 문화의 정체성을 유지하였다.

더 알아보기 문화 접변의 결과

문화 공존과 문화 융합은 자기 문화의 정체성을 유지하고 있지만, 문화 동화는 자기 문화의 정체성을 상실하는 경우이다. 문화 융합은 두 문화의 접촉으로 새로운 제3의 문화가 만들어지는 것이나, 문화 공존과 문화 동화는 새로운 제3의 문화가 만들어지는 것은 아니다.

WEEK 2

Ⅳ. 사회 계층과 불평등 ~V. 현대의 사회 변동

DAY 1 개념 돌파 전략 ①
| 34~37쪽

[3강] 사회 불평등 현상의 이해 ~ 사회 이동과 사회 계층 구조

01 계급론 02 기능론 03 수직, 구조적 04 높다 05 개방적
06 모래시계형 07 세대 간

[4강] 다양한 사회 불평등 현상 ~ 현대의 사회 변동

01 사회적 소수자 02 상대적 03 공공 부조, 사회 보험
04 순환론 05 기능론 06 사회 운동 07 높다

DAY 1 개념 돌파 전략 ②
| 38~39쪽

1 ⑤ 2 ③ 3 ④ 4 ⑤ 5 ② 6 ①

1 계급론, 계층론
생산 수단의 소유 여부를 중시하는 A는 계급론, 다양한 요인에 따라 계층을 구분하는 B는 계층론이다.
⑤ 계층론은 계급론과 달리 다양한 요인에 의해 사회 불평등이 발생한다고 보며, 이로 인해 지위 불일치 현상을 설명하기 적합하다.
오답 피하기 ① 계급론은 계층을 불연속적으로 구분한다.
② 계급론은 일원론적 관점으로 계층을 설명한다.
③ 계급론은 계층을 지배 계급과 피지배 계급으로 나누어 이분법적으로 계층화 현상을 설명한다.
④ 계층론은 경제적 요인 뿐만 아니라 다양한 요인들이 사회 불평등에 작용한다고 본다.

2 기능론, 갈등론
사회 불평등이 사회의 발전을 위해 불가피한 현상이라고 바라보고 있다는 점에서 제시된 글에 나타난 사회 불평등 현상을 바라보는 관점은 기능론이다.
ㄴ. 기능론은 차등 보상에 따른 사회 불평등은 개인의 성취동기를 자극하여 사회적 효율성 향상에 기여한다고 본다.
ㄷ. 기능론은 사회적 희소가치의 차등적 분배 기준이 사회적 합의의 결과라고 본다.

오답 피하기 ㄱ. 기능론은 사회 불평등이 불가피한 현상, 갈등론은 제거해야 할 현상이라고 본다.
ㄹ. 기능론은 능력에 따라 계층이 결정된다고 보는 반면, 갈등론은 가정 배경에 따라 계층이 결정된다고 본다.

더 알아보기 사회 불평등 현상을 바라보는 기능론적 관점

기능론의 입장은 계층이 하나의 사회적 필수 요건이라고 주장하는 데이비스와 무어의 진술에서 확인할 수 있다. 데이비스와 무어는 계층은 불평등한 보수가 상이한 사회적 지위들에 배분되는 현상으로서 복잡한 분업을 가진 사회에서 기능적으로 필요하다고 주장하였다. 그들은 사회에서 사회적 역할들은 보기 드문 재능이나 일정 기간의 수련을 요구한다고 지적하면서 한 사회가 효과적으로 기능을 수행하기 위해서는 사회적으로 중요한 역할을 수행하기 위한 재능과 기술을 가진 사람들을 유인하는 어떤 방법을 찾아야 한다고 보았다. 즉 기능론은 희소한 재능이나 장기간의 훈련을 요구하는 역할들은 상당한 정도의 희생, 무거운 책임을 가지는 것이 보통이기 때문에 사회적으로 중요한 역할을 수행하는 사람들에게 경제적 부, 권력, 위세 또는 이들이 적절하게 결합된 보상을 제공해야 한다고 본다. 사회 불평등 현상을 사회에서 보다 중요하다고 생각하는 자리들을 그 사회에서 가장 자격 있는 사람들로 채우기 위해 나타난 사회적 현상으로 보는 것이다.

3 사회 이동
갑의 부모는 가난하였지만 갑은 성공한 CEO가 되었다는 점에서 세대 간 이동을 경험하였으며, 갑의 첫 직업은 배달 기사였지만 갑의 노력으로 성공한 CEO가 되었다는 점에서 개인적 이동과 세대 내 이동을 경험하였다.
오답 피하기 ㄴ. 구조적 이동은 노예제 폐지와 같이 사회 구조적 변화로 인해 초래된 사회 이동을 의미한다.

4 절대적 빈곤, 상대적 빈곤
A는 상대적 빈곤, B는 절대적 빈곤이다.
⑤ 우리나라에서 상대적 빈곤 가구는 가구 소득이 중위 소득의 50%에 미만인 경우이고, 절대적 빈곤 가구는 가구 소득이 최저 생계비 미만인 경우이다.
오답 피하기 ① 상대적 빈곤과 절대적 빈곤 모두 선진국에서도 나타난다.
② 상대적 빈곤과 절대적 빈곤 모두 객관적 기준에 따라 구분되는 빈곤이다.
③ 절대적 빈곤의 기준 금액은 국가에 따라 다르다.
④ 상대적 빈곤과 절대적 빈곤 모두 개발 도상국과 선진국에서 나타날 수 있다.

5 사회 보장 제도
빈곤층의 최저 생활 보장을 목적으로 하는 제도는 공공 부조이다. 따라서 A는 공공 부조, B는 사회 보험이다.
ㄱ. 사회 보험과 공공 부조 모두 금전적 지원을 원칙으로 한다.
ㄷ. 사회 보험은 전 국민을 대상으로 의무 가입을 원칙으로 한다.
오답 피하기 ㄴ. 수혜자가 능력에 따라 비용을 부담하는 사회 보험은

상호 부조의 원리를 바탕으로 한다.

ㄹ. 공공 부조는 소요되는 비용 전액을 재정으로 충당한다.

6 진화론, 순환론

자료 분석

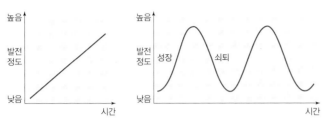

A는 시간의 흐름에 따라 사회 발전의 정도가 낮음에서 높음으로 변화하고 있다. 반면, B는 시간의 흐름에 따라 사회 발전의 정도가 높음과 낮음이 반복되고 있다. 따라서 A는 진화론, B는 순환론에 해당한다.

---

① 진화론은 서구 사회가 진보된 사회이고, 발전된 사회라고 전제하고 있으며 이로 인해 서구 중심적이라는 비판을 받는다.

오답 피하기 ② 순환론은 모든 사회가 언젠가는 멸망한다고 바라본다는 점에서 운명론적 관점이라는 평가를 받는다.

③ 진화론은 사회 변동이 항상 발전의 형태로 나타난다고 본다.

④ 순환론은 현재가 순환 과정 중 어디에 위치하는지 설명하기 어렵다는 점에서 미래의 사회 변동에 대한 예측 및 대응이 어렵다.

⑤ 순환론은 사회가 성장과 쇠퇴의 과정을 반복한다고 본다.

DAY 2 필수 체크 전략 ①

| 40~43쪽

01-1 ㄱ, ㄹ   05-1 ㄱ, ㄷ   06-1 ㄱ, ㄷ
07-1 ㄷ, ㄹ   07-2 ㄴ, ㄹ

01-1 계급론, 계층론

사회 계층화 현상을 계층론은 연속적인 서열화 상태로, 계급론은 불연속적인 서열화 상태로 본다. 따라서 A는 계층론, B는 계급론이다.

ㄱ. 계층론은 다양한 요인에 의해 사회 계층화 현상이 나타난다고 본다.

ㄹ. 계급론은 생산 수단의 소유 여부라는 경제적 요인이 모든 사회 불평등을 결정한다고 본다.

오답 피하기 ㄴ. 계급론은 동일 계층 구성원 간의 연대 의식을 강조한다.

ㄷ. 계층론은 지위 불일치 현상을 설명하기 적합하다.

더 알아보기 지위 불일치 현상

베버는 계급, 위신, 권력상의 위치가 서로 다를 수 있다고 하였다. 계급상으로는 상층이지만 위신이나 권력이 중층 혹은 하층일 수 있는 것이다. 이와 같은 경우를 지위 불일치라고 한다.

05-1 사회 이동

ㄱ. T기에 비해 T+1기에 중층의 비율이 낮아졌다. 중층의 비율이 높을수록 사회가 안정적이므로 T기에 비해 T+1기에 사회 통합의 필요성이 높아졌다.

ㄷ. 하층 인구 대비 중층 인구의 비는 T기가 5/3, T+1기가 3/5로 작아졌다.

오답 피하기 ㄴ. 하층의 비율은 T기에 비해 T+1기에 높아졌으나 T기와 T+1기의 인구가 제시되어 있지 않으므로 인구가 많아졌는지 여부는 알 수 없다.

ㄹ. 상층의 비율은 변화가 없으나 T기에서 T+1기로 오는 과정에서 수직 이동이 발생하였을 수도 있으므로 상층의 구성원에 변화가 없다고 단정할 수 없다.

06-1 사회 이동

갑은 자신의 능력과 노력을 통해 가난을 벗어나 부유한 삶을 누리게 되었다. 갑의 생애 내 이동이라는 점에서 세대 내 이동이고, 갑의 개인적 노력에 의한 이동이라는 점에서 개인적 이동, 하층에서 상층으로의 이동이라는 점에서 상승 이동에 해당한다.

07-1 사회 이동

제시된 자료를 표로 나타내면 다음과 같다.

구분	상층	중층	하층
A국	30%	10%	60%
B국	10%	60%	30%

ㄷ. 상층 대비 하층 인구의 비는 A국이 60/30, B국이 30/10으로 B국이 A국보다 높다.

ㄹ. A국은 중층의 비율이 가장 낮은 모래시계형 계층 구조, B국은 중층의 비율이 가장 높은 다이아몬드형 계층 구조이다.

오답 피하기 ㄱ. 상층의 비율은 A국이 B국보다 높으나, 전체 인구가 제시되어 있지 않으므로 상층 인구의 많고 적음은 알 수 없다.

ㄴ. 사회 통합의 필요성은 양극화가 나타나는 A국이 B국보다 높다.

07-2 사회 이동

제시된 그림을 표로 나타내면 다음과 같다.

구분	상층	중층	하층
t기	20%	60%	20%
t+1기	10%	30%	60%

ㄴ. t+1기와 달리 t기는 중층의 인구 비율이 가장 높으며, 중층 인구 비율이 높을수록 계층 구조는 안정적이다.

ㄹ. t기는 중층의 비율이 가장 높은 다이아몬드형 계층 구조, t+1기는 하층의 비율이 가장 높은 피라미드형 계층 구조가 나타난다.

오답 피하기 ㄱ. t기에 비해 t+1기에 전체 인구가 10% 증가하였기에 하층 인구는 3배보다 더 증가하였다.

ㄷ. t기에서 t+1기 사이 수직 이동이 발생하였을 수도 있기 때문에 t기의 하층이 모두 t+1기의 하층이라 단정할 수 없다.

1 ⑤	2 ⑤	3 ④	4 ③	5 ④
6 ④	7 ②			

1 기능론, 갈등론

기능론은 사회 불평등 현상이 불가피한 현상이라고 본다. 따라서 A는 갈등론, B는 기능론이다.

⑤ 갈등론은 기능적 중요도를 결정하는 주체가 지배 계급으로, 사회적 희소가치의 분배 기준이 사회적 합의에 따른 것이 아니라고 본다.

오답 피하기 ① 기능론은 사회 불평등이 사회 발전에 기여한다고 본다.

② 기능론은 사회적 희소 자원의 분배 기준이 사회적 합의에 따른 것이라고 본다.

③ 갈등론은 개인의 능력, 노력이 아니라 가정 환경에 따라 희소가치가 분배된다고 본다.

④ 갈등론은 개인의 사회적 기여도와 관계없이 가정 환경에 따라 희소가치가 분배된다고 본다.

2 계급론, 계층론

한 명의 학생만 옳지 않으므로 A는 계급론, B는 계층론이 된다. 만약 A가 계층론, B가 계급론이 될 경우 두 명의 학생이 옳지 않게 된다.

ㄷ. 계급론은 계급에 대한 소속감을 중시한다.

ㄹ. 계층론과 계급론 모두 경제적 요인이 사회 불평등 현상의 원인이라고 본다. 다만, 계급론은 계층론과 달리 경제적 요인이 다른 불평등을 결정한다고 본다.

오답 피하기 ㄱ. ㉠은 병이다.

ㄴ. 계층론은 지위 불일치 현상을 설명하기 용이하다.

3 기능론, 갈등론

ㄴ. 기능론의 입장에서 소득의 차등 분배 정도가 높을수록 개인의 성취동기가 높아진다고 본다.

ㄹ. 갈등론의 입장에서 개인이 속한 가족의 계층이 높을수록, 개인의 사회적 계층 수준도 높다고 본다.

오답 피하기 ㄱ. 기능론의 입장에서 소득의 균등 분배 정도가 높을수록 개인의 성취동기가 약해져 사회의 발전 가능성이 낮다고 본다.

ㄷ. 갈등론의 입장에서 개인의 사회적 성공 가능성은 개인의 노력과는 관련이 없다고 본다.

더 알아보기 사회 불평등을 보는 기능론의 비판

완전한 평등을 이루었을 경우, 노동이나 성취 의욕이 저하되는 것은 객관적인 사실이다. 인간은 보다 나은 미래를 위해 노력하는 과정에서 존재와 노동의 이유를 찾는다. 이루어야 할 목표가 상실되는 순간 어느 누구도 최선을 다하려고 하지 않을 것이다. 평등을 지나치게 추구할 경우 보다 능력이 뛰어나고 성취 높은 사람이 오히려 차별을 받아야 하는 사례가 나타나게 된다. 이 경우 뛰어난 능력과 높은 성취를 이룬 사람들이 평등이라는 이름으로 제대로 된 보상을 받지 못하고 오히려 투자한 시간과 비용을 헛되이 날려 버리는 경우가 발생한다.

4 계급론, 계층론

ㄴ. 계층론과 계급론 모두 경제적 요인이 사회 계층화 현상의 원인이라고 본다는 점에서 공통점이 있다.

ㄷ. 계급론은 지배 계급과 피지배 계급으로 이분법적으로 사회 계층화 현상을 구분한다.

오답 피하기 ㄱ. 계층론은 다양한 요인으로 계층이 형성됨을 강조한다는 점에서 지위 불일치 현상을 설명하기 용이하다.

ㄹ. B가 계급론이라면, (가)에는 계층론에 해당하는 내용이 들어갈 수 있다.

5 계층 구조의 특징

A는 피라미드형, B는 다이아몬드형, C는 모래시계형 계층 구조이다.

④ 중층이 몰락하여 나타나는 모래시계형 계층 구조는 중층의 비율이 가장 높은 다이아몬드형 계층 구조에 비해 사회 양극화 문제가 심각하게 나타난다.

오답 피하기 ① 정보 사회에서는 모래시계형 계층 구조가 일반적으로 나타난다.

② 다이아몬드형 계층 구조는 중층의 비율을 기준으로 구분한 것으로, 수직 이동의 여부는 제시된 자료만으로 확인할 수 없다.

③ 봉건적 신분제 사회에서는 피라미드형 계층 구조가 주로 나타난다.

⑤ ㉠은 A이다.

6 계층 구조의 특징

자료 분석

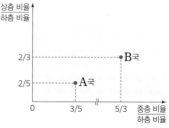

제시된 자료를 바탕으로 A국과 B국의 계층 구성 비율을 나타내면 다음 표와 같다. 모든 사회에서 상층, 중층, 하층 비율의 합은 100%이므로 다음 표와 같이 계산 가능하다.

구분	A국	B국
상층	20%	20%
중층	30%	50%
하층	50%	30%

ㄴ. B국의 계층 구조는 다이아몬드형으로 산업 사회에서 일반적으로 나타난다.

ㄹ. 중층의 비율이 높은 다이아몬드형 계층 구조는 다른 계층 구조에 비해 안정적인 계층 구조로 사회 통합에 유리하다.

오답 피하기 ㄱ. 피라미드형 계층 구조는 봉건 사회에서 주로 나타난다.

ㄷ. 피라미드형 계층 구조와 다이아몬드형 계층 구조는 각 계층별

비율을 기준으로 구분한 것으로 계층 구조의 폐쇄성 여부는 알 수 없다. 피라미드형 계층 구조라 하더라도 계층의 수직 이동이 활발하다면 개방적 계층 구조에 해당한다.

7 계층 이동의 이해

자료 분석

(가) 세대별 계층 간 상대적 비율

(나) 자녀 세대 계층 중 부모 세대와 자녀 세대 계층의 일치 비율

계층	비율(%)
상층	30
중층	40
하층	80

제시된 자료를 바탕으로 부모 세대와 자녀 세대 간 계층 이동 현황을 표로 나타내면 다음과 같다. '자녀 세대 계층 중 부모 세대와 자녀 세대 계층의 일치 비율'의 의미를 정확히 이해하는 것이 중요하다.

		부모 세대			
		상층	중층	하층	계
자녀 세대	상층	6%			20%
	중층		20%		50%
	하층			24%	30%
	계	10%	30%	60%	100%

ㄱ. 위 표에서 음영으로 표시된 부분은 세대 간 계층이 대물림된 경우이다. 따라서 전체 100%에서 계층이 대물림된 경우를 뺄 경우 세대 간 이동을 경험한 비율을 50%를 계산할 수 있다.

ㄹ. 부모 세대 계층 중 부모 세대와 자녀 세대 계층의 일치 비율은 상층이 6/10, 중층이 20/30, 하층이 24/60으로 중층이 가장 높다.

오답 피하기 ㄴ. 세대 간 계층이 이동한 비율은 전체의 50%, 세대 간 계층이 대물림된 비율 또한 전체의 50%이다.

ㄷ. 부모 세대의 계층 구조는 피라미드형, 자녀 세대의 계층 구조는 다이아몬드형이다.

DAY 3 필수 체크 전략 ① | 46~49쪽

01-1 ㄱ, ㄹ　　04-1 ㄱ, ㄷ　　05-1 ㄱ, ㄷ　　08-1 ㄱ, ㄷ

01-1 절대적 빈곤, 상대적 빈곤

제시문에 나타난 빈곤 개념은 상대적 빈곤이다.

ㄱ, ㄹ. 우리나라에서는 가구 소득이 중위 소득의 50%에 미치는 못하는 경우를 상대적 빈곤 가구로 규정하고 있으며, 객관적 기준으로 평가되는 빈곤이라 할 수 있다.

오답 피하기 ㄴ. 국가에 따라 구분하는 기준은 서로 다르다.

ㄷ. 주관적으로 빈곤감을 느끼는 것과는 별개로 중위 소득의 50%라는 객관적 기준으로 구분하는 빈곤이다.

04-1 사회 보장 제도

수혜자의 비용 부담이 없는 B는 재정으로 전액 충당하는 공공 부조이고, A는 사회 보험이다.

ㄱ. 사회 보험은 능력에 따라 비용을 부담한다는 점에서 상호 부조의 성격을 가진다.

ㄷ. 공공 부조와 사회 보험 모두 금전적 지원을 원칙으로 한다.

오답 피하기 ㄴ. 사회 보험은 전국민을 대상으로 강제 가입을 원칙으로 한다.

ㄹ. 공공 부조는 사후 처방적 성격이 강하다.

05-1 순환론, 진화론

(가)는 시간의 흐름에 따라 발전 정도가 높아진다고 본다는 점에서 진화론, (나)는 시간의 흐름에 따라 발전 정도의 높고 낮음이 반복된다고 본다는 점에서 순환론에 해당한다.

ㄱ. 진화론은 사회 변동을 발전과 진보로 이해한다.

ㄷ. 순환론은 중장기적 사회 변동을 설명하기 적합하다.

오답 피하기 ㄴ. 순환론은 모든 사회가 결국 쇠퇴한다고 바라본다는 점에서 운명론적 관점에 해당한다.

ㄹ. 진화론은 사회 변동이 발전과 변화라는 일정한 방향으로 나타난다고 본다.

더 알아보기 슈펭글러와 순환론

서구는 고대-중세-근대로 올수록 진보한다는 믿음에 기초한 역사관을 발전시켜 왔다. 이는 서구 중심적 시각을 강화하면서 비서구 문화들을 미개한 문화로 규정하기에 이르렀다. 독일 철학자 슈펭글러는 이에 반기를 들면서 세계 전체의 역사와 그 구조를 통찰할 것을 제안했다. 그에 따르면 세계는 다양한 문화들의 총합이며 각 문화들은 고유한 정체성을 가지는 유기체이디. 이 유기체들은 생성, 성장, 쇠퇴, 소멸의 과정을 거치며 순환, 반복하는 자연 구조에 바탕을 두고 있다. 따라서 문화란 끝없이 발전하며 팽창하는 것이 아니라 정점을 넘어서면 쇠퇴와 몰락으로 이어진다. 결국 그는 문화 발전의 최종 단계에 이른 서구 문명은 몰락의 길에 접어들었다고 주장했다.

08-1 정보 사회

비대면 접촉의 비중은 정보 사회가 산업 사회에 비해 높다. 따라서 A는 정보 사회, B는 산업 사회이다.

ㄱ, ㄷ. 산업 사회는 정보 사회에 비해 직업이 다양하지 않아 직업의 동질성이 높으며, 재택근무가 일반적이지 않아 가정과 일터의 분리 정도가 높다.

오답 피하기 ㄴ. 사회의 다원화 정도는 정보 사회가 산업 사회보다 높다.

ㄹ. 정보 사회는 지식과 정보가 부가가치 창출의 원천이 되는 사회이다.

- 부가가치를 창출하는 원천으로서 지식과 정보가 중시됨
- 재택근무의 확산으로 가정과 직장의 통합이 확대됨
- 면대면 접촉이 감소하고 사이버 공간을 통해 사회적 관계를 맺는 양상이 증가함
- 전자 민주주의의 발달로 직접 민주 정치의 실현 가능성이 증가함
- 탈관료제화, 쌍방향 통신 매체의 발달로 의사 결정의 분권화 경향이 강화됨

DAY 3 필수 체크 전략 ②

50~51쪽

| 1 ④ | 2 ③ | 3 ④ | 4 ② | 5 ⑤ |
| 6 ⑤ | 7 ② | 8 ① | | |

1 절대적 빈곤, 상대적 빈곤

절대적 빈곤은 생존에 필요한 최소한의 자원이 결핍된 상태로 A는 절대적 빈곤, B는 상대적 빈곤이다.

④ 상대적 빈곤은 사회 구성원 다수가 누리는 생활 수준을 누리지 못하는 상태로 해당 사회의 소득 분포를 고려하여 파악한다.

오답 피하기 ① 소득 수준이 높은 국가에서도 절대적 빈곤은 나타난다.

②, ③ 절대적 빈곤과 상대적 빈곤 모두 주관적 인식이 아니라 객관적 기준에 의한 빈곤이다.

⑤ 상대적 박탈감은 주관적인 인식으로 절대적 또는 상대적 빈곤 상태라고 하더라도 느끼지 않을 수 있고, 절대적 또는 상대적 빈곤 상태가 아니라도 느낄 수 있다.

2 사회적 소수자

제시된 두 사례에서 공통적으로 파악할 수 있는 내용은 사회적 소수자를 구분하는 기준이 절대적이지 않으며 상대적이라는 점이다.

오답 피하기 ① 첫 번째 사례에서는 수적 우위, 열위 여부가 나타나 있지 않다.

② 여성과 민족은 선천적 요인에 해당한다.

④, ⑤ 사회적 소수자는 권력의 열위에 있어 차별받는 집단이다.

3 성 불평등

ㄴ. 제시된 수치가 클수록 남성 근로자의 평균 임금과 여성 근로자의 평균 임금의 차이가 커진다. 2010년에 비해 2020년에 A국과 B국 모두 제시된 수치가 감소하였다. 즉, 성별 상대적 임금 격차가 감소한 것이다.

ㄹ. 여성 근로자의 평균 임금은 변화가 없는데, 성별 임금 격차가 감소한 것은 남성 근로자의 평균 임금이 감소함을 의미한다.

오답 피하기 ㄱ. 제시된 수치는 남성 근로자 평균 임금 대비 여성 근로자 평균 임금의 상대적 차이를 보여주는 것으로, A국과 B국의 임금 규모를 비교할 수 없다.

ㄷ. 2020년에 A국과 B국의 여성 근로자의 평균 임금이 같다면, 남성 근로자 평균 임금은 성별 임금 격차가 더 큰 A국이 B국보다 높다.

4 사회 보장 제도

사회 보험은 능력에 따라 비용을 부담한다는 점에서 상호 부조의 성격을 띠고 있다. 따라서 A는 사회 보험, B는 공공 부조이다.

ㄱ, ㄷ. 사회 보험은 전 국민을 대상으로 강제 가입을 원칙으로 하며, 사전에 위험을 대비한다는 점에서 사전 예방적 성격이 강하다.

오답 피하기 ㄴ. 공공 부조는 전액 정부의 재정으로 운영된다.

ㄹ. 사회 보험과 공공 부조 모두 금전적 지원을 원칙으로 한다.

한 공동체나 집단에 속하는 구성원들끼리 서로 돕는 것을 의미한다. 사회 보험은 가입자 중에서 사회적 위험에 처한 사람이 있을 때 가입자끼리 서로 돕는 원리를 바탕으로 한다는 점에서 상호 부조의 원리를 기반으로 하는 제도이다.

---

5 사회 보장 제도

사후 처방적 성격이 강한 (가)는 공공 부조, (나)는 사회 보험이다.

ㄷ. 능력에 따라 비용을 부담하는 제도는 사회 보험이다. (나)의 수급자 비율이 가장 높은 지역의 수급자 비율은 6.4%로 6.0%를 초과한다.

ㄹ. 선별적 복지의 성격이 강한 제도는 공공 부조이다. A~C지역 인구를 각 1,000명이라 할 경우 (가)에서 수급자 수는 A지역 28명, B지역 60명, C지역 32명으로 B지역 수급자 수가 A지역과 C지역 수급자 수의 합과 같다.

오답 피하기 ㄱ. 강제 가입의 원칙이 적용되는 제도는 사회 보험이다. (나)의 B지역 수급자 비율은 6.2%이다.

ㄴ. 상호 부조의 원리가 적용되는 제도는 사회 보험이다. (나)의 수급자 비율은 C지역이 가장 높으나, 각 지역의 인구가 제시되어 있지 않기 때문에 수급자 수를 비교할 수 없다.

6 진화론, 순환론

순환론은 사회가 퇴보할 수 있다고 본다. 따라서 A는 순환론, B는 진화론이다.

⑤ 진화론은 순환론과 달리 사회 변동이 진보와 발전이라는 일정한 방향으로 나타난다고 본다.

오답 피하기 ① 진화론은 서구 사회가 진보된 사회라고 전제하며 이로 인해 서구 중심적이라는 비판을 받는다.

② 진화론은 사회 변동이 항상 발전을 의미한다고 본다.

③ 사회가 항상 발전한다고 보기에 사회 변동 방향에 대한 예측이 용이한 것은 진화론이다.

④ 순환론은 모든 사회가 쇠퇴한다고 본다는 점에서 운명론적 관점에 해당한다.

07 정보 사회

ㄱ. 정보 확산의 속도는 '정보 사회>산업 사회'이다.

ㄷ. 사회의 다원화 정도는 '정보 사회>산업 사회'이고, 구성원 간 익명성 또한 '정보 사회>산업 사회'이다.

오답 피하기 ㄴ. 대면 접촉의 비중은 '산업 사회>정보 사회'이다.

ㄹ. 일터와 가정의 결합 정도는 '정보 사회>산업 사회'이고, 관료제 조직의 비중은 '산업 사회>정보 사회'이다.

8 고령화 사회

자료 분석

구분	T년	T+10년	T+20년
노년부양비	10	20	30
유소년부양비	30	20	10

제시된 전제에 따르면 15~64세 인구는 변화가 없다. 15~64세 인구를 100명이라 가정하여 제시된 공식에 대입하면 T년~T+20년의 연령대별 인구를 나타내면 다음과 같다.

구분	T년	T+10년	T+20년
0~14세	30명	20명	10명
15~64세	100명	100명	100명
65세 이상	10명	20명	30명

ㄱ. 유소년 인구는 T년 30명에서 T+10년 20명, T+20년 10명으로 감소하고 있다.

ㄴ. 65세 이상 인구는 T년 10명에서 T+20년 30명으로 3배 증가하였다.

오답 피하기 ㄷ. 전체 인구는 제시된 기간 중 140명으로 변화가 없다.

ㄹ. 0~14세 인구 대비 65세 이상 인구의 비는 T년 1/3, T+20년 3으로 T+20년이 T년보다 크다.

누구나 합격 전략

| 52~53쪽 |

| 1 ② | 2 ⑤ | 3 ⑤ | 4 ⑤ |
| 5 ④ | 6 ③ | 7 ② | 8 ⑤ |

1 계급론, 계층론

생산 수단의 소유 여부를 기준으로 사회 계층화를 설명하는 이론은 계급론이다. 따라서 A는 계급론, B는 계층론이다.

ㄱ. 계급론은 동일 계급 내의 계급 의식을 강조한다.

ㄷ. 계급론은 계층 간의 위계가 불연속적이고, 계층론은 계층 간의 위계가 연속적이라 본다.

오답 피하기 ㄴ. 계층론은 여러 요인에 따라 계층이 발생한다고 보므로 지위 불일치 현상을 설명하기 용이하다.

ㄹ. 계급론은 일원론적 관점으로 경제적 불평등이 모든 불평등을 결정한다고 본다.

더 알아보기 계급 의식

계급론에서 같은 계급에 속한 구성원 간에 발생하는 강한 소속감과 연대 의식을 의미한다. 계급 의식은 같은 계급 구성원 간에는 협동과 연대를 발생시키지만 다른 계급 구성원에 대해서는 적대적인 태도로 나타난다.

2 기능론, 갈등론

사회 불평등 현상을 기능론은 불가피한 현상으로, 갈등론은 제거해야 할 현상으로 본다. 따라서 A는 기능론, B는 갈등론이다.

⑤ 기능론은 사회 불평등으로 인해 구성원의 성취동기가 자극되고, 사회가 효율적으로 운영되며 결과론적으로 사회 발전이 가능하다고 본다.

오답 피하기 ①, ④ 기능론은 개인의 능력에 따라, 갈등론은 능력과 무관하게 가정 환경에 따라 희소가치가 분배된다고 본다.

② 희소가치의 분배 기준에 대해 기능론은 사회적 합의의 결과라고 보고, 갈등론은 지배 집단의 이익을 대변한다고 본다.

③ 기능론은 차등 분배가 구성원의 성취동기를 자극한다고 본다.

3 계층 구조

자료 분석

(단위: %)

구분	갑국	을국	병국
A 계층	10	20	40
B 계층	30	60	10
C 계층	60	20	50

갑국의 계층 구조가 피라미드형이라고 전제하고 있다. 피라미드형 계층 구조는 하층의 비율이 가장 높고, 상층의 비율이 가장 낮으므로 A계층은 상층, B계층은 중층, C계층은 하층임을 알 수 있다. 따라서 을국은 다이아몬드형 계층 구조, 병국은 모래시계형 계층 구조임을 알 수 있다.

ㄷ. 사회 양극화는 중층의 비율이 가장 낮은 모래시계형 계층 구조에서 심각하게 나타난다.

ㄹ. 하층 대비 상층 인구의 비는 갑국이 1/6, 을국이 1, 병국이 4/5로 을국이 가장 높다.

오답 피하기 ㄱ. 병국의 계층 구조는 모래시계형이다.

ㄴ. 사회 통합의 필요성은 중층의 비율이 가장 높은 을국보다 하층의 비율이 가장 높은 갑국이 더 크다.

4 사회 이동

사회 이동은 이동 원인에 따라 개인적 이동과 구조적 이동으로, 이동 방향에 따라 수직 이동, 수평 이동으로 구분된다. 갑의 사례는 구조적 이동, 수직 이동에 해당한다. 따라서 A는 구조적 이동, B는 개인적 이동, C는 수직 이동, D는 수평 이동이다.
⑤ 평범한 회사원에서 CEO가 된 경우는 개인적 이동이자 수직 이동에 해당한다.

5 빈곤

사회의 일반적인 수준보다 희소가치를 상대적으로 적게 소유한 상태는 상대적 빈곤이다. 따라서 A는 상대적 빈곤, B는 절대적 빈곤이다.
④ 상대적 빈곤은 중위 소득의 50%를 기준으로, 절대적 빈곤은 최저 생계비를 기준으로 구분한다. 즉, 두 빈곤 모두 객관적 지표에 의해 구분된다.

오답 피하기 ③ A와 B 모두 주관적으로 느끼는 빈곤 상태에 해당하지 않는다.
⑤ 상대적 박탈감은 절대적 빈곤과 상대적 빈곤 모두 직접적인 관련이 없다. 부유층이라고 하더라도 자신보다 더 많은 부를 소유한 사람에게 상대적 박탈감을 느낄 수도 있는 것이다.

6 사회 보장 제도

공공 부조는 전액 재정으로 비용을 부담한다. 따라서 A는 사회 보험, B는 공공 부조이다.

선택지 바로 보기

① A는 사후 처방적 성격이 강하다. (×)
→ 사회 보험은 사전 예방적, 공공 부조는 사후 처방적 성격이 강하다.
② B는 강제 가입을 원칙으로 한다. (×)
→ 사회 보험은 강제 가입을 원칙으로 한다.
③ A와 달리 B는 선별적 복지 이념에 부합한다. (○)
→ 사회 보험은 보편적 복지 이념에, 공공 부조는 선별적 복지 이념에 부합한다.
④ ㉠에는 '비금전적 지원을 원칙으로 함'이 들어갈 수 있다. (×)
→ 사회 보험과 공공 부조 모두 금전적 지원을 원칙으로 한다.
⑤ ㉡에는 '수혜 정도에 따라 비용 부담'이 들어갈 수 있다. (×)
→ 사회 보험은 능력의 정도에 따라 비용을 부담한다.

7 진화론, 순환론

진화론은 사회가 단순한 사회에서 복잡한 형태로 발전한다고 본다. 따라서 A는 진화론, B는 순환론이다.
ㄱ. 진화론은 사회 변동이 발전과 진화의 형태로 나타난다고 본다.
ㄷ. 순환론은 현재가 순환 과정에서 어디에 위치하는지 알지 못하기 때문에 앞으로의 변화 방향에 대한 예측 및 대응이 진화론에 비해 어렵다.

오답 피하기 ㄴ. 진화론은 서구 사회가 발전된 사회라고 전제하고 있으므로 서구 중심적이라는 비판을 받는다.
ㄹ. 진화론은 사회 변동이 발전과 변화라는 일정한 방향을 가지고 있다고 본다.

더 알아보기 순환론의 한계

순환론은 운명론적 시각을 견지함으로써 숙명과 같은 불가사의한 힘을 너무 강조한 나머지 사회 변동에 대응하는 인간의 노력을 과소평가한다는 점에서 비판을 받는다.

8 정보 사회

직업의 분화 정도는 다양한 직업이 등장하는 정보 사회가 산업 사회에 비해 높으며, 면대면 접촉의 비중은 인터넷이 발달한 정보 사회가 산업 사회에 비해 낮다. 따라서 A는 정보 사회, B는 산업 사회이다.
ㄷ. 산업 사회는 인터넷 공간에서의 교류가 활성화된 정보 사회에 비해 구성원 간의 익명성이 낮다.
ㄹ. 정보 사회는 인터넷의 발달로 인하여 정보 확산의 시공간적 제약이 낮다.

오답 피하기 ㄴ. 정보 사회는 재택근무로 인하여 가정과 일터의 결합 정도가 상대적으로 높다.

창의·융합·코딩 전략 | 54~57쪽

01 ②	02 ④	03 ①	04 ②	05 ②	06 ④
07 ②	08 ④	09 ⑤	10 ④	11 ⑤	12 ②
13 ③	14 ⑤	15 ⑤	16 ②		

01 계급론, 계층론

갑과 병의 진술은 모두 계층론에 해당하는 옳은 내용이다. 따라서 한 사람만 옳지 않기 위해서는 B가 계층론이고, 을의 진술이 옳지 않아야 한다.
ㄱ. 계급론은 동일 계층 구성원 간의 연대 의식, 즉 계급 의식을 중시한다.
ㄷ. ㉠에는 옳지 않은 내용이 들어가야 한다. 계층론과 계급론 모두 사회 불평등 현상의 원인으로 경제적 요인을 고려하기 때문에 A와 다른 B의 특징이라는 교사 질문의 답으로 옳지 않다.

오답 피하기 ㄴ. 계급론은 생산 수단의 소유 여부를 기준으로 지배 계급과 피지배 계급을 구분한다.
ㄹ. 옳지 않게 응답한 사람은 '을'이다.

02 계급론, 계층론

자료 분석

구분		위신		
		상층	중층	하층
재산	상층	갑	을	
	중층		병	정
	하층			무

구분		권력		
		상층	중층	하층
재산	상층	갑		
	중층	을	병	
	하층		정	무

갑은 재산·위신·권력 측면에서 모두 상층, 병은 재산·위신·권력 측면에서 모두 중층, 무는 재산·위신·권력 측면에서 모두 하층이다. 반면, 을과 정의 경우 재산·위신·권력의 측면에서 나타낸 계층 수준이 서로 다르다. 즉, 이와 같이 각각의 기준에 따라 계층 수준이 다른 경우를 지위 불일치라고 한다.

ㄴ. 각 기준에서 측정한 계층이 서로 다른 을과 정은 지위 불일치 상태에 해당한다.

ㄹ. 병은 권력 측면에서도 중층, 재산 측면에서도 중층에 해당한다.

오답 피하기 ㄱ. 표는 상층·중층·하층으로 계층의 위계가 구분되고, 재산·권력·위신으로 계층을 구분하고 있다는 점에서 계층론의 입장에서 계층을 나타내고 있다.

ㄷ. 갑은 재산·권력·위신 모두 상층에 해당하나, 경제적 요인이 다른 불평등을 결정했다고 보기 어렵다. 계급론은 경제적 요인이 다른 불평등을 결정한다고 보고 있으나, 제시된 자료는 계급론으로 설명하기 어렵다.

더 알아보기 계급론과 계층론에 대한 비판

계급론을 비판하는 입장에서는 계급론이 사회 불평등 현상을 지나치게 단순화하고 경제적 요인에 다른 불평등 요인이 종속된다고 단정 짓는다고 본다. 노동자 계급 내에서 발생하는 연대 의식도 명확하지 않거나 나타나지 않는 경우도 있다고 본다. 반면에 계층론을 비판하는 입장에서는 상층, 중층, 하층 등으로 계층적 위치를 나누는 기준이 모호하며, 사회 불평등 현상을 결정하는 가장 근본적인 원인은 경제 측면에 있음에도 사회 불평등 현상을 세 가지 요인으로 나누어 분석하는 것은 사회 불평등 현상의 근본적인 원인을 경시하는 것이라고 본다.

03 계급론, 계층론

A는 생산 수단의 소유 여부를 기준으로 사회 계층을 구분한다는 점에서 계급론, B는 사회 계층을 연속적으로 구분한다는 점에서 계층론이다.

ㄱ. 계급론은 지배 계급과 피지배 계급 간 동일 계층 구성원 간의 귀속 의식을 중시한다.

ㄴ. 여러 가지 요인으로 사회 계층을 구분한다는 점에서 계층론은 지위 불일치 현상을 설명하기 용이하다.

오답 피하기 ㄷ. 계급론은 계층을 지배 계급과 피지배 계급으로 이분화하여 설명한다.

ㄹ. 계층론은 사회 계층을 상층, 중층, 하층과 같이 연속적으로 나타나는 서열화로 설명한다.

04 기능론, 갈등론

갑은 사회에의 기여 정도에 따른 불평등의 필요성을 강조하고 있다는 점에서 기능론, 을은 직업 간 중요도라는 것이 지배 계급에 의해 규정되었음을 강조한다는 점에서 갈등론에 해당한다.

ㄱ. 기능론은 사회 불평등이 사회 발전을 위해 불가피한 현상이라고 본다.

ㄷ. 기능론은 사회적으로 합의된 기준에 따라 희소가치가 분배된다고 본다.

오답 피하기 ㄴ. 기능론은 희소가치를 균등하게 분배할 경우 구성원의 성취동기가 저하된다고 본다.

ㄹ. 갈등론은 능력과 노력이 아니라 가정 환경에 따라 희소가치가 분배된다고 본다.

05 기능론, 갈등론

성과 만큼 대우를 받는다는 점과 불평등이 구성원의 성취동기를 자극한다고 바라본다는 점에서 갑과 을의 관점은 기능론에 해당한다.

ㄱ, ㄷ. 기능론은 사회 불평등이 자원을 효율적으로 배분하여 사회의 유지와 발전에 기여한다고 보며, 차등적 보상 체계가 구성원 개개인에게 성취동기를 부여하여 사회의 효율적 작동에 기여한다고 본다.

오답 피하기 ㄴ. 기능론은 사회 불평등 현상이 보편적이며 불가피한 현상이라고 본다.

ㄹ. 기능론은 사회적 희소가치가 사회적으로 합의된 기준에 따라 분배된다고 본다.

더 알아보기 사회 불평등을 보는 기능론에 대한 갈등론의 비판

사회 불평등은 개인의 성취동기를 오히려 감소시키고 성취를 위한 시도를 포기시킬 수 있다. 따라서 사회 불평등은 사회적 효율성을 증대시키기보다 사회 갈등과 사회 문제를 유발하는 측면이 더 강하다. 또한 적재적소에 인재를 배치하는 것도 지배 계층이 설정한 기준에 따른 것이거나, 지배 계층의 이해관계에 부합하는 행위일 뿐이다. 개인의 능력과 노력을 객관적으로 측정하여 차별을 정당화할 만큼 객관적인 지표는 존재하지 않는다.

06 사회 불평등 현상

자료 분석

한국	160
영국	157
프랑스	150
핀란드	148
캐나다	142
노르웨이	128
뉴질랜드	117

자료는 고졸 노동자의 임금을 1000이라 하였을때 대졸 노동자의 임금을 상대적으로 나타낸 것이다. 따라서 제시된 수치는 절대적 값이 아니기에 각국 대졸 노동자의 임금 규모를 비교할 수 없다.

ㄴ. 제시된 수치가 클수록 고졸 노동자의 임금에 비해 대졸 노동자의 임금 규모가 많음을 의미한다. 한국의 수치가 가장 크므로 학력에 따른 임금 격차는 한국이 가장 크다.

ㄹ. 대졸 노동자의 임금이 같다면 고졸 노동자의 임금은 임금 격차가 가장 큰 한국이 가장 작을 것이다.

오답 피하기 ㄱ. 제시된 수치는 상대적 값으로 국가별 대졸 노동자 임금 규모는 비교할 수 없다.

ㄷ. 제시된 모든 나라에서 고졸 노동자에 비해 대졸 노동자의 임금 규모가 많다.

07 계층 이동

자료 분석

(단위: %)

구분		부모			계
		상층	중층	하층	
자녀 세대	상층	7	7	2	16
	중층	4	27	5	36
	하층	2	17	29	48
계		13	51	36	100

세대 간 상승 이동한 경우는 부모 중층-자녀 상층, 부모 하층-자녀 상층, 부모 하층-자녀 중층인 경우로 전체의 14%이다. 세대 간 하강 이동한 경우는 부모 상층-자녀 중층, 부모 상층-자녀 하층, 부모 중층-자녀 하층인 경우로 전체의 23%이다. 반면, 세대 간 이동하지 않은 경우는 상층-상층 7%, 중층-중층 27%, 하층-하층 29%이다.

② 세대 간 상승 이동한 경우는 전체의 14%이고, 세대 간 하강 이동한 경우는 전체의 23%이다. 모든 부모의 자녀의 수가 1명으로 동일하므로 세대 간 하강 이동한 자녀의 수가 더 많다.

오답 피하기 ① 세대 간 이동하지 않은 경우는 상층이 7%, 중층이 27%, 하층이 29%로 총 63%이다. 따라서 세대 간 이동한 경우는 37%로 세대 간 이동하지 않은 자녀가 이동한 자녀보다 많다.

③, ④ 부모 세대는 다이아몬드형 계층 구조, 자녀 세대는 피라미드형 계층 구조로 자녀 세대에서 사회 통합의 필요성이 높아졌다.

⑤ 자녀 세대 계층 중 부모 세대와 계층이 일치하는 사람의 비율은 상층이 7/16, 중층이 27/36, 하층이 29/48로 상층이 가장 낮다.

08 빈곤

A는 가구 소득이 최저 생계비 수준에 미치지 못하는 가구로 절대적 빈곤, B는 가구 소득이 중위 소득의 일정 비율에 미치지 못하는 가구로 상대적 빈곤이다.

④ 최저 생계비가 중위 소득의 일정 비율보다 높으면, 절대적 빈곤 가구가 상대적 빈곤 가구보다 많으며, 모든 상대적 빈곤 가구는 절대적 빈곤 가구에 속하게 된다.

오답 피하기 ② 상대적 빈곤은 개발 도상국과 선진국 모두에서 나타난다.

③ 상대적 빈곤과 절대적 빈곤 모두 최저 생계비와 중위 소득이라는 객관화된 지표에 의해 구분되는 빈곤 개념이다.

⑤ 최저 생계비가 중위 소득의 일정 비율보다 낮으면, 절대적 빈곤 가구보다 상대적 빈곤 가구가 많다.

상대적 빈곤과 상대적 박탈감은 모두 다른 사람들과의 비교를 전제로 한다는 점에서 공통점이 있다. 또한 상대적 빈곤 상태에 있는 사람이 상대적 박탈감을 느낄 가능성이 높다는 점에서 두 개념은 밀접한 관련을 맺고 있다. 하지만 상대적 빈곤은 소득이 중위 소득 50% 미만인 상태와 같이 객관적 결핍 상태를 가리키고, 상대적 박탈감은 결핍에 대한 개인의 주관적 감정을 가리킨다는 점에서 두 개념은 차이가 있다.

09 빈곤

갑국의 절대적 빈곤율은 2020년 10.2%, 2021년 10.9%이고, 상대적 빈곤율은 2020년 9.0%, 2021년 9.8%이다. 그리고 총가구수는 2020년에 비해 2021년에 증가하였다.

⑤ 2021년에 상대적 빈곤율보다 절대적 빈곤율이 높다. 따라서 가구 소득이 최저 생계비에 미치지 못하는 절대적 빈곤 가구가, 중위 소득의 50%에 미치지 못하는 상대적 빈곤 가구보다 많다.

오답 피하기 ① 절대적 빈곤율과 상대적 빈곤율 모두 2020년 보다 2021년에 높아졌다. 즉, 소득 불평등은 심화되었다.

②, ③ 상대적 빈곤율과 절대적 빈곤율이 모두 높아지고, 총가구가 증가했기에 상대적 빈곤 가구 수와 절대적 빈곤 가구 수는 모두 2020년에 비해 2021년에 증가하였다.

④ 2020년 절대적 빈곤율이 상대적 빈곤율보다 높다. 따라서 상대적 빈곤 가구는 모두 절대적 빈곤 가구에 해당한다.

10 사회 보장 제도

㉠이 속한 유형은 소득 인정액이 기준 소득 이하를 대상으로 한다는 점에서 공공 부조에 해당하며, ㉡이 국민 건강 보험이라는 점에서 ㉡이 속한 유형은 사회 보험이다.

ㄴ. 공공 부조는 전액 정부의 재정으로 필요 비용을 충당한다.

ㄹ. 공공 부조는 저소득층을 대상으로 인간적 생활의 보장을 도모한다는 점에서 사후 처방적, 사회 보험은 위험을 사전에 예방하고자 한다는 점에서 사전 예방적 성격이 강하다.

오답 피하기 ㄱ. 사회 보험은 능력에 따라 비용을 부담한다는 점에서 상호 부조의 원리를 바탕으로 한다.

ㄷ. 사회 보험은 수혜자가 수혜 정도가 아니라, 수혜자의 능력에 따라 비용을 부담한다.

11 사회 보장 제도

자료 분석

2022-134호 ○○고등학교	가정통신문	

교육 급여 수급자 선정 기준이 변경되었습니다.

새 기초 생활 보장 제도의 시행으로 교육 급여 수급자 선정 기준이 최저 생계비에서 중위 소득 50%로 변경되었습니다.

1. 가구원 수에 따른 교육 급여 지급 기준액이 모든 가구에서 이전보다 상향 조정되었습니다. (예를 들어, 4인 가구의 경우 기준액이 2015년 최저 생계비인 167만 원에서 2015년 중위 소득 50%인 211만 원으로 높아졌습니다.)

자료에 제시된 사회 보장 제도는 대상자의 기준이 중위 소득의 50%이다. 즉, 전 국민을 대상으로 한 사회 보장 제도가 아니라 저소득층을 대상으로 하는 사회 보장 제도라는 점에서 공공 부조에 해당한다.

⑤ 공공 부조는 사회 구성원 전체가 아니라 소득 수준이 낮은 일부만을 대상으로 한다는 점에서 선별적 복지 이념을 바탕으로 한다.

오답 피하기 ① 공공 부조는 사후 처방적 성격을 가진다.

② 공공 부조와 달리 사회 보험은 강제 가입의 원칙이 적용된다.

③ 공공 부조는 전액 재정으로 비용을 충당한다.

④ 사회 보험은 능력에 따라 비용을 부담한다는 점에서 상호 부조의 원리가 적용된다.

더 알아보기 보편적 복지와 선별적 복지

보편적 복지는 자격과 조건을 따지지 않고 모든 국민에게 복지 서비스를 제공하는 것을 말한다. 사회 보험은 모든 국민을 대상으로 하는데, 국민 누구나 질병, 실직, 고령 등으로 인해 노동 기회를 상실할 수 있기 때문이다. 따라서 사회 보험은 보편적 복지 이념을 바탕으로 한다. 이에 반해 선별적 복지는 국민이 낸 세금을 재원으로 하여 빈민과 저소득층 등 일정한 기준이나 조건에 부합하는 자만을 선정하여 복지 혜택을 제공하는 것을 말한다. 공공 부조는 생활 유지 능력이 없거나 생활이 어려운 국민을 대상으로 한다는 점에서 선별적 복지 이념을 바탕으로 한다.

12 사회 보장 제도

제시된 사회 보장 제도는 일정 소득 이하를 대상으로 한다는 점에서 공공 부조에 해당한다.

ㄱ, ㄷ. 공공 부조는 빈곤층의 최저 생활 보장을 목적으로 하며, 정부의 재정으로 소요 비용을 부담한다.

오답 피하기 ㄴ. 제시된 자료는 최저 생계비 150% 이하의 절대적 빈곤 가구를 대상으로 한다.

ㄹ. 상호 부조를 통해 사회 통합의 실현을 추구하는 사회 보장 제도는 사회 보험이다.

13 인구 문제

자료 분석

구분	2010년	2020년
0~14세 인구	20	10
15~64세 인구	70	78
65세 이상 인구	10	12

총인구의 변화가 없다고 전제하고 있으므로 2010년과 2020년의 총인구를 100명이라 가정할 경우 65세 이상 인구 및 0~14세 인구는 제시된 자료를 통해 도출할 수 있으며, 총인구가 100명이기에 15~64세 인구도 계산할 수 있다.

ㄴ. 15~64세 인구는 70명에서 78명으로 증가하였다.

ㄷ. 총인구 대비 0~14세 인구의 비는 2010년이 20/100, 2020년이 10/100으로 하락하였다.

오답 피하기 ㄱ. 0~14세 인구는 20명에서 10명으로 감소하였다.

ㄹ. 15~64세 인구 대비 65세 이상 인구의 비는 2010년 10/70, 2020년이 12/78로 하락하였다.

14 정보 사회

사회 변동의 속도는 정보 사회가 산업 사회보다 빠르다. 따라서 A는 정보 사회, B는 산업 사회이다.

ㄷ. 정보 사회에서는 사회 변화에 따라 다양한 직업이 등장한다. 이로 인해 직업의 동질성은 산업 사회가 정보 사회보다 높다.

ㄹ. 가정과 일터의 결합 정도는 재택근무가 확대되는 정보 사회가 산업 사회보다 높다.

오답 피하기 ㄱ. 정보 사회에서는 비대면 접촉 비중이, 산업 사회에서는 면대면 접촉 비중이 상대적으로 높다.

ㄴ. 구성원 간 익명성은 인터넷을 기반으로 한 정보 사회가 산업 사회보다 높다.

15 정보 사회

(가)에서는 젊은 세대에 비해 노년층에서 IT 기기를 잘 다루지 못하는 모습이, (나)에서는 경제적 수준에 따라 정보에의 접근에 차이가 나타나는 모습이 나타나 있다.

⑤ 두 사례 모두 정보에의 접근 및 활용 능력에 있어 연령과 경제적 수준에 따라 차이가 나타나고 있음을 보여주고 있다.

16 정보 사회

ㄱ. (가)는 정보 사회가 진행되면서 계층 간 정보화 수준의 차이가 줄어들고 있다. 즉, 정보 격차가 완화되고 있다.

ㄷ. (나)는 정보 사회가 진행되면서 계층 간 정보화 수준의 차이가 확대되고 있다. 즉, 정보 격차가 확대됨에 따라 사회 양극화가 심화되고 중층이 몰락하여 모래시계형 계층 구조가 나타날 수 있다.

오답 피하기 ㄴ. (가)의 경우 정보 격차가 완화되고 있다. 따라서 사회 양극화가 심화될 것이라고 보기 어렵다.

ㄹ. 정보 기기의 보급이 확대될 경우 계층 간 정보 격차는 완화될 것이다.

신유형·신경향 전략

60~63쪽

01 ④	**02** ①	**03** ③	**04** ⑤	**05** ④
06 ⑤	**07** ②	**08** ⑤		

01 문화의 의미와 속성

밑줄 친 ㉠을 통해 문화의 속성 중 문화의 공유성, ㉢을 통해 문화의 전체성, ㉺을 통해 문화의 변동성을 유추해 볼 수 있다.

오답 피하기 ① 문화를 통해 시간의 흐름에 따라 그 형태와 내용이 변화함을 보여주는 것은 문화의 변동성이다.

② ㉡과 ㉣은 모두 물질문화에 해당한다.

③ '음식 문화'에서의 '문화'는 생활 양식의 총체로서 넓은 의미의 문화이다.

⑤ 사회 구성원 간 원활한 상호 작용의 토대가 됨을 보여주는 것은 문화의 공유성이다.

02 문화 변동의 요인과 양상

제시문 (가)에서는 인터넷 방송을 통해 옥수수를 이용한 조리 방법을 접하게 되었으므로 이는 간접 전파에 해당한다. 제시문 (나)에서는 을국의 패션 디자이너들이 비닐에서 아이디어를 얻어 세계 최초로 비닐을 활용한 옷을 발명했으므로 이는 내재적 요인에 의한 문화 변동 요인이다.

오답 피하기 ② (나)에서는 내재적 요인에 의한 문화 변동이 나타났다.

③ 내재적 요인에 의해 문화가 변동된 것은 (나)에 나타나 있다.

④ 기존에 없었던 새로운 문화 요소가 만들어진 것은 (가)와 (나) 모두에 해당한다.

⑤ (나)의 경우 내재적 요인에 의한 문화 변동이므로 문화 접변이라고 볼 수 없다.

03 계급론, 계층론

생산 수단의 소유 여부를 기준으로 사회 불평등 현상을 설명하는 이론은 계급론이다. 따라서 A는 계급론, B는 계층론이다.

병. 계급론은 경제적 불평등이 다른 모든 불평등을 결정한다고 본다.

오답 피하기 갑. 계층론은 계급론과 달리 구성원 간 연속적으로 서열 관계가 나타난다고 본다.

을. 계급론은 계층론과 달리 수직 이동이 극히 제한적으로 나타난다고 본다.

정. 계급론은 계층론과 달리 동일 계층 구성원 간의 연대 의식이 뚜렷하다고 본다.

무. 계급론과 계층론 모두 경제적 요인에 의해 사회 불평등이 발생한다고 본다.

04 사회 보장 제도

ㄷ. 강제 가입을 원칙으로 하는 사회 보장 제도는 사회 보험이다. 총소득에서 사회 보험에 의한 급여가 차지하는 비율은 2분위가 42%, 1분위가 31%로 2분위가 1분위보다 높다.

ㄹ. 정부의 재정으로 충당하는 사회 보장 제도는 공공 부조로 국민 기초 생활 보장 급여이다. 총소득에서 국민 기초 생활 보장 급여가 차지하는 비율은 1분위가 38%로 가장 높다.

오답 피하기 ㄱ. 사후 처방적 성격이 강한 사회 보장 제도는 공공 부조로 국민 기초 생활 보장 급여이다. 국민 기초 생활 보장 급여는 1분위와 2분위 가구에만 제공되고 있다.

ㄴ. 상호 부조의 성격이 강한 제도는 사회 보험이다. 1분위에서는 총소득에서 국민 기초 생활 보장 급여가 차지하는 비율이 가장 높다.

05 문화 이해의 태도

수행 평가 과제를 분석하면 A는 문화 사대주의, B는 자문화 중심주의, C는 문화 상대주의임을 알 수 있다.

자료 분석

[수행 평가 과제]

학생	과제 내용
갑	A와 구분되는 B의 특징 3가지 서술하기
을	B와 구분되는 C의 특징 3가지 서술하기
병	C와 구분되는 A의 특징 3가지 서술하기

[각 학생의 서술 및 교사의 채점 결과]

학생	서술 내용	점수
갑	1. 문화를 이해가 아닌 평가의 대상으로 본다. 2. 자기 문화의 주체성 형성에 도움이 된다. 3. 국수주의로 변질될 수 있다는 비판을 받는다.	2점
을	1. 문화의 다양성 확보에 유리하다. 2. 문화를 해당 사회의 맥락에서 이해한다. 3. 모든 문화가 동등한 가치를 지닌다고 본다.	3점
병	1. 자문화의 고유성을 상실할 우려가 높다. 2. 문화 제국주의로 변질될 가능성이 높다. 3. (가)	1점

* 교사는 각 서술 내용별로 채점하고, 서술 하나가 맞을 때마다 1점씩 부여함.

제시된 수행 평가 자료에서 갑의 경우 A와 구분되는 B의 특징을 3가지 서술해야 한다. 갑의 서술 내용 중 1번은 자문화 중심주의와 문화 사대주의에 동시에 해당하고, 2, 3번은 자문화 중심주의에 해당하는 내용이다. 점수가 2점이므로 1번을 제외한 2, 3번을 정답으로 인정 받은 것을 알 수 있다. 따라서 B는 자문화 중심주의임을 알 수 있다.

을의 경우 점수가 3점인데 서술 내용 1, 2, 3이 모두 문화 상대주의에 대한 내용이므로 C가 문화 상대주의임을 알 수 있다.

병의 경우 문화 사대주의인 A의 특징을 써야 하는데 1점을 받았다. 서술 내용 중 1번이 문화 사대주의에 대한 내용이므로 (가)에는 문화 사대주의에 대한 내용이 들어가면 안 된다.

오답 피하기 ㄷ. 자문화를 다른 사회에 이식하는 것을 당연시하는 것은 자문화 중심주의이다.

06 하위문화

자료에서 '기존 문화에 저항하는 특징을 보이는 문화인가?'라는 질문으로 A와 C를 구분할 수 있다고 했으므로 A, C 중 하나는 반문화이다. 또한 '한 사회 내에서 일부 구성원만 공유하는 문화인가?'라는 질문으로 B와 C를 구분할 수 없다고 했으므로 A가 주류 문화임을 알 수 있다. 따라서 B는 하위문화, C는 반문화이다.

선택지 바로 보기

① A는 반문화, B는 하위문화, C는 주류 문화이다. (×)
  → A는 주류 문화, B는 하위문화, C는 반문화이다.
② 모든 B는 C에 해당한다. (×)
  → 모든 반문화는 하위문화에 해당한다.
③ B는 C와 달리 전체 사회에 문화 다양성을 제공한다. (×)
  → 하위문화와 반문화는 모두 전체 사회에 문화 다양성을 제공한다.
④ B와 C의 총합은 A이다. (×)
  → 하위문화와 반문화의 총합을 주류 문화라고 할 수 없다.
⑤ (가)에는 '해당 문화에 속하는 것을 구분하는 기준이 상대적인가?'가 들어갈 수 있다. (○)
  → (가)에는 주류 문화와 하위문화를 구분할 수 없는 질문이 들어가야 한다. 주류 문화와 하위문화는 모두 해당 문화에 속하는 것을 구분하는 기준이 상대적이다.

07 정보 사회의 특징

사회 조직의 관료제화 정도는 산업 사회기 정보 사회보다 높다. 따라서 A는 산업 사회, B는 정보 사회이다. (가)의 경우 산업 사회보다 정보 사회에서 높게 나타나는 특징, (나)에는 정보 사회보다 산업 사회에서 높게 나타나는 특징이 들어갈 수 있다.

선택지 바로 보기

ㄱ. (가)에는 가정과 일터의 결합 정도가 들어갈 수 있습니다. (○)
  → 정보 사회의 경우 재택근무의 활성화로 가정과 일터의 결합 정도가 산업 사회에 비해 높다.
ㄴ. (가)에는 사회적 관계를 맺는 공간적 제약의 정도가 들어갈 수 있습니다. (×)
  → 정보 사회는 인터넷의 발달로 사회적 관계를 맺는 공간적 제약의 정도가 산업 사회에 비해 낮다.
ㄷ. (나)에는 정보 생산자와 소비자 간의 경계가 들어갈 수 있습니다. (○)
  → 정보 사회는 쌍방향 미디어의 발달로 정보 생산자와 소비자 간의 경계가 산업 사회에 비해 낮다.
ㄹ. (나)에는 다품종 소량 생산 방식의 비중 정도가 들어갈 수 있습니다. (×)
  → 산업 사회는 소품종 대량 생산 방식이, 정보 사회는 다품종 소량 생산 방식이 일반적이다.

더 알아보기 산업 사회와 정보 사회의 조직 특성 비교

산업 사회	정보 사회
・과업 중심의 수직적 관계가 중시된다. ・조직 관리 및 업무 보고, 지시 등에 업무 시간이 주로 할애된다. ・한정되고 명시된 책임과 의무가 부여된다. ・엄격한 분업을 통해 업무가 처리된다.	・수평적인 네트워크와 의사소통이 중시된다. ・창의적이고 생산적인 의사 결정에 업무 시간이 주로 할애된다. ・목적 중심으로 전반적인 책임과 의무가 부여된다. ・탄력적인 업무 처리가 가능하다.

08 사회 변동 이론

자료 분석

질문	답변 갑	답변 을
A는 사회가 단순한 형태에서 복잡한 형태로 발전한다고 보는가?	예	아니요
B는 흥망성쇠를 거듭한 국가의 사례를 설명하기에 적합한가?	아니요	예
B는 A와 달리 사회 변동이 일정한 방향성을 가지고 있다고 보는가?	예	㉠
(가)	아니요	예
점수	3점	2점

* 교사는 각 질문별로 채점하고, 답변 하나가 맞을 때마다 1점씩 부여함.

A가 진화론, B가 순환론이라고 가정할 경우 제시된 3가지 질문에서 갑이 얻은 점수는 1점으로 (가)에 들어가는 질문과 관계없이 갑은 3점을 얻지 못한다. 따라서 A는 순환론, B는 진화론으로 특정할 수 있다.

ㄷ. A가 순환론, B가 진화론일 경우 첫 번째 질문에 대한 을의 응답은 옳으며 1점을 얻으나, 두 번째와 네 번째 질문에 대한 응답은 옳지 않다. 따라서 을이 2점을 얻기 위해서는 ㉠에는 옳은 응답이 들어가야 한다.

ㄹ. (가)에는 '아니요'라는 응답이 옳은 질문이 들어가야 한다. 서구 제국주의 역사를 정당화하는 수단으로 악용될 수 있는 이론은 진화론이다.

오답 피하기 ㄱ. 순환론은 현 시점이 순환 주기 중 어디에 위치하는지 알 수 없기 때문에 앞으로의 변화 양상을 예측하고 대응하기 어렵다는 한계가 있다.

ㄴ. 순환론은 운명론적 관점으로 사회 변동을 바라보며 이로 인해 사회 변동에 작용하는 인간의 자율성을 과소평가한다는 비판을 받는다.

더 알아보기 진화론

진화론에 따르면 사회 변동은 일정한 방향성을 가지고 있으며, 변동은 곧 진보를 의미한다. 일정한 방향성을 갖는다는 것은 단순 사회로부터 보다 복잡하고 분화된 사회로 옮겨 간다는 의미이며, 진보한다는 것은 변동을 통해 보다 나은 문명 사회로 나아간다는 것을 의미한다. 이러한 진화론은 다윈의 『종의 기원』을 바탕으로 하는 것으로, 모든 생물체가 단순한 것에서 복잡한 것으로 진화해 나가는 과정을 인간 사회의 변동 과정에 적용한 것이다.

| 01 ① | 02 ① | 03 ④ | 04 ③ | 05 ② | 06 ③ | 07 ④ | 08 ④ | 09 ⑤ | 10 ② | 11 ⑤ | 12 ③ | 13 ② | 14 ④ |
| 15 ③ | 16 ④ | | | | | | | | | | | | |

01 문화의 의미

그림은 질문을 통해 A, B를 구분한 것이다. 이에 대한 옳은 설명만을 | 보기 |에서 고른 것은? (단, A와 B는 각각 넓은 의미의 문화와 좁은 의미의 문화 중 하나이다.)

넓은 의미의 문화 ◀

'청소년 문화'를 예로 들 수 있는가? ──예──▶ Ⓐ

│아니요   │아니요

Ⓑ ◀──예── (가)

┗▶ 좁은 의미의 문화   ┗▶ 좁은 의미의 문화에 해당하는 질문이 들어가야 함

┌ 보기 ┐
ㄱ. A는 생활 양식의 총체를 의미한다.
ㄴ. B는 평가적 의미를 내포한다.
ㄷ. A의 또 다른 사례로 '문화인'을 들 수 있다.
ㄹ. (가)에는 '정신적, 예술적으로 높은 수준에 도달한 것으로 인식하는가?'가 들어갈 수 없다.

① ㄱ, ㄴ   ② ㄱ, ㄷ   ③ ㄴ, ㄷ
④ ㄴ, ㄹ   ⑤ ㄷ, ㄹ

출제 의도 파악하기

자료를 통해 넓은 의미의 문화와 좁은 의미의 문화를 구분할 수 있다.

> **문제 해결 Point 쏙쏙** ★★
> • 세련되고 고급스러운 것 → 좁은 의미의 문화
> • 생활 양식의 총체 → 넓은 의미의 문화

선택지 바로 알기

ㄱ. A는 생활 양식의 총체를 의미한다.
   ┗ 청소년 문화와 같은 문화는 넓은 의미의 문화이다.
ㄴ. B는 평가적 의미를 내포한다.
   ┗ 좁은 의미의 문화는 평가적 의미를 내포한다.
ㄷ. A의 또 다른 사례로 '문화인'을 들 수 있다.
   ┗ '문화인'에서의 문화는 좁은 의미의 문화에 해당한다.
ㄹ. (가)에는 '정신적, 예술적으로 높은 수준에 도달한 것으로 인식하는가?'가 들어갈 수 없다.
   ┗ 정신적, 예술적으로 높은 수준에 도달하는 것은 좁은 의미의 문화에 대한 내용이므로 (가)에 들어갈 수 있다.

02 문화의 의미

다음은 문화의 의미에 대한 갑, 을의 대화이다. 이에 대한 옳은 설명만을 | 보기 |에서 고른 것은?

┌─────────────────────────────┐
│ 갑: 문화란 과거 제국주의 시절에 '미개'와 대비되는 의미로 │
│   사용되었듯이 더 진보한 것을 의미합니다. ─▶ 좁은 의미의 문화 │
│ 을: 아닙니다. 문화란 특정한 분야나 세련된 것, 진보한 것 │
│   뿐만 아니라 삶의 방식 자체를 의미합니다. ─▶ 넓은 의미의 문화 │
└─────────────────────────────┘

┌ 보기 ┐
ㄱ. 갑은 문화를 문명과 동일한 의미로 본다.
ㄴ. 갑은 문화에 평가적 의미가 내포되어 있다고 본다.
ㄷ. 인간의 모든 행동은 을이 말하는 문화에 포함된다.
ㄹ. 을이 말하는 문화는 좁은 의미의 문화에 해당한다.

① ㄱ, ㄴ   ② ㄱ, ㄷ   ③ ㄴ, ㄷ
④ ㄴ, ㄹ   ⑤ ㄷ, ㄹ

출제 의도 파악하기

문화의 좁은 의미와 넓은 의미를 이해한다.

> **문제 해결 Point 쏙쏙** ★★
> • 미개와 대비되는 것, 더 진보한 것 → 좁은 의미의 문화
> • 삶의 방식 자체 → 넓은 의미의 문화

선택지 바로 알기

ㄷ. 인간의 모든 행동은 을이 말하는 문화에 포함된다.
   ┗ 인간의 모든 행동은 문화에 포함되지 않는다.
ㄹ. 을이 말하는 문화는 좁은 의미의 문화에 해당한다.
   ┗ 을이 말하는 문화는 넓은 의미의 문화에 해당한다.

03 문화의 속성

다음 글에서 부각되는 문화의 속성에 대한 진술로 가장 적절한 것은?

> 최근 전염병이 장기화되면서 재택근무를 하는 사람이 늘어나며 업무 문화에도 변화가 생겼다. 특히 집에서 머무르며 일하는 시간이 늘어나면서 재택근무용 가구 판매, 음식 배달 사업, 온라인 회의 플랫폼 개발 등이 함께 영향을 받고 있다.

업무 문화의 변화로 인해 재택근무용 가구 판매, 음식 배달 사업, 온라인 회의 플랫폼 개발 등이 연쇄적으로 영향 받은 것은 문화의 전체성을 보여 줌

① 선천적이기보다는 후천적으로 습득된다.
② 새로운 문화 요소가 추가되면서 전승된다.
③ 특정 상황에서 상대방의 행동 방식을 예측하게 한다.
④ 하나의 전체 속에서 다른 것들과 관련을 맺으며 존재한다.
⑤ 새로운 특성이 추가되거나 기존의 특성이 소멸되기도 한다.

출제 의도 파악하기
제시문을 통해 문화의 속성 중 전체성이 부각되었음을 파악할 수 있다.

문제 해결 Point 쏙쏙 ★★

> 문화 요소들의 상호 유기적 결합
> ▼
> 부분이 아닌 전체로서의 생활 양식
> ▼
> 한 부분의 변동이 다른 부분의
> 연쇄적 변동 초래

선택지 바로 알기

① 선천적이기보다는 후천적으로 습득된다.
　└ 문화의 학습성에 대한 설명이다.
② 새로운 문화 요소가 추가되면서 전승된다.
　└ 문화의 축적성에 대한 설명이다.
③ 특정 상황에서 상대방의 행동 방식을 예측하게 한다.
　└ 문화의 공유성에 대한 설명이다.
④ 하나의 전체 속에서 다른 것들과 관련을 맺으며 존재한다.
　└ 문화의 전체성에 대한 설명이다.
⑤ 새로운 특성이 추가되거나 기존의 특성이 소멸되기도 한다.
　└ 문화의 변동성에 대한 설명이다.

04 문화 이해의 관점

(가), (나)에 나타난 문화 이해의 관점에 대한 옳은 설명만을 l 보기 l에서 고른 것은?

> (가) 섬나라인 A국의 각 섬에서 나타나는 각기 다른 특징을 보이는 장례 형태를 공통점과 차이점을 바탕으로 연구하였다. ▶ 비교론적 관점
> (나) 사람이 죽으면 수목장을 하는 B 부족의 장례 문화를 그들의 종교 제도, 경제 제도, 가족 제도 등 다양한 요인들과 관련지어 연구하였다. ▶ 총체론적 관점

┌ 보기 ┐
ㄱ. (가)의 관점은 문화에 대한 편협하고 왜곡된 이해를 방지하는 데 기여한다.
ㄴ. (나)의 관점은 문화 요소 간의 연관성을 강조한다.
ㄷ. (가)의 관점은 (나)의 관점과 달리 자기 문화를 객관적으로 이해하는 데 유용하다.
ㄹ. (가), (나)의 관점은 모두 다른 문화를 거울삼아 자기 문화를 파악하는 데 유용하다.

① ㄱ, ㄴ　　　② ㄱ, ㄷ　　　③ ㄴ, ㄷ
④ ㄴ, ㄹ　　　⑤ ㄷ, ㄹ

출제 의도 파악하기
총체론적 관점과 비교론적 관점의 연구 방법을 이해한다.

문제 해결 Point 쏙쏙 ★★
• 개별 문화가 가진 공통점과 차이점을 연구 → 비교론적 관점
• 다양한 요인들과 관련지어 연구 → 총체론적 관점

선택지 바로 알기

ㄱ. (가)의 관점은 문화에 대한 편협하고 왜곡된 이해를 방지하는 데 기여한다.
　└ 문화에 대한 편협하고 왜곡된 이해를 방지하는 데 기여하는 것은 총체론적 관점의 특징이다.
ㄹ. (가), (나)의 관점은 모두 다른 문화를 거울삼아 자기 문화를 파악하는 데 유용하다.
　└ 다른 문화를 거울삼아 자기 문화를 파악하는 데 유용한 관점은 비교론적 관점이다.

다음과 같이 A~C를 구분할 때, 이에 대한 질문에 모두 옳게 응답한 학생은? (단, A~C는 각각 문화 사대주의, 문화 상대주의, 자문화 중심주의 중 하나이다.)

▶ A: 문화 상대주의

> '문화를 우열 평가의 대상으로 간주하는가?'라는 질문으로 B와 C를 구분할 수 없다. 그리고 '자기 문화의 정체성을 상실할 우려가 큰가?'라는 질문으로 A와 B를 구분할 수 있다.

▶ B: 문화 사대주의, C: 자문화 중심주의

질문 \ 학생	갑	을	병	정	무
A는 C와 달리 각 사회의 문화가 동등한 가치를 지닌다고 보는가?	○	○	×	○	×
B는 A와 달리 타문화의 장점을 객관적으로 인식하는 데 기여하는가?	○	×	○	×	×
B는 C와 달리 외부 문화의 수용에 적극적인가?	×	○	○	×	○
C는 A와 달리 문화의 다양성 보존에 기여하는가?	×	×	×	○	×

(예: ○, ×: 아니요)

① 갑　　② 을　　③ 병　　④ 정　　⑤ 무

출제 의도 파악하기

단서를 통하여 문화 사대주의, 문화 상대주의, 자문화 중심주의를 구분하고 이에 대한 특징을 파악할 수 있다.

문제 해결 Point 쏙쏙 ★★

• 문화를 우열 평가의 대상으로 간주하는 문화 이해 태도: 자문화 중심주의, 문화 사대주의
• 문화 이해의 대상: 문화 상대주의
• 자기 문화의 정체성을 상실할 우려가 큰 문화 이해 태도: 문화 사대주의

선택지 바로 알기

• A는 C와 달리 각 사회의 문화가 동등한 가치를 지닌다고 보는가?
  ↳ 각 사회의 문화가 동등한 가치를 지닌다고 보는 것은 문화 상대주의이다.
• B는 A와 달리 타문화의 장점을 객관적으로 인식하는 데 기여하는가?
  ↳ 타문화의 장점을 객관적으로 인식하는 데 기여하는 것은 문화 상대주의이다.
• B는 C와 달리 외부 문화의 수용에 적극적인가?
  ↳ 외부 문화의 수용에 적극적인 것은 문화 사대주의이다.
• C는 A와 달리 문화의 다양성 보존에 기여하는가?
  ↳ 문화의 다양성 보존에 기여하는 것은 문화 상대주의이다.

갑, 을의 문화 이해 태도에 대한 옳은 설명만을 ㅣ보기ㅣ에서 고른 것은?

▶ 자문화 중심주의

> • 갑은 외국의 시골로 여행을 갔다가 강에서 빨래를 하고, 그 옆에서는 목욕을 하는 한 부족의 모습을 보고 자국의 시골 문화에 비해 현저히 뒤떨어지는 문화라고 생각하였다.
> • 을은 외국인 친구 병으로부터 그 나라에서 만들어진 만화책을 접하게 된 후, 만화의 기술이나 내용에 감동을 받으며 무조건 병이 사는 나라의 만화 기술을 수용해야 한다고 주장하였다. ▶ 문화 사대주의

┌ 보기 ┐
ㄱ. 갑의 태도는 자문화의 정체성을 상실할 우려가 있다는 비판을 받는다.
ㄴ. 갑의 태도는 국수주의로 변질될 수 있다는 비판을 받는다.
ㄷ. 을의 태도는 외부 문화의 수용에 적극적이다.
ㄹ. 을의 태도는 갑의 태도와 달리 문화를 우열 평가의 대상으로 간주한다.
└────────┘

① ㄱ, ㄴ　　② ㄱ, ㄷ　　③ ㄴ, ㄷ
④ ㄴ, ㄹ　　⑤ ㄷ, ㄹ

출제 의도 파악하기

자문화 중심주의와 문화 사대주의의 특징을 파악할 수 있다.

문제 해결 Point 쏙쏙 ★★

• 자국의 시골 문화에 비해 현저히 뒤떨어지는 문화라고 생각 → 자문화 중심주의
• 무조건 병이 사는 나라의 만화 기술을 수용해야 한다고 주장 → 문화 사대주의

선택지 바로 알기

ㄱ. 갑의 태도는 자문화의 정체성을 상실할 우려가 있다는 비판을 받는다.
  ↳ 자문화의 정체성을 상실할 우려가 있다는 비판을 받는 것은 문화 사대주의이다.
ㄹ. 을의 태도는 갑의 태도와 달리 문화를 우열 평가의 대상으로 간주한다.
  ↳ 문화를 우열 평가의 대상으로 간주하는 것은 자문화 중심주의와 문화 사대주의이다.

다음 대화에 대한 설명으로 옳은 것은? (단, A~C는 각각 자문화 중심주의, 문화 사대주의, 문화 상대주의 중 하나이다.)

교사: 지난 시간에 배운 A, B, C에 대해 발표해 볼까요?

갑: A, C는 B와 달리 문화 간에 우열이 존재한다고 봅니다.
　　　↳ 문화 상대주의　　↳ 자문화 중심주의,
　　　　　　　　　　　　　　문화 사대주의

을: 외국 브랜드에 대한 맹목적인 선호 문화는 A에 해당합니다.　　↳ 문화 사대주의

병: 국수주의를 초래할 가능성이 높은 것은 C에 해당합니다.
　　　↳ 자문화 중심주의

정: _____ (가) _____

교사: 모두 옳게 발표하였습니다.

① A는 자문화 중심주의, B는 문화 상대주의, C는 문화 사대주의이다.
② A는 집단 구성원의 결속력을 높이는 데 기여한다.
③ B는 문화의 다양성 확보에 불리하다.
④ C는 문화 제국주의로 변질될 수 있다는 비판을 받는다.
⑤ (가)에는 'B는 A, C와 달리 타문화를 그 문화 향유자의 입장에서 이해하고자 합니다.'가 들어갈 수 없다.

출제 의도 파악하기

자료를 통해 자문화 중심주의, 문화 사대주의, 문화 상대주의를 구분하고 각각의 특징을 파악할 수 있다.

문제 해결 Point 쏙쏙 ★★
• 문화의 우열을 평가하는 태도 → 자문화 중심주의, 문화 사대주의
• 문화를 이해하는 태도 → 문화 상대주의

선택지 바로 알기

② A는 집단 구성원의 결속력을 높이는 데 기여한다.
　↳ 집단 구성원의 결속력을 높이는 데 기여하는 것은 자문화 중심주의이다.

③ B는 문화의 다양성 확보에 불리하다.
　↳ 문화 상대주의는 문화의 다양성 확보에 유리하다.

⑤ (가)에는 'B는 A, C와 달리 타문화를 그 문화 향유자의 입장에서 이해하고자 합니다.'가 들어갈 수 없다.
　↳ 문화 상대주의는 자문화 중심주의와 문화 사대주의와 달리 그 문화 향유자의 입장에서 이해하고자 하므로 (가)에 들어갈 수 있는 내용이다.

문화 이해의 태도 (가)~(다)에 대한 옳은 설명만을 | 보기 |에서 있는 대로 고른 것은?
　↳ 자문화 중심주의　　↳ 문화 사대주의

┌─────────────────────────────────┐
│ (가) 와 (나) 는 문화 간 우열이 존재한다는 │
│ 점에선 유사하지만 (가) 는 다른 사회의 문화에 대 │
│ 해 배타적 태도를 취할 가능성이 높다. 한편 (다) 는 │
│ 모든 문화가 동등한 가치를 지닌다고 본다. │
│ 　　　　　　　　↳ 문화 상대주의 │
└─────────────────────────────────┘

┌ 보기 ┐
ㄱ. (가)는 자문화 중심주의, (나)는 문화 사대주의, (다)는 문화 상대주의이다.
ㄴ. (가)는 국수주의를 초래할 우려가 있다.
ㄷ. (나)는 (가)와 달리 문화를 평가의 대상으로 본다.
ㄹ. (다)는 문화 다양성 유지에 기여한다.
└─────────────────────────────────┘

① ㄱ, ㄴ　　　② ㄱ, ㄷ　　　③ ㄷ, ㄹ
④ ㄱ, ㄴ, ㄹ　　⑤ ㄴ, ㄷ, ㄹ

출제 의도 파악하기

자문화 중심주의, 문화 사대주의, 문화 상대주의의 특징을 구분할 수 있다.

문제 해결 Point 쏙쏙 ★★
• 문화 간 우열이 존재 → 자문화 중심주의, 문화 사대주의
• 모든 문화가 동등한 가치를 지님 → 문화 상대주의

선택지 바로 알기

ㄷ. (나)는 (가)와 달리 문화를 평가의 대상으로 본다.
　↳ 문화를 평가의 대상으로 보는 것은 자문화 중심주의와 문화 사대주의이다.

개념 +

문화 상대주의는 문화를 우열 평가가 아닌 이해의 대상으로 간주하며, 각 문화가 해당 사회의 맥락에서 갖는 고유한 의미를 이해하고 존중하려는 태도이다.

A~C에 대한 설명으로 옳은 것은? (단, A~C는 각각 반문화, 주류 문화, 반문화의 성격이 없는 하위문화 중 하나이다.)

> ┌→주류 문화
> A는 한 사회 구성원들이 전반적으로 공유하는 문화를 의미한다. 그런데 한 사회 안에서도 세대, 취미, 종교 등에 따라 특정 집단 구성원들이 그들만의 독특한 문화를 형성하기도 하는데 이를 B라고 한다. └→반문화의 성격이 없는 하위문화
> 그리고 B의 한 유형 중에서도 지배적인 문화에 정면으로 반대하고 충돌한 만한 생활 양식을 공유하는 C가 있다. C의 대표적인 예로 범죄 문화를 들 수 있다. └→반문화

① 모든 B는 C에 해당한다.
② C는 B와 달리 전체 사회에 문화 다양성을 제공한다.
③ C는 사회 변화에 따라 A가 될 수 없다.
④ A는 B, C와 달리 시대와 사회에 따라 상대적으로 규정된다.
⑤ B와 C 문화의 총합은 A로 설명할 수 없다.

출제 의도 파악하기

자료를 통해 주류 문화와 하위문화의 의미를 파악할 수 있다.

> **문제 해결 Point 쏙쏙** ★★
> • 한 사회 구성원들이 전반적으로 공유하는 문화 → 주류 문화
> • 특정 집단 구성원들이 공유하는 문화 → 하위문화
> • 하위문화 중 지배적인 문화에 정면으로 반대하는 문화 → 반문화

선택지 바로 알기

① 모든 B는 C에 해당한다.
  └ 모든 반문화는 하위문화에 해당한다.
② C는 B와 달리 전체 사회에 문화 다양성을 제공한다.
  └ 반문화와 반문화의 성격이 없는 하위문화는 모두 전체 사회에 문화 다양성을 제공한다.
③ C는 사회 변화에 따라 A가 될 수 없다.
  └ 반문화는 사회 변화에 따라 주류 문화가 될 수 있다.
④ A는 B, C와 달리 시대와 사회에 따라 상대적으로 규정된다.
  └ 주류 문화와 하위문화는 모두 시대와 사회에 따라 상대적으로 규정될 수 있다.

그림은 질문을 통해 문화의 유형 A, B를 구분한 것이다. 이에 대한 옳은 설명만을 ㅣ보기ㅣ에서 고른 것은? (단, A, B는 각각 주류 문화와 하위문화 중 하나이다.)

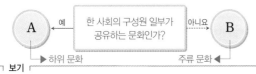

> **보기**
> ㄱ. B는 A의 총합으로 설명할 수 없다.
> ㄴ. A에는 B의 문화 요소가 존재하지 않는다.
> ㄷ. 모든 반문화는 A에 속한다.
> ㄹ. A는 B와 달리 전체 사회의 문화적 다양성 제공에 기여한다.

① ㄱ, ㄴ   ② ㄱ, ㄷ   ③ ㄴ, ㄷ
④ ㄴ, ㄹ   ⑤ ㄷ, ㄹ

출제 의도 파악하기

자료를 통해 주류 문화와 하위문화의 차이점과 특징을 파악할 수 있다.

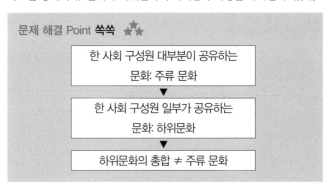

개념 +

하위문화란 한 사회 내에서 특정 집단의 구성원들 또는 특정 영역의 사람들만 공유하는 문화이다.

선택지 바로 알기

ㄴ. A에는 B의 문화 요소가 존재하지 않는다.
  └ 하위문화에도 주류 문화의 문화 요소가 존재할 수 있다.
ㄹ. A는 B와 달리 전체 사회의 문화적 다양성 제공에 기여한다.
  └ 하위문화와 주류 문화는 모두 전체 사회의 문화적 다양성 제공에 기여할 수 있다.

다음 글을 통해 추론할 수 있는 내용으로 옳은 것은?

> 우리는 가끔씩 신문 기사나 뉴스를 볼 때 동일한 사건에 대해 다른 제목을 쓰거나 다른 시각으로 기사의 내용이 이루어져 있는 것을 볼 때가 있다. 언론사의 의도나 가치에 따라 보도의 내용이 달라질 수 있기 때문에 우리도 대중 매체가 전달하는 내용을 무조건으로 받아들이는 태도를 지양해야 한다.

① 대중의 정치적 무관심을 초래한다.
② 상업주의로 인해 선정적 문화를 확산시킨다.
③ 개인에 의한 문화 창조의 가능성을 약화시킨다.
④ 정보의 대량 유통으로 개인의 사생활을 침해한다.
⑤ 왜곡된 정보의 제공으로 대중에게 편견을 갖게 한다.

출제 의도 파악하기
자료를 통해 대중문화를 수용하는 자세를 추론할 수 있다.

문제 해결 Point 쏙쏙 ★★

> 언론사의 의도나 가치에 따라 보도의 내용이 달라질 수 있음
>
> ▼
>
> 대중 매체가 제공하는 왜곡된 정보의 제공으로 대중에게 편견을 갖게 함

개념 +
대중문화는 긍정적, 부정적 측면이 모두 있으므로 대중이 비판적으로 인식하고 수용해야 한다.

선택지 바로 알기
⑤ 왜곡된 정보의 제공으로 대중에게 편견을 갖게 한다.
　└ 제시문에서는 대중 매체를 통해서 정보를 접할 때 언론사의 의도나 가치에 따라 보도의 내용이 달라질 수 있다는 것을 말하고 있다. 이는 대중 매체가 제공하는 왜곡된 정보의 제공으로 대중이 편견을 가질 수도 있다는 의미이다.

그림은 질문에 대해 '예'로 응답하는 문화 변동 요인을 원 안에 묶어 놓은 것이다. A~D에 대한 설명으로 옳은 것은? (단, A~D는 각각 발견, 발명, 직접 전파, 자극 전파 중 하나이다.)

기존에 없었던 새로운 문화 요소가 창조되는 것인가?

A　　B
(C　　D)

타문화와의 접촉으로 발생하는기?

A　　　B
(C　　　)D

① A는 발명, B는 직접 전파, C는 자극 전파, D는 발견이다.
② A는 외재적 요인에 의한 문화 변동 요인이다.
③ B는 사회 구성원들 간의 직접적인 접촉 과정에서 발생한다.
④ C의 사례로 '교역을 통해 전파된 향신료'를 들 수 있다.
⑤ C, D,는 A, B와 달리 강제적 문화 접변의 요인이다.

출제 의도 파악하기
자료를 통해 문화 변동의 요인을 구분할 수 있다.

문제 해결 Point 쏙쏙 ★★
• 기존에 없었던 새로운 문화 요소가 창조되는 것 → 발명, 자극 전파
• 타문화와의 접촉으로 발생하는 것 → 직접 전파, 간접 전파, 자극 전파

선택지 바로 알기
① A는 발명, B는 직접 전파, C는 자극 전파, D는 발견이다.
　└ A는 발견, B는 직접 전파, C는 자극 전파, D는 발명이다.
② A는 외재적 요인에 의한 문화 변동 요인이다.
　└ 발견은 내재적 요인에 의한 문화 변동이다.
④ C의 사례로 '교역을 통해 전파된 향신료'를 들 수 있다.
　└ 교역을 통해 전파된 향신료는 직접 전파의 사례이다.
⑤ C, D는 A, B와 달리 강제적 문화 접변의 요인이다.
　└ 강제적 문화 접변의 요인은 외재적 요인인 직접 전파나 자극 전파가 해당될 수 있다.

BOOK 2

그림은 질문을 통해 문화 변동의 요인 및 양상 A~C를 구분한 것이다. 이에 대한 옳은 설명만을 | 보기 |에서 있는 대로 고른 것은? (단 A~C는 자극 전파, 문화 동화, 문화 융합 중 하나이다.)

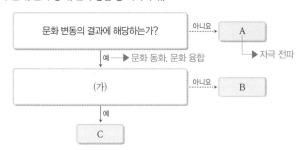

| 보기 |
ㄱ. A는 문화 변동의 외재적 요인에 해당한다.
ㄴ. B가 문화 동화라면, (가)에는 '문화 변동 과정에서 자기 문화의 정체성을 상실하였는가?'가 들어갈 수 있다.
ㄷ. C가 문화 융합이라면, A와 C는 모두 문화 변동 과정에서 새로운 문화 요소가 생겨난다.
ㄹ. (가)에 '문화의 다양성 증대에 기여하는가?'가 들어간다면, C는 B와 달리 다른 문화로부터 아이디어를 얻어 새로운 문화를 만들어 낸 것에 해당한다.

① ㄱ, ㄴ   ② ㄱ, ㄷ   ③ ㄴ, ㄹ
④ ㄱ, ㄷ, ㄹ   ⑤ ㄴ, ㄷ, ㄹ

출제 의도 파악하기
자료를 통해 문화 변동의 요인과 양상을 구분할 수 있다.

문제 해결 Point 쏙쏙 ★★
• 문화 변동의 요인 → 내재적 요인: 발명, 발견
　　　　　　　　　　외재적 요인: 직접 전파, 간접 전파, 자극 전파
• 문화 접변의 양상(변동 결과에 따른 구분) → 문화 동화, 문화 공존, 문화 융합

선택지 바로 알기
ㄴ. B가 문화 동화라면, (가)에는 '문화 변동 과정에서 자기 문화의 정체성을 상실하였는가?'가 들어갈 수 있다.
　↳ B가 문화 동화라면, C는 문화 융합이라서 (가)에는 문화 융합에 대한 내용이 들어가야 한다. 문화 변동 과정에서 자기 문화의 정체성을 상실하는 것은 문화 동화이다.
ㄹ. (가)에 '문화의 다양성 증대에 기여하는가?'가 들어간다면, C는 B와 달리 다른 문화로부터 아이디어를 얻어 새로운 문화를 만들어 낸 것에 해당한다.
　↳ 문화의 다양성 증대에 기여하는 것은 문화 융합이므로 C는 문화 융합, B는 문화 동화이다. 다른 문화로부터 아이디어를 얻어 새로운 문화를 만들어 내는 것은 자극 전파에 대한 설명이다.

다음 A국에 나타난 문화 변동에 대한 분석으로 옳은 설명만을 | 보기 |에서 고른 것은?

A국은 오랜 시간 동안 자국의 전통 옷을 입으며 생활하였다. 하지만 개화기를 통해 교역을 하며 다른 나라의 현대식 정장을 접하게 되었고, 기존 전통 의복과 현대식 정장을 접목한 새로운 스타일의 옷을 만들어 일상 생활 속에서도 남녀노소 누구나 입는 의복 문화를 만들어냈다.

| 보기 |
ㄱ. A국에서는 간접 전파가 나타났다.
ㄴ. A국에서는 문화 융합이 나타났다.
ㄷ. A국에서는 내재적 요인에 의한 문화 변동이 나타났다.
ㄹ. A국에서는 문화 변동 이후 기존 문화 요소의 정체성이 남아있다.

① ㄱ, ㄴ   ② ㄱ, ㄷ   ③ ㄴ, ㄷ
④ ㄴ, ㄹ   ⑤ ㄷ, ㄹ

출제 의도 파악하기
자료를 통해 문화 변동의 요인과 양상을 구분할 수 있다.

문제 해결 Point 쏙쏙 ★★
• 교역을 통해 다른 나라의 현대식 정장을 접하게 된 것 → 직접 전파
• 기존의 전통 의복과 현대식 정장을 접목한 새로운 스타일의 옷을 만든 것 → 문화 융합

선택지 바로 알기
ㄱ. A국에서는 간접 전파가 나타났다.
　↳ A국에서는 교역을 통해 직접 전파가 나타났다.
ㄷ. A국에서는 내재적 요인에 의한 문화 변동이 나타났다.
　↳ A국에서는 다른 나라와 교역을 통한 문화 변동을 경험했으므로 외재적 요인에 의한 문화 변동이 나타났다.

다음 자료는 문화 변동의 양상 A, B의 공통점과 차이점을 나타낸 것이다. (가)~(다)에 들어갈 수 있는 내용으로 옳은 것은? (단, A, B는 각각 문화 공존과 문화 융합 중 하나이다.)

- A: 우리나라에서 양력과 음력에 따른 날짜를 함께 사용하는 것 → 문화 공존
- B: 한국의 온돌 문화와 서양의 침대 문화가 결합되어 새로운 온돌 침대가 만들어진 것 → 문화 융합

(A)

(가)

→ 문화 공존과 문화 융합의 공통점이 들어가야 함

(나)

(다)

(B)

① (가) – 외재적 요인에 의한 결과이다.
② (가) – 자발적 문화 접변을 통해서만 나타난다.
③ (나) – 기존 문화 요소의 정체성이 유지된다.
④ (다) – 전통문화 요소가 외래문화 요소로 대체되며 나타난다.
⑤ (다) – 한 사회 내의 문화 요소에서 아이디어를 얻으며 나타난다.

출제 의도 파악하기

자료를 통해 문화 변동의 양상 중 문화 공존과 문화 융합의 의미와 특징을 파악할 수 있다.

문제 해결 Point 쏙쏙 ★★

- 문화 공존 → A+B=A and B
- 문화 융합 → A+B=C

선택지 바로 알기

① (가) – 외재적 요인에 의한 결과이다.
　└ 문화 공존과 문화 융합 모두 외재적 요인에 의한 문화 변동의 결과에 해당한다.
② (가) – 자발적 문화 접변을 통해서만 나타난다.
　└ 문화 공존이 자발적 문화 접변만을 통해서 나타난다고 단정할 수 없다.
④ (다) – 전통문화 요소가 외래문화 요소로 대체되며 나타난다.
　└ 전통문화 요소가 외래문화 요소로 대체되며 나타나는 것은 문화 동화이다.
⑤ (다) – 한 사회 내의 문화 요소로부터 아이디어를 얻으며 나타난다.
　└ 한 사회 내의 문화 요소로부터 아이디어를 얻으며 나타나는 것은 자극 전파이다.

다음에 나타난 문화 변동의 문제점으로 옳은 것은?

최근 무인 항공기인 드론이 대중화되면서 일반인들이 드론을 사용하는 모습을 많이 볼 수 있다. 하지만 높은 곳에서 촬영을 하는 드론의 경우 사생활 침해에 대한 문제가 따르기 일쑤이다. 아직까지 드론 촬영에 대한 관련 법규가 제대로 마련되어 있지 않아 이를 악용한 사생활 침해 사례가 많이 발생하고 있다.

① 물질문화의 발명으로 인해 세대 간 갈등이 증가했다.
② 물질문화의 질적 저하로 인해 문화의 획일화가 나타났다.
③ 대중문화의 확산으로 인해 문화의 상업화가 심화되었다.
④ 문화 요소 간 변동 속도 차이로 인해 부조화 현상이 나타났다.
⑤ 정보 통신 기술 발달로 인해 하위문화가 주류 문화로 변화되었다.

출제 의도 파악하기

문화 지체 현상의 의미를 이해한다.

문제 해결 Point 쏙쏙 ★★

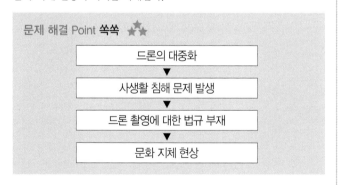

드론의 대중화
▼
사생활 침해 문제 발생
▼
드론 촬영에 대한 법규 부재
▼
문화 지체 현상

선택지 바로 알기

④ 문화 요소 간 변동 속도 차이로 인해 병리적인 현상이 나타났다.
　└ 제시문에서는 드론이 대중화되면서 나타나는 사생활 침해 문제와 이에 대한 법규가 제대로 마련되어 있지 않다는 상황을 강조하고 있다. 이는 문화 지체 현상이다. 문화 지체 현상이란 물질문화의 빠른 변동 속도를 비물질문화의 변동 속도가 뒤따르지 못하여 발생하는 문화 요소 간의 부조화 현상을 의미한다.

01 계층론, 계급론

그림은 질문 (가)~(다)에 따라 사회 불평등 현상을 설명하는 이론 A, B를 구분한 것이다. 이에 대한 설명으로 옳은 것은? (단, A, B는 각각 계급론, 계층론 중 하나이다.)

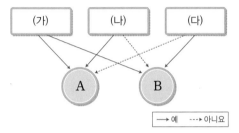

→ 예 ---→ 아니요

• (가)에는 계급론과 계층론 모두에 대해 '예'라는 질문이 들어갈 수 있다.
• (나)와 (다)에는 들어가는 질문에 따라 A와 B는 각각 계급론과 계층론으로 특정된다.

① A가 계급론이면, (가)에는 '지위 불일치 현상을 설명하기 적합한가?'가 들어갈 수 있다.
② B가 계층론이면, (다)에는 '동일 계층 구성원 간의 연대 의식을 강조하는가?'가 들어갈 수 있다.
③ (가)에는 '사회 불평등 현상의 원인으로 경제적 요인을 고려하는가?'가 들어갈 수 있다.
④ (나)가 '사회 불평등 현상을 다원론적 관점으로 보는가?'이면, A는 계급론이다.
⑤ (다)가 '생산 수단의 소유 여부에 따라 계급을 구분하는가?'이면, B는 계층론이다.

출제 의도 파악하기

계급론과 계층론의 특징들을 이해한다.

> **문제 해결 Point 쏙쏙** ⭐⭐
> • **계급론과 계층론의 공통점과 차이점:** 계급론과 계층론 모두 경제적 요인에 의해 사회 불평등 현상이 발생한다고 본다. 다만 계급론은 경제적 요인이 모든 사회 불평등을 결정한다고 보는 반면, 계층론은 경제적 요인 또한 사회 불평등을 결정하는 여러 요인 중 하나라고 본다는 점에서 차이가 있다.

선택지 바로 알기

① A가 계급론이면, (가)에는 '지위 불일치 현상을 설명하기 적합한가?'가 들어갈 수 있다.
  ↳ 지위 불일치 현상을 설명하기 적합한 이론은 계층론이다.
② B가 계층론이면, (다)에는 '동일 계층 구성원 간의 연대 의식을 강조하는가?'가 들어갈 수 있다.
  ↳ 동일 계층 구성원 간의 연대 의식을 강조하는 이론은 계급론이다.
④ (나)가 '사회 불평등 현상을 다원론적 관점으로 보는가?'이면, A는 계급론이다.
  ↳ 사회 불평등 현상을 다원론적 관점으로 보는 이론은 계층론이다.
⑤ (다)가 '생산 수단의 소유 여부에 따라 계급을 구분하는가?'이면, B는 계층론이다.
  ↳ 생산 수단 소유 여부에 따라 계급을 구분하는 이론은 계급론이다.

제시문에 나타난 관점에 부합하는 주장만을 ㅣ보기ㅣ에서 고른 것은?

┌──▶ 기능론

의사가 육체적 노동자보다 많은 소득을 얻는 것은 사회적으로 더 중요한 역할을 담당하고 있기 때문이다. 만약 육체 노동자가 의사보다 많은 소득을 얻는다면 아무도 의사가 되지 않을 것이며 그 피해는 사회 구성원 모두에게 미치게 된다.

┌ 보기 ┐
ㄱ. 직업별 중요도는 지배 집단에 의해 규정된다.
ㄴ. 차등 분배는 사회적 효율성 증대에 기여한다.
ㄷ. 사회적 희소가치의 분배 기준은 합의의 결과이다.
ㄹ. 소득은 개인의 능력보다 가정 배경에 의해 결정된다.

① ㄱ, ㄴ   ② ㄱ, ㄷ   ③ ㄴ, ㄷ
④ ㄴ, ㄹ   ⑤ ㄷ, ㄹ

출제 의도 파악하기

사회 불평등 현상을 이해하는 기능론과 갈등론의 입장을 파악할 수 있다.

문제 해결 Point 쏙쏙 ★★
• 사회적으로 중요한 직업이 더 많은 소득을 받음으로써 사회 구성원 모두에게 이익이 됨을 강조 → 기능론

선택지 바로 알기

ㄱ. 직업별 중요도는 지배 집단에 의해 규정된다.
　└ 갈등론은 사회적 기여 정도를 결정하는 주체가 지배 계급이라고 본다.
ㄹ. 소득은 개인의 능력보다 가정 배경에 의해 결정된다.
　└ 갈등론은 개인의 능력 및 노력이 아니라 가정 배경에 따라 소득이 결정된다고 본다.

표는 사회 불평등 현상을 설명하는 개념 A, B를 질문에 따라 구분한 것이다. 이에 대한 옳은 설명만을 ㅣ보기ㅣ에서 고른 것은?

질문	개념	
	A 계급론	B 계층론
생산 수단 소유 여부가 사회 불평등 구조를 결정하는가? ──▶계급론	예	아니요
(가)	아니요	예
(나)	예	아니요

┌ 보기 ┐
ㄱ. A는 B와 달리 위계를 구분할 때 경제적 요인을 고려한다.
ㄴ. B는 A와 달리 지위 불일치 현상을 설명하기 용이하다.
ㄷ. (가)에는 '다차원적 요인으로 사회 불평등을 설명하는가?'가 들어갈 수 있다.
ㄹ. (나)에는 '사회 불평등을 연속적인 서열 상태로 파악하는가?'가 들어갈 수 있다.

① ㄱ, ㄴ   ② ㄱ, ㄷ   ③ ㄴ, ㄷ
④ ㄴ, ㄹ   ⑤ ㄷ, ㄹ

출제 의도 파악하기

계급론과 계층론의 특징들을 이해한다.

문제 해결 Point 쏙쏙 ★★
• 계급론과 계층론의 공통점과 차이점: 계급론은 생산 수단의 소유 여부라는 일원론적 관점으로 사회 불평등을 바라보는 반면, 계층론은 다차원적 요인으로 사회 불평등을 바라본다. 이로 인해 계급론과 달리 계층론은 지위 불일치 현상을 설명하기 용이하다.

선택지 바로 알기

ㄱ. A는 B와 달리 위계를 구분할 때 경제적 요인을 고려한다.
　└ 계층론과 계급론 모두 경제적 요인을 고려하여 위계를 구분한다.
ㄹ. (나)에는 '사회 불평등을 연속적인 서열 상태로 파악하는가?'가 들어갈 수 있다.
　└ 사회 불평등을 계급론은 불연속적인 상태로, 계층론은 연속적인 상태로 본다.

표는 사회 불평등 현상을 바라보는 관점 (가), (나)를 질문에 따라 구분한 것이다. 이에 대한 옳은 설명만을 I 보기 I에서 고른 것은?

질문	답변	
	(가) 갈등론	(나) 기능론
차등적인 보상이 사회 유지를 위해 필요하다고 보는가? ▶ 기능론	아니요	예
사회적 희소가치의 배분이 불공정하다고 보는가?	예	아니요
A ▶ 갈등론	예	아니요

┌ 보기 ┐
ㄱ. (가)는 균등 분배가 성취동기를 저하시킨다고 본다.
ㄴ. (나)는 사회 불평등 현상을 불가피하다고 본다.
ㄷ. (가)와 (나) 모두 사회 불평등 현상을 보편적 현상이라 본다.
ㄹ. A에는 '사회적 희소가치의 배분 기준이 사회적 합의의 결과라고 보는가?'가 들어갈 수 있다.

① ㄱ, ㄴ   ② ㄱ, ㄷ   ③ ㄴ, ㄷ
④ ㄴ, ㄹ   ⑤ ㄷ, ㄹ

출제 의도 파악하기
기능론과 갈등론의 특징들을 이해한다.

문제 해결 Point 쏙쏙 ★★
• 기능론과 갈등론의 공통점과 차이점: 기능론과 갈등론 모두 사회 불평등 현상을 보편적 현상이라고 본다. 다만, 갈등론은 사회 불평등 현상을 타파해야 할 대상으로 보는 반면, 기능론은 불가피한 현상으로 바라본다는 점에서 차이가 있다.

선택지 바로 알기
ㄱ. (가)는 균등 분배가 성취동기를 저하시킨다고 본다.
  └ 기능론은 균등 분배가 성취동기를 저하시킨다고 본다.
ㄹ. A에는 '사회적 희소가치의 배분 기준이 사회적 합의의 결과라고 보는가?'가 들어갈 수 있다.
  └ 사회적 희소가치의 배분 기준에 대해 기능론은 사회적 합의의 결과라고 보는 반면, 갈등론은 지배 집단의 이익을 대변한 것이라고 본다.

다음 그림에 나타난 관점에 부합하는 주장만을 I 보기 I에서 고른 것은?

┌ 보기 ┐
ㄱ. 희소가치는 개인의 사회적 기여 정도와 무관하게 분배된다.
ㄴ. 희소가치를 균등하게 분배할수록 사회적 효율성이 낮아진다.
ㄷ. 부모의 계층과 자녀의 사회적 성공 가능성 간에는 정(+)의 관계가 있다.
ㄹ. 개인의 성취동기와 희소가치의 차등 분배 수준 사이에는 정(+)의 관계가 있다.

① ㄱ, ㄴ   ② ㄱ, ㄷ   ③ ㄴ, ㄷ
④ ㄴ, ㄹ   ⑤ ㄷ, ㄹ

출제 의도 파악하기
자료에 나타난 관점을 파악하고 그 특징을 알 수 있다.

문제 해결 Point 쏙쏙 ★★
• 사회적 기여 정도에 따라 보상 수준이 높아짐 → 기능론

선택지 바로 알기
ㄱ. 희소가치는 개인의 사회적 기여 정도와 무관하게 분배된다.
  └ 갈등론은 희소가치가 사회적 기여 정도와 무관하게 가정 배경의 영향으로 분배된다고 본다.
ㄷ. 부모의 계층과 자녀의 사회적 성공 가능성 간에는 정(+)의 관계가 있다.
  └ 갈등론은 개인의 노력, 능력보다는 부모의 계층과 자녀의 사회적 성공 간에 정(+)의 관계가 있다고 본다.

표는 부모 세대와 자녀 세대의 계층을 비교한 것이다. 이에 대한 옳은 설명만을 | 보기 |에서 고른 것은?

▶ 하층>중층>상층
→ 피라미드형 (단위: %)

구분		부모 세대			계
		상층	중층	하층	
자녀 세대	상층	10	5	10	25
	중층	0	30	20	50
	하층	0	5	20	25
계		10	40	50	100

▶ 중층>하층, 상층 → 다이아몬드형

| 보기 |
ㄱ. 부모 세대의 계층 구조는 다이아몬드형이다.
ㄴ. 부모 세대에 비해 자녀 세대의 계층 구조가 사회 통합에 유리하다.
ㄷ. 부모 세대는 폐쇄적 계층 구조, 자녀 세대는 개방적 계층 구조이다.
ㄹ. 부모 세대에서 자녀 세대로 계층이 대물림된 경우는 전체의 과반이다.

① ㄱ, ㄴ ② ㄱ, ㄷ ③ ㄴ, ㄷ
④ ㄴ, ㄹ ⑤ ㄷ, ㄹ

출제 의도 파악하기
계층 구조의 특징을 이해한다.

문제 해결 Point 쏙쏙 ★★
• 사회 통합에 유리한 계층 구조: 중층의 비율이 높을수록 사회는 안정적인 모습을 보인다. 따라서 중층의 비율이 높은 다이아몬드형 계층 구조는 하층의 비율이 높은 피라미드형 계층 구조에 비해 사회 통합에 유리하다.

선택지 바로 알기
ㄱ. 부모 세대의 계층 구조는 다이아몬드형이다.
ㄴ, 부모 세대의 계층 구조는 피라미드형이다.
ㄷ. 부모 세대는 폐쇄적 계층 구조, 자녀 세대는 개방적 계층 구조이다.
ㄴ, 폐쇄적 및 개방적 계층 구조 여부는 수직 이동의 가능성에 따라 구분된다. 제시된 자료로 확인할 수 없다.
ㄹ. 부모 세대에서 자녀 세대로 계층이 대물림된 경우는 전체의 과반이다.
ㄴ, 대물림된 경우는 부모 세대와 자녀 세대의 계층이 동일한 경우로 전체의 60%이다.

표는 빈곤의 유형 A, B를 질문에 따라 구분한 것이다. 이에 대한 설명으로 옳은 것은? (단, A와 B는 각각 절대적 빈곤, 상대적 빈곤 중 하나이다.)

상대적 빈곤 ◀   ▶ 절대적 빈곤

질문 \ 유형	A	B
인간의 기본적 욕구 충족 및 최소한의 생활 유지에 필요한 자원이 결핍된 상태라고 정의되는가?	아니요	예
절대적 빈곤 (가)	예	아니요

① A는 선진국에서는 나타나지 않는다.
② 우리나라에서 B의 기준은 중위 소득의 50%이다.
③ A는 B와 달리 상대적 박탈감의 원인이다.
④ A, B에 해당하는 가구는 모두 객관화된 기준에 의해 분류된다.
⑤ (가)에는 '개인이 체감하는 빈곤 상태를 의미합니까?'가 들어갈 수 있다.

출제 의도 파악하기
절대적 빈곤과 상대적 빈곤의 특징을 이해한다.

문제 해결 Point 쏙쏙 ★★
• 절대적 빈곤과 상대적 빈곤의 기준: 우리나라에서 절대적 빈곤은 가구 소득의 최저 생계비에 미치지 못하는 경우이고 상대적 빈곤은 가구 소득이 중위 소득의 50%에 미치지 못하는 경우이다. 두 가지 경우 모두 객관화된 기준에 따라 분류되고 있다.

선택지 바로 알기
① A는 선진국에서는 나타나지 않는다.
ㄴ, 선진국에서도 상대적, 절대적 빈곤 모두 나타난다.
② 우리나라에서 B의 기준은 중위 소득의 50%이다.
ㄴ, 우리나라에서 절대적 빈곤의 기준은 최저 생계비이다.
③ A는 B와 달리 상대적 박탈감의 원인이다.
ㄴ, 빈곤의 유형과 상대적 박탈감은 인과 관계로 볼 수 없다.
⑤ (가)에는 '개인이 체감하는 빈곤 상태를 의미합니까?'가 들어갈 수 있다.
ㄴ, 절대적, 상대적 빈곤 모두 주관적 빈곤이 아니라 객관화된 기준에 따라 분류된다.

다음 자료에 대한 옳은 설명만을 | 보기 |에서 고른 것은? (단, A와 B는 각각 절대적 빈곤, 상대적 빈곤 중 하나이다.)

> ▶ 절대적 빈곤
> A는 인간이 <u>최소한의 생활을 유지하기 어려운 상태</u>로서, 주로 자원이나 소득이 부족한 상태를 의미한다. 우리나라에서는 A를 측정하기 위한 기준선으로 ___(가)___ 을/를 활용한다. B는 개인이 다른 사람에 비해 자원이나 소득이 결핍 ▶ 최저 생계비
> ▶ 상대적 빈곤
> 되어 사회 <u>구성원 다수가 누리는 생활을 영위하지 못하는 상태</u>를 의미한다. 우리나라에서는 B를 측정하기 위한 기준선으로 ___(나)___ 을/를 활용한다.
> └▶ 중위 소득의 50%

┌ 보기 ┐
- ㄱ. A와 달리 B는 선진국에서는 나타나지 않는다.
- ㄴ. B와 달리 A는 객관화된 기준에 의해 규정된다.
- ㄷ. (가)는 최저 생계비, (나)는 중위 소득의 50%이다.
- ㄹ. 우리나라에서 A에 해당하는 가구가 B에 해당하는 가구보다 많다면 최저 생계비가 중위 소득의 50%보다 높을 것이다.

① ㄱ, ㄴ   ② ㄱ, ㄷ   ③ ㄴ, ㄷ
④ ㄴ, ㄹ   ⑤ ㄷ, ㄹ

출제 의도 파악하기

절대적 빈곤과 상대적 빈곤의 특징을 이해한다.

문제 해결 Point 쏙쏙 ★★

- **절대적 빈곤 가구, 상대적 빈곤 가구:** 절대적 빈곤 가구가 상대적 빈곤 가구보다 많다는 것은 절대적 빈곤선이 상대적 빈곤선보다 높음을 의미한다. 우리나라의 경우 절대적 빈곤선으로 최저 생계비를 활용하고, 상대적 빈곤선으로 중위 소득의 50%를 활용한다.

선택지 바로 알기

ㄱ. A와 달리 B는 선진국에서는 나타나지 않는다.

   └ 절대적 빈곤, 상대적 빈곤 모두 선진국에서 나타날 수 있다.

ㄴ. B와 달리 A는 객관화된 기준에 의해 규정된다.

   └ 절대적 빈곤, 상대적 빈곤 모두 객관화된 기준에 의해 규정된다.

다음 자료에 대한 옳은 설명만을 I 보기 I에서 고른 것은?

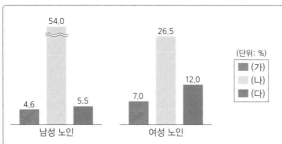

(가) 국가가 가구 소득 인정액이 기준액 이하인 가구의 기초 생활을 보장하기 위해 급여를 지급하고, 자활을 지원하는 제도 ▶ 국민 기초 생활 보장 제도 → 공공 부조

(나) 가입자와 고용주 등이 분담해서 마련한 기금을 통해 노령, 장애 등에 대한 연금 급여를 지급하여 생활 안정을 도모하는 제도 ▶ 국민 연금 → 사회 보험

(다) 노인성 질병 등으로 인해 일상생활을 혼자서 수행하기 어려운 사람들에게 장기 요양 급여를 지급하는 제도 ▶ 노인 장기 요양 보험 제도 → 사회 보험

┌ 보기 ┐

ㄱ. (가)는 (나)와 달리 사전 예방적 성격을 지닌다.

ㄴ. (다)는 (가)와 달리 소득 수준에 따라 비용을 부담한다.

ㄷ. (가)~(다) 중 금전적 지원을 원칙으로 하는 제도의 수급자 비율은 남성과 여성에서 모두 10%를 초과한다.

ㄹ. (가)~(다) 중 정부의 재정으로 비용을 선액 충당하는 제도의 수급자 비율은 남성 노인보다 여성 노인이 높다.

① ㄱ, ㄴ ② ㄱ, ㄷ ③ ㄴ, ㄷ
④ ㄴ, ㄹ ⑤ ㄷ, ㄹ

출제 의도 파악하기

사회 보장 제도의 특징을 이해한다.

문제 해결 Point 쏙쏙 ★★

• 비용 부담의 특징: 사회 보험은 수혜 정도가 아니라 능력 수준에 따라 보험료를 부담하며 이로 인해 상호 부조의 원리가 적용된다. 반면, 공공 부조는 수혜 및 능력과 관계없이 소요되는 비용을 전액 정부가 부담한다는 점에서 차이가 있다.

선택지 바로 알기

ㄱ. (가)는 (나)와 달리 사전 예방적 성격을 지닌다.
  ㄴ 사회 보험은 사전 예방적 성격을 지닌다.

ㄷ. (가)~(다) 중 금전적 지원을 원칙으로 하는 제도의 수급자 비율은 남성과 여성에서 모두 10%를 초과한다.
  ㄴ (가)~(다) 모두 금전적 지원을 원칙으로 하며, (가)의 경우 남성, 여성 모두 10% 미만이고, (다)의 경우 여성에서 10% 미만이다.

ㄹ. (가)~(다) 중 정부의 재정으로 비용을 전액 충당하는 제도의 수급자 비율은 남성 노인보다 여성 노인이 높다.
  ㄴ 정부 재정으로 충당하는 제도는 공공 부조로 (가)이며, 남성 노인의 수급자 비율은 4.6%, 여성 노인의 수급자 비율은 7.0%이다.

자료에 대한 설명으로 옳은 것은? (단, A~C는 각각 사회 보험, 공공 부조, 사회 서비스 중 하나이다.)

> 68세인 갑, 을, 병은 각각 자신에게 맞는 사회 보장 제도에 대한 정보를 관련 홈페이지에서 찾아보았다.
> - 갑이 찾은 제도는 A의 하나로서, 일상생활을 혼자서 수행하기 어려운 사람을 지원하여 건강 증진 및 생활 안정을 도모한다. 재원은 가입자가 납부하는 보험료, 국가와 지방 자치 단체 부담금으로 조달한다. └▶ 사회 보험
> - 을이 찾은 제도는 B의 하나로서, 생활이 어려운 사람에게 안정적인 소득 기반을 제공하고 생활 안정을 지원한다. 소 └▶ 공공 부조 득 인정액이 보건복지부 장관이 매년 결정·고시하는 선정 기준액 이하인 65세 이상의 자에 한하여 차등 지급한다.
> - 병이 찾은 제도는 C의 하나로서, 식사, 세면, 옷 갈아입기, 구강 관리, 화장실 이용, 외출, 목욕 등의 신변 활동을 지원한다. 또한 취사, 생활 필수품 구매, 청소, 세탁 등 일상 생활을 지원한다. └▶ 사회 서비스

① A는 사후 처방적 성격이 강하다.
② B는 수혜 정도에 따라 비용을 부담한다.
③ C는 강제 가입의 원칙이 적용된다.
④ A는 B와 달리 소득 재분배 효과가 나타난다.
⑤ B는 C와 달리 금전적 지원을 원칙으로 한다.

출제 의도 파악하기

사회 보장 제도의 특징을 이해한다.

문제 해결 Point 쏙쏙 ★★

- **사회 서비스의 특징**: 사회 보험과 공공 부조는 금전적 지원을 원칙으로 하는 반면, 사회 서비스는 돌봄 등 다양한 서비스를 제공한다는 점에서 비금전적 지원을 원칙으로 한다는 점에서 차이가 있다.

선택지 바로 알기

① A는 사후 처방적 성격이 강하다.
   └, 사회 보험은 사전 예방적 성격이 강하다.
② B는 수혜 정도에 따라 비용을 부담한다.
   └, 공공 부조는 전액 정부의 재정으로 비용을 부담한다.
③ C는 강제 가입의 원칙이 적용된다.
   └, 강제 가입의 원칙이 적용되는 사회 보장 제도는 사회 보험이다.
④ A는 B와 달리 소득 재분배 효과가 나타난다.
   └, 사회 보험과 공공 부조 모두 소득 재분배 효과가 나타난다.

표는 A, B 사회의 일반적인 특징을 정리한 것이다. 이에 대한 설명으로 옳은 것은? (단, A와 B는 각각 정보 사회, 산업 사회 중 하나이다.)

A 사회 ─▶ 정보 사회	B 사회 ─▶ 산업 사회
직장인 갑은 출근하지 않고 집에서 컴퓨터로 회사의 업무를 본다. 인터넷을 통해 직장 동료 및 협력 업체와 협의하며, 팀장 또는 CEO에게 직접 보고를 하는 등 다양한 업무를 처리한다.	직장인 을은 매일 아침 9시부터 오후 6시까지 자동차 제조 공장에서 일을 한다. 출근 후 업무 지시를 받아 하루 종일 컨베이어 벨트에 실려 오는 자동차에 타이어를 장착하는 일을 수행한다.

① A는 B에 비해 정보 확산의 속도가 느리다.
② A는 B에 비해 가정과 일터의 결합 정도가 낮다.
③ A는 B에 비해 다품종 소량 생산의 비중이 높다.
④ B는 A에 비해 구성원 간 비대면 접촉의 정도가 높다.
⑤ B는 A에 비해 지식 산업을 통한 부가가치 창출이 유리하다.

출제 의도 파악하기

정보 사회의 특징을 이해한다.

문제 해결 Point 쏙쏙 ★★

- **정보 사회의 특징**: 산업 사회는 대량 생산, 대량 소비가 일반적으로 나타나지만, 정보 사회는 개별 소비자의 니즈가 생산 과정에 반영됨에 따라 다품종 소량 생산 방식이 일반적으로 나타난다.

선택지 바로 알기

① A는 B에 비해 정보 확산의 속도가 느리다.
   └, 정보 확산의 속도: 정보 사회>산업 사회
② A는 B에 비해 가정과 일터의 결합 정도가 낮다.
   └, 가정과 일터의 결합 정도: 정보 사회>산업 사회
④ B는 A에 비해 구성원 간 비대면 접촉의 정도가 높다.
   └, 비대면 접촉의 정도: 정보 사회>산업 사회
⑤ B는 A에 비해 지식 산업을 통한 부가가치 창출이 유리하다.
   └, 지식의 가치 창출 정도: 정보 사회>산업 사회

12 진화론, 순환론

표는 사회 변동을 바라보는 관점 A, B를 질문 (가)~(다)로 구분한 것이다. 이에 대한 옳은 설명만을 | 보기 |에서 고른 것은? (단, A와 B는 각각 진화론과 순환론 중 하나이다.)

관점 \ 질문	(가)	(나)	(다)
A	아니요	예	예
B	예	아니요	예

보기

ㄱ. A가 진화론이면, (가)에는 '모든 사회가 일정한 방향으로 발전한다고 보는가?'가 들어갈 수 있다.

ㄴ. B가 순환론이면, (나)에는 '서구 제국주의 역사를 정당화하는 수단으로 악용되는가?'가 들어갈 수 있다.

ㄷ. (가)가 '사회 변동을 운명론적 관점으로 바라보는가?'라면, (나)에는 '사회 변동을 발전으로 인식하는가?'가 들어갈 수 있다.

ㄹ. (다)에는 '사회 변동이 주기적으로 동일한 과정이 반복된다고 보는가?'가 들어갈 수 있다.

① ㄱ, ㄴ　　② ㄱ, ㄷ　　③ ㄴ, ㄷ
④ ㄴ, ㄹ　　⑤ ㄷ, ㄹ

출제 의도 파악하기

순환론과 진화론의 특징을 이해한다.

문제 해결 Point 쏙쏙 ★★
- **진화론과 순환론의 특징:** 진화론은 서구 사회를 발전된 사회로 전제한다는 점에서 서구 제국주의 역사를 정당화하는 수단으로 악용된다는 비판을 받고 있으며, 순환론은 모든 사회가 언젠가 쇠퇴한다고 바라본다는 점에서 운명론적 관점으로 사회 변동을 바라본다는 평을 받는다.

선택지 바로 알기

ㄱ. A가 진화론이면, (가)에는 '모든 사회가 일정한 방향으로 발전한다고 보는가?'가 들어갈 수 있다.
　└ 진화론은 순환론과 달리 모든 사회가 일정한 방향으로 발전한다고 본다.

ㄹ. (다)에는 '사회 변동이 주기적으로 동일한 과정이 반복된다고 보는가?'가 들어갈 수 있다.
　└ 순환론은 진화론과 달리 사회 변동이 주기적으로 반복된다고 본다.

---

13 정보 사회

그림은 A와 B의 일반적 특징을 비교한 것이다. 이에 대한 옳은 설명만을 | 보기 |에서 고른 것은? (단, A와 B는 각각 정보 사회와 산업 사회 중 하나이다.)

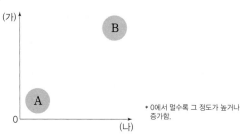

* 0에서 멀수록 그 정도가 높거나 증가함.

보기

ㄱ. A가 정보 사회라면, (가)에는 '사회 변동의 속도'가 들어갈 수 있다.

ㄴ. B가 산업 사회라면, (나)에는 '직업의 동질성'이 들어갈 수 있다.

ㄷ. (가)가 '사회의 다원화 정도'라면, A는 B에 비해 가정과 일터의 분리 정도가 높다.

ㄹ. (나)가 '관료제 조직의 비중'이라면, B는 A에 비해 전자 상거래 비중이 높다.

① ㄱ, ㄴ　　② ㄱ, ㄷ　　③ ㄴ, ㄷ
④ ㄴ, ㄹ　　⑤ ㄷ, ㄹ

출제 의도 파악하기

정보 사회의 특징을 이해한다.

문제 해결 Point 쏙쏙 ★★
- **정보 사회의 특징:** 정보 사회는 다품종 소량 생산 방식이 일반적으로 나타나며 이로 인해 다양한 직업이 등장하게 되고, 사회의 다원화 정도가 산업 사회에 비해 높다. 또한 정보 통신 기술의 발달로 인하여 재택근무가 활성화되며, 이로 인해 산업 사회에 비해 가정과 일터의 분리 정도가 낮다.

선택지 바로 알기

ㄱ. A가 정보 사회라면, (가)에는 '사회 변동의 속도'가 들어갈 수 있다.
　└ 사회 변동의 속도: 정보 사회>산업 사회

ㄹ. (나)가 '관료제 조직의 비중'이라면, B는 A에 비해 전자 상거래 비중이 높다.
　└ 관료제 조직의 비중: 산업 사회>정보 사회
　　 전자 상거래 비중: 정보 사회>산업 사회

(가), (나)에 나타난 사회 운동에 대한 옳은 설명만을 | 보기 |에서 고른 것은?

체계적 조직을 바탕으로 뚜렷한 목표를 가진 사회 운동◀

(가) 정부는 국민의 헌법 개정 요구를 무시했고, 대학생을 고문하여 죽음에 이르게 한 사건까지 은폐하려 했다. 이에 민주 헌법 쟁취 국민 운동 본부를 중심으로 독재 정권에 반대하는 6월 민주 항쟁이 일어났다. 결국 정부는 대통령 직선제 요구를 수용하였고, 헌법이 개정되었다.

(나) 국내 외환 보유고가 바닥나자 사회 일각에서 개인이 보유한 금을 모아 국가 부채를 갚자는 주장이 제기되었다. 이에 방송사와 금융 기관이 협조하고 다수 국민들이 참여하는 금 모으기 운동이 일어났다. 이렇게 모인 금은 외환 위기를 극복하는 데 도움이 되었다.

▶ 뚜렷한 목표와 체계적 활동 계획을 바탕
으로 한 사회 운동

| 보기 |
ㄱ. (가)에는 뚜렷한 목표를 가진 다수의 행동이 나타난다.
ㄴ. (나)에는 급격한 사회 변화에 대항하는 사회 운동이 나타난다.
ㄷ. (가)와 (나)에는 모두 체계적인 조직을 바탕으로 한 사회 운동이 나타난다.
ㄹ. (가)와 달리 (나)에는 사회 구조 전체를 근본적으로 바꾸고자 하는 사회 운동이 나타난다.

① ㄱ, ㄴ　　② ㄱ, ㄷ　　③ ㄴ, ㄷ
④ ㄴ, ㄹ　　⑤ ㄷ, ㄹ

출제 의도 파악하기

사회 운동의 특징을 이해한다.

문제 해결 Point 쏙쏙 ★★
• **사회 운동의 특징:** 사회 운동은 뚜렷한 목표와 체계적 활동 계획을 가진 다수의 행동을 의미한다. (가), (나)에 제시된 사례 모두 이러한 조건에 부합한다는 점에서 사회 운동에 해당한다.

선택지 바로 알기

ㄴ. (나)에는 급격한 사회 변화에 대항하는 사회 운동이 나타난다.
　└ (나)는 직면한 문제를 해결하고자 한다는 점에서 급격한 사회 변동에 대항하는 사회 운동으로 보기 어렵다.

ㄹ. (가)와 달리 (나)에는 사회 구조 전체를 근본적으로 바꾸고자 하는 사회 운동이 나타난다.
　└ 직면한 문제를 해결하고자 한다는 점에서 (나)에 나타난 사례는 사회 구조를 바꾸고자 하는 경우로 보기 어렵다.

(가), (나)에 대한 옳은 설명만을 | 보기 |에서 고른 것은?

(가) 지하철 ○○역에서는 갑작스러운 지하철 운행 중단으로 승객들이 환불을 요구하고 있다. → 사회 운동 ✕

(나) □□ 시민 단체는 청소년 노동권 보호를 위한 입법을 촉구하는 서명 운동을 전국적으로 진행하고 있다.
→ 사회 운동 ○

| 보기 |
ㄱ. (가)는 사회 운동에 해당한다.
ㄴ. (가)는 사회 구조의 근본적 변화를 도모한다.
ㄷ. (나)는 달성하고자 하는 목표가 뚜렷하다.
ㄹ. (나)는 체계적 조직을 바탕으로 이루어지고 있다.

① ㄱ, ㄴ　　② ㄱ, ㄷ　　③ ㄴ, ㄷ
④ ㄴ, ㄹ　　⑤ ㄷ, ㄹ

출제 의도 파악하기

사회 운동의 의미와 특징을 이해한다.

문제 해결 Point 쏙쏙 ★★
• 다수 사람들의 일시적 행동 → 사회 운동 아님
• 체계적 조직을 바탕으로 뚜렷한 목표를 구현하기 위한 다수의 행동 → 사회 운동

개념 +

사회 운동이란 자신의 신념과 가치를 실현하기 위하여 다수의 사람들이 자발적으로 하는 집단적이고 지속적인 행동이다.

선택지 바로 알기

ㄷ. (나)는 달성하고자 하는 목표가 뚜렷하다.
　└ (나)는 뚜렷한 목표를 구현하기 위한 다수의 행동이라는 점에서 사회 운동에 해당한다.

ㄹ. (나)는 체계적 조직을 바탕으로 이루어지고 있다.
　└ (가)는 다수 사람들의 일시적 행동이라는 점에서 사회 운동에 해당하지 않는 반면, (나)는 체계적 조직을 가지고 있다.

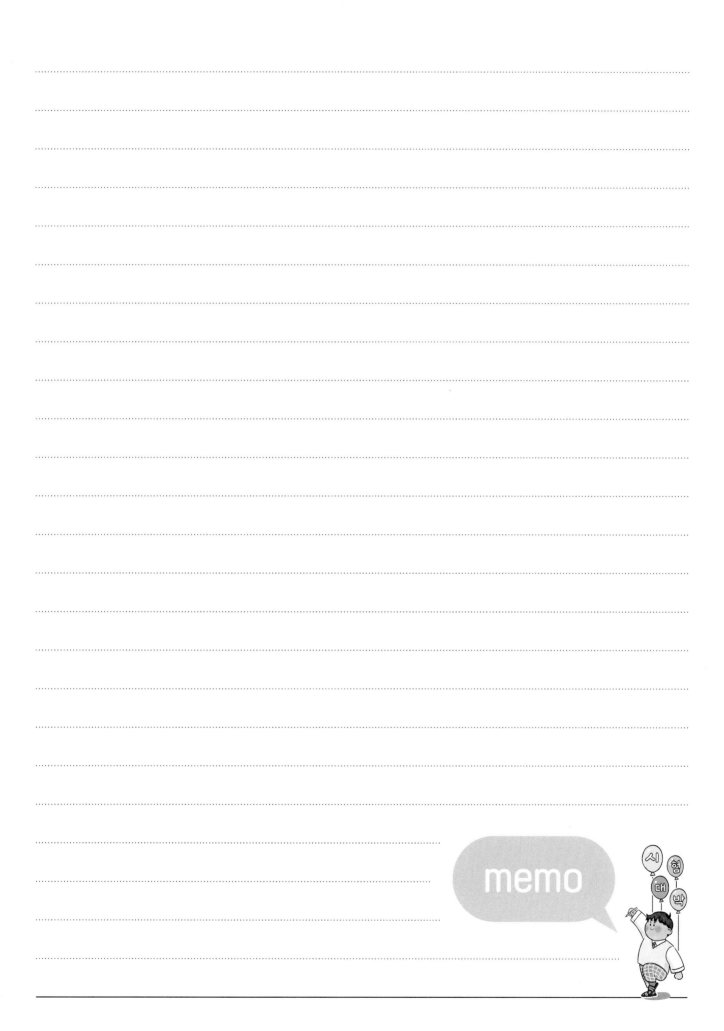

memo

memo

정답은
이안에
있어!

실 전 에 강 한

수능전략

사탐
영역 **사회·문화**

수능에 꼭 나오는
필수 유형 ZIP 1

천재교육

수능전략

사·회·탐·구·영·역

사회·문화

수능에 꼭 나오는
필수 유형 ZIP 1

수능 필수 유형 ZIP은 필수 유형과 필수 개념으로 구성되어 있습니다.

필수 유형은 수능에 빈출되는 문제 유형을 주제별로 파악할 수 있도록 지문, 그래프 등을 철저하게 분석하였고, 발문, 자료와 연결하여 출제할 수 있는 선택지를 직접 풀어 봄으로써 수능 문제에 대한 적응력을 최대한 높이고자 하였다.

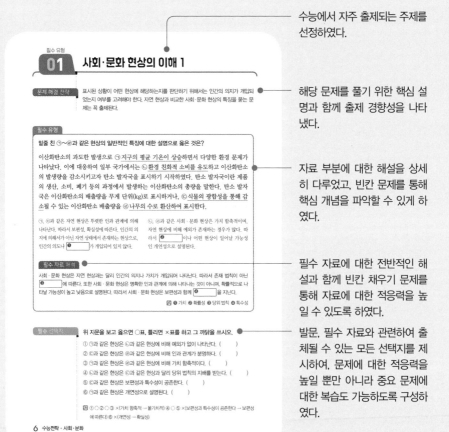

수능에서 자주 출제되는 주제를 선정하였다.

해당 문제를 풀기 위한 핵심 설명과 함께 출제 경향성을 나타냈다.

자료 부분에 대한 해설을 상세히 다루었고, 빈칸 문제를 통해 핵심 개념을 파악할 수 있게 하였다.

필수 자료에 대한 전반적인 해설과 함께 빈칸 채우기 문제를 통해 자료에 대한 적응력을 높일 수 있도록 하였다.

발문, 필수 자료와 관련하여 출제될 수 있는 모든 선택지를 제시하여, 문제에 대한 적응력을 높일 뿐만 아니라 중요 문제에 대한 복습도 가능하도록 구성하였다.

필수 개념은 수능에서 출제될 수 있는 핵심 개념을 최대한 압축적으로 정리하여 빠른 시간 내에 주제의 핵심을 쉽게 파악할 수 있도록 구성하였다.

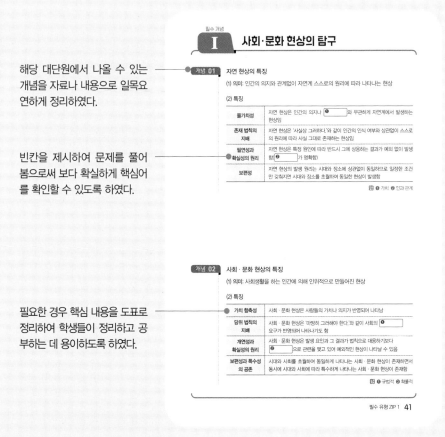

해당 대단원에서 나올 수 있는 개념을 자료나 내용으로 일목요연하게 정리하였다.

빈칸을 제시하여 문제를 풀어 봄으로써 보다 확실하게 핵심어를 확인할 수 있도록 하였다.

필요한 경우 핵심 내용을 도표로 정리하여 학생들이 정리하고 공부하는 데 용이하도록 하였다.

필수 개념

Ⅰ 사회·문화 현상의 탐구

개념 01 자연 현상의 특징

(1) 의미: 인간의 의지와 관계없이 자연계 스스로의 원리에 따라 나타나는 현상

(2) 특징

몰가치성	자연 현상은 인간의 의지나 ❶ 와 무관하게 자연계에서 발생하는 현상임
존재 법칙의 지배	자연 현상은 '사실상 그러하다.'와 같이 인간의 인식 여부와 상관없이 스스로의 원리에 따라 사실 그대로 존재하는 현상임
필연성과 확실성의 원리	자연 현상은 특정 원인에 따라 반드시 그에 상응하는 결과가 예외 없이 발생함(❷ 가 명확함)
보편성	자연 현상의 발생 원리는 시대와 장소에 상관없이 동일하므로 일정한 조건만 갖춰지면 시대와 장소를 초월하여 동일한 현상이 발생함

답 ❶ 가치 ❷ 인과 관계

개념 02 사회·문화 현상의 특징

(1) 의미: 사회생활을 하는 인간에 의해 인위적으로 만들어진 현상

(2) 특징

가치 함축성	사회·문화 현상은 사람들의 가치나 의지가 반영되어 나타남
당위 법칙의 지배	사회·문화 현상은 '마땅히 그러해야 한다.'와 같이 사회의 ❶ 요구가 반영되어 나타나기도 함
개연성과 확실성의 원리	사회·문화 현상은 발생 요인과 그 결과가 법칙으로 대응하기보다 ❷ 으로 관련을 맺고 있어 예외적인 현상이 나타날 수 있음
보편성과 특수성의 공존	시대와 사회를 초월하여 동일하게 나타나는 사회·문화 현상이 존재하면서 동시에 시대와 사회에 따라 특수하게 나타나는 사회·문화 현상이 존재함

답 ❶ 규범적 ❷ 확률적

차례 1권

필수 유형

사회·문화 현상의 이해 1

표시된 상황이 어떤 현상에 해당하는지를 판단하기 위해서는 인간의 의지가 개입되 었는지 여부를 고려해야 한다. 자연 현상과 비교한 사회·문화 현상의 특징을 묻는 문 제는 꼭 출제된다.

필수 유형

밑줄 친 ㉠~㉣과 같은 현상의 일반적인 특징에 대한 설명으로 옳은 것은?

이산화탄소의 과도한 발생으로 ㉠지구의 평균 기온이 상승하면서 다양한 환경 문제가 나타났다. 이에 대응하여 일부 국가에서는 ㉡환경 친화적 소비를 유도하고 이산화탄소 의 발생량을 감소시키고자 탄소 발자국을 표시하기 시작하였다. 탄소 발자국이란 제품 의 생산, 소비, 폐기 등의 과정에서 발생하는 이산화탄소의 총량을 말한다. 탄소 발자 국은 이산화탄소의 배출량을 무게 단위(kg)로 표시하거나, ㉢식물의 광합성을 통해 감 소될 수 있는 이산화탄소 배출량을 ㉣나무의 수로 환산하여 표시한다.

㉠, ㉢과 같은 자연 현상은 뚜렷한 인과 관계에 의해 나타난다. 따라서 보편성, 확실성에 따른다. 인간의 의 지에 의해서가 아닌 자연 상태에서 존재하는 현상으로, 인간의 의도나 **❶** 가 개입되어 있지 않다.

㉡, ㉣과 같은 사회·문화 현상은 가치 함축적이며, 자연 현상에 비해 예외가 존재하는 경우가 많다. 따라서 **❷** 이나 어떤 현상이 일어날 가능성 인 개연성으로 설명된다.

필수 자료 해석

사회·문화 현상은 자연 현상과는 달리 인간의 의지나 가치가 개입되어 나타난다. 따라서 존재 법칙이 아닌 **❸** 에 따른다. 또한 사회·문화 현상은 명확한 인과 관계에 의해 나타나는 것이 아니며, 확률적으로 나 타날 가능성이 높고 낮음으로 설명된다. 따라서 사회·문화 현상은 보편성과 함께 **❹** 을 지닌다.

답 ❶ 가치 ❷ 확률성 ❸ 당위 법칙 ❹ 특수성

위 지문을 보고 옳으면 ○표, 틀리면 ×표를 하고 그 까닭을 쓰시오.

① ㉠과 같은 현상은 ㉡과 같은 현상에 비해 예외가 없이 나타난다. (　　)

② ㉢과 같은 현상은 ㉣과 같은 현상에 비해 인과 관계가 분명하다. (　　)

③ ㉠과 같은 현상은 ㉣과 같은 현상에 비해 가치 함축적이다. (　　)

④ ㉡과 같은 현상은 ㉢과 같은 현상과 달리 당위 법칙의 지배를 받는다. (　　)

⑤ ㉢과 같은 현상은 보편성과 특수성이 공존한다. (　　)

⑥ ㉠과 같은 현상은 개연성으로 설명된다. (　　)

답 ① ○ ② ○ ③ ×(가치 함축적 → 몰가치적) ④ ○ ⑤ ×(보편성과 특수성이 공존한다 → 보편성 에 따른다) ⑥ ×(개연성 → 확실성)

제시된 사례에서 사회·문화 현상과 자연 현상을 구분해야 한다. 사회·문화 현상은 인간의 의지나 가치가 개입되어 발생하고, 자연 현상은 인간의 의지나 가치와는 무관하게 발생한다는 점을 통해 두 현상을 구분하는 문제가 자주 출제된다.

필수 유형

밑줄 친 ㉠~㉢과 같은 현상의 일반적인 특징에 대한 설명으로 옳은 것은?

사람들은 ㉠황사 및 미세 먼지에 관한 기상 예보에는 민감하게 대응하는 반면, 실내 공간에서의 공기 오염은 인식하지 못하곤 한다. 일상생활에서 발생하는 먼지 외에도 ㉡벽지나 가구 등에 함유된 화학 물질의 방출로 인하여 밀폐된 실내 공간에서 오염 물질의 농도는 점차 짙어진다. 이에 전문가들은 날씨와 상관없이 ㉢환기를 통해 실내 공기의 질을 관리할 것을 권장하고 있다.

㉠에 제시된 내용의 핵심은 기상 예보에 대한 대응이다. 기상 상태는 자연 현상이지만, 이에 대한 사람들의 대응은 **❶** 이다. ㉢에서 '권장'은 인간의 의도에 의해 나타나는 **❷** 이다.

㉡에 제시된 내용의 핵심은 화학 물질의 방출이다. 화학 물질이 방출되는 현상은 인간의 의지와 무관하게 나타나는 **❸** 이다.

필수 자료 해석

사회·문화 현상은 인간의 의도에 따라 나타나는 현상이고, 자연 현상은 인간의 의도와 무관하게 나타나는 현상이다. 제시된 자료에서 밑줄이 어디까지 표시되어 있는지가 매우 중요하다. 자연 현상에 대한 인간의 대응이나 반응까지 자료에 제시되어 있다면 그것은 **❹** 인 것이다.

답 ❶ 사회·문화 현상 ❷ 사회·문화 현상 ❸ 자연 현상 ❹ 사회·문화 현상

위 지문을 보고 옳으면 ○표, 틀리면 ×표를 하고 그 까닭을 쓰시오.

① ㉠과 같은 현상은 몰가치적이다. (   )

② ㉠과 같은 현상은 ㉡과 같은 현상에 비해 인과 관계가 뚜렷하다. (   )

③ ㉠과 같은 현상은 보편성과 특수성이 공존한다. (   )

④ ㉡, ㉢과 같은 현상은 경험적 자료로 연구가 가능하다. (   )

⑤ ㉡과 같은 현상은 인간의 가치와 의지가 개입되어 발생한다. (   )

⑥ ㉢과 같은 현상은 개연성의 원리가 작용한다. (   )

답 ① ×(몰가치적 → 가치 함축적) ② ×(뚜렷하다 → 뚜렷하지 않다) ③ ○ ④ ○ ⑤ ×(㉡ → ㉠, ㉢)
⑥ ○

문제 해결 전략   특정한 목적을 실현하기 위해 의도를 갖고 이루어진 인간의 행위는 사회·문화 현상으로 의도나 가치가 개입되지 않은 자연 현상과 구별된다. 이를 구분하고 두 현상의 특징을 판단하는 문제는 사회·문화 과목에서 빠지지 않고 출제되는 내용이다.

필수 유형

밑줄 친 ㉠~㉢과 같은 현상의 일반적인 특징에 대한 설명으로 옳은 것은?

예로부터 ㉠옹기는 음식의 발효와 저장을 위해 사용된 생활 필수품이었다. 열이 가해지면 ㉡흙 알갱이의 크기 차이로 인해 표면에 미세한 기공이 형성되어 숨 쉬는 옹기가 만들어졌다. 조상들은 김장 김치를 옹기에 담아 겨울 동안 땅속에 보관하여 가장 맛있는 상태로 유지하였다. 최근 연구에서는 땅속 옹기의 음식 보관 온도인 ㉢ -1℃ 상태에서 김치의 유산균 개체 수가 적정하게 유지된다는 것을 발견하였다.

㉠에서 사람들이 음식의 발효와 저장을 위해 옹기를 사용하는 것은 인간이 의지를 갖고 행하는 것으로 **❶**〔   〕이다. ㉢에서 '발견' 역시, 인간의 의도에 의해 나타나는 **❷**〔   〕이다.

㉡에 제시된 내용의 핵심은 흙 알갱이의 크기 차이가 표면에 미세한 기공을 만들어 낸다는 것이다. 이는 인간의 의도된 행위와는 무관하게 나타나는 **❸**〔   〕이다.

필수 자료 해석

제시된 자료에서 키워드를 뽑아보면, ㉠에서는 '옹기 사용', ㉡에서는 '기공 형성', ㉢에서는 '유지됨을 발견'이다. '사용', '발견'은 인간의 행위에 의한 것이나, 이와 달리 '기공이 형성되는 것' 자체는 인간의 행위와는 무관하게 나타나는 **❹**〔   〕이다.

답 ❶ 사회·문화 현상 ❷ 사회·문화 현상 ❸ 자연 현상 ❹ 자연 현상

필수 선택지   **위 지문을 보고 옳으면 ○표, 틀리면 ×표를 하고 그 까닭을 쓰시오.**

① ㉠과 같은 현상은 ㉡과 같은 현상에 비해 인과 관계가 명확하다. (   )

② ㉠과 같은 현상은 ㉡과 같은 현상에 비해 특수성이 강하게 나타난다. (   )

③ ㉡과 같은 현상은 ㉠과 같은 현상에 비해 예외가 없이 나타난다. (   )

④ ㉡과 같은 현상은 가치 함축적이다. (   )

⑤ ㉢과 같은 현상은 개연성의 원리가 적용된다. (   )

⑥ ㉠~㉢과 같은 현상 모두 경험적 자료로 연구가 가능하다. (   )

답 ① ×(명확 → 불명확) ② ○ ③ ○ ④ ×(가치 함축적 → 몰가치적) ⑤ ○ ⑥ ○

사회·문화 현상의 이해 4

문제 해결 전략 사회·문화 현상의 특징을 자연 현상과 비교하는 것은 교육과정 상 처음에 등장한다. 왜냐하면 사회·문화 과목의 바탕이 되는 내용이기 때문이다. 물론, 자연 현상의 특징은 사회·문화 현상을 명확히 이해하기 위한 도구로 활용되는 경우가 많다.

필수 유형

밑줄 친 ⊙~©과 같은 현상의 일반적 특징에 대한 설명으로 옳은 것은?

1947년 최초로 발견된 지카 바이러스는 주로 ⊙숲 모기에 의해 피부 세포에 침투하여 감염을 유발하고, 혈액을 통해 다른 부위로 이동한다. 2016년 2월 세계 보건 기구는 지카 바이러스가 ©태아의 뇌 기능을 저하시켜 소두증 같은 선천성 기형을 유발하고, 신경계 이상과도 연관이 있음을 발표하였다. 세계 보건 기구는 더 이상의 피해가 확산되는 것을 방지하기 위해 ©국제 공중 보건 긴급 사태를 선언하였다.

⊙에서 지카 바이러스가 감염을 유발하고, 다른 부위로 이동하는 것은 인간의 의지나 가치가 개입되지 않은 **❶** 이다. ©에서 지카 바이러스가 기형을 유발하는 것 역시 인간이 의도하여 발생되는 것이 아니기 때문에 **❷** 이다.

세계 보건 기구가 긴급 사태를 선언한 것은 자연 발생하는 것이 아닌 인간의 선택적 행위이다. 따라서 ©은 **❸**

필수 자료 해석

자연 현상은 예외가 없이 발생하고, 보편성만을 갖는다. 이를 확실성의 법칙을 따른다고 표현한다. 그러나 사회·문화 현상은 보편적으로 나타나는 경향을 갖기도 하지만 예외가 발생하며 특수한 모습을 보이는 경우가 많다. 따라서 사회·문화 현상은 **❹** 에 따라 나타난다고 표현할 수 있다.

답 ❶ 자연 현상 **❷** 자연 현상 **❸** 사회·문화 현상 **❹** 개연성(확률성)

필수 선택지

위 지문을 보고 옳으면 ○표, 틀리면 ×표를 하고 그 까닭을 쓰시오.

① ⊙과 같은 현상은 ©과 같은 현상에 비해 인과 관계가 명확하나. (　　)

② ⊙과 같은 현상은 ©과 같은 현상에 비해 특수성이 강하게 나타난다. (　　)

③ ⊙, ©과 같은 현상은 ©과 같은 현상에 비해 예외가 없이 나타난다. (　　)

④ ⊙과 같은 현상은 ©과 같은 현상과 달리 존재 법칙을 따른다. (　　)

⑤ ⊙, ©과 같은 현상은 가치 함축적이다. (　　)

⑥ ©과 같은 현상은 개연성의 원리가 적용된다. (　　)

⑦ ⊙~©과 같은 현상 모두 경험적 자료로 연구가 가능하다. (　　)

⑧ ©과 같은 현상은 보편성에 따르는 동시에 특수성도 함께 나타난다. (　　)

답 ① ×(⊙, © 모두 인과 관계가 명확함) ② ×(©이 특수성이 강함) ③ ○ ④ ○ ⑤ ×(가치 함축적→몰가치적) ⑥ ○ ⑦ ○ ⑧ ○

문제 해결 전략
사회·문화 현상을 거시적으로 이해하는 관점으로 기능론과 갈등론이 있다. 그중 특히 기능론과 갈등론이 갖는 특징과 장단점을 비교하여 묻는 문제가 자주 출제된다.

필수 유형

교육을 바라보는 갑, 을의 서로 다른 관점에 대한 옳은 설명을 〈보기〉에서 고른 것은?

갑: 교육이 인력 양성과 사회 질서 유지에 기여한다는 주장도 있지만, 누가 인재로 양성되며 누구를 위한 질서 유지인지 생각해 본다면 사회적 합의의 산물로 볼 수 없습니다. 결국 교육은 지배 이념을 정당화하는 수단입니다.

을: 교육은 사회적으로 필요한 인재를 양성해 적재적소에 배치하는 역할을 담당합니다. 사회가 필요로 하는 가치를 내면화하고, 직업 세계에서 필요로 하는 기능을 습득하도록 하는 것이 교육의 목적입니다.

갑은 교육이 갖는 사회 질서 유지의 기능보다 지배 이념을 정당화하는 수단으로 이용되고 있다고 인식하고 있다. 이러한 관점은 **❶ [   ]** 이다.

을은 교육이 사회적으로 필요한 인재를 양성하고, 사회가 필요로 하는 가치를 내면화한다고 인식하고 있다. 이러한 관점은 **❷ [   ]** 이다.

필수 자료 해석

기능론과 갈등론은 사회·문화 현상을 거시적으로 바라보는 관점이다. 그중 사회의 안정과 유지에 초점을 맞추어 사회를 구성하는 여러 요소들이 사회 전체의 통합에 필요한 고유의 기능을 수행한다고 보는 것은 **❸ [   ]** 이다. 반면, 갈등론은 사회를 구성하는 하위 요소들이 **❹ [   ]** 의 이익을 위해 규정된 것으로 본다.

답 ❶ 갈등론 **❷** 기능론 **❸** 기능론 **❹** 지배 집단(지배 계급)

필수 선택지

갑과 을의 관점에 대한 설명으로 옳으면 ○표, 틀리면 ×표를 하고 그 까닭을 쓰시오.

① 갑은 교육이 갖는 사회 통합적 기능을 중시한다. (   )

② 갑은 사회를 유기체와 같다고 인식한다. (   )

③ 갑은 지배 집단의 이득을 위해 사회 불평등 구조가 재생산된다고 본다. (   )

④ 을은 사회·문화 현상을 미시적인 관점에서 바라본다. (   )

⑤ 을은 사회 구성원 간 상호 작용을 중심으로 사회·문화 현상을 이해한다. (   )

⑥ 을은 사회 구성원들이 공유하는 규범을 구성원 간 합의된 것으로 본다. (   )

⑦ 을은 급진적 사회 변동을 설명하는 데 적합한 관점이다. (   )

답 ① ×(갑→을) **②** ×(갑→을) **③** ○ **④** ×(미시적→거시적) **⑤** ×(구성원 간 상호 작용→사회 구조) **⑥** ○ **⑦** ×(을→갑)

06 사회·문화 현상을 바라보는 관점 2

문제 해결 전략 사회·문화 현상을 바라보는 관점 중 개인의 행위에 초점 두는 이론은 상징적 상호 작용론이다. 기능론과 갈등론을 상호 비교하는 문제와 더불어 거시적 관점(기능론, 갈등론)과 상징적 상호 작용론을 비교하는 문제가 자주 출제된다.

필수 유형

사회 · 문화 현상을 바라보는 (가)~(다)의 관점에 대한 설명으로 옳은 것은?

(가) 질병은 구성원 각자가 부여하는 의미나 가치에 의해 사회적으로 규정될 수 있다. 예컨대 19세기 유럽에서는 폐결핵에 걸린 지식인과 예술인의 마른 자태를 열정과 낭만의 징표로 인식하기도 하였다. → 상징적 상호 작용론

(나) 질병은 사회 체계 유지라는 측면에서 볼 때 사회 통합에 긍정적으로 작용하지 못하기 때문에 사회 문제로 규정된다. 따라서 질병 치료는 일종의 사회 통제라고 볼 수 있다. → 기능론

(다) 질병으로부터 자신을 보호할 자원이 부족한 이들에게는 사회 구조적 모순이 고스란히 전달되어 질병으로 나타난다. 질병에 걸릴 위험은 사회 계급에 따라 차등적으로 분포되어 있기 때문이다. → 갈등론

필수 자료 해석

구분	기능론	갈등론	상징적 상호 작용론
관점	거시적	❶	미시적
특징	사회 통합 강조	대립과 갈등 강조	❷

圁 ❶ 거시적 ❷ 개인의 행위

필수 선택지 (가)~(다)에 대한 설명으로 옳으면 ○표, 틀리면 ×표를 하고 그 까닭을 쓰시오.

① (가)는 언어, 신호, 손짓과 같은 상징을 통한 상호 작용에 주목한다. (   )

② (나)는 사회를 유기체에 비유한다. (   )

③ 사회를 구성하는 하위 요소들이 상호 의존적으로 작용함으로써 사회 안정에 기여한다고 보는 것은 (다)의 관점이다. (   )

④ 사회 구조 속에서 계급 간의 대립과 갈등을 중시하는 것은 (다)이다. (   )

⑤ 사회 · 문화 현상을 이해하기 위해 구성원 간 이루어지는 상호 작용을 중시하는 관점은 (다)이다. (   )

圁 ① ○ ② ○ ③ ×(다→나) ④ ○ ⑤ ×(다→가)

문제 해결 전략 진술의 내용을 통해 기능론·갈등론·상징적 상호 작용론을 구분해야 한다. 거시적 관점과 미시적 관점을 구분하고, 거시적 관점의 두 이론의 차이를 비교하는 문제는 자주 출제되는 부분이다.

필수 유형

다음은 사회·문화 현상을 바라보는 관점 A~C에 대한 수행 평가이다. 이에 대한 설명으로 옳은 것은? (단, A~C는 각각 갈등론, 기능론, 상징적 상호 작용론 중 하나이다.)

• 수행 평가 과제: N잡러(여러 직업을 가진 사람) 증가 현상을 바라보는 관점 구분하기

진술	학생 갑	을
N잡러 증가 현상은 고용 유연화를 통해 노동 시장 지배력을 견고히 하려는 기득권층의 의도가 반영된 것이다. └→ 갈등론	C	B
N잡러 증가 현상은 부업과 여가 활동을 즐기며 살아가는 삶에 대한 긍정적 인식이 사회 구성원들에게 확산되면서 나타나는 것이다. └→ 상징적 상호 작용론	A	C
N잡러 증가 현상은 사회의 고용 충원 요구에 부응하는 것으로써 사회의 안정을 도모하고 사회 발전에 기여하는 것이다. └→ 기능론	B	A

• 교사 평가: 갑은 사회 유기체설에 입각한 관점만 옳게 구분하였고, 을은 거시적 관점에 해당하는 진술을 서로 반대로 구분함. └→ 기능론에 해당 → B(기능론) └→ A(갈등론), B(기능론), C(상징적 상호 작용론)

필수 자료 해석

거시적 관점은 사회 구조나 제도의 측면에서 사회·문화 현상을 이해하는 것이다. **❶** 은 사회 하위 요소들 간의 유기적 관계와 사회 안정에 중점을 두는 이론이고, 희소 가치를 배분하는 과정에서 나타나는 지배 계급의 피지배 계급에 대한 억압에 중점을 두는 이론이 **❷** 이다. 반면, 미시적 관점인 **❸** 은 구성원의 주관적 동기와 행위의 의미 해석에 초점을 맞춘다.

답 ❶ 기능론 ❷ 갈등론 ❸ 상징적 상호 작용론

필수 선택지 A~C에 대한 설명으로 옳으면 ○표, 틀리면 ×표를 하고 그 까닭을 쓰시오.

① A는 희소가치가 배분되는 과정에서 집단 간의 대립이 나타난다고 본다. (　　)

② B는 사회에서 중시되는 가치와 규범이 구성원 간 합의된 결과물이라고 본다. (　　)

③ B는 사회 갈등과 변동을 통해 사회 발전이 가능하다고 본다. (　　)

④ C는 사회 제도를 지배 집단의 기득권 유지를 위해 피지배 집단을 억압한 결과로 본다. (　　)

⑤ C는 사회 구성원인 개인의 능동성을 강조한다. (　　)

답 ① ○ ② ○ ③ ×(B→A) ④ ×(C→A) ⑤ ○

사회·문화 현상의 연구 방법 1

방법론적 일원론에 기반을 둔 실증적 연구 방법은 실제 사회·문화 현상에 대한 연구에서 많이 사용되는 방법이다. 따라서 양적 연구 방법에 연구 과정을 자료로 제시하고, 그 특징을 묻는 문제의 비중이 매우 높다.

필수 유형

사회·문화 현상의 연구 방법 A, B의 일반적인 특징에 대한 설명으로 옳은 것은?

사회·문화 현상을 연구하는 방법은 주로 이용하는 자료의 성격과 분석 방법에 따라 A와 B로 나눌 수 있다. A는 수량적 형태로 제시되는 정량적 자료를 통계적으로 분석하는 연구 방법이다. B는 인터뷰, 문서, 편지 등과 같은 정성적 자료를 연구자의 직관적 통찰을 통해 분석하는 연구 방법이다.

계량화된 자료를 통계적으로 분석하여 법칙 발견이나 일반화에 이르는 것을 목적으로 하는 A와 같은 연구 방법을 **❶**〔   〕라고 한다.

인터뷰, 문서, 편지 등 비교적 소수의 연구 대상에 대해 면밀하게 조사하여 심층적 자료를 얻고 이를 통해 사회·문화 현상에 담긴 인간 행위의 동기나 목적을 파악하고자 하는 B와 같은 연구 방법을 **❷**〔   〕라고 한다.

필수 자료 해석

양적 연구는 사회·문화 현상도 자연 현상의 연구 방법과 동일한 방법으로 연구할 수 있다고 보기 때문에 방법론적 일원론에 기초한다. 이를 위해 **❸**〔   〕을 세우고 자료를 분석하여 이를 증명하는 과정을 강조한다. 반면, 질적 연구는 방법론적 이원론에 기초하여 현상에 대한 **❹**〔   〕 이해를 강조하기 때문에 직관적 통찰을 중시한다.

답 ❶ 양적 연구 **❷** 질적 연구 **❸** 가설 **❹** 해석적

필수 선택지

A, B에 대한 설명으로 옳으면 ○표, 틀리면 ×표를 하고 그 까닭을 쓰시오.

① A는 방법론적 이원론을 전제로 한다. (   )

② A와 달리 B는 경험적 자료를 분석 대상으로 한다. (   )

③ A는 주로 가설을 검증하여 결론을 도출하는 방식을 사용한다. (   )

④ B는 연구 대상에 대한 심층적 이해를 목적으로 한다. (   )

⑤ B는 A에 비해 직관적 통찰 과정을 소홀히 여긴다. (   )

⑥ B는 A에 비해 계량화하지 않은 자료에 대한 활용도가 낮다. (   )

답 ① ×(이원론 → 일원론) ② ×(경험적 자료에 대한 분석은 두 연구 모두에서 이루어질 수 있음)
③ ○ ④ ○ ⑤ ×(소홀하다 → 중시한다) ⑥ ×(낮다 → 높다)

사회·문화 현상의 연구 방법 2

문제 해결 전략 사회·문화 현상에 대한 연구는 자연 과학의 연구 방법과 같다고 보는 시각도 있고, 자연 과학의 연구 방법과 다르다고 보는 시각도 있다. 이 두 연구의 특징을 비교하는 문제가 자주 출제된다.

필수 유형

그림은 양적 연구와 질적 연구를 구분한 것이다. (가)~(다)에 들어갈 수 있는 질문으로 옳은 것은?

질적 연구는 사회·문화 현상의 특수성에 대한 관심에서 출발한다. 따라서 개별적인 사회·문화 현상에 담긴 인간 행위의 동기나 ❶ [   ] 파악을 추구한다.

양적 연구는 사회·문화 현상에 내재된 ❷ [   ] 발견을 목적으로 한다. 따라서 주로 수량화된 자료를 수집하여 통계적으로 분석하는 방법을 사용한다.

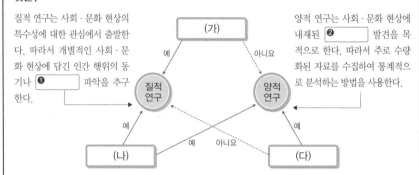

필수 자료 해석

구분	양적 연구	질적 연구
자연 현상 연구와의 동일성	동일함 (방법론적 ❸ [ ] = 실증적 연구)	동일하지 않음 (방법론적 ❹ [ ] = 해석적 연구)
특징	통계 기법을 활용하여 수집한 자료 분석	인간 행위의 동기나 목적 파악 중시
장점	법칙 발견, 일반화 용이	심층적 이해 가능

답 ❶ 목적 ❷ 법칙 ❸ 일원론 ❹ 이원론

필수 선택지 (가)~(다)에 들어갈 질문으로 옳으면 ○표, 틀리면 ×표를 하고 그 까닭을 쓰시오.

① (가)에는 '방법론적 일원론을 바탕으로 하는가?'가 들어갈 수 있다. (   )

② (나)에는 '경험적 자료를 활용하여 연구하는가?'가 들어갈 수 있다. (   )

③ (다)에는 '연구자가 연구 대상으로부터 분리될 수 있다고 보는가?'가 들어갈 수 있다. (   )

답 ① ×(있다 → 없다) ② ○ ③ ○

문제 해결 전략 : 자료 수집 방법은 질문지법, 면접법, 실험법, 참여 관찰법, 문헌 연구법 등으로 구분된다. 각각의 자료 수집 방법이 갖는 특징을 묻는 문제가 자주 출제된다.

필수 유형

자료 수집 방법 A~C의 일반적인 특징에 대한 설명으로 옳은 것은? (단, A~C는 각각 면접법, 실험법, 질문지법 중 하나이다.)

- 갑은 '운동에 따른 행복도 차이 연구'에 A를 활용하여, 무작위로 선정된 성인 200명을 대상으로 주당 운동 시간과 행복 수준을 묻는 문항에 답하게 하였다. └→ 질문지법
- 을은 '노년층의 인터넷 이용 양상 연구'에 B를 활용하여, 인터넷 동호회 활동을 하고 있는 노인들과의 대화를 통해 비구조화된 질문에 답하게 하였다. → 면접법
- 병은 '음악 청취가 암기력에 미치는 영향 연구'에 C를 활용하여, 한 집단은 음악이 있는 상태에서, 다른 집단은 음악이 없는 상태에서 단어를 학습한 후 평가 문항에 답하게 하였다. └→ 실험법

필수 자료 해석

구분	특징
질문지법	시간과 비용이 적게 들고 **❶** 에 용이함
면접법	**❷** 자료를 얻을 수 있으나 연구자의 주관이 개입될 우려가 있음
실험법	명확한 인과 관계를 통한 **❸** 에 유리함

답 ❶ 통계 분석 ❷ 심층적 ❸ 법칙 발견

필수 선택지 : **A~C에 대한 설명으로 옳으면 ○표, 틀리면 ×표를 하고 그 까닭을 쓰시오.**

① A는 짧은 시간 동안 다수의 응답자들에 대한 자료를 수집할 때 적합하다. (　)
② A는 자료 수집 과정에서 B에 비해 연구자의 가치 개입을 줄이기 용이하다. (　)
③ B는 A에 비해 심층적인 자료를 얻을 수 있다. (　)
④ C에서 연구자의 처치가 없이 비교 대상이 되는 집단을 실험 집단이라고 한다.
(　)
⑤ B는 C보다 가설 검증을 통한 법칙 발견에 유리하다. (　)

답 ① ○ ② ○ ③ ○ ④ ×(실험 집단 → 통제 집단) ⑤ ×(B는 C보다 → C는 B보다)

11 자료 수집 방법 2

자료 수집 방법에서 특히 자주 제시되는 방법은 질문지법과 면접법이다. 그러나 평가 요소의 다양화를 위해 참여 관찰법, 실험법, 문헌 연구법도 선택지나 보기에 등장하는 경우도 많기 때문에 각각의 방법에 대해 보다 세밀하게 학습해야 한다.

필수 유형

자료 수집 방법 A~D의 일반적인 특징에 대한 옳은 설명만을 〈보기〉에서 있는 대로 고른 것은? (단, A~D는 각각 질문지법, 면접법, 참여 관찰법, 문헌 연구법 중 하나이다.)

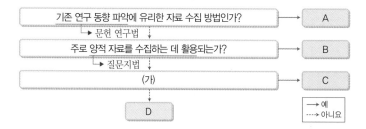

필수 자료 해석

자료에서 문헌 연구법과 질문지법은 A, B로 특정되었기 때문에 (가) 질문을 통해 나머지 두 개의 자료 수집 방법인 면접법과 참여 관찰법이 구분되어야 한다. **❶** 은 연구 대상자와의 대화를 통해 자료를 수집하는 것이라면, **❷** 은 연구자가 연구 대상의 활동에 참여하면서 관찰하는 방법이다.

답 ❶ 면접법 ❷ 참여 관찰법

A~D에 대한 설명으로 옳으면 ○표, 틀리면 ×표를 하고 그 까닭을 쓰시오.

① A는 개인의 일기나 비공식적 자료를 활용하지 않는다. (　　)
② A는 시간과 공간의 제약을 많이 받는다. (　　)
③ B는 표본의 대표성 확보 여부가 중요하다. (　　)
④ B는 C, D에 비해 다수를 대상으로 자료를 수집하기에 용이하다. (　　)
⑤ (가)가 "언어적 상호 작용에 의한 자료 수집이 필수적인가?"라면, D는 예상치 못한 상황에 대한 통제가 어렵다. (　　)
⑥ C, D는 B에 비해 양적 연구에 적합한 자료 수집 방법이다. (　　)
⑦ C, D는 B에 비해 자료 수집에 따른 비용과 시간이 많이 든다. (　　)

답 ① ×(활용하지 않는다 → 활용한다) ② ×(많이 → 직게) ③ ○ ④ ○ ⑤ ○ ⑥ ×(C, D는 B에 비해 → B는 C, D에 비해) ⑦ ○

문제 해결 전략 제시된 상황에서 주어진 정보를 최대한 활용하여 어떤 자료 수집 방법이 사용되었는지를 판단해야 한다.

필수 유형

자료 수집 방법 A, B의 일반적 특징에 대한 설명으로 옳은 것은?

- 갑은 피아노 연주자로 활동하며 A를 활용하여 재즈 음악가에 대한 자료를 수집했다. 갑은 재즈 음악가들이 일하고 여가를 즐기는 다양한 상황에 직접 들어가 같이 생활하면서 그들의 문화에 대한 자료를 얻었다. ↳참여 관찰법
- 을은 B를 활용하여 노숙자에 대한 자료를 수집했다. 을은 그들로부터 노숙자의 문화를 발견하고 싶었기 때문에 그들을 자신의 연구실로 초대하였다. 을은 노숙자들에게 그들의 경험을 세세하게 묘사해 달라고 요청하였다. ↳면접법

필수 자료 해석

연구자가 연구 대상과 함께 생활하거나 연구 대상의 활동에 참여하면서 현상을 직접 관찰하여 자료를 수집하는 방법은 ❶   이다. ❷   은 연구자가 연구 대상자와 깊이 있는 대화를 통해 자료를 수집하는 방법이다. 이 두 방법은 모두 소수의 대상자들로부터 깊이 있는 정보를 얻는 자료 수집 방법이기 때문에 ❸   연구에서 주로 사용된다.

目 ❶ 참여 관찰법 ❷ 면접법 ❸ 질적

필수 선택지 A, B에 대한 설명으로 옳으면 ○표, 틀리면 ✕표를 하고 그 까닭을 쓰시오.

① A는 대량의 구조화된 자료를 수집하는 데 용이하다. (   )

② A는 주로 질적 연구에서 사용된다. (   )

③ A는 인위적으로 통제된 상황에서 변수의 효과를 관찰하기에 적합하다.

(   )

④ A를 활용하면 언어적 의사소통이 어려운 사람들로부터 자료를 수집할 수 있다.

(   )

⑤ B는 주로 양적 연구에서 활용된다. (   )

⑥ B는 A와 달리 조사 대상자와의 언어적 상호 작용이 필수적이다. (   )

⑦ B는 A와 달리 인과 관계의 파악을 통해 법칙을 발견하는 데 용이하다. (   )

⑧ B는 주로 소수의 조사 대상에 대한 심층적 자료를 수집할 때 사용된다. (   )

目 ① ✕(대량의 구조화된 → 소량의 심층적) ② ○ ③ ✕(실험법에 대한 설명임) ④ ○ ⑤ ✕(양적 → 질적) ⑥ ○ ⑦ ✕(두 방법 모두 주로 질적 연구에서 활용됨) ⑧ ○

13 사회·문화 현상의 탐구 태도 1

문제 해결 전략

사회·문화 현상에 대한 연구 과정에서 연구자는 객관적 태도, 개방적 태도, 상대주의적 태도, 성찰적 태도를 가져야 한다. 사례에서 연구자에게 요구되는 태도를 연결시키는 형식의 문항이 자주 출제된다.

필수 유형

(가), (나)에서 강조하고 있는 사회·문화 현상의 탐구 태도에 대한 설명으로 가장 적절한 것은?

(가) 연구자는 사회·문화 현상 연구에서 얻은 결과를 확정하려고 고집하기보다는 잠정적 결론으로 보고 다른 연구자의 의견을 고려함으로써 좀 더 타당한 주장이나 결론으로 대체할 수 있음을 인정해야 한다. → 개방적 태도

(나) 동일한 사회·문화 현상이라도 시대와 사회에 따라 그 현상이 가지는 의미가 달라질 수 있으므로 연구자는 사회·문화 현상 연구에서 역사적 전통과 사회적 맥락을 충분히 고려해야 한다. → 상대주의적 태도

필수 자료 해석

사회·문화 현상의 연구 태도 중 (가), (나)에 제시된 것 외에 성찰적 태도와 객관적 태도도 있다.
그중 ❶ [   ] 는 사회·문화 현상의 이면에 존재하는 의미를 반성적으로 탐구하는 자세이며, ❷ [   ]
는 연구자의 가치를 개입시키지 않아야 한다는 것이다.

🔑 ❶ 성찰적 태도 ❷ 객관적 태도

필수 선택지

(가), (나)에 대한 설명으로 옳으면 ○표, 틀리면 ×표를 하고 그 까닭을 쓰시오.

① (가)는 현상을 사실 그 자체에 초점을 두고 파악하려는 태도이다. (   )

② (가)는 타인의 비판을 편견 없이 받아들이는 태도이다. (   )

③ (가)는 편협한 주장이나 이론에 갇히지 않아야 함을 강조한다. (   )

④ (나)는 사회·문화 현상이 지닌 고유한 의미와 가치를 인정하는 자세이다.
(   )

⑤ (나)는 특정 사회에서 적용되는 연구 결과를 일반화시키지 않는 것과 연관된다.
(   )

⑥ (나)는 연구자가 스스로 비판적인 자세로 자신의 연구를 되짚어 보는 것이다.
(   )

🔑 ① ×(객관적 태도에 대한 설명임) ② ○ ③ ○ ④ ○ ⑤ ○ ⑥ ×(성찰적 태도에 대한 설명임)

사회·문화 현상의 탐구 태도 2

사회·문화 현상에 대한 탐구에서 가치 중립이 필요하다. 연구 과정에서 가치 중립이 엄격하게 요구되는 단계를 묻는 문항이 자주 출제된다.

필수 유형

(가), (나)가 적용되어야 할 연구 단계로 옳은 것만을 〈보기〉에서 있는 대로 고른 것은?

연구자는 사회 현상의 연구 과정에서 가치 ┌→ 가치 중립 개입과 가치 중립의 문제에 직면한다. 연구자는 학문적 객관성을 위해 가급적 [(가)]을/를 지켜야 한다. 하지만 연구 과정에서 어떠한 가치 판단도 전제하지 않는 연구는 불가능하므로 [(나)]이/가 용인되는 단계도 있다.
└→ 가치 개입

필수 자료 해석

사회·문화 현상의 탐구 과정에서 가치 중립은 연구자가 가치를 가져서는 안 된다는 것이 아니라, 주관적 가치 때문에 연구 과정이나 결과가 왜곡되어서는 안 된다는 것이다. 문제를 인식하고 연구 목적을 설정할 때, 도출된 결론을 활용할 때는 ❶ [   ]이 허용되며, 자료를 수집하고 분석한 후 결론을 내리는 과정에서는 ❷ [   ]을 철저하게 지켜야 한다.

📑 ❶ 가치 개입 ❷ 가치 중립

(가), (나)에 대한 설명으로 옳으면 ○표, 틀리면 ×표를 하고 그 까닭을 쓰시오.

① 개념을 측정 가능하도록 조작적으로 정의하는 과정에서는 (나)는 배제된다.
(   )
② 수집된 자료를 통해 가설의 진위 여부를 확인할 때는 (가)가 요구된다. (   )
③ 어떤 자료 수집 방법을 사용할지 결정할 때에는 철저히 (가)에 따라야 한다.
(   )
④ 하나의 연구에서 연구자에게 (가), (나)를 동시에 요구할 수 없다. (   )
⑤ 질적 연구에서 (가)는 불필요하다. (   )
⑥ 연구자가 문제를 인식하고 연구 주제를 선정하는 과정에서 (나)가 허용된다.
(   )
⑦ 연구자가 질문지를 작성할 때, 특정 결론에 도달하는 것을 목표로 삼는 것은 (가)를 지키지 않은 것이다. (   )
⑧ (가)를 통해 사회·문화 현상에 대한 연구의 객관성이 확보된다. (   )

📑 ① ×((나)가 용인됨) ② ○ ③ ×((나)가 용인됨) ④ ×(동시에 요구됨) ⑤ ×(질적 연구에서도 단계에 따라 철저한 가치 중립이 요구됨) ⑥ ○ ⑦ ○ ⑧ ○

문제 해결 전략

사회·문화 현상을 탐구하는 연구자는 여러 측면에서의 연구 윤리를 지켜야 한다. 연구 사례를 제시하고, 사례 속에서 연구 윤리를 위반한 내용을 찾아내는 문제가 자주 출제된다.

필수 유형

다음 사례에 나타난 연구 윤리상의 문제점으로 가장 적절한 것은?

연구자 갑은 15세 이용가로 분류된 특정 게임들이 청소년에게 해로울 수 있다는 여러 전문가들의 의견을 접하고, 이 게임들의 선정성·폭력성·사행성 정도를 확인하기로 하였다. 이에 갑은 모집 공고를 보고 자원한 청소년 50명과 성인 50명에게 2주간 매일 8시간씩 해당 게임들을 일정에 따라 실행하도록 한 후, 이 게임들에 대한 30개 평가 항목에 응답하게 하였다. 갑은 무성의하게 응답한 일부 자료를 제외하고 분석한 연구 결과를 게임 관련 학회에서 발표하였다.

연구자는 연구 대상자에게 해로운 영향을 미치거나 수치심을 주는 등의 **❶** 을 침해하는 연구를 해서는 안 된다.

연구자는 연구 대상자가 자발적으로 연구에 참여할 수 있도록 해야 하고, 목적과 방법을 공유해야 한다. 또한 연구 자료에 사적 정보가 담겨 있는 경우 유출해서는 안 된다. 연구 대상의 **❷** 이 침해될 우려가 있기 때문이다.

필수 자료 해석

위의 자료에서는 청소년에게 해로울 수 있다는 점을 인지했음에도 장기간 해당 게임을 하도록 연구를 설계한 것에서 연구 대상의 **❸** 의 소지가 있는 연구를 진행하였다고 판단된다. 연구 대상의 사생활 침해 여부나 익명성 보장 여부 등 다른 측면에서의 연구 윤리는 제시된 자료를 근거로 삼는다면 전반적으로 문제가 없어 보인다. 또한 연구 목적에 어긋나게 결과를 활용했다는 근거도 발견할 수 없다.

답 ❶ 인권 **❷** 사생활 **❸** 인권 침해

필수 선택지

위 사례에 대한 설명으로 옳으면 ○표, 틀리면 ×표를 하고 그 까닭을 쓰시오.

① 연구자는 연구 대상자의 인권을 침해했다. (　　)

② 연구 대상이 연구에 참여 여부를 결정할 수 있도록 사전 허락을 받지 않았다. (　　)

③ 연구 결과를 연구 외의 목적으로 사용하지 않았다. (　　)

④ 연구자의 이해관계를 반영하여 자료를 선별하지 않았다. (　　)

⑤ 연구 대상자에게 부정적 영향을 끼칠 수 있는 연구를 시행하였다. (　　)

답 ① ○ **②** ×(모집 공고를 거쳐 지원함) **③** ○ **④** ○ **⑤** ○

16 양적 연구 방법의 탐구 절차 1

문제 해결 전략

방법론적 일원론에 기반을 둔 양적 연구 방법은 실제 사회·문화 현상에 대한 연구에서 많이 사용되는 방법이다. 따라서 양적 연구 방법의 연구 과정을 자료로 제시하고 단계별 특징과 연구 설계 전반에 대해 묻는 문제의 비중이 매우 높다.

필수 유형

밑줄 친 ㉠~㉢에 대한 설명으로 옳은 것은?

연구 주제	학교 폭력 가해 행동에 청소년의 공감 능력이 미치는 영향
가설 설정	㉠공감 능력이 높은 청소년일수록 학교 폭력 가해 행동을 적게 할 것이다.
연구 대상	연구자가 거주하는 지역의 고등학생 중 ㉡1,000명을 추출하여 선정
자료 수집	설문 조사를 통해 학교 폭력 가해 행동 횟수와 ㉢공감 능력 검사의 점수를 측정
자료 분석	설문 조사를 통해 수집한 자료는 통계 처리함.
자료 분석 결과	청소년의 공감 능력 정도는 학교 폭력 가해 행동 횟수와 음(−)의 상관관계가 통계적으로 유의미하게 나타남.

일반적으로 ㉠과 같이 가설을 설정하고 검증하는 것은 사회·문화 현상의 법칙을 발견하기 위한 것이므로 ❶ [　　　] 연구로 설계되어 있다.

위의 연구 방법은 자연 과학의 연구 방법과 사회·문화 현상의 연구 방법이 본질적으로 다르지 않음을 전제로 한다.

필수 자료 해석

자연 과학의 연구를 통해 얻어진 지식은 객관적이고 명료하다. 사회·문화 현상 역시 자연 과학의 연구과 같은 방법을 통해 사회 과학적 법칙이나 ❷ [　　　]에 이를 수 있다고 보는 것이 양적 연구이다. 이를 위해서는 ❸ [　　　]된 자료를 통계적으로 분석함으로써 ❹ [　　　]을 검증하는 과정이 요구된다.

답 ❶ 양적 ❷ 일반화 ❸ 수량화(계량화) ❹ 가설

필수 선택지 **위 연구에 대한 설명으로 옳으면 ○표, 틀리면 ×표를 하고 그 까닭을 쓰시오.**

① 연구 주제 설정 단계에서는 연구자의 주관이나 가치 개입이 필요하다. (　　)

② ㉡은 표본 집단이다. (　　)

③ 자료 분석 결과로 보아 가설은 기각되었다. (　　)

④ ㉢을 위해 개념의 조작적 정의가 필요하다. (　　)

⑤ 이 연구에서는 표본의 대표성이 확보되었다. (　　)

⑥ 이 연구는 방법론적 일원론에 기반을 두고 설계되었다. (　　)

답 ①○②○③×(기각→채택)④○⑤×(확보되었다→확보되지 못했다)⑥○

17 양적 연구 방법의 탐구 절차 2

문제 해결 전략　질적 연구 방법은 연구 단계가 양적 연구에 비해 정형화되어 있지 않은 경우가 많다. 따라서 출제 비중은 양적 연구의 설계에 대한 것이 훨씬 높으므로, 이에 대해 다양한 유형을 연습해야 한다.

필수 유형

다음 연구에 대한 설명으로 옳은 것은?

- **연구 주제:** 고등학생의 일기 쓰기와 언어 능력 간의 관계
- **연구 가설:** ㉠지속적으로 일기를 쓰는 고등학생이 ㉡그렇지 않은 고등학생보다 언어 능력이 높을 가능성이 클 것이다. → 양적 연구
- **자료 수집:** 고등학생 1,000명을 대상으로 ㉢지속적으로 일기를 쓰는지 여부를 조사하고 표준화된 검사지를 통해 ㉣언어 능력을 측정함.
- **자료 분석 결과** → 질문지법

(단위: 명)

구분	언어 능력	
	높음	낮음
지속적으로 일기를 쓰는 고등학생	310	80
지속적으로 일기를 쓰지 않는 고등학생	320	290

※ 자료 분석 결과는 통계적으로 유의미함.

필수 자료 해석

제시된 연구는 고등학생의 일기 쓰기라는 **❶[　　　]** 변수와 언어 능력이라는 **❷[　　　]** 변수의 관계를 검증하기 위해 시행되었다. 이를 위해 표본 집단을 추출하여 질문지를 통해 양적 자료를 수집하였다.

답 ❶ 독립 ❷ 종속

필수 선택지　위 연구에 대한 설명으로 옳으면 ○표, 틀리면 ×표를 하고 그 까닭을 쓰시오.

① ㉠은 실험 집단, ㉡은 통제 집단이다. (　　　)
② ㉢은 독립 변인, ㉣은 종속 변인이다. (　　　)
③ 자료 분석 결과 가설은 수용된다. (　　　)
④ 방법론적 이원론에 기초한 연구를 수행하였다. (　　　)
⑤ 이 연구에서는 연구자의 직관적 통찰이 중시된다. (　　　)

답 ① ×(이 연구는 실험법이 아님) ② ○ ③ ○ ④ ×(일원론 → 이원론) ⑤ ×(직관적 통찰은 질적 연구에서 중시됨)

제시된 연구는 양적 연구로, 연구의 각 단계별 특징을 통해 전반적 연구 흐름을 파악해야 한다. 양적 연구 자체에 대한 특징을 묻기도 하고, 연구 과정에서 사용된 자료 수집 방법을 연계하거나 연구 윤리와 연결한 문제가 출제되기도 한다.

필수 유형

다음 연구에 대한 설명으로 옳은 것은? (단, (가)~(라)는 연구 과정을 순서 없이 나열한 것이다.)

- **연구 주제 설정**: ㉠온라인 실시간 토론과 면대면 토론이 청소년의 비판적 사고력에 어떤 영향을 미치는지 연구하고자 하였다. ↳ (라) → (가) → (다) → (나)
- (가) ㉡지역과 성별을 고려하여 무작위로 추출한 고등학생 100명을 연구 대상자로 선정하였다.
- (나) 면대면 토론 수업과 동일하게 ㉢온라인 실시간 토론 수업이 비판적 사고력과 정(+)의 상관관계가 있는 것으로 나타났다.
- (다) 8주간 면대면 토론 수업과 온라인 실시간 토론 수업에 각각 50명씩 참여시킨 후, ㉣논증적 사고력 지수와 분석적 사고력 지수를 측정하였다.
- (라) 수업에서의 자유로운 의사 표현 허용이 청소년들에게 주는 의미를 심층적으로 해석한 선행 연구 자료를 검토하였다. ㉤이 선행 연구 자료를 통해 청소년들은 허용적 환경에서 심리적 안정감을 갖게 되어 능동적으로 수업에 참여하고자 한다는 것을 확인하였다.

이 연구는 두 변수 간의 관계를 파악하는 것이 목적인 **❶** 연구이다. 이 연구 수행을 위해 기존 연구를 검토하였다.

연구 과정에서 비판적 사고력을 논증적 사고력 지수와 분석적 사고력 지수로 구분한 것은 수량화를 위해 개념을 **❷** 으로 정의한 것이다.

필수 자료 해석

이 연구는 실험 집단에게 처치를 통해 통제 집단과의 비교를 하는 방법인 **❸** 을 사용했는데, 제시된 상황은 통제 집단과의 비교가 아닌 처치 전과 후의 변화를 비교하는 형태로 실험이 이루어졌다. 그러나 엄밀하게 분석하자면 처치 전의 변수에 대한 측정은 명시되지 않았다. **답 ❶** 양적 **❷** 조작적 **❸** 실험법

필수 선택지

위 연구에 대한 설명으로 옳으면 ○표, 틀리면 ×표를 하고 그 까닭을 쓰시오.

① ㉡은 모집단에서 추출한 표본 집단이다. ( )
② ㉢으로 보아 가설은 기각되었다. ( )
③ ㉣은 비판적 사고력을 측정하기 위해 조작적으로 정의된 것이다. ( )

답 ① ○ ② ×(가설이 명시되어 있지 않으므로 가설의 채택, 기각 여부는 판단할 수 없음) ③ ○

문제 해결 전략

개인과 사회의 관계를 바라보는 관점에는 사회 실재론과 사회 명목론이 있다. 이 두 가지는 자주 출제되는 부분으로 각각의 관점이 갖는 특징을 명확하게 파악하고 비교할 수 있어야 한다.

필수 유형

개인과 사회의 관계를 바라보는 관점 (가), (나)에 대한 설명으로 옳은 것은?

(가) 사회는 비록 개인의 합이지만, 일단 <u>사회가 형성이 되면 하나의 단위로서 독자성을 갖는다.</u> 예를 들어 남녀가 만나 하나의 가정을 이루게 되면, 가정은 <u>이 두 남녀의 성격을 합친 것과는 분명히 다른 독자적인 특성을 갖게 된다.</u> → 사회 실재론

(나) 사회가 성립된다고 하더라도 개인은 사회로부터 자유롭지 못한 피동적 존재가 아니다. 도리어 <u>개인은 사회의 영향으로부터 벗어나 독자적 영역을 가지며, 개인의 결단에 따라 모든 사회적 행위가 구성된다.</u> → 사회 명목론

필수 자료 해석

사회는 개인의 합으로 이루어진다. 그런데 단지 사회가 개인의 합에 그치는 것이 아니라 그 이상의 독자적인 성격과 특성을 갖게 되고 이것이 개인들에게 큰 영향을 끼친다고 보는 관점을 **❶** [   ]이라고 한다. 반면, 개인이 모여 사회를 이루지만 사회는 단지 개인의 합에 불과하며 사회의 특성이 개인에게 영향을 미치지 못한다고 보는 관점은 **❷** [   ]이다.

답 **❶** 사회 실재론 **❷** 사회 명목론

필수 선택지

(가), (나)에 대한 설명으로 옳으면 ○표, 틀리면 ×표를 하고 그 까닭을 쓰시오.

① (가)는 사회가 개인의 총합에 불과하다고 본다. (   )

② (가)는 사회를 개인의 외부에 실재하는 것으로 본다. (   )

③ (가)는 인간 행동에 개인 의지보다 사회 제도가 더 큰 영향을 줄 것이라고 본다.
(   )

④ (가)는 사회 구조가 개인 행위의 한계를 설정하는 주요 요인임을 강조한다.
(   )

⑤ (나)는 사회가 허구적 실체에 불과하다고 본다. (   )

⑥ (나)는 사회를 개인으로 환원하여 설명할 수 없다고 본다. (   )

⑦ (나)는 사회의 속성이 개인의 속성을 결정한다고 본다. (   )

⑧ (나)는 사회 문제 해결 시 의식 개혁보다 제도 개혁을 중시한다. (   )

답 ① ×(가→나) ② ○ ③ ○ ④ ○ ⑤ ○ ⑥ ×(없다고 → 있다고) ⑦ ×(나 → 가) ⑧ ×(나 → 가)

20 개인과 사회의 관계를 바라보는 관점 2

문제 해결 전략

실제 사례를 통해 사회 명목론, 사회 실재론 중 어느 관점에 해당하는지를 판단하는 문제도 자주 출제된다. 예를 들어, 정당과 후보자 중 어느 쪽에 비중을 두고 투표를 하는지를 따져보는 것이 대표적인데 최근에는 다양한 사례가 제시되는 만큼 기출된 사례를 통해 추론하는 역량을 길러야 한다.

필수 유형

(가), (나)에 나타난 개인과 사회의 관계를 보는 관점에 대한 옳은 설명을 〈보기〉에서 고른 것은?

(가) A 축구팀이 2부 리그로 강등된 원인에 대하여 다양한 분석이 제시되고 있다. 그중
— 사회 명목론
가장 설득력 있는 분석은 주축이 되는 선수들의 이탈을 그 원인으로 보는 것이다.
왜냐하면 이탈한 선수들의 역량만큼 팀의 역량이 떨어질 수밖에 없기 때문이다.

(나) 신입 사원은 시간이 지남에 따라 회사의 기존 제도와 문화에 동화되기 마련이다.
회사의 특성이 사원의 특성을 결정하기 때문이다. → 사회 실재론

필수 자료 해석

제시된 자료를 통해 개인과 사회의 관계를 바라보는 관점을 추론할 수 있는데, **❶**〔　　　　〕은 사회는 개인의 총합 이상으로서 개인으로 환원될 수 없는 고유한 성격을 가진다고 인식한다. 이와 달리 **❷**〔　　　　〕은 사회는 명목상 존재할 뿐이며 개인의 집합체에 불과하다고 본다.

🔑 ❶ 사회 실재론 ❷ 사회 명목론

필수 선택지

(가), (나)에 대한 설명으로 옳으면 ○표, 틀리면 ×표를 하고 그 까닭을 쓰시오.

① (가)는 사회가 개인의 집합체에 불과하다고 본다. (　　)

② (가)는 사회가 개인에게 미치는 영향을 간과한다는 비판을 받는다. (　　)

③ (가)는 개인을 사회에 종속된 존재로 바라본다. (　　)

④ (가)는 사회가 개인의 이익을 실현해 주는 수단에 불과하다고 본다. (　　)

⑤ (가), (나) 중 사회 유기체설과 가까운 관점은 (가)이다. (　　)

⑥ (나)는 개인의 행동이 사회에 의해 구속된다고 본다. (　　)

⑦ (나)는 사회 문제 해결 시 제도 개혁을 의식 개혁보다 중시한다. (　　)

⑧ (나)는 조직의 역량은 구성원들의 역량을 합한 것보다 클 수 있다고 본다.
(　　)

🔑 ①○②○③×(가→나)④○⑤×(가→나)⑥○⑦○⑧○

문제 해결 전략 갑과 을은 개인과 사회의 관계를 바라보는 데 있어서 상반된 입장을 갖고 있다. 사회 명목론과 사회 실재론의 입장 차이를 구분하는 평가 요소는 빠지지 않고 출제된다.

필수 유형

개인과 사회의 관계를 바라보는 갑, 을의 관점에 대한 설명으로 옳은 것은?

개인과 사회의 관계는 원자와 사물의 관계로 설명할 수 있습니다. 사물이 그것을 구성하는 원자의 집합체에 불과하듯이 사회도 개인의 집합체일 뿐입니다. ▶ 사회 명목론

갑

을

개인과 사회의 관계는 부품과 기계의 관계로 설명할 수 있습니다. 부품은 기계를 구성하는 요소이지만 기계는 개별 부품의 속성만으로는 설명되지 않는 고유한 특성을 지닙니다.
▶ 사회 실재론

필수 자료 해석

사회 실재론은 사회가 개인의 속성과는 구별되는 독립적인 실체이며, 개인의 외부에 실제로 존재한다고 보는 관점이다. 즉, 사회는 개인으로 **❶** 될 수 없는 고유한 성격을 갖는다고 본다. 반면, 사회 명목론은 사회는 **❷** 에 불과하다고 전제하기 때문에 사회·문화 현상은 개인의 특성을 파악함으로써 이해가 가능하다라고 본다.

답 ❶ 환원 ❷ 개인의 합

필수 선택지 **갑, 을의 관점에 대한 설명으로 옳으면 ○표, 틀리면 ×표를 하고 그 까닭을 쓰시오.**

① 갑의 관점은 개인이 사회 속에서만 존재의 의미를 갖는다고 본다. (   )

② 갑의 관점은 사회 문제의 해결책으로 개인의 의식 개선을 강조한다. (   )

③ 갑의 관점은 을의 관점과는 달리 사회의 특성이 개인의 특성으로 환원될 수 없다고 본다. (   )

④ 갑의 관점은 개인에 대한 사회의 구속성을 경시한다. (   )

⑤ 을의 관점은 사회에 대한 개인의 자율성을 강조한다. (   )

⑥ 을의 관점은 사회를 변화시키는 원동력은 개인에게 있다고 본다. (   )

⑦ 을의 관점은 사회·문화 현상에 대한 이해를 위해 사회 구조에 대한 관심이 필요함을 강조한다. (   )

⑧ 을의 관점은 갑의 관점에 비해 사회가 개인에게 미치는 영향을 중시한다.
(   )

답 ① ×(갑→을) ② ○ ③ ×(갑과 을이 바뀜) ④ ○ ⑤ ×(을→갑) ⑥ ×(을→갑) ⑦ ○ ⑧ ○

개인과 사회의 관계를 바라보는 관점 4

문제 해결 전략　사회 명목론과 사회 실재론의 비교는 실제 사례를 통해 구분할 수 있어야 한다. 하지만 이 문제는 실제 상황보다는 두 이론에 대해 원론적으로 설명하는 자료가 활용되었는데 이러한 문제를 해결하기 위해서는 명확한 개념 이해가 요구된다.

필수 유형

다음 자료에 대한 옳은 설명만을 〈보기〉에서 고른 것은?

교사: 개인과 사회의 관계를 바라보는 관점은 A와 B가 있습니다. 이에 대해 발표해 보세요.

갑: A는 사람들의 자율적·능동적 노력으로 사회 변화를 이루어 가는 현상을 설명하는 데 유용합니다. ┌▶ 개인이 사회 구조에 전적으로 따르지 않을 수 있음을 의미한다. 이는 **❶**　　　　이다.

을: ┌──────────────────────(가)──────────────────────┐

병: B는 개인의 의지를 초월하여 개인의 행위를 구속하는 사회 구조의 영향력을 강조합니다. ┌▶ 사회 구조가 개인의 행위를 구속한다고 보는 **❷**　　　　의 입장이다.

교사: 모두 옳게 발표했네요. 즉, 개인의 자율성보다는 사회 구조의 영향력을 중시한다.

필수 자료 해석

제시된 자료는 개인과 사회의 관계를 바라보는 관점에 대한 직접적인 설명이다. **❸**　　　　은 사회 구조의 절대성을 강조하고, **❹**　　　　은 사회는 개인의 집합체에 불과하다고 본다.

🔑 ❶ 사회 명목론 ❷ 사회 실재론 ❸ 사회 실재론 ❹ 사회 명목론

필수 선택지　위 자료에 대한 설명으로 옳으면 ○표, 틀리면 ×표를 하고 그 까닭을 쓰시오.

① A는 사회 구조에 대한 개인의 불가항력성을 인정한다. (　　)

② A는 사회가 개인의 이익을 실현해 주는 수단에 불과하다고 본다. (　　)

③ B는 개인의 행동이 사회에 의해 구속된다고 본다. (　　)

④ B는 사회 전체의 이익을 명분으로 개인의 희생을 정당화하는 전체주의로 변질될 우려가 있다. (　　)

⑤ (가)에는 'B는 사회가 개인으로 환원될 수 없는 고유한 성격을 지니고 있다고 봅니다.'가 들어갈 수 없다. (　　)

🔑 ① ×(A→B) ② ○ ③ ○ ④ ○ ⑤ ×(없다→있다)

23 사회화의 의미와 과정 1

학교는 사회화를 목적으로 설립된 기관이고, 가족은 형성 목적이 사회화에 있는 것은 아니다. 공식적 기관인지 비공식적 기관인지를 구분한 후 사회화의 내용에 따라 1차적 기관인지, 2차적 기관인지를 연결하는 문제가 많이 출제된다.

필수 유형

그림은 사회화 기관의 유형 A, B를 구분한 것이다. 이에 대한 옳은 설명만을 〈보기〉에서 고른 것은? (단, A, B는 각각 2차적 사회화 기관, 비공식적 사회화 기관 중 하나이다.)

학교는 사회화를 목적으로 설립된 기관으로 공식적 사회화 기관이며, 전문적인 지식과 정보 등에 대한 사회화를 담당하는 기관이기 때문에 ❶ [　　] 사회화 기관이다.

가족은 사회생활의 기초적인 행동 양식을 습득하는 데 영향을 미치는 1차적 사회화 기관이며, 사회화를 목적으로 형성된 것은 아니므로 ❷ [　　] 사회화 기관이다.

필수 자료 해석

사회화 기관은 사회화를 목적으로 형성된 ❸ [　　] 사회화 기관과 사회화를 목적으로 하는 것은 아니지만 사회화가 이루어지는 기관인 비공식적 사회화 기관으로 구분된다. 또한 사회화의 내용에 따라 구분할 수도 있는데 자아와 인성의 기본 틀을 형성하고 사회 생활의 기초적 행동 양식을 습득하는 데 영향을 끼치는 1차적 사회화 기관과 전문적인 지식과 정보를 사회화하는 ❹ [　　] 사회화 기관으로 구분할 수 있다.

🔑 ❶ 2차적 ❷ 비공식적 ❸ 공식적 ❹ 2차적

필수 선택지

위 자료에 대한 설명으로 옳으면 ○표, 틀리면 ×표를 하고 그 까닭을 쓰시오.

① A는 주로 기초적인 사회화를 담당한다. (　　)

② A는 2차적 사회화 기관이다. (　　)

③ A는 자아 정체성 형성에 영향을 준다. (　　)

④ (가)에는 '회사'가 들어갈 수 있다. (　　)

⑤ B는 2차적 사회화 기관이다. (　　)

⑥ A, B를 통해 이루어지는 사회화는 어린 시절에 모두 완성된다. (　　)

🔑 ① ×(기초적인 → 전문적인) ② ○ ③ ○ ④ ○ ⑤ ×(2차적 → 비공식적) ⑥ ×(사회화는 평생에 걸쳐 이루어짐)

24 사회화의 의미와 과정 2

문제 해결 전략 사회화의 의미와 과정은 사회적 지위와 역할과 연계되어 출제되는 경우가 많다.

필수 유형

밑줄 친 ㄱ~ㅂ에 대한 설명으로 옳은 것은?

갑은 축구 선수 출신인 ㉠아버지의 영향으로 ㉡어려서부터 축구의 기본기를 철저하게 연습했다. ㉢○○ 고등학교를 다니다가 유럽의 A 팀에 입단하여 뛰어난 기량을 발휘한 갑은 ㉣B 팀과 C 팀으로부터 영입 제안을 받고 어느 팀으로 갈지 고민하였다. 고민 끝에 ㉤B 팀으로 이적한 갑은 70m가 넘는 거리를 단독으로 돌파하여 골을 넣는 등 뛰어난 활약을 펼쳐 여러 차례 ㉥경기 최우수 선수로 선정되었다.

㉢의 ○○ 고등학교는 사회화를 목적으로 만들어진 **❶** 사회화 기관인 동시에, 전문적인 지식과 정보 등을 사회화하는 기관으로 **❷** 사회화 기관이다.

㉠은 사회적 지위이고, ㉡은 사회적 지위에 따른 역할을 수행한 것이다. ㉥은 역할 행동에 따른 **❸** 이다.

필수 자료 해석

사회화의 의미와 과정과 관련한 가장 중요한 평가 요소는 재사회화나 예기 사회화의 개념, 사회화 기관의 구분이다. 제시된 자료에서 학교는 공식적이면서 전문적인 지식과 정보의 습득이 이루어지는 **❹** 사회화 기관이다.

답 ❶ 공식적 ❷ 2차적 ❸ 보상 ❹ 2차적

필수 선택지 **㉠~㉥에 대한 설명으로 옳으면 ○표, 틀리면 ×표를 하고 그 까닭을 쓰시오.**

① ㉠은 귀속 지위이다. (   )

② ㉡은 갑의 재사회화에 해당한다. (   )

③ ㉢은 공식적 사회화 기관이다. (   )

④ ㉢은 2차적 사회화 기관이다. (   )

⑤ ㉣은 갑이 처한 역할 갈등의 상황을 보여 준다. (   )

⑥ ㉤은 ㉢과 같이 사회화를 목적으로 만들어진 사회화 기관이다. (   )

⑦ ㉥은 갑의 역할 행동에 따른 보상이다. (   )

답 ① ×(귀속 지위 → 성취 지위) ② ×(㉡은 갑의 역할 행동에 해당함) ③ ○ ④ ○ ⑤ ×(단순한 고민은 역할 갈등에 해당하지 않음) ⑥ ×(㉤은 비공식적 사회화 기관임) ⑦ ○

25 사회적 지위와 역할 1

문제 해결 전략

사회적 지위와 그에 따른 역할에 대한 평가 요소는 지위의 유형, 역할 갈등 등 정형화되어 있다. 가상의 사례에서 지위의 유형과 역할 갈등, 사회화 기관을 연결짓는 문제가 자주 출제된다.

필수 유형

밑줄 친 ⊙~ⓗ에 대한 설명으로 옳은 것은?

갑은 교사가 되길 원하던 어머니의 희망대로 ⊙사회교육과에 진학하였다. 그러나 어릴 적부터 간절히 진학을 꿈꿔 온 ⓛ미술 대학이 아니었기 때문에 갑은 점점 ⓒ학업에 흥미를 잃고 강의에도 자주 결석하였다. 사범 대학을 계속 다닐지 말지 거듭 ⓔ고민하던 갑은 두 학과의 교육과정을 모두 이수할 수 있는 복수 전공제가 있다는 것을 알고 미술 교육과의 강의를 듣기 시작하였다. 또한, 미술교육과 친구들이 추천한 ⓜ교육 봉사 동아리에 가입하여 열심히 활동하였다. 이 과정에서 가르침의 보람을 느끼게 된 갑은 졸업식장에서 ⓗ성적 최우수상을 받을 것을 기대하며 학과 공부에 매진하고 있다.

⊙과 ⓛ은 사회화를 목적으로 만들어진 **❶** 사회화 기관이며, 전문적인 지식과 기능의 습득이 이루어지는 **❷** 사회화 기관이다.

ⓔ과 같은 '고민'이 역할 갈등인지를 묻는 선지가 많은데, 이 경우에는 역할 갈등으로 판단해서는 안 된다. ⓗ은 역할 행동에 따른 **❸** 이다.

필수 자료 해석

사회적 지위와 역할, 사회화 기관과 사회 집단의 유형은 서로 연관되어 제시되는 경우가 많다. 예를 들어, ⓛ은 사회화 기관의 유형으로 따진다면 공식적 사회화 기관이면서 2차적 사회화 기관이다. 미술 대학은 갑의 내집단이 아닌 **❹** 이다.

답 ❶ 공식적 ❷ 2차적 ❸ 보상 ❹ 준거 집단

필수 선택지

⊙~ⓗ에 대한 설명으로 옳으면 ○표, 틀리면 ×표를 하고 그 까닭을 쓰시오.

① ⓛ은 갑의 준거 집단이다. (   )

② ⓒ의 원인은 내집단과 준거 집단 간의 불일치에 있다. (   )

③ ⓜ은 공식적 사회화 기관이다. (   )

④ ⓗ은 갑의 역할 기대에 대한 보상이다. (   )

답 ①○②○③ ×(공식적→비공식적)④ ×(역할 기대→역할 행동)

문제 해결 전략 사회적 지위와 그에 따른 역할과 관련된 평가 요소만을 묻고 있는 비교적 단편적인 문항이다. 이런 문항일수록 개념에 대한 명확한 이해가 바탕을 이루고 있어야 문제를 해결할 수 있다.

필수 유형

밑줄 친 ㉠~㉢에 대한 옳은 설명만을 〈보기〉에서 고른 것은?

갑은 환경 문제를 접한 후 8세에 ㉠채식주의자가 되었고, 15세에 ㉡환경 운동가가 되었다. 갑은 ㉢비행기 대신 태양광 요트를 타고 대서양을 건너 UN 기후 행동 정상 회의에 참석하여 환경 문제 해결에 미온적인 세계 정상들을 비판하였다. 갑은 세계 정상들과 설전을 주고받을 만큼 ㉣갈등을 겪었지만, 지지자들로부터 '어른의 ㉤선생님', '지구의 가장 위대한 변호인'이라는 극찬을 받기도 했다. 이후 그는 학생 신분으로 2019년 ㉥노벨 평화상 후보에 올랐고, 타임지의 올해의 인물로 선정되었다.

㉡은 개인의 노력으로 얻어진 **❶** 이며, 이에는 역할이 따른다. 따라서 ㉠, ㉢과는 구별된다.

㉣과 같은 '갈등'은 지위 간, 역할 간 충돌에 해당되는 것은 아니다. 따라서 **❷** 과는 구분되어야 한다. ㉥은 역할 행동에 따라 얻어진 **❸** 이다.

필수 자료 해석

사회적 지위와 역할만으로 구성된 문항이다. 지위에는 역할이 수반되며 선천적으로 얻어지는 귀속 지위와 후천적 노력을 통해 획득한 성취 지위로 구분된다. 자료에서 ㉢은 갑의 **❹** 이다.

🔑 ❶ 성취 지위 ❷ 역할 갈등 ❸ 보상 ❹ 역할 행동

필수 선택지 ㉠~㉥에 대한 설명으로 옳으면 ○표, 틀리면 ×표를 하고 그 까닭을 쓰시오.

① ㉠, ㉤은 갑이 획득한 성취 지위이다. (   )

② ㉢은 ㉡으로서 갑의 역할 행동이다. (   )

③ ㉣은 학생과 환경 운동가 사이에서 발생한 갑의 역할 갈등이다. (   )

④ ㉥은 ㉡으로서 갑의 역할 행동에 대한 보상이다. (   )

⑤ ㉣에 대한 해결을 위해 역할 간 우선순위를 정하는 것이 요구된다. (   )

⑥ ㉠은 역할이 수반되는 지위이다. (   )

🔑 ① ×(㉠, ㉤ → ㉡) ② ○ ③ ×(㉣은 역할 갈등이 아님) ④ ○ ⑤ ×(㉣은 역할 갈등이 아님) ⑥ × (㉠은 갑의 선호를 보여 주는 것일 뿐. 사회적 지위가 아님)

필수 유형

문제 해결 전략

사회 집단은 소속감에 따라, 결합 의지에 따라 또는 접촉 방식에 따라 구분된다. 사회 집단의 유형을 구분하는 것과 사회 조직의 종류를 연관지어 출제되는 문제의 빈도가 높다.

필수 유형

밑줄 친 ㉠~㉢에 대한 옳은 설명만을 〈보기〉에서 있는 대로 고른 것은?

갑은 평소 원하던 ㉠A 회사에 입사하여 애사심을 가지고 열심히 회사 생활을 하고 있다. 그러던 중 갑은 ㉡사내 등산 동호회에서 만난 ㉢대학교 선배의 권유로 환경 보호를 위한 ㉣시민 단체에 가입하였다.

㉠, ㉢은 접촉 방식에 따라 구분한 사회 집단의 유형에 따르면 간접적이고 부분적으로 접촉하는 **❶ [　　　]** 이다. 또한 ㉠과 ㉢은 선택적 의지에 따라 특정 목적을 위해 의도적으로 만들어진 사회 집단이므로 **❷ [　　　]** 이다.

㉡과 ㉣은 공동의 관심사나 이해관계를 가진 사람들이 공동의 목표를 달성하기 위하여 자발적으로 형성한 **❸ [　　　]** 이다.

필수 자료 해석

사회 집단의 유형과 특징에 대한 자료는 등장 인물이 처한 상황에 대한 종합적인 이해를 바탕으로 판단이 이루어져야 한다. 예를 들면, ㉢의 대학교는 갑에게 있어서 과거에는 내집단이었으나, 현재는 **❹ [　　　]** 이다. 따라서 어떤 기관이 무조건적으로 어떤 집단에 포함되는지를 성급하게 단정지으면 안 된다.

답 ❶ 2차 집단 ❷ 이익 사회(결사체) ❸ 자발적 결사체 ❹ 외집단

필수 선택지

㉠~㉣에 대한 설명으로 옳으면 ○표, 틀리면 ×표를 하고 그 까닭을 쓰시오.

① ㉠은 1차 집단이다. (　　　)
② ㉠은 갑의 내집단이다. (　　　)
③ ㉡은 ㉣과 달리 비공식 조직이다. (　　　)
④ ㉢은 ㉡과 달리 선택 의지에 따라 결합된 사회 집단이다. (　　　)
⑤ ㉡은 ㉣과 달리 자발적 결사체이다. (　　　)
⑥ ㉠, ㉢은 모두 2차 집단인 동시에 이익 사회(결사체)이다. (　　　)
⑦ ㉢은 현재 갑의 내집단이다. (　　　)

답 ① ×(1차 → 2차) ② ○ ③ ○ ④ ×(㉡, ㉢ 모두 선택 의지에 따라 결합함) ⑤ ×(㉡, ㉣ 모두 자발적 결사체임) ⑥ ○ ⑦ ×(과거에는 내집단이었으나 현재는 외집단임)

28 사회 집단의 유형과 특징 2

문제 해결 전략

사회 집단과 사회 조직 관련하여 특정 집단이 어디에 해당되는지를 판단하는 것은 중요한 평가 요소이다. 최근에는 몇 가지 사회 집단을 변수로 제시하고 그것을 특성에 따라 연결짓는 문제가 자주 출제되고 있다.

필수 유형

사회 집단 및 사회 조직 A~D에 대한 설명으로 옳은 것은? (단, A~D는 각각 가족, 사내 동호회, 시민 단체, 학교 중 하나이다.)

• '공통의 관심과 목표에 따라 자발적으로 결성하였는가?'라는 질문에 따라 B, D는 A,
  C와 구분된다.   └→ 자발적 결사체
• '선택 의지에 따라 형성하였는가?'라는 질문으로는 A, C, D를 구분할 수 없다.
• '명시적 규약과 체계화된 업무 수행 방식을 갖추었는가?'라는 질문에 따라 A, D는 B,
  C와 구분된다.   └→ 이익 사회   └→ 공식 조직

필수 자료 해석

제시된 자료에서 두 번째 질문에 따라 가장 먼저 특정이 되는 것은 B(가족)이다. 그 다음 세 번째 질문으로 공식 조직과 비공식 조직을 구분할 수 있기 때문에 C는 **❶** 이다. 그 다음 첫 번째 질문에서 C와 묶여 있는 A는 **❷** 라는 것을 알 수 있다. 따라서 D는 **❸** 이다.

답 ❶ 사내 동호회 **❷** 시민 단체 **❸** 학교

필수 선택지

A~D에 대한 설명으로 옳으면 ○표, 틀리면 ×표를 하고 그 까닭을 쓰시오.

① C는 공식적 사회화 기관이다. (   )
② A는 2차 집단, B는 1차 집단이다. (   )
③ D는 A에 비해 가입과 탈퇴가 자유롭다. (   )
④ D는 구성원에 대한 공식적 통제가 일반적이다. (   )
⑤ B와 C는 공동 사회이다. (   )
⑥ A, C는 자발적 결사체이다. (   )
⑦ B, C는 비공식 조직이다. (   )
⑧ A, D는 공식 조직이다. (   )

답 ① ×(공식적 사회화 기관은 사회화를 목적으로 만들어진 기관임) ② ○ ③ ×(자유롭다 → 자유롭지 않다) ④ ○ ⑤ ×(B와 C → B) ⑥ ○ ⑦ ×(가족은 사회 조직에 해당하지 않음) ⑧ ○

문제 해결 전략

사회 조직이란 특정 목적을 달성하기 위해 비교적 분명한 위계와 절차에 따라 소속감을 느끼고 집합적인 활동에 참여하는 사람들의 결합이다. 사회 조직의 의미와 유형과 관련해서는 공식 조직과 비공식 조직을 구분하고, 자발적 결사체의 특징을 파악하는 문제가 자주 출제된다.

필수 유형

밑줄 친 ㉠~㉤에 관한 진술을 모두 옳게 평가한 학생은?

A는 회사 ㉠노동조합 단체교섭단 회의를 주관하고 점심시간에 ㉡사내 요가 동호회에서 시간을 보냈다. 저녁에는 ㉢대학교 총동문회 사은 행사에 참석 후 귀가하여 ㉣가족과 하루를 마쳤다. 다음 날 아침에는 아파트 주민들로 구성된 ㉤○○ 산악회 회원들과 등산을 하였다.

㉠의 경우는 자발적 결사체이면서 명확한 규칙 및 절차를 가지고 있는 **❶ [　　　]** 이다. ㉡은 공식 조직 내에서 구성원 간 친밀한 인간관계를 바탕으로 서로 상호 작용을 하며 형성된 **❷ [　　　]** 이다. 비공식 조직에는 회사 내에 만들어진 동창회, 향우회, 동호회 등이 있다.

㉣을 제외한 ㉠, ㉡, ㉢, ㉤은 모두 선택적 의지에 따라 특정 목적을 위해 의도적으로 만든 사회 집단으로 이익 사회이면서 동시에, 공동의 관심사나 이해관계를 가진 사람들이 자발적으로 조직한 **❸ [　　　]** 이다.

필수 자료 해석

모든 자발적 결사체는 **❹ [　　　]** 에 해당한다. 따라서 위의 자료에서 가족을 제외한 나머지 사회 집단은 자발적 결사체인 동시에 이익 사회이다.

답 ❶ 공식 조직 ❷ 비공식 조직 ❸ 자발적 결사체 ❹ 이익 사회

필수 선택지

㉠~㉤에 대한 설명으로 옳으면 ○표, 틀리면 ×표를 하고 그 까닭을 쓰시오.

① ㉣은 일반적으로 비공식적 통제가 이루어진다. (　　　)

② ㉡은 공식 조직 내에서 형성된다. (　　　)

③ ㉠~㉤은 모두 이익 사회이다. (　　　)

④ ㉠~㉤ 중 자발적 결사체는 네 개이다. (　　　)

⑤ ㉠은 비공식 조직의 성격을 갖는다. (　　　)

⑥ ㉤은 자발적 결사체이며 비공식 조직이다. (　　　)

답 ① ○ ② ○ ③ ×(㉣ 제외) ④ ○ ⑤ ×(비공식 → 공식) ⑥ ×(산악회는 친목 집단으로 자발적 결사체이지만 공식 조직 내에 형성된 비공식 조직은 아님)

문제 해결 전략

사회 집단의 유형과 사회 조직의 유형이 혼합된 문제의 경우에는 범위 설정을 명확하게 해야 하는데, 마침 이 문제는 이익 집단, 자발적 결사체, 비공식 조직의 포함 관계를 묻고 있다. 이러한 유형은 대표적인 고난이도 문항으로 집단과 조직의 구분에 대한 명확한 이해가 요구된다.

필수 유형

그림은 사회 집단 및 사회 조직의 유형 A, B와 자발적 결사체의 포함 관계를 나타낸 것이다. 이에 대한 설명으로 옳은 것은? (단, A와 B는 각각 비공식 조직, 이익 사회 중 하나이다.)

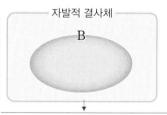

모든 자발적 결사체는 A에 포함되기 때문에 A는 비공식 조직일 수는 없다. 왜냐하면 공직 조직 내에서 만들어진 모든 비공식 조직은 자발적 결사체이기 때문이다. 따라서 A는 **❶** 이다.

B는 자발적 결사체에 포함된다. 따라서 B가 이익 사회일 수는 없다. 왜냐하면 이익 사회에는 해당되지만 자발적 결사체가 아닌 학교나 군대 같은 사회 조직이 있기 때문이다. 따라서 B는 **❷** 이다.

필수 자료 해석

모든 자발적 결사체가 **❸** 은 아니며, 모두 **❹** 에는 해당된다.

🖉 ❶ 이익 사회 ❷ 비공식 조직 ❸ 비공식 조직 ❹ 이익 사회

필수 선택지

A, B에 대한 설명으로 옳으면 ○표, 틀리면 ×표를 하고 그 까닭을 쓰시오.

① A는 비공식적 제재가 지배적이다. (　　)
② A는 인간의 본질적 의지에 따라 형성된다. (　　)
③ A는 소속감을 기준으로 구분한 사회 집단 중 하나이다. (　　)
④ B는 형식적, 수단적 인간 관계가 지배적이다. (　　)
⑤ B는 공식 조직 내에서 만들어지는 사회 조직이다. (　　)
⑥ B의 사례로 사내 동호회를 들 수 있다. (　　)

🖉 ① ×(비공식적 → 공식적) ② ×(본질적 → 선택적) ③ ×(소속감 → 결합 의지) ④ ×(비공식 조직은 종류에 따라 1차 집단일 수도 있고 2차 집단일 수 있음) ⑤ ○ ⑥ ○

31 조직 운영의 유형과 원리 1

문제 해결 전략 조직 운영의 유형은 관료제 조직과 탈관료제 조직으로 구분된다. 관료제 조직의 운영 원리와 탈관료제 조직의 운영 원리를 비교하는 문제가 주로 출제된다.

필수 유형

다음은 사회 조직의 유형 A와 B를 비교한 것이다. 이에 대한 설명으로 옳은 것은? (단, A와 B는 각각 관료제 조직과 탈관료제 조직 중 하나이다.)

- A는 B보다 업무 담당자의 재량권 보장 정도가 높다.
- B는 A보다 [(가)]가 높지만, [(나)]가 낮다.

A는 담당자의 재량권 보장 정도가 높은 것으로 보아 규칙과 절차에 얽매이기보다는 개인의 자율성과 창의성을 최대한 존중하는 **❶** 조직이다.

A가 탈관료제 조직, B가 **❷** 조직이므로 (가)에는 조직 운영의 효율성과 관련된 내용이, (나)에는 조직 운영의 유연성이나 구성원의 창의성 등의 내용이 들어가야 한다.

필수 자료 해석

관료제는 **❸** 사회에서 거대 조직을 효율적으로 운영하기 위해 도입된 조직 운영 방식이다. 따라서 업무가 세분화, 전문화되어 있고 위계가 서열화되어 있다. 그런데 관료제는 목적 전치 현상, 업무의 경직성, 인간 소외 현상이 나타나는 부작용이 있다. 이러한 문제를 극복하기 위해 대두된 방식이 **❹** 이다.

답 ❶ 탈관료제 ❷ 관료제 ❸ 산업 ❹ 탈관료제

필수 선택지 A, B에 대한 설명으로 옳으면 ○표, 틀리면 ×표를 하고 그 까닭을 쓰시오.

① A는 B에 비해 외부의 변화에 대한 유연한 대처에 유리하다. (　　)
② A는 B에 비해 구성원 간 위계가 뚜렷하다. (　　)
③ A는 주로 연공서열에 따른 보상이 이루어진다. (　　)
④ A는 산업 사회의 보편적인 조직 운영 방식으로 활용되었다. (　　)
⑤ B는 A에 비해 표준화된 업무 처리로 인해 조직 구성원이 창의성을 발휘하기가 어렵다. (　　)
⑥ B는 주로 연공서열에 따른 승진과 보상이 이루어진다. (　　)
⑦ B는 A에 비해 수평적 조직 체계를 갖는다. (　　)
⑧ B는 A에 비해 절차에 지나치게 집착하여 본래의 목적에 소홀해지는 문제가 나타나기 쉽다. (　　)

답 ① ○ ② ×(A, B가 바뀜) ③ ×(A → B) ④ ×(A → B) ⑤ ○ ⑥ ○ ⑦ ×(수평적 → 수직적) ⑧ ○

32 조직 운영의 유형과 원리 2

조직 운영의 유형은 관료제 조직과 탈관료제 조직으로 구분된다. 관료제는 거대 조직의 효율적 운영을 중시하는 산업 사회에서, 탈관료제는 구성원의 창의성 발휘가 중시되는 정보 사회에 적합한 방식임을 염두에 두면 쉽게 문제를 해결할 수 있다.

필수 유형

그림은 사회 조직 형태 A, B를 비교한 것이다. 이에 대한 설명으로 옳은 것은? (단, A, B는 각각 관료제와 탈관료제 중 하나이다.)

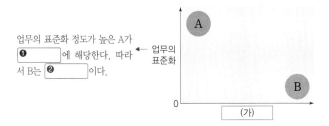

업무의 표준화 정도가 높은 A가 **❶**[　　　　]에 해당한다. 따라서 B는 **❷**[　　　]이다.

필수 자료 해석

거대 조직을 효율적으로 관리하기 위한 조직 유형은 **❸**[　　　　]이다. 따라서 업무가 표준화되어 있고, 연공서열과 위계가 뚜렷한 편이다. 반면, **❹**[　　　　]는 구성원 간 수평적 관계를 바탕으로 유연성과 창의성을 중시한다.

🔑 ❶ 관료제 ❷ 탈관료제 ❸ 관료제 ❹ 탈관료제

A, B에 대한 설명으로 옳으면 ○표, 틀리면 ×표를 하고 그 까닭을 쓰시오.

① A는 수평적인 의사 결정 구조가 지배적이다. (　　)

② A는 B에 비해 구성원 간 위계가 뚜렷한 편이다. (　　)

③ A는 정보 사회의 보편적인 조직 운영 방식으로 활용되었다. (　　)

④ B는 A에 비해 유연한 조직 운영을 통해 구성원의 창의성을 발휘하기가 용이하다. (　　)

⑤ B는 A와 비교하여 연공서열보다는 성과에 따른 보상이 이루어진다. (　　)

⑥ B는 A에 비해 수평적 조직 체계를 갖는다. (　　)

⑦ (가)에 '업무 수행 과정의 예측 가능성'이 들어갈 수 있다. (　　)

🔑 ① ×(수평적 → 수직적) ② ○ ③ ×(A → B) ④ ○ ⑤ ○ ⑥ ○ ⑦ ×(예측 가능성은 관료제가 더 높음)

33 일탈 행동을 설명하는 이론 1

문제 해결 전략

일탈 행동은 사회 규범에 어긋나는 행동을 의미한다. 일탈 행동이 왜 나타나는지에 대한 이론 중 아노미 이론, 차별 교제 이론, 낙인 이론을 비교하는 문제는 꼭 출제되는 중요한 평가 요소이다.

필수 유형

다음은 일탈 이론 A~C에 대한 수행 평가지이다. 이에 대한 설명으로 옳은 것은? (단, A~C는 각각 낙인 이론, 머튼의 아노미 이론, 차별 교제 이론 중 하나이다.)

일탈 이론 특징 서술하기

이름: ○ ○ ○

1. A와 구분되는 B의 특징을 2가지 서술하시오. → 차별 교제 이론(A)

연번	답안	점수
1	타인과의 상호 작용 과정을 중심으로 일탈을 설명한다.	0
2	2차적 일탈 과정에 주목한다.	1

2. B와 구분되는 C의 특징을 2가지 서술하시오. → 낙인 이론(B)

연번	머튼의 아노미 이론(C) 답안	점수
1	일탈이 차별적 제재에서 비롯된다고 본다.	㉠ → 0점
2	(가) → 낙인 이론	1

• 채점 기준: 맞으면 1점, 틀리면 0점 부여

필수 자료 해석

차별적 제재라는 표현만으로 차별 교제 이론과 연결시키는 것은 틀린 판단이다. 차별적 제재는 **❶** 에 대한 낙인을 의미하기 때문이다.

답 ❶ 1차적 일탈

필수 선택지 A~C에 대한 설명으로 옳으면 ○표, 틀리면 ×표를 하고 그 까닭을 쓰시오.

① A는 주변의 부정적 평가가 일탈을 유발한다고 본다. (　　　)
② B는 일탈을 규정하는 객관적 기준이 존재하지 않는다고 본다. (　　　)
③ C는 급격한 사회 변동으로 인한 규범의 부재를 일탈의 원인으로 본다. (　　　)

답 ① ×(A → B) ② ○ ③ ×(제시된 내용은 뒤르켐의 아노미에 대한 설명임)

34 일탈 행동을 설명하는 이론 2

문제 해결 전략

일탈과 관련한 세 가지 이론의 비교는 사회·문화 과목에서 꼭 출제되는 내용이다. 따라서 세 가지 이론의 입장과 특징에 대해서는 어떤 형태로 출제가 되더라도 판단할 수 있도록 충분히 학습해야 한다.

필수 유형

표는 일탈 이론 A~C를 질문에 따라 구분한 것이다. 이에 대한 설명으로 옳은 것은? (단, A~C는 각각 낙인 이론, 머튼의 아노미 이론, 차별 교제 이론 중 하나이다.)

→ 차별 교제 이론
머튼의 아노미 이론 ← → 낙인 이론

구분	A	B	C
문화적 목표와 제도적 수단 간의 괴리로 인해 일탈 행동이 발생한다고 보는가?	예	아니요	아니요
일탈 행동이 차별적 제재에서 비롯된다고 보는가?	아니요	예	아니요
(가)	아니요	예	예

└→ 차별 교제 이론과 낙인 이론에는 긍정, 머튼의 아노미 이론에는 부정적 응답이 나올 만한 질문

필수 자료 해석

뒤르켐과 머튼은 아노미 이론을 주장했는데, 두 사람의 아노미 이론의 공통점은 일탈을 **❶** 에서 설명하고 있다는 점이다. 반면, 차별 교제 이론과 낙인 이론은 **❷** 을 통한 학습이나 낙인의 결과로 일탈을 설명한다. 단, 차별 교제 이론의 경우 일탈을 규정하는 객관적 기준이 존재한다는 측면에서는 아노미 이론과 유사한 성격을 갖는다.

📋 ❶ 사회 구조적 측면 ❷ 상호 작용

필수 선택지

A~C에 대한 설명으로 옳으면 ○표, 틀리면 ×표를 하고 그 까닭을 쓰시오.

① A는 일탈 행동을 하는 집단과의 긴밀한 접촉이 일탈을 유발한다고 본다. ( )

② A는 일탈 행동을 규정하는 객관적인 기준이 존재한다고 본다. ( )

③ B는 일탈에 대한 우호적 가치를 내면화하여 일탈이 발생한다고 본다. ( )

④ B는 규범의 해체로 인한 가치관 부재를 일탈의 원인으로 본다. ( )

⑤ C는 정상적인 집단과의 교류 촉진을 일탈 행동의 해결책으로 강조한다. ( )

⑥ C는 일탈 행동에 대한 사회적 반응을 중시한다. ( )

📋 ① ×(A → C) ② ○ ③ ×(B → C) ④ ×(이 설명은 뒤르켐의 아노미 이론에 대한 것임) ⑤ ○ ⑥ ×(C → B)

35 일탈 행동을 설명하는 이론 3

문제 해결 전략 일탈과 관련한 세 가지 이론의 비교는 사회·문화 과목에서 꼭 출제되는 내용이다. 따라서 세 가지 이론의 입장과 특징에 대해서는 어떤 형태로 출제가 되더라도 판단할 수 있도록 충분히 학습해야 한다.

필수 유형

다음 글의 일탈 이론에 대한 옳은 설명만을 〈보기〉에서 고른 것은?

A에 따르면 일탈 행동이 증가하고 있는 이유는 급속한 사회 변화로 인해 발생한 혼란 속에서 사람들이 따라야 할 새로운 행동 기준이 미처 확립되지 못했기 때문이다. 이와 달리 B에 따르면 일탈 행동이 증가하고 있는 이유는 1차적 일탈을 저지른 사람에 대해 차별적인 제재를 가하여 부정적 자아가 형성되도록 만들기 때문이다.

A는 사회 구조의 변동에서 일탈이 발생한다고 보고 있다. 구체적으로는 급속한 사회 변동 과정에서 새로운 행동 기준이 미확립되어 일탈이 발생한다고 파악하는 **❶** □□□ 이론이다.

B는 1차적 일탈에 대한 차별적 제재를 통한 부정적 자아 형성에서 일탈의 원인을 찾는 **❷** □□□ 이론이다.

필수 자료 해석

일탈 이론 중 A는 급속한 사회 변화에 대한 행동 기준이 확립되지 못한 **❸** □□□ 상태에서 일탈이 나타난다고 보고 있다. 반면, B는 미시적인 입장에서 일탈을 설명하고 있는데 1차적 일탈에 대한 차별적 제제 즉, 부정적 인식과 판단인 **❹** □□□ 에 의해 일탈이 발생한다고 분석한다.

답 ❶ 아노미 ❷ 낙인 ❸ 아노미 ❹ 낙인

필수 선택지 A, B에 대한 설명으로 옳으면 ○표, 틀리면 ×표를 하고 그 까닭을 쓰시오.

① A는 사회 구조적 차원에서 일탈 행동의 원인을 찾는다. (　　)

② A는 일탈에 대한 대책으로 사회 규범의 통제력 강화를 제시한다. (　　)

③ A는 일탈이 학습의 결과로 나타난다고 설명한다. (　　)

④ A는 사회 구성원 간의 상호 작용 과정에서 일탈이 발생한다고 본다. (　　)

⑤ B는 차별적 제제로 인해 일탈 행동이 강화된다고 설명한다. (　　)

⑥ B는 사회 변동 과정에서의 가치관 부재를 일탈의 원인으로 본다. (　　)

⑦ B는 일탈에 대한 우호적 가치를 내면화하여 일탈 행동이 발생한다고 본다.

(　　)

답 ① ○ ② ○ ③ ×(차별 교제 이론에 대한 설명임) ④ ×(차별 교제 이론 또는 낙인 이론에 대한 설명임) ⑤ ○ ⑥ ×(B→A) ⑦ ×(차별 교제 이론에 대한 설명임)

I 사회·문화 현상의 탐구

개념 01 자연 현상의 특징

(1) 의미: 인간의 의지와 관계없이 자연계 스스로의 원리에 따라 나타나는 현상

(2) 특징

몰가치성	자연 현상은 인간의 의지나 **❶** 와 무관하게 자연계에서 발생하는 현상임
존재 법칙의 지배	자연 현상은 '사실상 그러하다.'와 같이 인간의 인식 여부와 상관없이 스스로의 원리에 따라 사실 그대로 존재하는 현상임
필연성과 확실성의 원리	자연 현상은 특정 원인에 따라 반드시 그에 상응하는 결과가 예외 없이 발생함(**❷** 가 명확함)
보편성	자연 현상의 발생 원리는 시대와 장소에 상관없이 동일하므로 일정한 조건만 갖춰지면 시대와 장소를 초월하여 동일한 현상이 발생함

답 ❶ 가치 ❷ 인과 관계

개념 02 사회 · 문화 현상의 특징

(1) 의미: 사회생활을 하는 인간에 의해 인위적으로 만들어진 현상

(2) 특징

가치 함축성	사회 · 문화 현상은 사람들의 가치나 의지가 반영되어 나타남
당위 법칙의 지배	사회 · 문화 현상은 '마땅히 그러해야 한다.'와 같이 사회의 **❶** 요구가 반영되어 나타나기도 함
개연성과 확실성의 원리	사회 · 문화 현상은 발생 요인과 그 결과가 법칙으로 대응하기보다 **❷** 으로 관련을 맺고 있어 예외적인 현상이 나타날 수 있음
보편성과 특수성의 공존	시대와 사회를 초월하여 동일하게 나타나는 사회 · 문화 현상이 존재하면서 동시에 시대와 사회에 따라 특수하게 나타나는 사회 · 문화 현상이 존재함

답 ❶ 규범적 ❷ 확률적

기능론

전제	사회는 **❶**〔　　　　〕처럼 다양한 부분들이 상호 의존적인 관계를 이루며 하나의 체계를 형성하고 있음
주요 입장	• 사회를 이루는 구성 요소들은 사회 속의 한 부분으로서 각기 서로 다른 기능을 담당하고 그러한 기능을 수행함으로써 사회의 안정과 질서가 유지됨 • 사회는 본질적으로 조화와 **❷**〔　　　　〕을 이루고 있으며, 일시적으로 불안정한 상태가 발생하더라도 스스로 조화와 균형을 회복할 수 있는 힘을 지니고 있음 • 사회 규범이나 사회 제도 등이 수행하는 역할은 사회 전체의 합의가 반영된 것으로, 전체 사회의 통합과 존속, 질서 유지에 기여함
장점	사회 안정이 유지되고 통합이 이루어지는 현상을 이해하는 데 유용함
단점	• 사회 안정과 합의를 지나치게 강조함으로써 사회 갈등 현상을 간과한다는 비판을 받음 • 사회 변화를 부정적으로 보기 때문에 기존의 질서나 권력관계의 유지에 기여하는 보수적 관점이라는 비판을 받음

답 ❶ 유기체 ❷ 균형

갈등론

전제	사회는 사회적 **❶**〔　　　　〕를 둘러싼 사회 구성원들 간의 갈등과 대립의 장(場)임
주요 입장	• 사회에는 지배 계급과 피지배 계급이 존재하고 사회 질서나 안정은 지배 계급의 강요나 억압에 의해 나타난 결과임 • 지배 계급과 피지배 계급의 이익은 양립할 수 없기 때문에 갈등은 필연적이며, 그 갈등이 사회 변동의 원동력이 됨 • 사회 규범이나 사회 제도 등은 지배 계급이 자신의 기득권을 보호하고, 계급을 **❷**〔　　　　〕하기 위해 만들어 낸 수단에 불과함
장점	사회 구조 속에 존재하는 지배와 피지배의 관계 및 갈등의 측면을 이해하는 데 유용함
단점	• 사회 각 부분 간의 복잡한 관계를 지배와 피지배의 관계로 단순화한다는 비판을 받음 • 사회에서 나타나는 협동과 합의 및 조화를 설명하기 어렵고 사회 질서와 안정의 중요성을 경시한다는 비판을 받음

답 ❶ 희소가치 ❷ 재생산

상징적 상호 작용론

전제	인간은 **❶**[ ]을 지닌 능동적인 존재이며, 사물이나 행위에 주관적인 의미를 부여하는 행위의 주체임
주요 입장	• 인간은 자신이 처한 상황에 대한 주관적인 정의, 즉 **❷**[ ]에 기초하여 행동함 • 인간은 상징을 활용하여 다른 사람들과 상호 작용을 하며, 인간의 일상생활은 상호 작용이 연속적으로 나타나는 과정임 • 사회 · 문화 현상의 의미는 그것이 발생하는 상황과 행위 주체에 따라 달라짐
장점	인간의 능동적인 사고와 행위의 측면을 잘 설명할 수 있음
단점	개인의 행위가 사회 구조나 제도의 영향에 의해 나타날 수 있음을 경시한다는 비판을 받음

답 ❶ 자율성 ❷ 상황 정의

양적 연구

의미	계량화된 자료 수집과 통계 분석을 통해 결론을 도출하는 방법
연구 목적	사회 · 문화 현상에 내재한 규칙성을 발견함으로써 연구 결과를 일반화하거나 **❶**[ ]을 발견하고자 함
전제	자연 현상과 사회 · 문화 현상은 기본적으로 공통적인 속성이 있기 때문에 자연 과학의 연구 방법을 사회 · 문화 현상에도 동일하게 적용할 수 있음(방법론적 **❷**[ ])
기본 입장	• 자연 현상과 마찬가지로 사회 · 문화 현상에도 일정한 규칙성이 존재하므로 자연 현상과 마찬가지로 사회 · 문화 현상에 대한 측정과 계량화, 통계적 분석이 가능함 • 자연 현상에 대한 연구를 통해 법칙을 발견하듯이 사회 · 문화 현상에 대한 과학적 연구를 통해 법칙 발견이나 일반화의 정립이 가능함
장점	사회 · 문화 현상에 대한 측정과 계량화, 통계 분석을 통해 정밀하고 정확한 연구 결과를 얻을 수 있고, 법칙 발견이나 일반화의 정립에 유리함
단점	계량화하여 분석하기 곤란한 사회 · 문화 현상의 연구에는 적합하지 않으며, 행위 주체인 인간의 주관적 의도나 동기를 배제한 연구를 함으로써 사회 · 문화 현상에 대한 피상적인 연구에 그칠 우려가 있음

답 ❶ 법칙 ❷ 일원론

질적 연구

의미	연구 대상자의 생활 세계에 대한 관찰이나 면담 등으로 자료를 수집하여 연구자의 해석을 통해 결론을 도출하는 방법
연구 목적	현상에 대한 행위자의 주관적 의미 및 행위 동기 등에 대하여 심층적으로 이해하고자 함
전제	사회·문화 현상은 자연 현상과 본질적으로 다른 특성을 지니고 있기 때문에 자연 과학의 연구 방법과는 다른 연구 방법으로 연구해야 함(방법론적 **❶ ⃞**)
기본 입장	• 자연 현상과 달리 사회·문화 현상은 주관적 의도나 동기를 지닌 인간이 주체가 되어 만들어 내는 현상임 • 사회·문화 현상에 대한 측정과 계량화, 통계적 분석으로는 인간에 의해 주관적으로 의미가 부여되고 구성되는 사회·문화 현상을 이해하기 곤란함 • 자연 현상과 달리 사회·문화 현상은 **❷ ⃞** 속에서 규정되는 사회·문화 현상의 의미를 이해하는 것이 중요함
장점	통계 자료와 같은 양적 분석 자료나 인과 법칙과 같은 단순화된 진술로는 파악하기 어려운 사회·문화 현상의 이면에 담긴 의미를 심층적으로 이해하는 데 유리함
단점	연구 결과의 일반화나 법칙 발견이 어려우며, 연구자의 주관이 개입될 우려가 크다는 비판을 받음

답 ❶ 이원론 **❷** 상황 맥락

양적 연구와 질적 연구의 절차

양적 연구	• 절차: 문제 인식 및 연구 주제의 선정 → **❶ ⃞** → 연구 설계 → 자료 수집 → 자료 분석 → 가설 검증 → 결론 도출 및 일반화 • 개념의 조작적 정의: 추상적 개념을 측정 가능하도록 구체화하는 것으로, 추상적 개념의 속성을 보여 주는 대표적인 지표를 선정함
질적 연구	• 절차: 문제 인식 및 연구 주제의 선정 → 연구 설계 → 자료 수집 및 해석 → 결론 도출 • **❷ ⃞** 통찰: 통계적 분석이나 논리적 계산 등을 통한 것이 아니라, 주의 깊게 관찰하고 경험하는 과정에서 현상의 본질적 측면을 꿰뚫어 보는 것

답 ❶ 가설 설정 **❷** 직관적

질문지법

특징	• 일반적으로 양적 자료를 수집하여 통계 분석할 목적으로 활용됨 • 조사 대상자에게 같은 형식과 내용의 질문지가 제시되는 구조화 · 표준화된 자료 수집 방법임 • 모집단을 대상으로 전수 조사를 수행하기도 하지만, ❶ [ ] 집단을 추출하여 표본 조사를 수행하는 경우가 일반적임 • 문서화된 질문지뿐만 아니라 인터넷 설문 조사나 전화 설문 조사와 같이 다른 수단을 통해서도 실시할 수 있음
장점	• 다수를 대상으로 대량의 자료를 수집하는 데 유리함 • 시간과 비용 측면에서 비교적 효율적임 • 분석 기준이 명확하고 통계 처리가 용이하여 비교 분석 연구에 적합함 • 수량화된 데이터이므로 정확성과 객관성이 높음
단점	• 문자 언어를 통해 조사할 경우 ❷ [ ]에게 활용하기 곤란함 • 회수율, 응답률이 낮게 나타나는 경우가 많음 • 무성의한 응답, 악의적인 응답 가능성을 배제할 수 없음 • 표본의 대표성이 낮을 경우 조사 결과를 일반화하기 곤란함

답 ❶ 표본 ❷ 문맹자

실험법

특징	• 일반적으로 양적 연구에서 활용됨 • 가장 엄격한 통제가 가해지는 자료 수집 방법임
장점	• 인과 관계의 파악을 통해 ❶ [ ]을 발견하는 데 유리함 • 정확성, 정밀성, 객관성이 높은 결론을 도출할 수 있음 • 양적 자료로서 집단 간 비교 분석이 용이함
단점	• 자연 과학에서와 달리 사회 과학에서는 엄격하게 통제된 실험이 곤란함 • 실험 대상이 인간이라는 점에서 ❷ [ ] 문제가 발생하기 쉬움 • 통제된 상황에서의 실험 결과를 실제 사회에 적용하는 데 한계가 있음

답 ❶ 법칙 ❷ 윤리적

면접법

특징	• 일반적으로 질적 자료를 수집할 목적으로 활용됨 • 조사 대상자, 진행 상황, 응답 내용 등에 따라 질문의 내용이나 형식 등을 유연하게 제시하는 비구조화 · 비표준화된 자료 수집 방법임 • 심층적인 조사를 위해 ❶ [　　　]를 대상으로 수행하는 경우가 일반적임
장점	• 조사 대상자의 행위 동기나 가치 등 주관적인 세계를 심층적으로 이해하는 데 유리함 • 신뢰 관계 형성을 통해 응답 거부나 회피, 무성의한 응답, 조사 의도를 훼손하는 악의적인 응답의 문제를 방지할 수 있음 • 대화를 통해 자료를 수집하므로 ❷ [　　　]에게도 실시할 수 있음 • 자료 수집 과정에서 조사자가 유연성이나 융통성을 발휘할 수 있음
단점	• 다수를 대상으로 면접을 할 경우 시간과 비용이 많이 듦 • 조사 주제에 부합하는 전형적인 조사 대상자를 선정하는 것이 쉽지 않음 • 조사자의 편견이나 주관적 가치가 자료 해석 과정에 개입할 우려가 큼

답 ❶ 소수 ❷ 문맹자

참여 관찰법

특징	• 일반적으로 질적 연구에서 활용됨 • 가장 전형적인 비구조화 · 비표준화된 자료 수집 방법으로서 연구 대상자의 생활에 조작을 가하지 않고 있는 그대로 관찰하는 방식으로 이루어짐 • 심층적인 연구를 위해 비교적 ❶ [　　　]에 걸쳐 수행되는 경우가 많아서 시간과 비용이 비교적 많이 소요됨
장점	• 자료의 ❷ [　　　]을 확보할 수 있음 • 조사 대상자의 일상생활 세계를 심층적으로 이해하는 데 유리함 • 이민족, 문맹자 등 의사소통이 곤란한 대상에게도 적용할 수 있음
단점	• 관찰하고자 하는 현상이 나타날 때까지 기다려야 하므로 시간과 비용 측면에서 비효율적임 • 예상하지 못한 상황이 발생할 경우 유연하게 대처하기 곤란함 • 관찰자의 편견이나 주관적 가치가 자료 해석 과정에 개입될 우려가 큼

답 ❶ 장기간 ❷ 실제성

문헌 연구법

특징	• 양적 연구와 ❶ [　　　]에서 모두 활용됨 • 신문 기사, 인터넷 문서, 논문, 도서, 그림, 동영상 등 문헌의 형태는 다양함 • 2차 자료의 수집용으로 활용되는 경우가 많음
장점	• 시간과 비용 측면에서 효율적임 • 시간과 장소의 제약으로부터 비교적 자유로움 • 기존 ❷ [　　　]이나 성과 파악을 통한 참고 자료 수집에 적합함
단점	• 문헌의 정확성과 신뢰성을 확보하기 곤란한 경우가 많음 • 문헌 해석 시 연구자의 주관적 가치가 개입될 우려가 있음

답 ❶ 질적 연구 ❷ 연구 동향

사회 · 문화 현상의 탐구에 필요한 태도

성찰적 태도	의미	사회 · 문화 현상을 보이는 그대로 받아들이기보다 현상의 이면에 담겨 있는 발생 원인이나 원리, 그것이 초래할 결과 등에 대하여 적극적 · 능동적으로 살펴보려는 태도, 연구자가 연구 절차나 방법, 연구 윤리 등을 제대로 지키며 탐구하고 있는지 되짚어 보는 태도
	필요성	사회 · 문화 현상의 발생 과정과 원인은 단순하지 않고 복잡하기 때문에 성찰적으로 접근하지 않으면 겉으로 드러나는 현상만을 보게 됨
객관적 태도	의미	탐구 과정에서 연구자가 자신의 주관적 가치나 편견, 이해관계 등을 배제하고 사회 · 문화 현상이 가진 ❶ [　　　]로서의 특성만을 파악하는 태도
	필요성	연구 과정에서 객관적 태도가 지켜지지 않을 경우 연구 결과가 왜곡될 수 있음
개방적 태도	의미	사회 · 문화 현상의 연구 방법이나 연구 관점이 다양할 수 있으므로 자신의 주장과 다른 주장이 존재할 수 있음을 인정하고, 자신의 주장에 대한 ❷ [　　　]을 허용하는 태도
	필요성	과학적 연구의 결론이라고 하더라도 반증에 의해 얼마든지 진리가 아님이 밝혀질 가능성이 있는 잠정적인 진리이므로 새로운 주장의 가능성을 허용해야 함
상대주의적 태도	의미	사회 · 문화 현상을 탐구할 때 연구자 자신의 문화적 맥락이나 배경을 떠나 사회 · 문화 현상이 발생한 맥락이나 배경을 고려하여 연구하려는 태도
	필요성	사회 · 문화 현상은 그것이 발생한 맥락이나 배경 속에서 의미를 갖는다는 사실을 인식해야 함

답 ❶ 사실 ❷ 비판

가치 중립과 가치 개입

(1) **가치 중립**: 연구자가 특정 가치에 치우치지 않고 존재하는 사실에만 의존하여 연구하려는 자세

(2) **사실과 가치 구분의 필요성**: 사실과 가치는 서로 다른 특성을 가지므로 연구 시 그 두 가지를 구분하여야 함

(3) **연구 과정에서의 가치 중립과 가치 개입**

연구 주제 선정, 가설 설정, 연구 설계	연구자의 연구 의도가 반영될 수밖에 없는 과정으로, 가치 중립적인 자료 수집 및 분석 과정 등을 통해 그 적절성이 평가되어야 함
자료 수집 및 분석, 가설 검증, 결론 도출	연구자의 가치가 개입되면 연구하고자 하는 사회·문화 현상이 지닌 의미가 왜곡될 수 있으므로 엄격한 ❶ [____]이 요구됨
연구 결과의 활용	연구 결과의 활용은 사회 구성원 다수에게 영향을 미치는 사회·문화 현상이므로 연구 결과에 따른 대책 등을 마련할 때 사회적 가치나 인류 보편적 가치를 존중하는 ❷ [____]이 요구됨

답 ❶ 가치 중립 ❷ 가치 판단

사회·문화 현상의 연구 윤리

연구 대상자	• 연구자는 연구 대상자에게 연구 목적과 과정을 알리고 동의를 얻어야 함. 연구 목적을 알려 주는 것이 연구 결과에 크게 영향을 미치는 경우에는 불가피하게 연구가 끝난 후, 연구 결과를 발표하기 전에 양해를 구해야 함 • 연구를 진행하면서 예상하지 못한 문제가 발생할 경우 연구 대상자의 안전과 이익을 최대한 고려해야 함 • 연구자는 연구 대상자의 ❶ [____]을 보장해야 하며, 사생활 관련 정보 및 개인 정보를 연구 목적 이외의 용도로 활용해서는 안 됨
연구 과정	• 의도한 결론을 이끌어 내기 위해 자료 분석 과정에서 자료를 조작해서는 안 됨 • 수집한 자료 및 분석 내용과 일치하지 않는 해석, 즉 왜곡을 해서는 안 됨
연구 결과의 공표	• 연구 결과의 공표가 자신에게 미칠 악영향을 고려하거나 공표를 통해 이익을 얻을 목적으로 연구 결과를 은폐하거나 왜곡, 축소, 과장해서는 안 됨 • 다른 연구자의 연구물을 활용하는 경우 ❷ [____]를 정확하게 밝혀야 함

답 ❶ 익명성 ❷ 출처

개념 17 **사회 실재론**

(1) 기본 입장

- 사회는 개인의 외부에 실제로 존재함
- 사회는 독자적인 특징을 가지고 있음
- 사회는 개인의 합 이상이며, 개인은 사회를 구성하는 요소에 불과함

(2) 주요 내용

- 사회가 개인보다 우월함
- 개인의 이익보다 전체의 이익을 중시함
- 사회는 개인들의 합으로 환원할 수 없음
- 사회 문제의 해결책으로 **❶** 와 제도의 개선을 강조함

(3) 관련 사상: **❷** , 전체주의 등

답 ❶ 사회 구조 ❷ 사회 유기체설

개념 18 **사회 명목론**

(1) 기본 입장

- 사회는 개인들의 집합체에 이름을 붙인 것에 불과함
- 사회는 개인의 이익을 실현시키기 위한 수단임
- 사회는 실제로 존재하지 않음

(2) 주요 내용

- 개인의 능동성을 강조함
- 공익보다 개인의 이익이나 권리를 우선시함
- 사회는 개인들의 행동에 영향을 미칠 수 없음
- 사회 문제의 해결책으로 개인의 **❶** 개선을 강조함

(3) 관련 사상: **❷** , 개인주의, 자유주의 등

답 ❶ 의식 ❷ 사회 계약설

사회화

(1) **사회화**: 사회 구성원 간 상호 작용을 통해 사회생활에 필요한 지식, 가치 등을 [❶   ]하고 내면화하는 과정

(2) 유형
- **재사회화**: [❷   ]에 맞춰 새롭게 요구되는 정보, 가치관 등을 습득하는 과정
- **예기 사회화**: 미래에 속할 것으로 예상되는 집단에서 요구되는 행동 양식을 미리 습득하는 과정

(3) **특징**: 평생에 걸쳐 진행되며 사회화의 내용이나 방식은 시대나 사회에 따라 다양하게 나타남

📖 ❶ 학습 ❷ 사회 변동

사회화를 보는 관점

(1) 기능론
- 사회화를 통해 사회 구조의 안정과 질서 유지를 도모함
- 사회화의 내용이나 방법 등은 사회적 [❶   ]에 의해 결정됨

(2) 갈등론
- 사회화를 통해 불평등 구조가 [❷   ]됨
- 사회화의 내용이나 방법 등은 지배 집단의 가치관을 바탕으로 결정됨

(3) **상징적 상호 작용론**: 사회화는 개인이 타인과의 상호 작용 과정에서 이루어진다고 봄

📖 ❶ 합의 ❷ 재생산

사회화 기관

(1) **1차적 사회화 기관**: 직접적이고 기본적인 사회화를 수행하는 기관
㉑ 가족, 친족, 또래 집단 등

(2) **2차적 사회화 기관**: 보다 **❶**   사회화를 수행하는 기관
㉑ 학교, 회사, 대중 매체 등

(3) **공식적 사회화 기관**: 사회화를 **❷**   으로 설립된 기관
㉑ 학교, 직업 훈련소 등

(4) **비공식적 사회화 기관**: 사회화 이외의 목적으로 설립되었으나 부수적으로 사회화를
수행하는 기관
㉑ 가족, 또래 집단, 회사, 대중 매체 등

> 탭 ❶ 전문적인 ❷ 목적

지위

(1) **의미**
• 개인이 사회에서 차지하고 있는 위치
• 여러 개의 지위를 동시에 갖게 되는 경우가 많음

(2) **특징**
• 시간이 흐르면서 개인이 갖는 지위는 달라질 수 있음
• 현대 사회로 오면서 귀속 지위보다 성취 지위의 중요성이 더 커지고 있음

(3) **종류**
• **귀속 지위**: 자연적 · **❶**   으로 얻게 되는 지위
㉑ 딸, 아들, 노인, 청소년 등
• **성취 지위**: 개인의 노력이나 능력을 통해 얻게 되는 **❷**   지위
㉑ 아버지, 어머니, 학생, 남편, 아내 등

> 탭 ❶ 선천적 ❷ 후천적

역할

(1) **의미**: 일정한 [❶   ]에 대해 사회적으로 기대되는 행동 양식

(2) **역할 행동**
- 개인이 역할을 수행하는 구체적인 행동 양식
- 동일한 지위에 대해서도 개인의 성향에 따라 역할 행동은 다양하게 나타남
- 사회적 기대에 부응하면 [❷   ], 사회적 기대에 어긋나면 제재가 주어짐

답 ❶ 지위 ❷ 보상

역할 갈등

(1) **의미**: 개인에게 요구되는 [❶   ] 사이에 충돌이 발생하는 것

(2) **특징**
- 사회 다원화로 인해 개인이 갖는 지위와 역할이 다양해짐에 따라 역할 갈등을 겪는 경우가 많아짐
- 개인에게 심리적 압박을 주고, 심한 경우 소속 집단이나 사회에 대한 부적응을 초래할 수 있음

(3) **종류**
- 하나의 지위에 대해 상반되는 여러 가지 역할의 수행이 동시에 요구되는 경우
  예) 자상한 선생님과 엄격한 선생님의 역할이 동시에 요구되는 경우
- 여러 가지 지위에 대해 기대되는 역할들 간 충돌이 나타나는 경우
  예) 일과 중 아픈 자녀를 둔 직장인 부모

답 ❶ 역할

사회 집단

(1) **사회 집단**: 2명 이상의 구성원들이 모여 소속감이나 공통의 관심사를 갖고 비교적 지속적으로 상호 작용하는 사회적 집합체

(2) **소속감에 따른 분류(섬너)**
- 내집단(우리 집단): 강한 소속감이나 [❶   ] 의식을 가지고, 자신을 집단의 일부라고 생각하는 집단
  - 예 우리 학교, 우리나라 등
- 외집단(그들 집단): 이질감 또는 적대감의 대상이 되는 집단
  - 예 상대 팀, 라이벌 학교 등

(3) **결합 의지에 따른 분류(퇴니에스)**
- 공동 사회(공동체): 본능적 결합 의지에 의해 자연 발생적으로 구성된 집단
  - 예 가족, 친족, 전통적 지역 사회 등
- 이익 사회(결사체): [❷   ] 결합 의지에 의해 인위적으로 구성된 집단
  - 예 학교, 회사, 정당, 국가 등

(4) **접촉 방식에 따른 분류(쿨리)**
- 1차 집단(원초 집단): 구성원 간 직접 접촉, 전인격적인 인간관계를 바탕으로 형성된 집단
  - 예 가족, 또래 집단 등
- 2차 집단: 구성원 간 간접 접촉, 수단적인 인간관계를 바탕으로 형성된 집단
  - 예 학교, 회사 등

(5) **준거 집단**
- 실제 소속 여부와 상관없이 개인의 가치와 행동의 판단 기준이 되는 집단
  - 예 진학하고 싶은 대학교 등
- 준거 집단과 소속 집단이 불일치하는 경우 소속 집단에 대한 불만이나 상실감을 느낄 수 있음

답 ❶ 공동체 ❷ 선택적

사회 조직

(1) 의미: 목표와 경계가 뚜렷하고, 구성원의 지위와 역할이 명확하게 구분되며 명시적 규범이 적용되는 체계적인 사회 집단

(2) 공식 조직: 구성원의 지위와 책임이 명확하게 규정되고 정해진 절차에 의해 특정 ❶[   ]을 달성하려는 조직(=사회 조직)
　예 학교, 회사 등

(3) 비공식 조직

- 공식 조직 내에서 공통의 관심사나 취미에 따라 친밀한 인간관계를 바탕으로 자연 발생적으로 형성된 조직
　예 직장 내 동호회 · 친목회 등
- 순기능: 구성원들에게 정서적 안정과 만족감 제공, 사기를 증진시켜 과업의 효율성을 높임
- 역기능: 파벌 조성, 비공식 조직 간의 경쟁과 대립 발생, 지나친 개인적 친밀감은 조직의 효율성을 떨어뜨림

(4) 자발적 결사체

- 공동의 목표나 이해관계를 가진 사람들이 ❷[   ]으로 만든 사회 집단
- 가입과 탈퇴의 자유, 구성원의 열의와 자발성에 기초, 조직의 형태와 운영의 다양성, 1차적 관계와 2차적 관계의 공존
- 친목 집단: 친목을 목적으로 조직
　예 친목회, 동호회 등
- 이익 집단: 특수한 이익을 추구하고자 조직
　예 노동조합, 직능 단체 등
- 시민 단체: 공익을 실현하기 위해 조직
　예 환경 단체, 봉사 단체 등

답 ❶ 목적 ❷ 자발적

관료제

(1) 의미: 위계 질서를 바탕으로 명시적인 규범과 절차에 따라 대규모의 조직을 합리적으로 관리·운영하는 조직 형태

(2) 등장 배경: 근대 이후 산업화에 따른 조직의 대규모화 → 대규모 조직을 효율적으로 관리하고 신속·정확한 업무 처리의 필요성 증대

(3) 특징: 과업의 분화와 ❶   , 권한과 책임에 따른 위계의 서열화, 규약과 절차에 따른 과업 수행, 과업의 표준화, 하향식 의사 결정, 중간 관리층의 역할 강함, ❷   에 따른 보상 (연공서열주의)과 신분 보장

(4) 순기능과 역기능

- 순기능: 권한과 책임의 명확성, 과업 수행의 지속성 유지, 집단 과업에 대한 효율적·안정적 처리
- 역기능: 목적 전치 현상, 인간 소외 현상, 무사 안일주의

답 ❶ 전문화 ❷ 경력

탈관료제

(1) 의미: 관료제 한계를 극복하기 위한 새로운 조직 형태

(2) 등장 배경: ❶   사회 진입 → 관료제 조직의 비효율성 증대 → 새로운 조직 형태 등장 압박

(3) 특징: 의사 결정 권한 분산, 유연한 조직 구조, 능력과 성과에 따른 보상, ❷   의 역할 비중 감소

(4) 종류: 팀제 조직, 네트워크형 조직, 아메바형 조직

답 ❶ 정보 ❷ 중간 관리층

일탈 행동

(1) 일탈 행동

- 의미: 한 사회에서 일반적으로 받아들여지고 있는 사회 규범이나 사회적 기대에 어긋나는 행동
- 특징: 시대나 사회에 따라 다양하게 나타나며, 사회적 상황에 따라 일탈 행동의 판단 기준이 다르게 나타남(상대성)

(2) 뒤르켐의 아노미론

- 급격한 [**❶**] → 지배적인 규범의 부재 → 일탈 행동 발생
- 해결 방안: 사회 규범의 통제력 회복, 새로운 가치관 확립

(3) 머튼의 아노미론

- 문화적 목표와 제도적 수단의 괴리 → 일탈 행동 발생
- 해결 방안: 문화적 목표를 달성할 수 있는 제도적 수단의 제공

(4) 낙인 이론

- 특정 행동 발생 → 사회 구성원들이 일탈 행동자라고 규정 → 부정적 자아 내면화 → [**❷**] 일탈 반복
- 일탈을 규정하는 객관적 기준이 없다고 보는 이론
- 해결 방안: 사회적 낙인에 대한 신중한 접근

(5) 차별 교제 이론

- 일탈 행동자와의 교제 → 일탈 학습 → 일탈 행동 발생
- 해결 방안: 일탈자와의 접촉 차단, 정상적인 사회 집단과의 교류

답 ❶ 사회 변동 ❷ 2차적

수능전략 | 사회·문화

수능에 꼭 나오는
필수 유형 ZIP 1

실 전 에 강 한

수능전략

사탐영역 **사회·문화**

수능에 꼭 나오는
필수 유형 ZIP 2

천재교육

수능전략

사회·문화

수능에 꼭 나오는
필수 유형 ZIP 2

차례 **②** 권

문화의 속성 1

문화의 속성에는 공유성, 학습성, 축적성, 변동성, 전체성이 있다. 문제로 자주 출제되는 유형은 실제 사례를 제시하고 그 사례 속에 부각된 문화의 속성에 대한 특징을 묻는 형태이다.

필수 유형

다음 두 사례에서 공통적으로 부각된 문화의 속성에 대한 진술로 가장 적절한 것은?

- A 사회에서는 가족 중 누군가가 사망하면 남은 가족 모두가 흰색 옷을 입고 추모하는 것이 일반적이다.
- B 부족민 일부가 착용한 조개 목걸이와 팔찌는 관광객에게 평범한 장신구로 보이지만, 해당 부족민에게는 사회적 위세를 과시하는 상징물로 여겨진다.

A 사회에서 가족 중 누군가가 사망하면 남은 가족 모두가 흰색 옷을 입고 추모하는 문화가 일반적인 것이라면, 이 문화는 대부분의 사회 구성원들에 의해 **❶** 되고 있음을 의미한다.

사례에서 '일부가 착용했다'라는 표현은 이 문화를 소수가 향유하고 있다는 의미가 아니라, 조개 목걸이와 팔찌를 착용할 수 있는 사람들이 제한되어 있음을 설명할 뿐이다. 해당 부족민들이 이 행위에 대한 공통된 생각을 하고 있는 것으로 보아 이것은 문화의 속성 중 **❷** 이다.

필수 자료 해석

문화는 한 사회의 구성원들이 공통으로 가지고 있는 생활 양식으로, 그 사회의 구성원들에 의해 **❸** 된다. 따라서 구성원들은 구체적 상황에서 다른 사람의 행동을 어느 정도 **❹** 하거나 기대할 수 있다. 이는 사회 구성원 간 원활한 상호 작용에도 기여한다.

답 ❶ 공유 **❷** 공유성 **❸** 공유 **❹** 예측

공유성에 대한 설명으로 옳으면 ○표, 틀리면 ×표를 하고 그 까닭을 쓰시오.

① 문화는 고정되어 있지 않고 지속적으로 변화한다. (   )
② 문화 요소들이 관련을 맺으며 하나의 체계를 형성한다. (   )
③ 구성원 간에 사고와 행동의 동질성을 형성하게 해 준다. (   )
④ 같은 문화를 향유함으로써 사회 구성원들 간 행동을 예측할 수 있게 한다. (   )
⑤ 문화는 새로운 삶의 방식들이 누적되어 풍부해진다. (   )
⑥ 한 문화 요소의 변화는 다른 요소의 연쇄적 변화를 가져온다. (   )

답 ① ×(변동성에 대한 설명임) ② ×(전체성에 대한 설명임) ③ ○ ④ ○ ⑤ ×(축적성에 대한 설명임) ⑥ ×(전체성에 대한 설명임)

문제 해결 전략

문화의 속성을 구분하는 내용은 매우 중요하다. 따라서 여러 문화의 속성이 복합적으로 제시되어 있는 상황 속에서 그것들을 특정한 후 내용을 도출하는 유형이 자주 등장한다.

필수 유형

밑줄 친 ㉠~㉣에 부각된 문화의 속성에 대한 설명으로 옳지 않은 것은?

최근 복고 문화가 인기를 끌며 '뉴트로'라는 신조어가 생겨났다. 뉴트로는 1020 세대에는 신선함을, 3040 세대에는 ㉠새로운 향수를 불러일으키는 현상이다. 대체로 복고 문화는 경기가 좋지 않을 때 ㉡'그땐 그랬는데'라고 과거를 아름답게 회상하며 유행한다. 하지만 젊은 층의 복고 문화는 ㉢경험해 보지 못한 옛 문화에 현대적인 감각을 입혀 새롭게 받아들이는 현상으로 나타나고 있다. ㉣SNS의 확산이 가져온 뉴트로 열풍은 패션, 예술은 물론 상권에도 영향을 주고 있다.

어떤 세대에 ㉠'새로운 향수를 불러일으키는 현상'이라는 사실을 통해 사회 구성원들이 공통으로 어떤 생활 양식을 갖는다는 것을 설명한다. ㉡은 역시 어떤 문화 현상이 유행한다는 것에서 문화의 **❶** 을 확인할 수 있다.

㉢에는 기존의 문화에 새로운 요소가 더해져 풍부해지고 다양해짐이 나타나 있으므로, 문화의 **❷** 이 드러나 있다. ㉣은 여러 구성 요소가 유기적 관련을 맺고 있음을 통해 문화의 **❸** 이 부각되어 있음을 알 수 있다. 한편, ㉡, ㉣에는 시간의 흐름에 따라 문화 요소가 달라지는 문화의 변동성도 확인할 수 있다.

필수 자료 해석

어떤 사례에서 단 하나의 문화의 속성만을 일대일로 대응시키는 것은 위험한 판단이다. 그러나 문제에서는 최대한 다른 속성이 연관되지 않도록 상황을 단순화하기 때문에, 가장 잘 드러나는 **❹** 을 찾아야 한다.

답 ❶ 공유성 ❷ 축적성 ❸ 전체성(총체성) ❹ 속성

필수 선택지

㉠~㉣에 대한 설명으로 옳으면 ○표, 틀리면 ×표를 하고 그 까닭을 쓰시오.

① ㉠에 부각된 문화의 속성은 사회 구성원의 원활한 상호 작용에 기여한다. (　　)

② ㉡에 부각된 문화의 속성은 문화가 후천적으로 습득되는 것임을 보여 준다. (　　)

③ ㉢에 부각된 문화의 속성은 인간이 가지는 학습 능력과 상징 체계를 전제로 한다. (　　)

④ ㉣에는 문화가 다음 세대로 계승되면서 새로운 요소가 늘어난다고 보는 문화의 속성이 부각되어 있다. (　　)

답 ①○ ②×(학습성에 대한 설명임) ③○ ④×(축적성에 대한 설명임)

03 문화의 속성 3

문제 해결 전략

하나의 사례에서 문화의 속성이 한 가지만 포함되어 있는 경우는 많지 않다. 따라서 이 문제와 같이 발문에서 '부각'이라는 표현이 등장하는 경우가 종종 있는데, 문장에서 어떤 단어를 사용하여 문화의 속성을 특정하게 하기 때문에 그것을 찾는 것이 좋은 문제 해결 전략이다.

필수 유형

밑줄 친 ㉠, ㉡에 부각되어 있는 문화의 속성에 대한 옳은 진술만을 〈보기〉에서 고른 것은?

㉠바둑은 우리나라 사람들에게 익숙한 오락 거리이다. 바둑은 서양의 체스와 마찬가지로 두 사람이 판을 놓고 마주 앉아 게임을 하는 것이지만, 바둑돌과 체스 말에 적용되는 규칙은 다르다. 체스 말은 왕, 여왕, 기사 등으로 계급이 나눠져 있고, 계급별로 정해진 이동 규칙에 의해서만 움직인다. 반면 바둑돌은 별도의 위계가 없고 바둑판의 빈 점 어디에든 놓을 수 있으며, 다른 돌들과의 상대적 위치가 중요하게 작용한다. 한 연구자는 ㉡바둑과 체스의 이와 같은 특징이 동서양 각각의 세계관과 연관되어 있다고 본다. 세상을 절대자가 만든 '기하학적 규칙의 조합'으로 보는 서양과 '관계의 집합'으로 보는 동양의 세계관이 게임에도 반영되어 있다는 것이다.

㉠에서 바둑은 우리나라 사람들에게 '익숙하다'라고 명시함으로써 문화의 **❶** 을 부각시키고 있다.

'연관'이라는 표현을 사용함으로써 바둑과 체스가 그 사회의 세계관과 연결되어 만들어짐을 강조하고 있다. 이는 문화의 **❷** 에 대한 내용이다.

필수 자료 해석

㉠에서 바둑이 우리나라 사람들에게 익숙한 오락이라고 설명하고 있는데, 이를 통해 문화의 공유성을 도출해 낼 수 있다. 문화의 공유성이란 한 사회의 구성원들이 가지는 **❸** 생활 양식이기 때문이다. 또한 바둑과 체스가 독립적으로 존재하는 것이 아니라 다른 문화 요소(제시문에서 '세계관')와 연관되어 있다는 것을 통해 문화 요소 간 **❹** 연관성을 의미하는 문화의 전체성(총체성)을 도출할 수 있다.

🔑 ❶ 공유성 ❷ 전체성(총체성) ❸ 공통된 ❹ 유기적

필수 선택지

㉠, ㉡에 대한 설명으로 옳으면 ○표, 틀리면 ×표를 하고 그 까닭을 쓰시오.

① ㉠에는 문화가 학습의 결과물임을 설명하는 문화의 속성이 나타나 있다. (　　)
② ㉠에 부각된 문화의 속성은 구성원의 사고와 행동에 구속력을 부여한다. (　　)
③ 문화가 끊임없이 변화하는 것은 ㉡에 부각된 문화의 속성에 대한 것이다. (　　)
④ ㉡은 문화의 각 요소가 유기적으로 결합되어 있음을 보여 준다. (　　)

🔑 ① ×(학습성에 대한 설명임) ②○ ③ ×(변동성에 대한 설명임) ④○

04 문화를 바라보는 관점

문제 해결 전략

문화를 바라보는 관점은 총체론적 관점과 비교론적 관점이 있는데 (가)는 다른 사회의 문화 간 비교, (나)는 한 사회 내에서 나타나는 문화 요소들 간의 관계에 초점을 맞춘다. 각 관점이 갖는 장점을 묻는 문제가 간혹 출제된다.

필수 유형

(가), (나)에 나타난 문화를 바라보는 관점에 대한 옳은 설명만을 〈보기〉에서 고른 것은?

(가) 국가별로 새해를 맞이하는 모습은 다르지만 행복을 기원하는 마음은 비슷하다. 한국은 떡국을 먹으며 무병장수를 기원하고, 필리핀은 둥근 과일을 접시에 담아 두고 번영을 기도하며, 아일랜드는 구운 케이크를 부셔 먹으며 풍요를 바란다.

(나) 최근에는 손으로 작성한 연하장 대신 온라인 메시지로 새해 인사를 나누는 모습을 어렵지 않게 볼 수 있다. 이러한 변화를 이해하기 위해서는 정보 통신 기술, 관계 지향적 가치관, 유교적 규범 등 다양한 문화 요소들의 유기적인 연관성을 고려해야 한다.

(가)에서는 한국, 필리핀, 아일랜드에서 새해를 맞이하는 모습을 **❶** 하고 있다. 이렇게 문화를 바라보는 관점은 어떤 문화의 특징을 객관적으로 파악할 수 있도록 돕는다.

(나)에서는 문화의 하위 요소들 간의 유기적 연관성을 중심으로 문화를 바라보고 있다. 이러한 **❷** 적 관점은 문화 요소를 심층적으로 이해할 수 있도록 돕는다.

필수 자료 해석

문화를 바라보는 관점에는 총체론적 관점, 비교론적 관점이 있다. 그중 비교론적 관점은 제시된 자료의 (가)에서처럼 몇 가지 문화를 서로 비교함으로써 문화의 보편성 위에서 그 문화만이 갖는 **❸** 을 드러내는 데 목적이 있다. 총체론적 관점은 (나)에서처럼 문화의 하위 요소들 간 연관성을 밝힘으로써 전체 문화의 **❹** 속에서 의미를 파악하는 데 목적이 있다.

답 ❶ 비교 **❷** 총체론 **❸** 특수성 **❹** 맥락

필수 선택지

(가), (나)에 나타난 문화를 바라보는 관점에 대한 설명으로 옳으면 ○표, 틀리면 ×표를 하고 그 까닭을 쓰시오.

① (가)는 자기 문화의 객관적 이해에 기여한다. ( )

② (가)는 한 문화 내에서 하위문화들 간의 연관성을 파악하기 위한 것이다. ( )

③ (나)는 하나의 문화 요소를 독립된 것으로 전제한다. ( )

④ (나)는 문화 요소들 간 상호 유기적 관계를 이해하기 위한 관점이다. ( )

답 ① ○ ② ×(가 → 나) ③ ×(독립된 → 다른 부분과 연관된) ④ ○

문제 해결 전략

문화를 이해하는 태도는 절대적인 기준을 갖고 문화를 평가의 대상으로 보는 태도와 절대적 기준 없이 문화를 이해하려는 태도로 구분된다. 이렇게 구분하여 자문화 중심주의, 문화 사대주의, 문화 상대주의를 비교하는 문제는 거의 빠지지 않고 출제되는 매우 중요한 평가 요소이다.

필수 유형

갑, 을의 문화 이해 태도에 대한 설명으로 옳은 것은?

- 갑은 외국에서 유학을 온 일부 학생들이 종교 의례에 참석하기 위해 특정 요일의 수업에 결석하는 모습을 보고, 자국의 생활 양식에 비해 뒤떨어진 문화라고 생각하였다.
- 이주민인 신입 사원이 자신이 속한 문화권에서는 술을 마시거나 접촉하는 것을 금기시한다며 술 판매 업무를 할 수 없다고 하자, 관리자 을은 그 금기가 해당 문화권에서 매우 중요한 것임을 인정하여 다른 업무를 배정하였다.

갑은 외국의 종교 의례에 대해 뒤떨어진 문화라고 생각했다. 이 점에서 볼 때, 갑이 갖고 있는 문화 이해의 태도는 자기 문화를 절대적 기준으로 삼고 다른 문화를 판단하는 [❶   ]이다.

을의 태도로 볼 때, 을은 이주민의 문화를 있는 그대로 이해하고 존중하는 [❷   ]의 태도를 갖고 있다는 것을 알 수 있다.

필수 자료 해석

제시된 사례에서 갑, 을 중 바람직한 문화 이해의 태도를 갖고 있는 사람은 [❸   ]이다. 갑은 다른 문화를 자신의 기준으로 평가하고 있는 자문화 중심주의의 태도를 보이고 있는 반면, 을은 다른 문화의 [❹   ]을 고려하여 객관적으로 문화를 이해하는 모습을 보임으로써 문화 상대주의를 실천하고 있다.

답 ❶ 자문화 중심주의 ❷ 문화 상대주의 ❸ 을 ❹ 특수성

필수 선택지

갑, 을에 대한 설명으로 옳으면 ○표, 틀리면 ×표를 하고 그 까닭을 쓰시오.

① 갑의 태도는 자문화 정체성 상실의 우려가 있다는 비판을 받는다. (   )
② 갑의 태도는 문화를 평가의 대상으로 본다. (   )
③ 갑의 태도는 다른 문화 요소의 빠른 수용에는 유리한 측면이 있다. (   )
④ 갑의 태도는 자기 문화만을 고집함으로써 고립을 초래할 우려가 있다. (   )
⑤ 을의 태도는 다른 사회의 문화를 무분별하게 수용할 우려가 있다. (   )
⑥ 을의 태도는 국수주의로 변질될 수 있다는 비판을 받는다. (   )
⑦ 을의 태도는 각 사회의 문화가 동등한 가치를 지닌다고 본다. (   )
⑧ 을의 태도는 갑의 태도와 달리 문화의 다양성 확보에 유리하다. (   )

답 ① ×(문화 사대주의에 대한 설명임) ② ○ ③ ×(유리한 → 불리한) ④ ○ ⑤ ×(문화 사대주의에 대한 설명임) ⑥ ×(자문화 중심주의에 대한 설명임) ⑦ ○ ⑧ ○

문제 해결 전략
제시된 사례에서 문화 이해에 대한 어떤 태도를 보이고 있는지를 파악해서 각각의 문화 이해의 태도가 갖는 장단점을 추론하는 문제도 자주 출제되고 있다. 거의 빠지지 않고 출제가 되고 있는 만큼, 다양한 사례를 접해 보고 판단하는 연습이 필요하다.

필수 유형

갑~병의 문화 이해 태도에 대한 설명으로 옳은 것은?

교사: ○○족의 △△ 축제에 대해 자신의 의견을 이야기해 봅시다.

갑: 과도하게 증가한 돼지 개체 수가 ○○족의 생존 기반이 되는 경작지를 위협하기 때문에 돼지를 대규모로 도축하는 것입니다. 이 축제는 부족의 생존에 필요한 적정한 규모의 경작지를 확보하기 위한 그들만의 방법이라고 생각합니다. └→ 문화 상대주의

을: ○○족이 축제를 위해 돼지 전체 개체 수의 4분의 3을 도축하는 것은 야만적입니다. 또한 그 고기를 먹기 위해 요리하는 과정도 우리나라의 위생 관념에 비춰 봤을 때 불결하다고 생각합니다. → 자문화 중심주의

병: ○○족의 축제가 고단백질을 얻기 위한 그들만의 방법임을 인정해야 합니다. 하지만 그 축제가 대다수 사람들이 소중하게 생각하는 생명 존중의 가치를 훼손하지 않는지 생각해 봐야 합니다.

병은 기본적으로 다른 문화를 객관적으로 이해하려고 하는 동시에 인류가 추구하는 가치와 충돌하지는 않는지를 검토하는 모습을 보임으로써 **❶** 를 경계하고 있음을 알 수 있다.

필수 자료 해석

모든 문화를 무조건적으로 인정하고 존중하는 태도는 **❷** 이다. 이는 문화 상대주의와는 다르며 경계해야 하는 모습이다.

🔑 ❶ 극단적 문화 상대주의 ❷ 극단적 문화 상대주의

필수 선택지

갑~병에 대한 설명으로 옳으면 ○표, 틀리면 ×표를 하고 그 까닭을 쓰시오.

① 갑의 태도는 문화를 평가의 대상으로 본다. (   )
② 갑의 태도는 다른 문화를 객관적으로 파악하고 이해하려는 태도이다. (   )
③ 을의 태도는 문화를 해당 사회의 맥락에서 바라본다. (   )
④ 을의 태도는 국수주의로 변질될 수 있다는 비판을 받는다. (   )
⑤ 병은 극단적 문화 상대주의를 경계하고 있다. (   )
⑥ 병의 태도는 ○○족의 축제를 긍정적으로 바라보고 있다. (   )

🔑 ① ×(평가 → 이해) ② ○ ③ ×(문화 상대주의에 대한 설명임) ④ ○ ⑤ ○ ⑥ ○

문제 해결 전략	문화를 이해하는 태도 중 지향해야 할 바람직한 태도는 문화를 객관적으로 이해해야 하는 것이라고 바라보는 문화 상대주의이다. 문화 상대주의와 비교한 자문화 중심주의, 문화 사대주의의 문제점을 파악하는 문제가 주로 출제된다.

필수 유형

문화 이해의 태도 A~C에 대한 설명으로 옳은 것은? (단, A~C는 각각 문화 사대주의, 문화 상대주의, 자문화 중심주의 중 하나이다.)

교사: 문화의 우열을 평가할 수 있는지에 대해 B, C는 A와 다른 입장을 갖는다는 공통점이 있는데, B와 C 간에도 차이점이 있습니다. 그러면 B와 다른 C의 특징을 설명해 볼까요?

갑: 자기 문화의 정체성을 유지하는 데 유리합니다.

을: 외부 문화의 수용에 적극적입니다.

교사: 을만 옳은 설명을 했습니다.

세 가지 문화 이해의 태도 중 우열을 평가할 수 있다고 보는 것은 문화 사대주의와 **❶**⬚이다. 반면, **❷**⬚의 태도는 문화는 평가의 대상이 아니라고 본다. 따라서 A가 문화 상대주의이다.

B와 다른 C의 특징을 을이 옳게 설명하였기 때문에, 외부 문화 수용에 적극적인 C는 **❸**⬚이다. 나머지 B는 자문화 중심주의이다.

필수 자료 해석

문화 이해의 바람직한 태도라고 할 수 있는 **❹**⬚는 문화를 평가의 대상으로 바라보지 않고, 다른 문화의 특수한 가치를 인정하고 이해하는 태도이다. 문화를 평가의 대상으로 보는 입장에는 자문화 중심주의와 문화 사대주의가 있다.

답 ❶ 자문화 중심주의 ❷ 문화 상대주의 ❸ 문화 사대주의 ❹ 문화 상대주의

필수 선택지	A~C에 대한 설명으로 옳으면 ○표, 틀리면 ×표를 하고 그 까닭을 쓰시오.

① A는 다른 사회와 문화적 마찰을 초래할 가능성이 크다. (　　)

② A는 개방적 태도로 타문화를 이해하려고 한다. (　　)

③ B는 문화적 다양성 증진에 기여한다. (　　)

④ B는 C와 달리 자기 문화의 가치를 폄훼한다. (　　)

⑤ C는 자기 문화의 정체성을 상실할 우려가 있다는 점에서 비판받는다. (　　)

⑥ C는 문화 제국주의로 변질될 가능성이 있다. (　　)

답 ① ×(A→B) ② ○ ③ ×(B→A) ④ ×(B와 C가 바뀜) ⑤ ○ ⑥ ×(C→B)

문화를 이해하는 태도 4

문제 해결 전략

우열한 문화와 열등한 문화를 구별할 수 있는가에 대한 판단에 따라 문화 절대주의와 문화 상대주의가 구분된다. 그리고 문화 절대주의는 자문화 중심주의와 문화 사대주의로 구분된다. 각각의 문화 이해 태도가 갖는 특징과 장단점을 파악하는 문제는 빠짐없이 출제된다.

필수 유형

다음 자료에 대한 옳은 설명을 〈보기〉에서 고른 것은? (단, A~C는 각각 문화 사대주의, 문화 상대주의, 자문화 중심주의 중 하나이다.)

• '문화 간에 우열이 존재한다고 보는가?'는 A와 B를 구분할 수 없는 질문이다.
• '자기 문화의 정체성을 상실할 우려가 큰가?'는 A와 C를 구분할 수 있는 질문이다.
•   (가)   는 B와 C를 구분할 수 있는 질문이다.

문화 상대주의는 어떤 문화의 배경이 되는 특수한 자연환경, 역사나 전통, 사회적 맥락 등을 고려하여 문화를 이해하는 태도이다. 따라서 첫 번째 질문으로 A, B를 구분할 수 없기 때문에 A, B는 모두 문화 간 우열이 존재한다고 보는 입장이다. 결과적으로 C가 **❶**   이다. 두 번째 질문으로 A, C를 구분할 수 있다고 했으므로 A는 자기 문화의 정체성을 상실할 우려가 있다는 것을 의미한다. 따라서 A는 **❷**   이고, B는 **❸**   이다.

필수 자료 해석

문화 간 우열은 존재하지 않으며, 문화를 객관적 태도로 이해하는 것은 **❹**   이다. 그러나 문화 상대주의가 타문화를 무비판적으로 동경하는 것을 의미하는 것은 아니다. 다시 말해, 문화 상대주의를 갖는다고 해서 자기 문화의 정체성을 상실할 우려가 높아지는 것은 아니다.

답 ❶ 문화 상대주의 **❷** 문화 사대주의 **❸** 자문화 중심주의 **❹** 문화 상대주의

필수 선택지

A~C에 대한 설명으로 옳으면 ○표, 틀리면 ×표를 하고 그 까닭을 쓰시오.

① A는 다른 문화에 대한 동경으로 자기 문화를 폄훼하는 태도이다. (   )
② A는 타문화 수용에 적극적이다. (   )
③ A는 자기 문화만이 고유한 가치를 갖는다고 본다. (   )
④ B는 문화적 다양성 증진에 기여한다. (   )
⑤ B는 자기 문화의 정체성 상실에 우려가 있다. (   )
⑥ B는 문화 제국주의로 변질될 가능성이 있다. (   )
⑦ C는 다른 문화에 대한 특수성을 부정하는 태도이다. (   )
⑧ (가)에 '맹목적으로 자기 문화의 가치를 낮게 평가하는가?'가 들어갈 수 있다. (   )

답 ① ○ ② ○ ③ ×(A→B) ④ ×(B→C) ⑤ ×(B→A) ⑥ ○ ⑦ ×(부정→인정) ⑧ ×(B, C 모두 이 질문과 관련하여 부정적임)

하위문화와 반문화 1

한 사회의 구성원 대다수가 공유하는 문화를 주류 문화, 사회 내의 일부 구성원들이 공유하는 문화를 하위문화라고 한다. 하위문화 중 한 사회의 주류 문화를 거부하거나 저항하는 사람들이 공유하는 문화인 반문화에 대한 문제의 출제 빈도가 높은 편이다.

필수 유형

A~C 문화에 대한 옳은 설명을 〈보기〉에서 고른 것은? (단, A~C 문화는 각각 주류 문화, 하위문화, 반문화 중 하나이다.)

중세 말기 유럽에서는 새롭게 부를 축적한 부르주아지가 등장하였다. 이들의 문화는 당시 엄격한 신분제에 기초한 봉건제적 문화와는 차별화된 성격을 띠고 있어 처음에는 A 문화였다. 그러나 부르주아지가 근대 시민 혁명을 통해 구체제를 전복하려 나선 시기에, 이들의 문화는 B 문화로서의 성격을 보였다. 그리고 마침내 구체제가 무너지고 새로운 근대 사회가 도래한 이후 이들의 문화는 점차 봉건제적 문화를 대체하며 C 문화로 성장하였다.

↓

부르주아지들의 문화는 당시의 주류 문화와 구분되는 소수의 문화였기에 A는 **❶** 이다. 그러던 중 시민 혁명기에는 부르주아지들의 문화가 기존의 지배 문화에 저항하는 성격을 보였다는 것을 통해 B는 **❷** 라는 것을 알 수 있다. 근대 사회 도래 이후에는 부르주아지들의 문화는 기존의 지배적 문화를 대체하였으므로 C는 **❸** 이다.

필수 자료 해석

한 사회의 여러 문화들은 고정·불변의 것이 아니라 시대나 상황에 따라 다양한 성격을 갖게 된다. 제시된 자료에서 부르주아지들의 문화는 처음에는 하위문화였다가 **❹** 의 성격을 갖게 되었고, 결국 주류 문화로 자리매김하게 되었다.

답 ❶ 하위문화 ❷ 반문화 ❸ 주류 문화 ❹ 반문화

A~C에 대한 설명으로 옳으면 ○표, 틀리면 ×표를 하고 그 까닭을 쓰시오.

① A 문화는 C 문화와 대립하여 사회 안정을 저해한다. (   )

② 한 시대 내에서 B 문화는 A 문화에 포함된다. (   )

③ B 문화는 주류 문화를 지지하고 옹호한다. (   )

④ C 문화는 한 사회 구성원 대부분이 공유하는 문화이다. (   )

⑤ 한 사회에서 A 문화보다 C 문화를 향유하는 사람들의 수가 더 많다. (   )

답 ① ×(A → B) ② ○ ③ ×(지지하고 옹호 → 거부하고 저항) ④ ○ ⑤ ○

문제 해결 전략
주류 문화에 비해 소수의 구성원 사이에서 공유되는 문화가 하위문화인데, 하위문화 중 주류 문화에 대해 저항하거나 거부하는 문화가 반문화이다. 이들의 관계와 특징을 묻는 문항이 자주 출제된다.

필수 유형

A~C의 일반적인 특징에 대한 설명으로 옳은 것은? (단, A~C는 각각 주류 문화, 반문화, 반문화의 성격이 없는 하위문화 중 하나이다.)

구분	A	B	C
한 사회 내에서 일부 구성원들만 공유하는 문화인가?	예	예	아니요
한 사회의 지배적인 문화를 거부하거나 저항하는 문화인가?	예	아니요	아니요

한 사회 내에서 일부 구성원들만이 아닌 다수가 향유하는 문화인 C가 ❶ [   ]이다. 또한 한 사회의 지배적 문화를 거부하거나 저항하는 A가 ❷ [   ]이다. 결과적으로 B는 ❸ [   ]이다.

필수 자료 해석

주류 문화는 각 사회의 일반적이고 주요한 생활 양식의 특징을 갖는다. 따라서 일부 구성원들만 공유하는 문화라는 질문에 부정 응답한 C가 주류 문화이다. 두 번째 질문인 '한 사회의 주류 문화를 거부하는가?'에 대해 긍정 응답을 한 A가 반문화이다. 모든 ❹ [   ]가 반문화인 것은 아니며, 반문화적인 성격을 갖고 있지 않은 하위문화도 있다.

답 ❶ 주류 문화 ❷ 반문화 ❸ 반문화의 성격이 없는 하위문화 ❹ 하위문화

필수 선택지
A~C에 대한 설명으로 옳으면 ○표, 틀리면 ×표를 하고 그 까닭을 쓰시오.

① A는 사회 변동에 따라 C가 되기도 한다. (   )
② A는 주류 집단에 의해 일탈로 규정되기도 한다. (   )
③ A는 B와 달리 해당 문화의 공유자 간 유대감 형성에 기여한다. (   )
④ B는 A와 달리 사회에 따라 상대적으로 규정된다. (   )
⑤ B는 과거에 C였다. (   )
⑥ C는 A를 지지하고 옹호한다. (   )
⑦ 한 사회에서 C에 해당하는 문화가 다른 사회에서는 A에 해당할 수 있다. (   )
⑧ C는 B와 공존하여 존재할 수 있다. (   )

답 ① ○ ② ○ ③ ×(A는 B와 달리 → A, B 모두) ④ ×(B는 A와 달리 → A, B 모두) ⑤ ×(일부 하위문화는 과거에 주류 문화였을 수도 있지만, 모든 하위문화가 주류 문화였던 것은 아님) ⑥ ×(지지하고 옹호 → 일탈로 인식) ⑦ ○ ⑧ ○

하위문화와 반문화 3

문제 해결 전략
실제 사례 속에서 하위문화, 반문화, 주류 문화의 특징과 관계를 파악하는 것이 핵심이다. 특히, 모든 하위문화가 반문화의 성격을 갖는 것은 아님을 유의해야 한다.

필수 유형

(가), (나)의 사례에 대한 설명으로 옳은 것은?

(가) 인터넷 및 스마트폰의 보급으로 누구나 온라인 게임을 손쉽게 접할 수 있게 되었다. 이제 온라인 게임은 청소년뿐만 아니라 중장년층 및 노년층까지 전 세대가 즐기는 대중적 문화가 되었다.

(나) 최근 청소년들은 그들끼리만 통하는 언어를 사용한다. 인터넷 용어를 축약하여 표현하거나, 자음만으로 의사를 표현하는 등의 방법으로 신조어와 은어를 만들어 사용한다. 기성세대가 청소년들의 언어문화를 이해하지 못하여, 세대 간 의사소통의 장애가 발생하고 있다.

(가)에서 과거의 온라인 게임은 청소년들에게 국한된 **❶** 였다. 그러나 인터넷 및 스마트폰의 보급으로 온라인 게임은 전 세대가 즐기는 **❷** 로 변화하였다.

(나)에서 청소년들이 신조어와 은어를 사용하는 문화는 주류 문화에 대한 저항적 성격인 **❸** 로 볼 수 있는 근거는 없다. 따라서 제시된 자료에서 신조어와 은어를 사용하는 문화는 반문화적 성격이 없는 하위문화로 판단해야 한다.

필수 자료 해석

제시된 자료에서 유심히 살펴봐야 하는 부분은 '(나)에서 청소년들이 사용하는 신조어와 은어를 반문화로 볼 수 있는가'이다. 반문화는 주류 문화에 대한 **❹** 의 성격을 갖는 문화인데, 세대 간 의사소통의 장애가 발생한다는 부분만으로 그런 성격이 나타난다고 보기 어렵다.

답 ❶ 하위문화 **❷** 주류 문화 **❸** 반문화 **❹** 반감이나 저항

필수 선택지
위 사례에 대한 설명으로 옳으면 ○표, 틀리면 ×표를 하고 그 까닭을 쓰시오.

① (가)를 통해 하위문화와 주류문화는 시대 상황에 따라 규정되는 상대적 개념임을 알 수 있다. (   )

② (가)에는 문화 지체 현상이 나타나 있다. (   )

③ (나)에서는 하위문화로 인해 세대 간 이질성이 약화되었다. (   )

④ (나)는 (가)와 달리 반문화의 범위가 확장된 사례이다. (   )

⑤ (나)에는 물질문화를 대상으로 한 하위문화가 나타나 있다. (   )

답 ① ○ ② ×(가, 나 모두 문화 지체 현상에 해당되는 사례가 없음) ③×(약화→강화) ④ ×(가, 나에 제시된 사례 모두 반문화가 아님) ⑤ ×(물질→비물질)

문제 해결 전략

대중이 즐기고 누리는 문화를 대중문화라고 하는데, 대중문화가 갖는 의미와 역기능도 출제 요소이지만, 대중문화가 만들어지는 과정에서 매개체의 역할을 하는 대중 매체에 대한 문제의 출제 비중이 높다.

필수 유형

그림은 대중 매체 A~C를 일반적인 특징에 따라 구분한 것이다. A~C에 대한 설명으로 옳은 것은? (단, A~C는 각각 뉴 미디어, 영상 매체, 인쇄 매체 중 하나이다.)

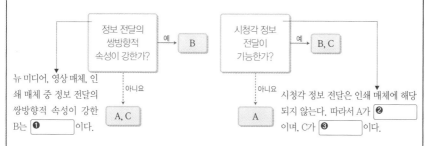

뉴 미디어, 영상 매체, 인쇄 매체 중 정보 전달의 쌍방향적 속성이 강한 B는 **①**　　　　이다.

시청각 정보 전달은 인쇄 매체에 해당되지 않는다. 따라서 A가 **②**　　　　이며, C가 **③**　　　　이다.

필수 자료 해석

대중 사회가 성립되던 시기에는 종이 신문, 라디오, 텔레비전 등의 일방향의 매체가 주를 이루었으나, 정보 사회의 도래와 함께 대중문화의 생산과 전파, 확산을 주도하는 매체는 인터넷, 누리 소통망(SNS) 등의 **④**　　　　이다. 뉴 미디어는 정보의 생산자가 소비자에게 정보를 일방적으로 전달하는 형태에서 벗어나 서로 간의 소통이 가능한 대중 매체이다.

답 ❶ 뉴 미디어 ❷ 인쇄 매체 ❸ 영상 매체 ❹ 뉴 미디어

필수 선택지

A~C에 대한 설명으로 옳으면 ○표, 틀리면 ×표를 하고 그 까닭을 쓰시오.

① A는 C에 비해 정보 전달이 신속하게 이루어진다. (　　)

② A는 B에 비해 정보 복제와 재가공에 불리하다. (　　)

③ A는 C에 비해 문맹자의 정보에 대한 접근 가능성이 높다. (　　)

④ A는 B에 비해 정보 전달자와 수용자 간 구분이 불명확하다. (　　)

⑤ B는 C에 비해 정보 생산자의 익명성이 보장된다. (　　)

⑥ B는 A에 비해 정보 확산 속도가 느리다. (　　)

⑦ C는 A, B에 보다 늦게 등장했다. (　　)

⑧ C는 B에 비해 정보 확산의 시·공간적 제약이 크다. (　　)

답 ① ×(신속하게 → 느리게) ② ○ ③ ×(높다 → 낮다) ④ ×(불명확 → 명확) ⑤ ○ ⑥ ×(느리다 → 빠르다) ⑦ ×(뉴 미디어(B)가 가장 최근에 등장함) ⑧ ○

13 대중문화와 대중 매체 2

문제 해결 전략

대표적인 대중 매체들의 특징을 파악하는 문제이다. 문제 유형의 다양화를 위해 문제에서 게임 상황을 주고 그 과정에서 개념의 특징을 묻는 경우가 많아지고 있다.

필수 유형

대중 매체의 특징을 활용한 다음 게임에 대한 설명으로 옳은 것은?

[게임의 규칙]
- A, B상자 안에 각각 3장의 카드가 있다. 카드마다 점수를 부여하는데, 각 카드의 내용이 종이 신문, TV, 인터넷의 일반적 특징 중 하나에만 해당하면 1점, 두 개에만 해당하면 2점, 세 개 모두에 해당하면 3점을 부여한다.
- 갑은 A, B상자에서 각각 1장씩 카드를 뽑아 내용 확인 후 다시 원래의 상자에 카드를 넣는다. 을도 같은 방식으로 게임을 진행한다.
- 각 상자에서 뽑은 카드 2장으로 얻은 점수의 합이 높은 사람이 이긴다.

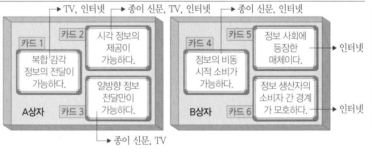

필수 자료 해석

대중 매체 중 종이 신문과 TV는 일방적 정보 전달의 매체로, 정보의 소비자는 정보를 수동적으로 수용할 뿐이었으나 인터넷, 이동 통신 기술 등 **❶** 가 등장하면서 정보의 생산자와 소비자의 경계가 **❷** 되었다.

답 ❶ 뉴 미디어 ❷ 약화

필수 선택지

위 게임에 대한 설명으로 옳으면 ○표, 틀리면 ×표를 하고 그 까닭을 쓰시오.

① A상자에 담긴 카드의 총점은 6점이다. (　　)
② A상자의 카드 1장에서 얻을 수 있는 최소 점수는 2점이다. (　　)
③ B상자의 카드 1장에서 얻을 수 있는 최대 점수는 3점이다. (　　)
④ 한 사람이 1회 게임에서 얻을 수 있는 최소 점수는 3점이다. (　　)
⑤ 한 사람이 1회 게임에서 종이 신문에 해당하는 내용이 있는 카드로 얻을 수 있는 최대 점수는 6점이다. (　　)
⑥ 카드 5와 카드 6에 공통으로 해당되는 매체는 인터넷 뿐이다. (　　)

답 ① ×(6점→7점) ② ○ ③ ×(3점→2점) ④ ○ ⑤ ×(6점→5점) ⑥ ○

문제 해결 전략 문화 변동 요인에는 발명, 발견, 전파 등이 있고, 변동 결과는 문화 공존, 문화 동화, 문화 융합이 있다. 그런데 문화 변동의 원인이나 결과만에 한정해서 문제가 출제되기 보다는 문화 변동의 요인과 과정, 결과를 복합적으로 묻는 문제가 주로 출제된다.

필수 유형

자료를 통해 문화 변동 사례를 분석한 것으로 옳은 것은? (단, A~C는 각각 간접 전파, 자극 전파, 직접 전파 중 하나이고, (가)~(다)는 각각 문화 공존, 문화 동화, 문화 융합 중 하나이다.)

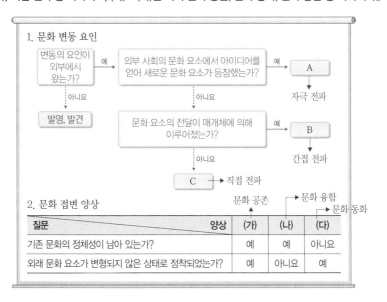

1. 문화 변동 요인

2. 문화 접변 양상

질문　　　　　　　　　　　　　　　　　　양상	(가)	(나)	(다)
기존 문화의 정체성이 남아 있는가?	예	예	아니요
외래 문화 요소가 변형되지 않은 상태로 정착되었는가?	예	아니요	예

필수 자료 해석

기존 문화의 정체성도 남아있으면서 외래 문화도 변형 없이 정착된 것은 **①**　　　　　이다. 기손 문화의 정체성이 남아 있고, 외래 문화의 변형이 있었던 것은 **②**　　　　　, 기존 문화의 정체성은 사라지고 외래 문화가 도입된 것은 **③**　　　　　이다.

답 ❶ 문화 공존 ❷ 문화 융합 ❸ 문화 동화

필수 선택지 위 자료에 대한 설명으로 옳으면 ○표, 틀리면 ×표를 하고 그 까닭을 쓰시오.

① (가)의 예로 양의학과 한의학이 함께 유지되는 것을 들 수 있다. (　　)

② (나)는 문화의 다양성 증대에 기여한다. (　　)

③ 전통 문화가 외래 문화에 흡수되어 소멸되는 것은 (다)의 예이다. (　　)

답 ①○ ②○ ③○

15 문화 변동 2

문제 해결 전략 문화 변동과 관련해서는 요인과 양상, 결과가 중요한 평가 요소이다. 특히, 실제 사례에서 문화 변동의 요인과 양상, 결과를 도출하고 적용하는 문제가 자주 출제되고 있다.

필수 유형

A~C국에 나타난 문화 변동에 대한 설명으로 옳은 것은?

• A국은 전통적인 온돌 문화와 이웃 나라의 공동 주거 문화를 결합하여 새로운 양식의 주거 문화를 형성하였다.

• B국에서는 과거 자신들을 식민 지배하였던 국가의 선교사들이 들여온 신흥 종교를 받아들여 토착 종교와 함께 존재하고 있다.

• C국은 이웃 나라의 방역 시스템에서 아이디어를 얻어 새로운 방역 제도를 구축하고 감염병 확산을 효과적으로 억제하였다.

A국은 전통적 온돌 문화와 다른 사회의 주거 문화가 결합한 새로운 양식의 주거 문화를 만들었으므로 문화 접변의 결과 중 **❶** 이다.

B국에서는 문화 접변의 결과로 두 문화가 함께 존재하는 **❷** 이 나타났다.

C국의 사례는 다른 사회의 시스템에서 아이디어를 얻어 새로운 제도를 구축한 것으로 보아 **❸** 의 사례이다.

필수 자료 해석

A국은 '새로운 양식', B국은 '함께 존재', C국은 '아이디어를 얻어 새로운 제도를 구축'이라고 표현되어 있다. 이처럼 어떤 유형의 문화 접변이 이루어졌는가, 어떤 문화 접변의 결과인가를 판단하기 위한 명확한 표현을 찾아서 적용해야 한다. 또한 B국의 경우 식민 지배라는 특수한 상황이 제시되었는데, 그것만으로 이를 **❹** 문화 접변으로 볼 수는 없다.

🔑 ❶ 문화 융합 ❷ 문화 공존(병존) ❸ 자극 전파 ❹ 강제적

필수 선택지 위 자료에 대한 설명으로 옳으면 ○표, 틀리면 ×표를 하고 그 까닭을 쓰시오.

① A, B국 모두 자기 문화의 정체성을 유지하였다. (   )

② B국은 자기 문화의 정체성을 상실하였다. (   )

③ B국은 A국과 달리 강제적인 문화 접변이 나타났다. (   )

④ B국은 비물질 문화에서 문화 변동이 나타났다. (   )

⑤ C국의 문화 변동은 매체를 통해 전해진 간접 전파로 인해 나타났다. (   )

🔑 ① ○ ② ×(상실 → 유지) ③ ×(제시된 B국의 내용에서 강제적 문화 접변의 근거를 발견하기 어려움) ④ ○ ⑤ ×(자극 전파에 해당함)

16 문화 변동 3

문제 해결 전략 문화 변동 요인이 한 사회 내부에 있는지, 다른 문화와의 접촉에 있는지를 구분해야 한다. 문화 변동의 요인과 양상, 결과를 복합적으로 묻는 문제가 자주 출제되고 있다.

필수 유형

A~C국에 나타난 문화 변동에 대한 설명으로 옳은 것은?

• 식사 도구로 수저를 사용하던 A국에서는 나이프와 포크를 사용하는 이웃 나라 사람들과 교류하면서 나이프와 포크도 식사 도구로 사용하였다.

• B국의 군인들은 야외 훈련 중 철제 투구를 이용하여 음식을 끓여 먹었던 경험에서 아이디어를 얻어 새로운 형태의 냄비를 만들어 조리 도구로 사용하였다.

• C국 사람들은 자신들을 식민 통치하였던 외국인들이 즐겨 먹던 통조림 고기를 자국의 전통 요리에 접목하여 만든 새로운 음식을 즐기게 되었다.

수저를 사용하던 식기 문화가 사라진 것은 아니며, 나이프와 포크도 함께 사용되고 있으므로 A국에 나타난 문화 변동은 ❶▢▢▢ 이나.

B국에서는 어떤 문화 현상에서 아이디어를 얻어 냄비를 만든 것으로 내재적 변동 중 ❷▢▢ 의 사례이다.

C국에서는 자국의 전통 요리가 다른 사회의 문화와 접목하여 새로운 형태의 음식이 출현한 사례로, 이는 문화 변동 중 ❸▢▢▢ 의 사례이다.

필수 자료 해석

어떤 문화 요소에서 아이디어를 얻었다는 것만으로 자극 전파라고 단정 지어서는 안 된다. 왜냐하면 ❹▢▢▢ 는 다른 사회의 문화 요소에서 아이디어를 얻어 새로운 문화 요소가 만들어진 경우에만 국한되기 때문이다. 따라서 자극 전파는 내재적 문화 변동의 요인인 발명과 구분되어야 한다.

답 ❶ 문화 공존(병존) **❷** 발명 **❸** 문화 융합 **❹** 자극 전파

필수 선택지

위 자료에 대한 설명으로 옳으면 ○표, 틀리면 ×표를 하고 그 까닭을 쓰시오.

① A국에서는 문화 병존이 나타났다. (　　　)

② B, C국에서는 문화 융합이 나타났다. (　　　)

③ B국에서는 자극 전파가 나타났다. (　　　)

④ C국에서는 강제적 문화 접변이 나타났다. (　　　)

⑤ B국은 외래문화와의 접촉으로 새로운 문화 요소가 나타났다. (　　　)

⑥ C국에서는 문화 변동 과정에서 자기 문화의 정체성을 유지하였다. (　　　)

답 ① ○ **②** ×(B, C국 → C국) **③** ×(자극 전파 → 발명) **④** ×(식민 통치 상황이라고 모두 강제적 문화 접변으로 보기는 어려움) **⑤** ×(B국 → A, C국) **⑥** ○

문제 해결 전략 문화 변동의 요인과 양상, 결과를 종합적으로 이해해야 해결할 수 있는 문항이다. 문제에 제시된 조건인 문화 요소의 소멸이 없었다는 것에 유의해야 한다.

필수 유형

다음 자료에 대한 분석으로 옳은 것은?

표는 갑국과 을국에서 발생한 문화 변동을 나타낸 것이다. 1차 문화 변동 시기에는 내재적 변동만, 2차 문화 변동 시기에는 갑국과 을국 간 문화 접변만 있었다. (가)~(라)는 각각 발견, 발명, 직접 전파, 자극 전파 중 하나이며, (가)와 (다)는 각각 새로운 문화 요소를 창조하는 요인이다. ➡ (가)는 내재적 변동이면서 창조된 것이므로 **❶** 이다.
〈갑국과 을국의 문화 변동〉 (나)는 발견이다.

구분	변동 전 문화 요소	1차 문화 변동		2차 문화 변동	
		변동 요인	추가된 문화 요소	변동 요인	추가된 문화 요소
갑국	a	(가)	c	(다)	e
을국	b	(나)	d	(라)	a, c

* a~e는 서로 다른 문화 요소를 의미하며, 이외에 다른 문화 요소는 존재하지 않는다.
** 제시된 문화 변동 이외에 다른 문화 변동은 없었으며, 문화 요소의 소멸도 없었다.

(다)는 다른 문화와의 접변에 해당하는데, ◀
필수 자료 해석 창조된 것이므로 **❷** 이다.

(가), (나)는 발명, 발견 중 하나이며, (다), (라)는 직접 전파, 자극 전파 중 하나이다. 그런데 2차 문화 변동의 결과 갑국에서는 전에 볼 수 없던 새로운 문화 요소 e가 등장하였으므로 갑국은 문화 변동의 요인 중 **❸** 가 나타났다. 반면, 을국에서는 갑국의 문화 요소가 추가되었는데, 다른 문화 요소의 소멸은 없었기 때문에 을국에서는 문화 변동의 결과 **❹** 이 나타났다고 판단할 수 있다.

답 ❶ 발명 ❷ 자극 전파 ❸ 자극 전파 ❹ 문화 공존(병존)

필수 선택지 위 자료에 대한 분석으로 옳으면 ○표, 틀리면 ×표를 하고 그 까닭을 쓰시오.

① (나)는 을국의 문화 요소를 다양하게 하는 요인이다. (   )
② 2차 문화 변동 결과 갑국, 을국에 공통으로 존재하는 문화 요소는 3개이다. (   )
③ (다)는 (라)와 달리 문화 요소를 다양하게 하는 요인이다. (   )
④ (다)의 과정에서는 발명이 수반된다. (   )
⑤ 을국에서 2차 문화 변동의 결과 기존 문화의 정체성을 상실하였다. (   )

답 ① ○ ② ×(3개 → 2개) ③ ×(다, 라 모두 문화 요소의 다양화에 기여함) ④ ○ ⑤ ×(상실 → 유지)

문제 해결 전략

갑은 임금 격차가 기득권의 유지를 위한 도구로 사용되고 있다고 보며, 을은 임금 격차를 노동 생산성의 차이에 따르는 결과로 보고 있다. 사회 불평등 현상에 대한 기능론과 갈등론의 입장을 구분하는 문제는 자주 출제되는 영역이다.

필수 유형

다음 자료에 대한 분석으로 옳은 것은?

갑: 임금 격차의 원인은 자본가가 만든 불합리한 노동력 평가 기준에 있다. 자본가는 그들만이 정당하다고 판단하는 기준으로 불평등한 임금 체계를 만들어 이윤을 극대화한다.

을: 노동 시장에서 임금 격차가 나타나는 것은 노동 생산성과 관련이 있다. 노동 생산성에 따른 임금의 차등적 지급은 사회 전체의 효율을 증대시킨다.

갑은 임금 격차가 자본가에 의해 만들어진 노동력 평가 기준 때문이라고 보고 있다. 이는 지배 집단이 자신의 기득권 유지를 위해 사회적 자원을 불공평하게 배분한 결과 사회 불평등이 발생한다고 보는 **❶** 의 입장이다.

을은 임금 격차가 노동 생산성에 따른 결과로 발생한다고 보고 있다. 이는 사회 불평등 현상이 사회에 대한 기여도의 차이로 인한 것이라고 보는 **❷** 의 입장이다.

필수 자료 해석

기능론에서는 개인의 능력이나 **❸** 에 따른 차등 분배로 인한 불평등은 구성원들의 성취 동기를 높이며, 사회 유지와 발전을 위해 불가피한 것으로 본다. 반면, 갈등론에서는 사회 불평등 현상이 **❹** 의 이익을 위해 사회적 자원을 불공정하게 분배한 결과라고 본다.

답 ❶ 갈등론 **❷** 기능론 **❸** 사회적 기여도 **❹** 지배 집단

필수 선택지

위 자료에 대한 분석으로 옳으면 ○표, 틀리면 ×표를 하고 그 까닭을 쓰시오.

① 갑의 관점은 사회 불평등 현상을 보편적인 현상으로 본다. (   )

② 갑의 관점은 사회 불평등 현상을 개선하기 위해 사회 구조의 개혁이 필요하다고 본다. (   )

③ 갑의 관점은 임금 격차가 개인의 성취 동기를 자극한다고 본다. (   )

④ 을의 관점은 임금 격차가 구성원들 간 합의에 의한 결과라고 본다. (   )

⑤ 을의 관점은 균등 분배가 개인의 성취 동기를 자극한다고 본다. (   )

⑥ 을의 관점은 직업 간 사회적 중요도의 우위를 평가하기 어렵다고 본다. (   )

답 ① ×(갑→을) ② ○ ③ ×(갑→을) ④ ○ ⑤ ×(균등→차등) ⑥ ×(을→갑)

19 사회 불평등 현상 2

문제 해결 전략 사회 불평등 현상에 대해 마르크스로 대표되는 계급론과 베버로 대표되는 계층론을 비교하는 문제이다. 경제적 측면만으로 사회 계층화 현상을 설명하는 계급론과 다원적으로 사회 계층화 현상을 설명하는 계층론의 특징을 구분하는 문제는 자주 출제되는 부분 중 하나이다.

필수 유형

A, B는 사회 계층화 현상을 설명하는 이론이다. 이에 대한 옳은 설명을 〈보기〉에서 고른 것은? (단, A와 B는 각각 계급론과 계층론 중 하나이다.)

A, B는 모두 사회 계층화 현상에 경제적 요인이 작용한다고 본다. 그런데 A는 생산 수단의 소유 여부만을, B는 생산 수단뿐만 아니라 기술이나 자격의 유무 등을 경제적 요인으로 제시한다. 또한 B는 경제적 요인 외에 사회적·정치적 요인도 사회 계층화 현상에 작용한다고 본다.

생산 수단의 소유 여부만으로 계층화 현상을 설명하는 A는 **❶　　　　**이다.

경제적 요인뿐만 아니라 사회적 요인과 정치적 요인도 사회 계층화 현상에 작용한다고 보는 B는 **❷　　　　**이다.

필수 자료 해석

계급론은 생산 수단의 소유 여부만으로 계층화 현상을 설명하기 때문에 **❸　　　　**적 관점이다. 이에 반해, 계층론은 계급, 권력, 지위 등 다양한 요인에 따라 서열화된 위치 혹은 집단으로 계층화를 설명하는 **❹　　　　**적 관점이다.

답 ❶ 계급론 ❷ 계층론 ❸ 일원론 ❹ 다원론

필수 선택지 A, B에 대한 설명으로 옳으면 ○표, 틀리면 ×표를 하고 그 까닭을 쓰시오.

① A는 지위 불일치 현상을 설명하는 데 적합하다. (　　)
② A는 동일한 경제적 위계에 속한 구성원 간의 연대 의식을 강조한다. (　　)
③ A는 정치적 불평등이 경제적 불평등에 종속된다고 본다. (　　)
④ A는 사회 계층화 현상을 연속적으로 서열화된 상태로 본다. (　　)
⑤ B는 다원적 측면에서 사회 계층화를 파악한다. (　　)
⑥ B는 동일한 위계에 속한 구성원 간의 강한 귀속 의식을 강조한다. (　　)
⑦ B는 계급 간 대립으로 인해 필연적으로 사회 변동이 발생한다고 본다. (　　)
⑧ B는 계급 의식이 필연적으로 형성되는 것은 아니라고 본다. (　　)

답 ① ×(A→B) ② ○ ③ ○ ④ ×(A→B) ⑤ ○ ⑥ ×(B→A) ⑦ ×(B→A) ⑧ ○

문제 해결 전략

사회 계층화 현상을 분석하고 설명하는 이론은 계급론과 계층론이 있다. 두 이론이 갖는 특징을 비교하는 문제가 자주 출제되는데 경제적 측면은 두 이론 모두에서 계층화 현상의 기준으로 사용됨에 유의해야 한다.

필수 유형

(가), (나)는 사회 계층화 현상을 설명하는 서로 다른 이론이다. 이에 대한 옳은 설명을 〈보기〉에서 고른 것은?

(가) 사회 구조 차원에서 볼 때, 부·명예·권력의 분배가 똑같은 원칙에 의해 결정되는 것은 아니다. 가령 명예의 분배는 시장의 작동 원리뿐만 아니라 사회적 관습이나 가치관에 의해서도 결정된다. 어떤 경우, 명예를 중시하는 사람들은 돈이 많다고 자랑하는 사람들을 멸시하기도 한다.

(나) 자본주의 사회의 불평등 구조 배후에는 자본, 기계, 원료 등 생산에 필요한 물질에 대한 소유 여부가 존재한다. 이를 소유한 집단은 그들의 이익을 정당화하는 관념을 마치 사회의 보편적 가치인 것처럼 모든 구성원에게 주입한다.

(가)는 사회의 계층화가 다원적으로 이루어진다고 보고 있다. 경제적 측면, 사회적 측면, 정치적 측면에서 서로 불일치한 계층을 갖게 될 수 있다. 이는 **❶** 의 입장에서 보는 설명이다.

(나)에서는 생산 수단의 소유 여부만으로 사회 계층이 정해진다고 본다. 이는 **❷** 의 입장에서 보는 설명이다.

필수 자료 해석

계급론은 생산 수단의 소유 여부만으로 계층화 현상을 설명하기 때문에 **❸** 적 관점, 계층론은 계급, 권력, 지위 등 다양한 요인에 따라 서열화된 위치 혹은 집단으로 계층화를 설명하는 **❹** 적 관점이다.

답 ❶ 계층론 **❷** 계급론 **❸** 일원론 **❹** 다원론

필수 선택지

(가), (나)에 대한 설명으로 옳으면 ○표, 틀리면 ×표를 하고 그 까닭을 쓰시오.

① (가)는 이분화된 불평등 구조를 설명하기에 용이하다. (　　)

② (가)는 지위 불일치 현상을 설명하는 데 적합하다. (　　)

③ (가)는 (나)와 달리 사회 불평등 현상에 경제적 요인이 작용한다고 본다. (　　)

④ (나)는 사회 계층 구조를 연속선상에 서열화된 상태로 본다. (　　)

⑤ (나)는 사회 계층화 현상을 다원론적 관점에서 접근한다. (　　)

⑥ (나)는 사회 계층화가 경제적 불평등에 종속된다고 본다. (　　)

답 ① ×(가→나) ② ○ ③ ×(가, 나 모두 해당됨) ④ ×(나→가) ⑤ ×(다원론→일원론) ⑥ ○

문제 해결 전략
사회 불평등 현상과 관련하여 통계 자료를 제시하고 이를 분석·해석하는 문항이다. 통계 자료를 분석할 때, 문제에 제시된 조건을 명확하게 이해하고 문제를 해결해야 한다.

필수 유형

그래프에 대한 옳은 분석만을 〈보기〉에서 고른 것은?

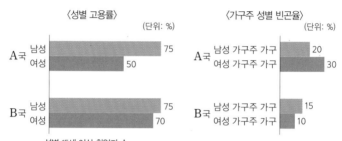

〈성별 고용률〉 (단위: %)

A국 남성 75 / 여성 50

B국 남성 75 / 여성 70

〈가구주 성별 빈곤율〉 (단위: %)

A국 남성 가구주 가구 20 / 여성 가구주 가구 30

B국 남성 가구주 가구 15 / 여성 가구주 가구 10

* 성별 고용률(%) = $\dfrac{\text{성별 15세 이상 취업자 수}}{\text{성별 15세 이상 인구}} \times 100$
** 가구주 성별 빈곤율(%) = $\dfrac{\text{가구주 성별 빈곤 가구 수}}{\text{가구주 성별 가구 수}} \times 100$
*** A국과 B국 모두 남성 가구주 가구 수가 여성 가구주 가구 수보다 많음.

A국의 남성 고용률이 75%이고, B국의 남성 고용률도 75%이다. 그러나 두 국가의 남성 고용률이 같다고 해서 각국의 남성 취업자 수가 ❶⬜한 것은 아니다.

A국의 경우 남성의 고용률이 여성의 고용률에 비해 1.5배 높지만, 이것을 통해 남성 취업자 수가 여성 취업자 수에 비해 1.5배 많은 것은 아니다. 왜냐하면 ❷⬜ 때문이다.

필수 자료 해석

제시된 자료에서 남성 가구주 가구 수가 여성 가구주 가구 수보다 많기 때문에, B국의 경우 빈곤 남성 가구주 가구가 빈곤 여성 가구주 가구보다 ❸⬜을 알 수 있다. 그러나 A국의 경우는 빈곤 남성 가구주 가구 수와 빈곤 여성 가구주 가구 수를 ❹⬜.

답 ❶ 동일 ❷ A국 내 남성 취업자와 여성 취업자 수를 알 수 없기 ❸ 많음 ❹ 비교할 수 없다

필수 선택지 위 그래프에 대한 분석으로 옳으면 ○표, 틀리면 ×표를 하고 그 까닭을 쓰시오.

① B국의 15세 이상 남성 중, 취업자 수는 취업자가 아닌 사람 수의 3배이다. (　　)
② A국은 전체 가구의 50%가 빈곤 가구에 해당한다. (　　)
③ B국의 빈곤 가구 중, 남성 가구주 가구 수가 여성 가구주 가구 수보다 많다. (　　)

답 ① ○ ② ×(30% 미만임) ③ ○

성별 근로자 월 평균 임금이 직접 제시되어 있는 문항으로 비교적 단순하게 출제되었다. 그러나 자료를 통해 판단할 수 있는 부분이 어디까지인지를 명확하게 인지해야 문제를 해결할 수 있다.

필수 유형

표에 대한 분석으로 옳은 것은? (단, 각 국가 내에서 남성 근로자 수와 여성 근로자 수는 같다.)

〈성별 근로자 월 평균 임금〉

(단위: 달러)

구분	갑국	을국	병국
남성 근로자	3,400	3,800	4,000
여성 근로자	2,600	2,800	2,800

세 국가의 남성 근로자의 임금이 여성 근로자의 임금보다 많다. 남성 근로자와 여성 근로자의 수가 같으므로, 평균 값으로 성별 근로자의 임금 총액을 비교할 수 ❶ [   ].

갑국의 여성 근로자 평균 임금은 남성 근로자 평균 임금의 약 ❷ [   ]%이다. 을국의 경우 약 ❸ [   ]%, 병국의 경우 약 70%이다.

필수 자료 해석

성별 평균 임금이 제시되어 있기 때문에 세 국가의 성별 임금 격차를 추론할 수 있다. 예를 들어, 갑국의 여성 근로자 평균 임금은 남성 근로자 평균 임금의 75% 수준을 넘는 반면, 병국의 경우 ❹ [   ]%이므로 병국의 성별 임금 격차의 수준이 더 큰 것을 추론할 수 있다.

❶ 있다 ❷ 76 ❸ 74 ❹ 70

필수 선택지 ▶ 위 표에 대한 분석으로 옳으면 ○표, 틀리면 ×표를 하고 그 까닭을 쓰시오.

① 갑국에서 여성 근로자 월 평균 임금은 전체 근로자 월 평균 임금의 90% 수준을 넘는다. (   )

② 을국의 남성 근로자 임금 총액은 여성 근로자 임금 총액보다 많다. (   )

③ 병국에서 남성 근로자 월 평균 임금은 전체 근로자 월 평균 임금보다 800달러 많다. (   )

④ 남성 근로자 월 평균 임금에 대한 여성 근로자 월 평균 임금의 비는 을국이 병국보다 크다. (   )

⑤ 평균 임금 대비 여성 근로자의 월 평균 임금의 수준이 가장 높은 나라는 갑국이다. (   )

답 ① ×(평균은 3,000달러이므로 90%에 미치지 못함) ②○ ③×(800→600) ④○ ⑤○

제시된 자료를 통해 시기별 계층 구성 비율을 파악하고, 각 시기의 특징을 추론해야 한다. 계층 이동에 대한 문항은 과거에 굉장히 많이 출제되었지만, 최근에는 계층 구조의 특징을 이해하도록 요구하는 문제가 주로 출제되는 편이다.

필수 유형

그림은 갑국의 시기별 계층 구성 비율을 나타낸 것이다. 이에 대한 분석으로 옳은 것은? (단, 갑국의 계층은 상층, 중층, 하층으로만 구성되며, 각 시기별 조사 대상은 동일하다.)

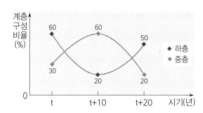

각 시기별 상층, 중층, 하층의 구성 비율은 아래 표와 같다.

구분	t시기	t+10시기	t+20시기
상층	10	20	30
중층	30	60	20
하층	60	20	50

t시기에는 **❶**〔   〕계층 구조, t+10시기에는 **❷**〔   〕계층 구조임을 알 수 있다.

필수 자료 해석

전통적인 신분제 사회나 오늘날의 저개발 국가에서는 주로 **❸**〔   〕계층 구조가 나타나는 경향이 있고, **❹**〔   〕계층 구조는 중층이 완충 역할을 하므로 비교적 안정된 사회의 모습을 갖는다.

🔑 ❶ 피라미드형 ❷ 다이아몬드형 ❸ 피라미드형 ❹ 다이아몬드형

필수 선택지

위 자료에 대한 분석으로 옳으면 ○표, 틀리면 ✕표를 하고 그 까닭을 쓰시오.

① t년의 상층은 t+10년에도 상층에 속한다. (   )

② t년 대비 t+20년에 상층의 비율은 3배가 되었다. (   )

③ 상층과 하층의 비율 차이는 t년보다 t+10년이 크다. (   )

④ t+10년보다 t+20년이 사회 통합에 더 유리한 계층 구조이다. (   )

🔑 ① ✕(상층의 구성 비율이 같음이 구성원이 같다는 것을 의미하는 것은 아님) ② ○ ③ ✕(크다 → 작다) ④ ✕(유리한 → 불리한)

문제 해결 전략

사회 계층 이동과 관련해서 기존에는 표 분석 문제의 형태로 많이 출제가 되었는데, 최근에는 개념을 묻기 위한 방향으로 출제의 패턴이 변화하고 있다. 따라서 제시된 자료의 의미를 정확히 파악하기만 하면 문제를 쉽게 해결할 수 있다.

필수 유형

다음 자료에 대한 분석으로 옳은 것은?

그림은 갑국과 을국의 자녀 세대를 대상으로 본인의 계층과 본인의 어머니 또는 아버지의 계층을 전수 조사한 것이다. 계층은 상층, 중층, 하층으로만 구성된다. 부모 세대에서 부부의 계층은 동일하며, 모든 부모의 자녀는 1명씩이다.

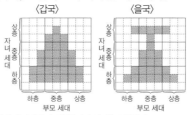

* 음영 부분 면적의 크기는 사람 수에 비례하며, 각 ■칸의 면적은 동일하다.

갑국은 음영 부분이 31칸, 을국은 25칸이다. 이를 통해 조사 대상의 수가 갑국이 을국에 비해 더 많다는 것을 알 수 있다. 갑국에서 자녀가 상층인 경우 부모는 모두 중층이다. 을국에서는 자녀가 상층인 경우 부모 세대와 계층이 같은 경우가 **❶[   ]**, 부모의 계층에 비해 상승 이동한 경우가 **❷[   ]**이다. 이와 같은 방식으로 여러 가지 정보를 추론할 수 있다.

필수 자료 해석

부모 계층과 자녀 계층의 조합에 따른 구성 비율 자료를 해석하여 선택지에 적용시키는 문제로 복잡해 보이지만, 사실은 단순한 문제이다. 예를 들어, 갑국의 경우 자녀 세대에 상층인 구성원 모두는 부모 세대에 비해 **❸[   ]** 이동하였는데, 부모 세대의 계층은 모두 **❹[   ]**이다.

답 ❶ 1/6 **❷** 5/6 **❸** 상승 **❹** 중층

필수 선택지

자료에 대한 분석으로 옳으면 ○표, 틀리면 ×표를 하고 그 까닭을 쓰시오.

① 갑국과 을국 모두 세대 간 상승 이동이 나타났다. (   )

② 갑국은 을국과 달리 세대 간 하강 이동이 나타났다. (   )

③ 갑국의 부모 세대에서는 다이아몬드형의 계층 구조가 나타났다. (   )

④ 갑국에서 부모의 계층을 대물림 받은 자녀는 하층에서 가장 많다. (   )

답 ① ○ ② ×(갑국, 을국 모두 하강 이동이 나타남) ③ ○ ④ ×(하층 → 중층)

사실 인권과 관련된 내용은 사회·문화 과목에서 매우 중요하지만, 문제로 출제되는 빈도가 높은 편은 아니다. 따라서 사회적 약자에 대한 우대 조치나 사회적 소수자의 유형 등 기본 개념만 알고 있으면 제시문에서 충분히 해결 가능하다.

필수 유형

다음 자료의 A~D에 대한 설명으로 옳은 것은?

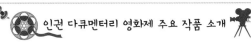

인권 다큐멘터리 영화제 주요 작품 소개

A: 갑국에서 대다수의 어린 여자아이들이 단지 여자라는 이유만으로 취학을 하지 못하는 실상을 추적한 작품 → 성차별로 인한 문제
B: 을국에서 정부에 고용 안정과 처우 개선을 요구하는 비정규직 노동자들의 목소리를 담은 작품 → 비정규직 노동자들의 고용과 관련된 문제
C: 병국의 지배 세력에게 억압과 착취를 당하는 병국 내 소수 민족의 아픔을 표현한 작품 → 소수 민족에 대한 차별
D: 정국에서 새로운 정보 기기를 잘 다루지 못하는 노인들이 겪고 있는 여러 가지 어려움을 취재한 작품 → 사회 변동에 적응하지 못함으로써 생기는 노인 세대의 어려움

필수 자료 해석

갑국에서 발생하고 있는 **❶[　　　]** 은 인간의 선천적 요인으로 결정되는 성에 따른 차별이다. 을국에서 발생하고 있는 **❷[　　　]** 들에 대한 차별은 어떤 사회에서의 차별이 절대적인 수의 많고 적음에 따라 이루어지는 것은 아님을 보여 준다. 정국에서 일어나는 노인들의 어려움은 기술의 발달에 적응하는 정도의 차이에 따른 것으로 **❸[　　　]** 가 진행될수록 더욱 부각될 문제이다.

📋 ❶ 성차별 ❷ 비정규직 노동자 ❸ 노령화

필수 선택지

위 자료에 대한 설명으로 옳으면 ○표, 틀리면 ×표를 하고 그 까닭을 쓰시오.

① A는 B와 달리 인간의 선천적 요인으로 인한 차별을 다룬 작품이다. (　　)
② B에서 차별은 해당 집단의 구성원이 소수이기 때문에 발생하는 것이다. (　　)
③ C는 연령에 따라 처우가 달라지는 차별을 다룬 작품이다. (　　)
④ D에서 나타나는 문제는 노령화가 진전될수록 더욱 부각될 것으로 보인다. (　　)
⑤ A와 C는 사회적 소수자에 대한 차별을 다룬다. (　　)

📋 ① ○ ② ×(항상 구성원의 절대적인 수가 소수인 것은 아님) ③ ×(C → D) ④ ○ ⑤ ○

문제 해결 **전략** 빈곤은 절대적 빈곤과 상대적 빈곤 두 가지 차원으로 구분된다. 절대적 빈곤과 상대적 빈곤의 정의를 바탕으로 각각의 특징을 도출해 내는 문제가 주로 출제된다.

필수 유형

빈곤 유형 (가), (나)에 대한 옳은 설명만을 〈보기〉에서 고른 것은? (단, (가)와 (나)는 각각 절대적 빈곤, 상대적 빈곤 중 하나이다.)

(가) 생존 및 생계유지에 필수적인 자원이나 자원을 확보하는 데 필요한 소득이 부족한 상태

(나) 한 사회에서 구성원들이 일반적으로 누리는 생활 수준에 필요한 소득이 부족한 상태

(가)는 소득이 인간다운 최저 생활을 유지하는 데 필요한 기준에 미치지 못한 상태인 **①** 이다.

(나)는 사회의 전반적인 소득 수준과 대비하여 소득 수준이 낮은 상태를 의미하는 **②** 이다.

필수 자료 **해석**

빈곤은 인간의 기본적 욕구와 관련된 물질적 결핍이 만성적으로 지속되는 경제적 상태이다. 빈곤은 절대적 빈곤과 상대적 빈곤으로 구분된다. **③** 은 인간의 기본적인 욕구 충족을 위한 자원이 심각하게 부족한 상태이다. 한편, 대부분의 국가에서 소득이 **④** 의 일정 비율에 못 미치는 가구를 상대적 빈곤 가구로 파악한다.

답 ① 절대적 빈곤 ② 상대적 빈곤 ③ 절대적 빈곤 ④ 중위 소득

필수 **선택지**

(가), (나)에 대한 설명으로 옳으면 ○표, 틀리면 ×표를 하고 그 까닭을 쓰시오.

① (가)에 속하지 않는 가구도 (나)에 속할 수 있다. (   )
② (가)의 판단 기준으로 우리나라에서는 최저 임금액을 기준으로 활용한다. (   )
③ 상대적 박탈감은 (나)보다는 (가)에 의해 발생한다. (   )
④ (가)는 우리나라에서 객관화된 기준에 의해 분류된다. (   )
⑤ 우리나라의 경우 (나)의 기준선은 중위 소득의 50%이다. (   )
⑥ (나)는 소득 수준이 높은 국가에서는 나타나지 않는다. (   )
⑦ (나)에 해당하는 모든 가구는 (가)에 해당한다. (   )

답 ① ×(가의 빈곤과 나의 빈곤은 별개임) ② ×(최저 임금액 → 최저 생계비) ③ ×(가 → 나) ④ ○ ⑤ ○ ⑥ ×(상대적 빈곤은 소득 수준이 높은 국가에서도 나타남) ⑦ ×(모든 상대적 빈곤 가구가 절대적 빈곤 상태인 것은 아님)

사회 보험은 강제 가입을 원칙으로 사전 예방적 차원의 목적을 위해 시행되며, 공공 부조는 생활 능력이 없거나 생활이 어려운 국민의 최저 생활을 보장하는 것을 목적으로 한다. 이 두 가지 복지 제도와 함께 비금전적인 지원을 통해 이루어지는 사회 서비스를 포함한 복지 제도의 특징을 묻는 문제가 주로 출제된다.

필수 유형

우리나라 사회 보장 제도의 유형 (가)~(다)의 일반적인 특징에 대한 설명으로 옳은 것은? (단, (가)~(다)는 각각 공공 부조, 사회 보험, 사회 서비스 중 하나이다.)

복지 상담 Q&A   [🔍]

이번 수해로 집이 침수되었고 어머니께서 다니던 회사마저도 폐업했습니다. 아직 중학생인 동생도 있는데 어떻게 하면 좋을까요? → 사회 보험
┗ 재직 중 어머니는 [(가)]에 가입되었을 거예요. 고용 센터에서 실업 급여를 신청하세요.
┗ [(나)]에는 소득과 재산을 기준으로 하여, 최저 생활 보장을 위해 필요한 급여를 지원하는 제도들이 있어요. → 공공 부조
┗ 예민한 시기의 동생이 걱정되네요. [(다)]에는 청소년의 심리 상담 지원 사업이 있어요. 본인 부담금이 발생할 수 있어요. → 사회 서비스

필수 자료 해석

우리나라의 사회 복지 제도는 공공 부조, 사회 보험, 사회 서비스로 구분된다. **❶**는 기초 연금, 국민 기초 생활 보장 제도 등이 있다. **❷**은 강제 가입을 원칙으로 하는데 국민 연금, 고용 보험, 산재 보험, 국민 건강 보험, 노인 장기 요양 보험이 있다. **❸**는 비금전적인 지원을 통해 자활 능력을 길러 주고 의료, 교육, 고용, 주거, 문화 등의 분야에서 도움을 주기 위한 것이다.

답 ❶ 공공 부조 ❷ 사회 보험 ❸ 사회 서비스

필수 선택지 (가)~(다)에 대한 설명으로 옳으면 ○표, 틀리면 ×표를 하고 그 까닭을 쓰시오.

① (가)는 상호 부조의 성격을 갖는다. ( )
② (가)는 가입자의 수혜 정도에 따라 비용이 산출된다. ( )
③ (나)는 소득을 재분배하는 효과를 갖는다. ( )
④ 노인 돌봄 서비스와 장애인 활동 지원은 (다)의 사례이다. ( )
⑤ (다)를 통한 보장은 금전적인 지원이 주를 이룬다. ( )
답 ① ○ ② ×(수혜와 관련없이 소득이나 재산을 기준으로 비용이 산정됨) ③ ○ ④ ○ ⑤ ×(다 → 가, 나)

사회 복지와 복지 제도 2

문제 해결 전략 사회 복지 제도의 유형과 특징에 대한 이해를 바탕으로 가상으로 구성된 사회에서 혜택을 받는 가구 비율 자료에 대해 해석해야 한다. 사회 복지 제도와 관련 통계 자료를 활용한 문제가 자주 출제된다.

필수 유형

다음 자료에 대한 분석으로 옳은 것은? (단, A~C는 각각 사회 보험, 공공 부조, 사회 서비스 중 하나이다.)

우리나라 사회 보장 제도 유형 A~C 중 A는 B와 달리 금전적 지원을 원칙으로 한다. ▶ B - 사회 서비스
또한, C는 A와 달리 상호 부조의 원리가 적용된다. 우리나라 (가), (나) 지역의 모든 가
구는 A~C 중 한 가지 이상의 혜택을 받고 있으며, 지역별 중복 수혜 가구 비율은 다음
과 같다. ▶ A - 공공 부조, C - 사회 보험

(단위: %)

구분	(가) 지역	(나) 지역
A와 B의 중복 수혜 가구	10	20
A와 C의 중복 수혜 가구	6	9
B와 C의 중복 수혜 가구	50	45

* (가) 지역의 각 수치에는 A, B, C 중복 수혜 가구 비율(2%)이, (나) 지역의 각 수치에는 A, B, C 중복 수혜 가구 비율(5%)이 포함되어 있다.

필수 자료 해석

사회 복지 제도의 특징으로 어떤 사회 복지 제도인지를 판단해야 한다. ❶ [   ]은 사전 예방적 성격을 갖고 강제 가입을 원칙으로 한다. 공공 부조는 ❷ [   ] 성격을 지니며, 수혜자와 비용 부담자가 일치하지 않는다. ❸ [   ]는 비금전적 지원을 원칙으로 한다.

🔑 ❶ 사회 보험 ❷ 사후 처방적 ❸ 사회 서비스

필수 선택지 위 자료에 대한 분석으로 옳으면 ○표, 틀리면 ×표를 하고 그 까닭을 쓰시오.

① A는 사전 예방적 성격을 갖는다. (   )
② B는 강제 가입을 통해 운영된다. (   )
③ C는 가입자 간 상호 부조의 성격을 지닌다. (   )
④ 공공 부조 외에 다른 두 가지를 중복하여 혜택을 받는 가구의 비율은 (가) 지역이 (나) 지역보다 크다. (   )
⑤ 공공 부조와 사회 보험의 혜택을 모두 받지만, 사회 서비스의 혜택은 받지 않는 가구의 비율은 (가), (나) 지역이 같다. (   )

🔑 ① ×(A→C) ② ×(B→C) ③ ○ ④ ○ ⑤ ○

사회 복지와 복지 제도 3

문제 해결 전략 사회 복지와 관련하여 통계 자료를 제시하고 이를 분석·해석하는 문항이다. A 지역과 B 지역의 인구 수가 제시되어 있기 때문에 비교적 쉽게 해결할 수 있다.

필수 유형

자료에 대한 분석으로 옳은 것은?

표는 우리나라 갑 권역의 65세 이상 인구 중 국민 연금 제도와 기초 연금 제도의 수급자 비율을 나타낸 것이다. 갑 권역은 A지역과 B지역으로만 구분되고, 65세 이상 인구는 A지역이 4만 명, B지역이 2만 명이다.

(단위: %)

구분	A지역	B지역
국민 연금 수급자	60	80
기초 연금 수급자	40	30

A지역의 경우 65세 이상 인구 중 국민 연금 수급자는 [❶   ] 명, 기초 연금 수급자 수는 [❷   ] 명이다.

국민 연금은 사회 보험에 해당하며, 기초 연금은 공공 부조에 해당한다.

필수 자료 해석

두 지역의 65세 이상의 인구가 제시되어 있고, 이에 따르면 A지역의 국민 연금 수급자 수가 B지역의 국민 연금 수급자 수보다 [❸   ] 명 더 많다. 두 지역의 기초 연금 수급자 수의 차이는 [❹   ] 명 이다.

답 ❶ 2만 4천 명 ❷ 1만 6천 명 ❸ 8천 명 ❹ 1만 명

필수 선택지 위 자료에 대한 분석으로 옳으면 ○표, 틀리면 ×표를 하고 그 까닭을 쓰시오.

① A지역의 국민 연금 수급자 수는 B지역보다 많다. (   )

② 갑 권역의 국민 연금 수급자 비율은 70%보다 크다. (   )

③ 65세 이상 인구 중 기초 연금 수급자 수는 A지역이 B지역의 2배보다 적다. (   )

④ 두 종류 연금을 모두 수령하는 사람의 수는 B지역이 더 많다. (   )

⑤ 사회 보험에 해당하는 제도의 수급자 비율은 A지역이 B지역보다 높다. (   )

⑥ 갑 권역에서 선별적 복지 이념에 기초한 제도의 수급자 비율은 70%이다. (   )

⑦ 갑 권역에서 의무 가입의 원칙이 적용되는 제도의 수급자 비율은 70%이다. (   )

⑧ 갑 권역에서 강제적 가입을 원칙으로 하는 제도의 수급자 수가 4만명이다. (   )

답 ① ○ ② ×(크다 → 작다) ③ ×(적나 → 많다) ④ ×(알 수 없음) ⑤ ×(높다 → 낮다) ⑥ ×(6만 명 중 2만 2천명) ⑦ ×(70% → 약 67%) ⑧ ○

30 사회 복지와 복지 제도 4

문제 해결 전략 사회 복지 제도와 관련된 통계 문제는 개념에 대한 이해와 더불어 통계 자료에 대한 분석력을 갖추어야 한다. 한 집단의 평균 값과 집단 내의 두 그룹 각각의 평균 값을 통해 그룹 간 비율을 추론할 수 있다.

필수 유형

다음 자료에 대한 분석으로 옳은 것은?

표는 우리나라 사회 보장 제도와 동일한 갑국의 사회 보장 제도 (가), (나)의 수급자 비율을 나타낸 것이다. (가)는 노인의 생활 안정과 복지 증진을 위해 소득 인정액이 일정 수준 이하인 65세 이상 노인에게 연금을 지급하는 제도이다. 반면 (나)는 고령이나 노인성 질병 등의 사유로 일상생활을 혼자 수행하기 어려운 노인 등에게 신체 활동 및 가사 활동 지원 등에 필요한 장기 요양 급여를 제공하는 제도이다.

(단위: %)

구분	t년		t+30년	
	(가)	(나)	(가)	(나)
남성	4.3	4.5	4.2	4.5
여성	6.4	6.9	2.6	3.5
전체	5.0	5.3	3.4	4.0

* t년과 t+30년의 갑국 전체 인구는 동일함.
** 해당 집단의 수급자 비율(%)=(해당 집단의 수급자 수/해당 집단의 인구)×100

(가)는 노령 연금으로 우리나라 사회 보장 제도 중 **❶**   , (나)는 노인 장기 요양 보험으로 우리나라 사회 보장 제도 중 **❷**   이다.

t년에 (가)의 경우 전체 비율이 여성 비율보다 남성 비율에 가깝다. 이는 남성 인구가 여성 인구보다 **❸**   을 의미한다.

필수 자료 해석

t년에 남성 중 4.3%가 (가)의 수급자이고 여성 중 6.4%가 (가)의 수급자이다. 그런데 전체 인구의 5%가 수급자이기 때문에 남성이 여성에 비해 **❹**   배 많음을 추론할 수 있다. 같은 방식으로 추론하면 t+30년에는 남성과 여성의 수가 같다는 것을 알 수 있다.

답 ❶ 공공 부조 **❷** 사회 보험 **❸** 많음 **❹** 2

필수 선택지

위 자료에 대한 분석으로 옳으면 ○표, 틀리면 ×표를 하고 그 까닭을 쓰시오.

① t+30년에는 t년에 비해 여성의 수가 증가하였다. (   )
② t+30년의 남성의 수가 t년에 비해 많다. (   )

답 ① ○ ② ×(많다 → 적다)

사회 변동에 대해 진화론은 미개 사회에서 문명 사회로의 진보로, 순환론은 순환적 변동으로 본다. 두 이론에 대해 비교하는 문제는 거의 빠지지 않고 출제되고 있다.

필수 유형

사회 변동 이론 A, B에 대한 옳은 설명만을 〈보기〉에서 고른 것은? (단, A, B는 각각 순환론과 진화론 중 하나이다.)

질문 \ 이론	A	B
사회는 생성과 몰락의 과정을 반복하는가?	예	아니요
사회 변동은 일정한 방향을 가지고 있는가?	㉠	㉡
(가)	아니요	예

사회가 생명을 가진 유기체와 마찬가지로 생성, 성장, 쇠퇴, 해체를 반복한다고 보는 A는 [**❶**]이다. 따라서 B는 [**❷**]이다. 사회 변동이 일정한 방향을 가지는가에 대해 순환론은 '아니요', 진화론은 '예' 라고 답할 것이다.

필수 자료 해석

진화론에서 사회 변동은 곧 [**❸**]를 의미한다. 진화론에 따르면 사회는 단순하고 미분화된 상태에서 복잡하고 분화된 상태를 향해 변화한다고 본다. 반면, 순환론에서는 현대 사회가 과거 사회보다 모든 면에서 우월 하다고 보지는 않는다. 즉, 사회는 진보와 퇴보를 거치며 [**❹**]인 변동을 반복한다.

답 ❶ 순환론 ❷ 진화론 ❸ 진보 ❹ 순환적

A, B에 대한 설명으로 옳으면 ○표, 틀리면 ×표를 하고 그 까닭을 쓰시오.

① A는 사회 변동을 긍정적으로 바라본다. (　　)

② A는 미래의 사회 변동에 대한 역동적 대응이 곤란하다는 비판을 받는다. (　　)

③ ㉠은 '아니요', ㉡은 '예'이다. (　　)

④ A는 사회 변동을 동일한 과정의 주기적 반복으로 설명한다. (　　)

⑤ B는 A와 달리 모든 사회 변동을 진보의 과정으로 본다. (　　)

⑥ B는 A에 비해 과거에 비해 퇴보한 사회의 변동을 설명하기에 적합하다. (　　)

⑦ B는 현대 사회가 과거 사회에 비해 우월하다고 본다. (　　)

답 ① ×(A→B) ② ○ ③ ○ ④ ○ ⑤ ○ ⑥ ×(B→A) ⑦ ○

32 사회 변동 이론 2

진화론과 순환론은 모두 사회는 고정 불변하지 않고 끊임없이 변동함을 전제로 사회 변동에 대해 설명한다. 두 이론의 차이점을 도출하는 문제가 주로 출제된다.

필수 유형

사회 변동을 설명하는 이론 A, B에 대한 옳은 설명만을 〈보기〉에서 고른 것은? (단, A, B는 각각 진화론, 순환론 중 하나이다.)

A를 지지하는 학자들은 "선진국의 오늘의 모습은 개발도상국의 내일의 모습이다."라며 사회 변동을 하나의 목표로 향하는 진보와 발전으로 설명한다. 이에 대해 B를 지지하는 학자들은 사회 변동이 늘 발전을 의미하는 것은 아니며, 모든 사회 변동이 반드시 같은 방향으로 진행되는 것은 아니라는 점을 지적한다.

A는 사회 변동을 진보와 발전의 과정으로 본다. 생물이 진화하듯이 사회도 단순한 사회에서 복잡한 형태로 일정한 방향성을 갖고 변한다는 것이다. 이는 **❶** 이다.

B는 사회 변동이 항상 같은 방향으로 진행되는 것이 아니라고 본다. 즉, 쇠퇴나 소멸을 겪을 수도 있다고 보는 것이다. 이는 **❷** 에 해당된다.

필수 자료 해석

순환론과 진화론은 사회가 어떤 방향으로 변화하는가를 중심으로 사회 변동을 설명하는 이론이다. 진화론은 사회는 항상 진보하며 생물의 진화와 마찬가지로 끊임없이 **❸** 한다고 본다. 반면, 순환론은 생명을 가진 유기체의 일생처럼 생성, **❹** , 쇠퇴, 소멸의 과정을 반복한다고 본다.

답 ❶ 진화론 ❷ 순환론 ❸ 발전 ❹ 성장

필수 선택지

A, B에 대한 설명으로 옳으면 ○표, 틀리면 ×표를 하고 그 까닭을 쓰시오.

① A는 사회 변동이 주기적으로 동일한 과정을 반복한다고 본다. (　　)
② A는 사회가 이전보다 복잡하고 분화된 모습으로 변동한다고 본다. (　　)
③ A는 사회 변동을 서구 중심적 사고에 바탕을 두어 설명한다. (　　)
④ A는 미래 사회의 변동 방향을 예측하기 어렵다고 본다. (　　)
⑤ B는 제국주의를 정당화하는 근거로 사용된다. (　　)
⑥ B는 사회 변동 과정에서 문명이 퇴보할 수 있다고 본다. (　　)
⑦ B는 사회의 모습이 고정 불변한다는 점을 강조한다. (　　)
⑧ A는 진화론, B는 순환론이다. (　　)

답 ① ×(A→B) ② ○ ③ ○ ④ ×(A→B) ⑤ ×(B→A) ⑥ ○ ⑦ ×(두 이론 모두 사회는 지속적으로 변동한다고 전제함) ⑧ ○

문제 해결 전략 사회 운동은 구체적인 사회 문제를 해결하거나 체제를 근본적으로 변혁하기 위한 자발적이고 집단적인 행위이다. 이러한 사회 운동이 갖는 특징을 사례를 통해 도출하는 문제가 주로 출제된다.

필수 유형

밑줄 친 ㉠~㉑에 대한 옳은 설명만을 〈보기〉에서 고른 것은?

㉠사회 운동은 특정 목적의 달성을 위해 의도적·조직적·지속적인 형태로 이루어지는 집합 행동을 의미한다. 예를 들어 노동자의 권익 향상을 위해 ㉡시민 단체가 집회를 전개한 결과, 노동자 관련 ㉢법 조항 중 일부가 개정되어 인권이 강화된 경우를 들 수 있다. 또한 국민을 착취하고 억압하는 정부에 대한 ㉣반정부 시위가 ㉤혁명으로 이어져 민주적 선거를 통해 ㉥새로운 정부가 구성된 경우도 이에 해당한다.

제시된 자료에서 ㉡은 사회 운동을 통해 ㉢을 실현했고, ㉣은 ㉤으로 이어져 ㉥과 같은 결과를 낳기도 한다. ㉣과 같은 사회 운동은 뚜렷한 목표와 **❶** 　　　　　이 있으며, 구성원 간에 비교적 지속적인 **❷** 　　　　　으로 이루어진다.

필수 자료 해석

제시된 자료에서처럼 노동자의 권익 향상을 위한 시민 단체의 집회나 반정부 시위는 구체적인 사회 문제를 해결하거나 사회 체제를 근본적으로 변화하기 위해 대중이 자발적으로 하는 집단적이고 지속적인 행위인 **❸** 　　　　　에 해당한다. 이는 신념과 가치를 실현하기 위해 다수의 사람이 명확한 목표를 가지고 조직적으로 움직이는 **❹** 　　　　　이다.

답 ❶ 이념(신념) ❷ 상호 작용 ❸ 사회 운동 ❹ 집단 행동

필수 선택지 ㉠~㉥에 대한 설명으로 옳으면 ○표, 틀리면 ×표를 하고 그 까닭을 쓰시오.

① ㉠으로 인해 사회 변동의 속도가 늦어질 수도 있다. (　　)
② ㉠은 공통된 목표를 실현하기 위해 일어난다. (　　)
③ 일시적으로 이루어지는 군중의 집단 행동도 ㉠에 포함된다. (　　)
④ ㉡의 활동은 ㉣이 수반될 때 정당성을 갖게 된다. (　　)
⑤ ㉢은 ㉤에 비해 급진적인 변동을 추구한다. (　　)
⑥ ㉢으로 인해 사회 질서가 변동되었다. (　　)
⑦ ㉡이 주도한 집회와 ㉤은 모두 ㉠에 포함된다. (　　)
⑧ ㉥으로 인해 기존의 사회 질서는 파괴되었다. (　　)

답 ① ○ ② ○ ③ ×(사회 운동은 지속성이 요구됨) ④ ×(시민 단체의 사회 운동이 시위를 전제로 하는 것은 아님) ⑤ ×(㉤이 급진적인 변동 추구) ⑥ ○ ⑦ ○ ⑧ ○

문제 해결 전략

농업 사회가 산업 사회를 거쳐 정보 사회로 고도화됨에 따라 다양한 변화가 나타나게 되었다. 각각의 사회가 갖는 특징을 묻는 문제가 주로 출제된다.

필수 유형

그림은 A~C의 일반적인 특징을 비교한 것이다. 이에 대한 설명으로 옳은 것은? (단, A~C는 각각 농업 사회, 산업 사회, 정보 사회 중 하나이다.)

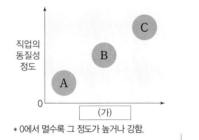
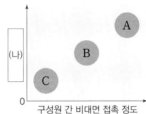

* 0에서 멀수록 그 정도가 높거나 강함.

직업의 동질성 정도가 가장 높은 C는 **❶** 이다. 이는 구성원 간의 비대면 접촉 정도가 가장 낮음을 통해서도 알 수 있다. 반면, A는 직업의 동질성 정도가 가장 낮은데, 직업의 분화가 고도화된 것으로 보아 **❷** 에 해당하는 것을 알 수 있다. B는 산업 사회에 해당한다.

필수 자료 해석

농업 사회는 직업의 분화 수준이 낮고, 대부분 **❸** 에 종사한다. 산업 사회에서는 농업 사회보다 직업의 분화가 뚜렷하고 이는 정보 사회에서 더욱 두드러진다. 또한 농업 사회에서는 구성원의 접촉은 대부분 대면으로 이루어지며, 산업 사회에서 정보 사회로 변화하면서 **❹** 이 늘어나게 된다.

답 ❶ 농업 사회 **❷** 정보 사회 **❸** 1차 산업 **❹** 비대면 접촉

필수 선택지

위 자료에 대한 설명으로 옳으면 ○표, 틀리면 ×표를 하고 그 까닭을 쓰시오.

① 구성원 간 익명성은 A가 B보다 낮다. (   )

② 사회의 다원화 정도는 A>B>C이다. (   )

③ (가)에는 '사회 변동의 속도'가 적절하다. (   )

④ (나)에는 '가정과 일터의 결합 정도'가 적절하다. (   )

⑤ 지식 산업의 부가 가치 총량은 A가 가장 높다. (   )

답 ① ×(낮다 → 높다) ② ○ ③ ×(사회 변동의 속도는 정보 사회가 가장 빠름) ④ ×(가정과 일터의 결합 정도는 '농업 사회>정보 사회>산업 사회'임) ⑤ ○

35 현대 사회의 변동 2

문제 해결 전략 농업 사회, 산업 사회, 정보 사회를 구분하는 근본적인 기준은 주요 산업이다. 주요 산업에 따라 해당 사회의 특징도 파생되기 때문에 산업별 사회 구조의 특징을 연관짓는 문제가 주로 출제된다.

필수 유형

표는 A~C의 일반적인 특징을 비교한 것이다. 이에 대한 설명으로 옳은 것은? (단, A~C는 각각 농업 사회, 산업 사회, 정보 사회 중 하나이다.)

구분	비교 결과
A	정보 이용의 시·공간적 제약성이 B, C에 비해 크다.
B	2차 산업 비중이 C에 비해 낮다.
C	(가)

정보 이용의 시·공간적인 제약이 가장 큰 A는 **❶** [   ] 이다. 2차 산업 비중이 가장 높은 사회는 산업 사회이기 때문에, B는 **❷** [   ] 이고 C가 산업 사회이다.

필수 자료 해석

농업 사회, 산업 사회, 정보 사회를 구분할 수 있는 기준과 특징은 매우 다양하다. 구성원 간의 접촉 방식의 차이가 존재하고, 특정 산업의 비중도 차이를 보인다. 농업 사회는 **❸** [   ] 산업의 비중이 가장 높고, 산업 사회는 **❹** [   ] 산업을 중심으로 산업 활동이 이루어진다.

답 ❶ 농업 사회 ❷ 정보 사회 ❸ 1차 ❹ 2차

필수 선택지 A~C에 대한 설명으로 옳으면 ○표, 틀리면 ×표를 하고 그 까닭을 쓰시오.

① A는 C에 비해 직업의 동질성이 높다. (   )
② A는 가정과 일터의 결합 정도가 B에 비해 낮다. (   )
③ A는 구성원 간 대면 접촉이 비대면 접촉에 비해 높게 나타난다. (   )
④ B는 C에 비해 관료제가 적합하지 않다. (   )
⑤ B는 C에 비해 다품종 소량 생산의 비중이 높다. (   )
⑥ B는 A에 비해 사회 변동의 속도가 느리다. (   )
⑦ C는 A에 비해 구성원 간 익명성 정도가 낮다. (   )
⑧ C는 확대 가족의 비중이 가장 높다. (   )

답 ① ○ ② ×(낮다 → 높다) ③ ○ ④ ○ ⑤ ○ ⑥ ×(정보 사회의 사회 변동 속도가 가장 빠름)
⑦ ×(낮다 → 높다) ⑧ ×(C → A)

36 현대 사회의 변동 3

문제 해결 전략 저출산·고령화는 현대 사회의 대표적인 사회 문제 중 하나이다. 총부양비, 유소년 부양비 등 자료에 제시된 지표가 어떤 의미를 갖는지 파악하는 것이 가장 중요하다.

필수 유형

표에 대한 분석으로 옳은 것은? (단, t년에 갑국과 을국의 부양 인구는 동일하며, t+50년에 각각 2배로 증가하였다.)

구분	갑국		을국	
	t년	t+50년	t년	t+50년
총부양비	50	75	25	100
유소년 부양비	30	20	10	50

* 총부양비=유소년 인구(0~14세 인구)+노인 인구(65세 이상 인구) / 부양 인구(15~64세 인구)×100
** 유소년 부양비=유소년 인구(0~14세 인구) / 부양 인구(15~64세 인구)×100
*** 전체 인구에서 노인 인구가 차지하는 비율이 7% 이상이면 고령화 사회, 14% 이상 이면 고령 사회, 20% 이상이면 초고령 사회임.

t년에 갑국의 부양 인구 대비 노인 인구의 비율은 ❶[   ]%이다. 총 부양비가 50인데, 유소년 부양비는 30이기 때문이다. 을국의 부양 인구 대비 노인 인구의 비율은 ❷[   ]%이다. 두 국가의 부양 인구가 동일하기 때문에 t년의 경우 갑국의 노인 인구가 을국에 비해 더 많음을 추론할 수 있다.

필수 자료 해석

t년에 비해 t+50년의 부양 인구가 2배 증가하였기 때문에 t년의 갑국의 유소년 인구가 t+50년의 유소년 인구에 비해 ❸[   ].

답 ❶ 20 ❷ 15 ❸ 적다

필수 선택지

위 표에 대한 분석으로 옳으면 ○표, 틀리면 ×표를 하고 그 까닭을 쓰시오.

① 갑국의 경우 t+50년의 노인 인구가 t년에 비해 많다. (   )
② 을국의 경우 t+50년의 유소년 인구가 t년에 비해 10배 더 많다. (   )
③ t년에 갑국과 을국은 모두 고령화 사회에 해당한다. (   )
④ t년에 갑국에서 부양 인구 100명당 노인 인구는 50명이다. (   )
⑤ t+50년의 전체 인구는 갑국이 을국보다 많다. (   )
⑥ 을국에서 t+50년에 유소년 인구와 노인 인구의 합은 부양 인구와 같다. (   )

답 ① ○ ② ○ ③ ○ ④ ×(50 → 20) ⑤ ×(많다 → 적다) ⑥ ○

문제 해결 전략 저출산·고령화는 현대 사회의 대표적인 사회 문제 중 하나이다. 총부양비, 유소년 부양비 등 자료에 제시된 지표가 어떤 의미를 갖는지 파악하는 것이 가장 중요하다.

필수 유형

자료에 대한 분석으로 옳은 것은?

표는 갑국의 15~64세 인구(부양 인구) 100명당 각 연령대별 인구를 나타낸 것이다. 단, 15~64세 인구는 2020년이 1970년의 2배이다.

(단위: 명)

구분	1970년	2020년
0~14세 인구	20	20
65세 이상 인구	20	40

* 유소년 부양비=(0~14세 인구 / 15~64세 인구)×100
* 노년 부양비=(65세 이상 인구 / 15~64세 인구)×100
* 노령화 지수=(65세 이상 인구 / 0~14세 인구)×100

1970년과 2020년의 부양 인구 100명 당 0~14세 인구수는 같다. 이 기간 부양 인구가 2배 증가했으므로, 실제 유소년 인구는 **❶**　　　　 증가함을 추론할 수 있다. 같은 기간 동안 부양 인구 100명 당 65세 이상 인구는 2배 증가하였으므로 실제 노인 인구는 **❷**　　　　 증가한 것이다.

필수 자료 해석

제시된 두 시점 간 유소년 인구와 부양 인구는 2배 증가하였고, 65세 이상의 인구는 4배 증가하였다. 따라서 노령화 지수는 **❸**　　　　 했음을 추론할 수 있다. 또한 유소년 부양비는 변화가 없고, 노년 부양비는 **❹**　　　　 증가하였다.

🔑 ❶ 2배 ❷ 4배 ❸ 2배 증가 ❹ 2배

필수 선택지 **위 자료에 대한 분석으로 옳으면 ○표, 틀리면 ×표를 하고 그 까닭을 쓰시오.**

① 노령화 지수는 1970년이 2020년보다 크다. (　　)
② 두 시기의 유소년 인구 수는 같다. (　　)
③ 두 시기의 유소년 부양비는 같다. (　　)
④ 노년 부양비는 2020년이 1970년의 2배이다. (　　)
⑤ 2020년에 부양 인구가 부담하는 노년 인구 부양 비용은 유소년 인구 부양 비용의 2배이다. (　　)

🔑 ① ×(크다 → 작다) ② ×(같다→2배 증가하였다) ③ ○ ④ ○ ⑤ ×(부양 비용은 알 수 없음)

III 문화와 일상생활

개념 01 문화의 의미

(1) **문화가 아닌 것**: 유전적 요인에 의한 행동, 개인적인 습관이나 버릇, 본능적인 행동이나 ❶ [　　　]으로 타고난 것은 문화가 아님

(2) **좁은 의미의 문화**: 고상하거나 세련된 것, 예술 활동이나 작품
　　예) 문화 시민, 문화인 등

(3) **넓은 의미의 문화**: 한 사회나 집단의 구성원들이 ❷ [　　　]하는 삶의 방식 자체
　　예) 음식 문화, 청소년 문화 등

답 ❶ 선천적 ❷ 공유

개념 02 문화의 공유성, 학습성

(1) **공유성**
- 의미: 문화는 한 사회의 구성원이 공통적으로 가지는 생활 양식임
- 특징: 사회 구성원의 사고와 행동에 동질성을 형성하여 서로의 행동을 이해하고 ❶ [　　　]할 수 있으며, 원만한 사회생활을 할 수 있게 해 줌
- 시례: 설날에 떡국을 먹어야 나이를 한 살 더 먹는다는 말을 우리나라 사람들은 자연스럽게 받아들임

(2) **학습성**
- 의미: 문화는 선천적·유전적으로 나타나는 행동이 아니라 ❷ [　　　]으로 배우는 것임
- 특징: 사람만이 학습 능력을 갖고 태어나고 사회화 과정을 통해 그 사회의 문화를 익히며 살아감, 본능에 따른 행동은 문화가 아님
- 사례: 어린아이들이 부모로부터 말을 배워 사용함

답 ❶ 예측 ❷ 후천적

문화의 축적성, 전체성, 변동성

(1) 축적성
- 의미: 문화는 한 세대에서 다음 세대로 전승되고 시간이 지남에 따라 새로운 요소가 추가되기도 하면서 풍부해짐
- 특징: 문화가 발전할 수 있는 원동력이 되며, 인간의 문화를 다른 동물의 후천적으로 학습된 행동과 구별해 주는 기준이 됨
- 사례: 과거에는 밀가루와 이스트를 활용하여 단순한 형태로 빵을 만들어 먹었지만, 시간이 흐르면서 다양한 재료와 기법을 사용하여 빵의 종류가 풍부해짐

(2) 전체성(총체성)
- 의미: 문화는 독립적으로 존재하는 것이 아니라 [❶   ]으로 관계를 유지하며 하나로서의 전체를 이루고 있음
- 특징: 한 부분(요소)의 변동은 다른 부분(요소)의 연쇄적인 변동을 초래함
- 사례: 우리나라의 음식 문화는 우리나라의 기후, 조상들의 종교적 신념, 가족에 대한 전통적 관념 등과 연관되어 있음

(3) 변동성
- 의미: 시간이 흐르면서 기존의 문화 요소가 사라지거나 새로운 문화 요소가 나타나면서 문화의 형태와 내용은 끊임없이 변화함
- 특징: 문화는 [❷   ]의 것이 아님, 새로운 환경에 적응하기 위해 인간이 끊임없이 변화를 추구함으로써 나타남
- 사례: 예전에는 한복을 일상복으로 입었으나, 이제 일상복은 대부분 서양식 의복임

🔖 ❶ 상호 유기적 ❷ 고정불변

문화를 바라보는 관점

(1) 총체론적 관점

- 의미: 문화의 각 구성 요소는 상호 유기적인 관계를 맺으면서 하나로서의 **❶ [＿＿＿]** 를 이루고 있음
- 의의: 문화 현상을 부분적인 측면에서 바라봄으로써 편협하고 왜곡된 이해가 초래되는 것을 방지하는 데 기여함

(2) 비교론적 관점

- 의미: 각 사회의 문화는 **❷ [＿＿＿]** 과 특수성을 지니고 있다는 점을 주목하여 서로 다른 문화의 비교를 통해 유사성과 차이점을 연구함
- 의의: 자기 문화를 보다 객관적으로 이해할 수 있음

(3) 상대론적 관점

- 의미: 각 사회의 역사적·문화적·사회적 맥락 속에서 해당 문화의 의미를 파악함
- 의의: 문화는 이해의 대상이므로 절대적인 기준을 가지고 특정 문화를 평가하는 것은 올바른 태도가 아님

📋 ❶ 전체 ❷ 보편성

문화 이해의 태도 – 자문화 중심주의

(1) 의미: 자기 문화만을 우수한 것으로 여기고 이를 기준으로 다른 문화를 **❶ [＿＿＿]** 평가하는 태도

(2) 장점: 자기 문화에 대한 자부심을 높이고 집단 내 결속력을 강화함

(3) 단점: 자기 문화의 우수성만을 강조한 나머지 국수주의로 흐르거나 **❷ [＿＿＿]** 로 변질될 수도 있음, 타문화에 대한 이해와 수용을 어렵게 함

(4) 사례: 중국인의 중화사상

📋 ❶ 낮게 ❷ 문화 제국주의

문화 이해의 태도 – 문화 사대주의

(1) **의미**: 특정 국가나 민족의 문화를 ❶ 〔   〕한 것으로 여기고 추종하며 자신이 속한 집단의 문화를 낮게 평가하는 태도

(2) **장점**: 다른 문화의 좋은 점을 수용하여 자기 문화 발전에 도움을 줄 수 있음

(3) **단점**: 자신의 문화를 열등한 것으로 여기며 자기 문화의 ❷ 〔   〕을 상실할 수 있음, 고유문화가 소멸되거나 외래문화에 종속될 수 있음

(4) **사례**: 외국 상품에 대한 맹목적인 선호 사상

📖 ❶ 우월 ❷ 주체성

문화 이해의 태도 – 문화 상대주의

(1) **의미**: 각 사회의 자연환경, 사회적 맥락에서 갖는 고유한 의미와 가치에 따라 그 사회의 문화를 이해하고 존중하려는 태도

(2) **장점**: 다른 문화를 바르게 이해함으로써 문화의 ❶ 〔   〕을 보존하는 데 기여함

(3) **단점**: ❷ 〔   〕로 치우칠 경우 인류의 보편적 가치를 훼손할 우려가 있음

📖 ❶ 다양성 ❷ 극단적 문화 상대주의

하위문화의 의미와 특징

(1) **하위문화의 의미**
 • 주류 문화: 한 사회의 구성원 대부분이 공유하는 문화
 • 하위문화: 한 사회 내의 일부 구성원이 공유하는 문화

(2) **하위문화의 특징**
 • 하위문화의 범주는 ❶ 〔   〕으로 결정됨
 • 주류 문화에서 누릴 수 없는 다양한 문화적 욕구를 해결해 줌
 • 전체 사회에 역동성, ❷ 〔   〕을 제공함
 • 같은 하위문화를 공유하는 사람들에게 소속감과 유대감을 높여 줌

📖 ❶ 상대적 ❷ 다양성

반문화

(1) **의미**: 한 사회의 주류 문화에 ❶ [   ] 하거나 대립하는 문화

(2) **특징**: 어떤 문화가 반문화인지에 대한 규정은 시대나 사회에 따라 달라질 수 있음

(3) **기능**
- 순기능: 기존의 주류 문화를 대체하며 사회 변동을 가져오기도 하고 이를 통해 사회가 바람직한 방향으로 변화하는 데 도움을 주기도 함
- 역기능: 사회의 주류 문화와 대립하는 과정에서 ❷ [   ] 을 일으키기도 함

답 ❶ 저항 ❷ 충돌

대중문화의 의미와 특징

(1) **의미**: 한 사회의 대다수의 사람인 대중이 즐기고 누리는 문화

(2) **특징**
- ❶ [   ] 를 통해 형성되고 확산되는 경향이 있음
- 최근 인터넷을 통한 ❷ [   ] 매체의 비중이 커지면서 대중이 대중문화의 생산에 직접 참여하는 일이 많아짐
- 일상생활 속에서 손쉽게 접하고 자연스럽게 즐길 수 있다는 특징이 있음

답 ❶ 대중 매체 ❷ 쌍방향

대중문화의 순기능과 역기능

(1) **순기능**
- 과거 소수 특권층이 누리던 문화적 혜택을 ❶ [   ] 가 누릴 수 있게 됨
- 적은 비용으로 다양한 오락과 휴식을 제공함으로써 대중들의 삶을 풍요롭게 만듦

(2) **역기능**
- 문화의 ❷ [   ] 으로 인해 개인의 독창성과 개성이 쇠퇴될 수 있음
- 지나친 상업성 추구로 인해 대중문화의 질이 낮아질 수 있음
- 정치적 무관심 조장, 정보 왜곡 및 여론 조작 가능성이 있음

답 ❶ 다수 ❷ 획일성

개념 12 **문화 변동의 내재적 요인**

(1) **문화 변동**: 새로운 문화 요소의 등장이나 다른 문화 체계와의 접촉을 통해 한 사회의 문화 체계에 변화가 나타나는 현상

(2) **내재적 요인**: 한 사회 내부에서 $\boxed{❶\qquad}$을 초래하는 요인

(3) **종류**
- 발명: 그동안 존재하지 않았던 $\boxed{❷\qquad}$ 문화 요소를 만들어 내는 것
   예) 전화기, 비행기 등
- 발견: 이미 존재하고 있었지만 알려지지 않았던 것을 찾아내는 것
   예) 불, 바이러스 등

🔑 ❶ 문화 변동 ❷ 새로운

개념 13 **문화 변동의 외재적 요인**

(1) **외재적 요인**: 한 문화가 다른 문화와 교류하고 접촉하는 과정에서 새로운 문화 요소가 전달되는 문화 변동을 초래하는 요인

(2) **종류**
- 직접 전파: 이주, 무역, 전쟁 등을 통해 사람이 다른 문화와 직접 접촉하며 문화 요소가 전달되는 것
- 간접 전파: 텔레비전, 인터넷 등과 같은 $\boxed{❶\qquad}$를 통해 문화 요소가 전달되는 것
- 자극 전파: 다른 사회의 문화 요소에서 $\boxed{❷\qquad}$를 얻어 새로운 문화 요소를 만들어 내는 것

🔑 ❶ 매체 ❷ 아이디어

개념 14 **문화 변동의 결과**

(1) **변동 요인에 따른 구분**
- 내재적 변동: 발명, 발견 등에 의해 등장한 새로운 문화 요소가 사회 구성원에 의해 수용되고 문화 체계 속에 확산되면서 나타나는 문화 변동
- 외재적 변동(문화 접변): 서로 다른 사회가 장기간에 걸쳐 접촉하면서 전파 등에 의해 문화 요소를 주고받는 과정이 이루어짐으로써 나타나는 문화 변동

(2) 자발성 유무에 따른 구분(문화 접변의 종류)

- 강제적 문화 접변: 정복과 같은 | **❶** | 에 의해 수용자의 의사에 반하여 외부 사회의 문화 요소가 이식되는 문화 변동
- 자발적 문화 접변: 스스로의 필요에 따라 외부 사회의 문화 요소를 자연스럽게 받아들이는 문화 변동

(3) 변동 결과에 따른 구분(문화 접변의 결과)

- 문화 동화(문화 대체): 한 사회의 문화가 다른 사회의 문화로 흡수되거나 | **❷** | 된 것
- 문화 병존(문화 공존): 서로 다른 사회의 문화가 한 사회의 문화 속에서 나란히 존재하는 것
- 문화 융합: 서로 다른 사회의 문화 요소가 결합하여, 두 문화 요소와는 다른 성격을 지닌 새로운 문화가 나타나는 것

답 ❶ 강제 ❷ 대체

개념 **15** **문화 변동에 따른 문제점과 대처 방안**

(1) 문화 변동으로 인한 문제점

- 전통적 규범과 가치관을 대체할 새로운 규범과 가치관이 정립되지 못하여 혼란과 무규범 상태에 빠지는 | **❶** | 현상이 발생할 수 있음
- 물질문화의 변동 속도를 비물질문화가 따라가지 못하는 | **❷** | 현상이 나타날 수 있음

(2) 문화 변동의 문제점에 대한 대처 방안

- 새롭고 다양한 문화 요소의 특징과 차이를 인지하고 문화 요소 간 조화와 공존을 위해 노력해야 함
- 문화 변동이나 새로운 물질문화에 적합한 사회 규범, 제도 등을 확립해야 함

답 ❶ 아노미 ❷ 문화 지체

IV 사회 계층과 불평등

개념 16 **사회 불평등 현상을 설명하는 이론**

(1) 계급론(마르크스)
- 경제적 수단(❶ [　　　]의 소유 여부)이 다른 모든 사회 불평등을 결정함
- 불연속적, 이분법적으로 계급 구분

(2) 계층론(베버)
- 경제적, 사회적, 정치적 요인 등 다양한 요인에 의해 사회 불평등이 발생함
- 계층화가 연속적으로 나타나며, ❷ [　　　] 현상을 설명하기 용이함

▲ 계급론

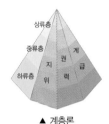

▲ 계층론

답 ❶ 생산 수단 ❷ 지위 불일치

개념 17 **사회 불평등 현상을 이해하는 관점**

(1) 기능론
- 개인의 노력, 능력, 업적 등 사회 전체적으로 합의된 기준에 따라 희소가치가 분배됨
- 사회 불평등은 개인에게 ❶ [　　　]를 부여하고, 사회가 효율적으로 작동하는 데 기여함
- 사회 불평등은 사회의 발전을 위해 불가피한 현상임

(2) 갈등론
- 권력, 가정의 사회·경제적 배경 등 지배 집단에게 유리한 기준으로 능력과 무관하게 희소가치가 분배됨
- 불평등한 계층 구조가 ❷ [　　　]되거나 고착화됨으로써 사회적 갈등과 대립 관계가 형성됨
- 사회 불평등은 불가피하지 않으며 해결해야 할 현상임

답 ❶ 성취동기 ❷ 재생산

사회 이동

(1) 이동 방향에 따른 유형

- 수평 이동: 동일한 계층 내에서 다른 직업을 갖거나 소속을 옮기는 등의 이동, 계층적 위치의 변화 없음
  예 ○○고 교사 → □□고 교사
- 수직 이동: 한 계층에서 다른 계층으로 상승하거나 하강하는 이동, 계층적 위치가 변화 함, ❶ □□□□ 과 하강 이동으로 구분됨
  예 ○○고 교사 → ○○고 교장

(2) 이동 원인에 따른 유형

- 개인적 이동: 노력이나 능력 등 개인적 요인에 의해 계층적 위치가 변화하는 이동, 계층 구조에는 변화가 없음
  예 ○○ 기업 사원 → ○○ 기업 사장
- 구조적 이동: 기존의 ❷ □□□□ 가 변화하면서 개인이나 집단의 계층적 위치가 변화하는 이동
  예 (왕정의 폐지에 따라) 왕 → 평민

(3) 세대 범위에 따른 유형

- 세대 내 이동: 개인의 한 생애 내에서 나타나는 사회 이동, 한 개인이 사회에 진출하며 처음 가지게 된 지위와 중장년기의 지위를 비교하여 판단
  예 ○○ 기업 사원 → ○○ 기업 사장
- 세대 간 이동: 두 세대 이상에 걸쳐 계층적 위치가 변화하는 이동, 한 개인이 사회에 진출하기 이전의 부모의 지위와 그 개인의 중장년기 지위를 비교하여 판단
  예 부모 소작농 → 자녀 ○○ 기업 사장

답 ❶ 상승 이동 ❷ 사회 구조

계층 구조 1 (계층 구성원 비율)

(1) 피라미드형 계층 구조

- 하층의 비율이 가장 높고, **❶ [   ]**의 비율이 가장 낮은 계층 구조
- 과거 전통적인 신분제 사회나 오늘날의 저개발국 등에서 주로 나타나며, 하층의 비율이 높아 사회 안전성이 낮음

(2) 다이아몬드형 계층 구조

- 중층의 비율이 상층 비율 및 하층 비율보다 높은 계층 구조
- 산업 사회에서 주로 나타나며, 현 상태 유지를 지향하는 **❷ [   ]**의 비율이 높아 사회 안전성이 높음

▲ 피라미드형 계층 구조

▲ 다이아몬드형 계층 구조

계층 구조 2 (계층 이동 가능성)   답 ❶ 상층 ❷ 중층

(1) 폐쇄적 계층 구조

- 계층 간 이동이 엄격하게 제한된 계층 구조
- **❶ [   ]** 지위가 중시되며, 신분제 사회에서 주로 나타남, 동일 계층 내에서의 수평 이동만 나타남

(2) 개방적 계층 구조

- 계층 간 이동 가능성이 열려 있는 계층 구조
- 성취 지위가 중시되며, 근대 이후에 확산됨, 수평 이동, **❷ [   ]** 이동 모두 자유롭게 나타남

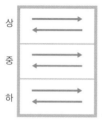

◀ 폐쇄적 계층 구조

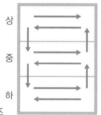

◀ 개방적 계층 구조

답 ❶ 귀속 ❷ 수직

개념 21 계층 구조 3 (정보화 사회의 계층 구조)

(1) 타원형 계층 구조

- 계층 간 소득 격차가 감소하여 중층이 대다수를 차지하는 계층 구조
- 정보화로 기존에 하층이었던 사람들이 중층이 될 기회가 많아져 ❶ [＿＿＿]의 비율이 높아짐
- 중층의 비율이 높아 사회 안정을 실현하는 데 유리함

(2) 모래시계형 계층 구조

- 중층의 비율이 가장 낮고 소수의 상층과 다수의 하층으로 구성되는 계층 구조
- 정보 격차, 부의 집중 등으로 인해 중층의 비율이 현저히 낮아지며, 사회 ❷ [＿＿＿] 문제가 심각하게 나타남

▲ 타원형 계층 구조

▲ 모래시계형 계층 구조

답 ❶ 중층 ❷ 양극화

개념 22 계층 구조 및 이동의 분석

(단위: %)

구분		부모의 계층			계
		상층	중층	하층	
자녀의 계층	상층	10	6	4	20
	중층	8	20	22	50
	하층	2	4	24	30
계		20	30	50	100

표는 부모와 자녀 세대의 계층을 상층, 중층, 하층으로 구분하여 계층 이동 및 구성 현황을 나타내고 있다. 부모 세대의 경우 하층의 비율이 가장 높은 피라미드형 계층 구조, 자녀 세대의 경우 중층의 비율이 가장 높은 ❶ [＿＿＿] 계층 구조이다.

부모에서 자녀로 계층이 대물림된 경우는 부모 세대 상층−자녀 세대 상층이 전체의 10%, 중층−중층이 전체의 20%, 하층−하층이 전체의 24%이다. 하강 이동을 한 경우는 상층−중층이 8%, 상층−하층이 2%, 중층−하층이 4%이다. 반면, 상승 이동을 한 경우는 중층−상층이 6%, 하층−상층이 4%, 하층−중층이 ❷ [＿＿＿]이다.

답 ❶ 다이아몬드형 ❷ 22 %

사회적 소수자

(1) **사회적 소수자**: 신체적 또는 문화적 특징으로 인해 불평등한 처우를 받는 사람들

(2) **특성**

- 수적으로 반드시 [**❶**]를 의미하는 것은 아님
- 소수자 집단의 구성원이라는 이유만으로 사회적 차별의 대상이 됨
- 주류 집단에 비해 사회적 자원(권력, 재산 등)의 획득에서 불리한 위치에 있음
- 자신들이 [**❷**]받는 집단의 구성원이라는 인식이 존재함

(3) **사회적 소수자의 성립 요건**

- 식별 가능성: 신체적 또는 문화적으로 다른 집단과 구별되는 뚜렷한 차이를 가짐
- 권력의 열세: 정치권력을 포함한 사회적 권한을 행사함에 있어 주류 집단에 비해 열세에 있음
- 사회적 차별: 소수자 집단이라는 이유만으로 차별의 대상이 됨
- 집단의식성: 스스로 차별받는 집단의 성원이라는 인식 또는 소속감을 가짐

답 ❶ 소수 **❷** 차별

빈곤의 유형

(1) **절대적 빈곤**

- 의미: 인간이 최소한의 생활을 유지하는 데 필요한 자원이나 소득이 부족한 상태
- 특징: 절대적 빈곤은 주로 저개발국에서 두드러지게 나타나며, 선진국에서도 나타날 수 있음
- 기준: 우리나라는 가구 소득이 [**❶**] 미만 가구를 절대적 빈곤 가구로 분류함

(2) **상대적 빈곤**

- 의미: 다른 사람들보다 자원이나 소득을 상대적으로 적게 가져 사회 구성원 다수가 누리는 생활 수준을 누리지 못하는 상태
- 특징: 소득 격차가 심한 나라에서 국가에서 부각되며, 선진국에서도 나타남
- 기준: 우리나라는 가구 소득이 중위 소득의 [**❷**] 미만인 가구를 상대적 빈곤 가구로 분류함

답 ❶ 최저 생계비 **❷** 50%

사회 보장 제도

(1) 사회 보험

- 의미: 사회적 위험을 보험 방식으로 대처함으로써 국민의 건강과 소득을 보장하는 제도
- 특징
  - 사(私) 보험과 달리 강제 가입을 원칙으로 함
  - ❶ 의 원리를 기반으로 함
  - 각자의 경제적 능력에 따라 비용을 부담함
  - 사전 예방적 성격이 강함
  - 금전적 지원을 원칙으로 함
- 종류: 국민 건강 보험, 국민연금, 고용 보험, 산업 재해 보상 보험, 노인 장기 요양 보험 등

(2) 공공 부조

- 의미: 생활이 어려운 국민의 최저 생활을 보장하고 자립을 지원하는 제도
- 특징
  - 국가와 지방 자치 단체의 재정으로 소요 비용 전액을 부담함
  - 사회 보험보다 소득 재분배 효과가 큼
  - 사후 처방적 성격이 강함
  - 금전적 지원을 원칙으로 함
  - 대상자 선정 과정에서 부정적인 낙인이 발생함
- 종류: 국민 기초 생활 보장 제도, 의료 급여 제도, 기초 연금 제도 등

(3) 사회 서비스

- 의미: 보건 의료, 복지 등의 서비스를 통해 국민의 삶의 질이 향상되도록 지원하는 제도
- 특징
  - ❷ 지원을 원칙으로 함
  - 국가와 민간 부문 모두 복지 제공에 참여 가능함
  - 부담 능력이 있는 경우 수익자 부담을 원칙으로 함
- 종류: 간병 방문 지원 사업, 신생아 건강 관리 지원 사업, 발달 장애인 부모 심리 상담 지원 사업 등

답 ❶ 상호 부조 ❷ 비금전적

V 현대의 사회 변동

개념 26 사회 변동 방향을 기준으로 사회 변동을 설명하는 이론

(1) 진화론
- 사회 변동은 일정한 **❶**▢▢▢(진보와 발전)을 가지고 있음
- 사회는 유기체와 같이 단순한 형태에서 복잡한 형태로 발전함
- 개발 도상국이 근대화 과정을 거쳐 선진국으로 발전한 사례를 설명하기에 적합함

(2) 순환론
- 사회는 생성, 성장, 쇠퇴, 해체의 과정을 **❷**▢▢함
- 역사 속에서 반복되는 사회 변동의 설명에 유용함
- 미래 사회의 변동을 예측하여 대응하는 데 적합하지 않음

▲ 진화론

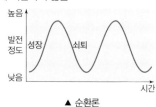

▲ 순환론

답 ❶ 방향 ❷ 반복

개념 27 사회 구조적 측면에서 사회 변동을 설명하는 이론

(1) 기능론
- 사회 변동은 사회의 부분이나 전체가 일시적 불균형을 극복하고 새로운 **❶**▢▢▢ 상태를 찾아가는 과정임
- 점진적인 사회 변동을 설명하는 데 유용하지만, 혁명과 같은 급진적인 사회 변동을 설명하기 어려움

(2) 갈등론
- 사회 변동은 피지배 집단이 **❷**▢▢▢을 유지하고자 하는 지배 집단에 저항하는 과정에서 발생하는 현상으로 자연스러운 현상임
- 사회 구조적 모순과 갈등으로 인해 발생하는 급격한 사회 변동을 설명하기 용이하지만, 사회 변동을 갈등과 대립의 측면에서만 파악함

답 ❶ 균형 ❷ 기득권

사회 운동

(1) **사회 운동**: 자신의 신념과 가치를 실현하기 위하여 다수의 사람들이 자발적으로 하는 ❶ [   ]이고 지속적인 행동

(2) **사회 운동의 특징**

• 목표 달성을 위한 구체적인 활동 방법과 계획이 있음
• 목표와 활동 방향을 정당화하는 ❷ [   ]을 가지고 있음
• 활동을 위한 체계적인 조직을 갖추고 있고, 구성원 간 역할 분담이 이루어짐

(3) **사회 운동의 유형**

• 복고적 사회 운동: 과거의 사회 유형으로 회귀 추구
• 개혁적 사회 운동: 특정 부분에 대한 개혁을 추구
• 혁명적 사회 운동: 사회 구조의 근본적 변화 추구

답 ❶ 집단적 ❷ 이념

정보 사회

(1) **정보 사회의 특징**

• 부가 가치 창출의 원천으로서 지식과 ❶ [   ]가 중시됨
• 재택근무의 확산으로 가정과 직장의 통합이 확대됨
• 사이버 공간을 통해 비대면 접촉이 증가함
• 직접 민주 정치의 실현 가능성이 증가함
• 인터넷 기반의 ❷ [   ] 통신 매체가 발달함
• 탈관료제화로 의사 결정의 분권화 경향이 나타남

(2) **정보 사회의 문제**

• 정보 격차로 정보에의 접근 및 이용에 차이가 나타남
• 개인 정보 유출, 저작권 침해 등의 사이버 범죄가 발생함
• 대면 접촉 감소에 따른 피상적 인간관계 확산으로 인간 소외 현상이 나타남

답 ❶ 정보 ❷ 쌍방향

memo

수능전략 | 사회·문화

수능에 꼭 나오는
필수 유형 ZIP 2